Una luz fuerte y brillante

Viviana Rivero

Una luz fuerte y brillante

emecé
escritores argentinos

Rivero, Viviana
   Una luz fuerte y brillante / Viviana Rivero. - 1a ed. - Ciudad Autónoma
de Buenos Aires : Emecé, 2021.
   600 p. ; 23 x 15 cm.

   ISBN 978-950-04-4075-2

   1. Narrativa Argentina. I. Título.
   CDD A863

© 2021, Viviana Rivero
c/o Schavelzon Graham Agencia Literaria
www.schavelzongraham.com

© 2021, Grupo Editorial Planeta S.A.I.C.
Publicado bajo el sello Emecé®
Av. Independencia 1682, C1100ABQ, C.A.B.A.
www.editorialplaneta.com.ar

1ª edición: junio de 2021
20.000 ejemplares

ISBN 978-950-04-4075-2

Impreso en Gráfica Triñanes,
Charlone 971, Avellaneda, Pcia. de Buenos Aires,
en el mes de mayo de 2021

Hecho el depósito que prevé la ley 11.723
Impreso en la Argentina

Dedicado a todos los hombres y mujeres de Siria
que tuvieron que huir de su tierra
por la guerra y las persecuciones políticas.
Y a aquellos que ostentan el triste nombre
de «refugiados de guerra».

LA GUERRA DE SIRIA

En marzo de 2011, en la ciudad de Daraa, al sur de Siria, un grupo de adolescentes pintó en las paredes de la vía pública consignas políticas contra el presidente Bashar al Asad.

Como los muchachos fueron encarcelados y torturados, la ciudadanía salió a la calle para pedir su liberación. En sintonía con las manifestaciones originadas en Egipto y que se extendieron en otros países de la región —acontecimientos que más tarde se conocerían bajo el denominador común Primavera Árabe—, el pueblo también reclamó por más derechos y más democracia.

En Damasco y Alepo, las marchas fueron multitudinarias y se replicaron por todas las ciudades del país durante varios días. Con el fin de disuadirlas, las fuerzas de seguridad nacionales abrieron fuego contra los manifestantes. Sin embargo, más personas salieron a las calles y comenzaron a exigir la renuncia del presidente Bashar al Asad, quien gobernaba la República Árabe Siria desde el año 2000, tras suceder en el cargo a su padre, Hafez al Asad, cuyo mandato había durado veintinueve años.

Hacia julio de 2011, algunos decidieron empuñar las armas. Pero a más levantamientos, el gobierno nacional aumentó la represión.

La oposición armada —conformada por varios grupos; algunos, extremistas— se enfrentó con el Ejército sirio. En consecuencia, el presidente expresó su voluntad de aplastar el terrorismo, que recibía apoyo desde el exterior. La espiral de violencia se expandió por toda Siria y se formaron cientos de brigadas rebeldes para lograr el control de pueblos y ciudades.

En 2012, los enfrentamientos alcanzaron Damasco y Alepo, las dos ciudades más importantes y pobladas del país, y se desató una batalla armada entre los críticos y los adherentes a la gestión de Al Asad. La lucha enfrentó a los alauitas —la rama musulmana más abierta al mundo contemporáneo, a la que pertenece el presidente— contra los sunitas y los chiítas. A la disputa interna se le sumó la participación de potencias internacionales, que financian a los diversos grupos según sus propios intereses geopolíticos.

Algunas ciudades, como Duma, fueron tomadas y quedaron en manos de los insurrectos. Sus habitantes sufrieron la destrucción de sus casas y comenzaron a pasar hambre y a padecer las calamidades propias de una guerra.

El largo conflicto ha devastado económicamente al país. Pero también ha desencadenado el éxodo de miles de sirios convertidos en refugiados y, sobre todo, ha provocado la pérdida de miles de vidas. Según el Observatorio Sirio de Derechos Humanos, sólo entre 2019 y 2020 se contabilizaron cerca de veinte mil fallecidos.

Damasco, Siria, 2014

Conduzco. Piso el acelerador al máximo y aun así no sé si llegaré a tiempo. Conduzco y me juego la vida mientras avanzo. Porque en este día bello y soleado las balas silban a mi alrededor. Conduzco, y a pesar de que el peligro me acecha, mi mente vuela y me lleva a los días vividos recientemente. Y veo, y siento… piel de mujer con aroma marino, besos, cielo azul, destrucción, escombros, calor, latas de durazno.

Sé que son los pensamientos que vienen a la mente de los que están por morir. Los reconozco, pero no me asustan. Sólo quiero salvarla a ella.

Ella.

Odio verla lastimada. Entre las ideas, me asaltan preguntas. ¿Se puede amar tanto a una persona? ¿Cuánto tiempo se tarda en aprender a amar? ¿Meses, semanas? ¿Se puede amar de la manera que yo amo a esta chica que enfrenta la muerte a mi lado? ¿Moriremos hoy?

Una mirada rápida me muestra que hay sangre en cada rincón que me rodea. Ya no sé de quién es. ¿Mía? ¿Suya? ¿De los dos? ¡Por Dios, no quiero que la vida se acabe! ¡No quiero!

Veo una luz fuerte y brillante. Sé que es sobrenatural. La reconozco, la he visto antes. Entonces, me entra una duda. No sé si viene en nuestra ayuda o se acerca a buscarnos para llevarnos del otro lado del gran portal. No me puedo negar a su abrazo. Su inmensa belleza es acogedora. Se acerca y yo la recibo…

CAPÍTULO 1

Del árbol del silencio
pende el fruto de la seguridad.
PROVERBIO ÁRABE

Álvaro Sánchez, algo inquieto, avanzó unos pasos rumbo a la salida del aeropuerto de Beirut. En su mano llevaba una pequeña maleta, y en la otra, su celular, que comenzó a vibrar. Miró quién era y decidió responder mientras seguía caminando.

—Hola, Paloma…

—Alvi, hola. ¿Has llegado bien?

—El vuelo fue turbulento pero al fin estoy en el Líbano.

—¿Ya te ha recogido el chofer que contrató el diario?

—No. Estoy rumbo a la salida.

—Vale, ten cuidado.

—Sí, tranquila, mi chiqui. Luego, cuando llegue a Damasco, te aviso.

—Bien, tenme al tanto —respondió la voz femenina y cortó.

A pesar de que la noche anterior había hecho el amor con ella y que habían dormido en la misma cama, al final de su llamada no hubo ningún «Te mando un beso»; mucho menos, un «Te quiero». Entre ellos nunca los había, la máxima expresión de cariño no pasaba de un «Mi chiqui» o un «Alvi». Así estaba planteada la relación. Compartían la pasión por el periodismo, disfrutaban de buen sexo. Y la verdad sea dicha: porque se tenían a mano. Paloma, una catalana de pura cepa con la que trabajaba desde hacía un año en *El Periódico de Catalunya*, era lo más parecido a una pareja estable para Álvaro, quien, a pesar de sus treinta y cinco años, nunca había sentido la necesidad de implicarse en una relación seria, ni de fundar una familia. Su pasión estaba puesta en el trabajo. Siempre se cuidaba de

12

no comprometerse con una mujer, pues jamás podría cumplir con lo que requerían una esposa e hijos. Ser un trotamundos que saca fotos por los países en guerra colisionaba con la idea de un apacible proyecto conyugal. Para gozar de una familia debería dar un giro drástico a su existencia y transformarse en periodista de oficina, algo que, por ahora, no entraba en sus planes. Le gustaba demasiado la adrenalina, la vida acelerada, los reconocimientos y los premios laborales. Sus amigos lo tildaban de hombre insaciable en lo concerniente a trabajo, ambición y mujeres. Él se quejaba. Pero en el fondo, dudaba. Tal vez lo fuera.

Álvaro continuó caminando por el aeropuerto hasta que se detuvo junto a la puerta vidriada que daba a la calle. ¿Lo estarían esperando como había convenido? Sus ojos claros buscaron entre las personas que aguardaban a los pasajeros que, como él, acababan de bajar del último vuelo. Centró la vista; necesitaba encontrar su nombre entre los carteles que exhibían los conductores. Miró y remiró, pero no lo descubría. Su viaje con Air France desde Barcelona había sido una odisea. Tras una demorada escala en París, varios tramos generaron preocupación. En especial, durante el último trecho hacia Beirut, cuando una turbulencia activó las mascarillas de emergencia y varios pasajeros entraron en estado de desesperación. Luego de aterrizar, confiaba en que el resto de la travesía sería más pacífico, pues todavía le faltaban muchos kilómetros para alcanzar su destino final: la ciudad de Damasco, capital de la República Árabe Siria.

Desde 2011, año en que se desató la guerra, el ingreso había quedado reducido a la vía terrestre. Siria había cerrado sus fronteras y los vuelos internacionales estaban cancelados. Por lo tanto, los pasajeros provenientes de Europa debían arribar al Líbano y luego continuar en auto hasta su destino. Álvaro planeaba cubrir el trecho hasta Damasco en un vehículo cuyo chofer no aparecía. Al menos, no reconocía su apellido entre los carteles.

Resignado, se limitó a esperar; no tenía plan B. Cualquier otra forma de llegar a la capital siria resultaría peligrosa. Si bien en otra oportunidad había estado en el país para conocer Qara, el pueblo de su abuelo, ahora era diferente: venía por trabajo. Aquel primer viaje le había servido para acercarse a las raíces maternas, esas que llevaba en la sangre junto con las españolas que le había legado don Sánchez, su padre, de quien había heredado el cabello rubio, los ojos claros y alguno que otro de los conocimientos de mecánica que solían sacarlo de un imprevisto. Porque ese había sido el oficio de su padre, quien había fallecido varios años atrás, dejándolo unido a sus raíces españolas y con un pasaporte de la Comunidad Económica Europea gracias al cual había terminado trabajando de periodista en Barcelona.

Álvaro había abandonado la comodidad catalana y se había embarcado en la aventura de instalarse en Siria por la misma razón que en otras ocasiones había visitado naciones en conflicto: para plasmarlo en imágenes. Amaba su trabajo de reportero fotográfico, que periódicamente lo llevaba a cubrir contiendas bélicas en distintas partes del globo. Sentía la necesidad de retratar revueltas sociales, movimientos independentistas, territorios en pugna y luchas armadas entre gobiernos y civiles, sobre todo, en los casos donde la población quedaba como rehén involuntaria de intereses supranacionales. Su misión en la vida consistía en captar en imágenes los dolores de las guerras para luego mostrársela al mundo, y así lograr la presión social sobre quienes contaban con el poder de acabarlas o, al menos, mitigarlas. Sentía que se trataba de su granito de arena en el intento de inclinar este planeta para un lado más justo. Estaba convencido de que las vocaciones —entendidas como gustos y aficiones— venían grabadas en el ADN de las personas. Y si estaban allí, no era por obra de la casualidad —pues ni siquiera se elegían—, sino que se nacía con ellas. Quienes lograban desarrollarlas hacían de este mundo un lugar mejor, porque trabajaban por pasión, y no por dinero. Agradecía que ese fuera su caso.

Desde niño le gustaba sacar fotografías. Su tío le había transmitido el gusto cuando le regaló la vieja cámara Canon que aún atesoraba en la casa donde residía su madre, en La Rioja,

Argentina. A pesar de que llevaba una década en Barcelona, y como buen hijo soltero, todavía conservaba ciertos objetos queridos en su casa materna. Se acordó de esa máquina, de su uniforme del Club Social de Rugby, de la colección de monedas de distintos países y, por supuesto, de su querida madre. Insólitamente, ella le había conseguido el contacto que lo ayudaría a lograr sus fotos del conflicto sirio.

Todo comenzó con una llamada en la que le contó que tenía en mente cubrir la guerra de Siria. Luego le explicó que, si bien la red de corresponsales de prensa internacional funcionaba muy bien y trabajaría con el respaldo de Reporteros Sin Fronteras, sería más sencillo si disponía de conocidos en Damasco –facilitadores, *fixers*, en la jerga–, gente local que pudiera abrirle puertas y garantizarle la seguridad. De inmediato, su madre le brindó los teléfonos de personas que formaban parte de la colectividad siria en La Rioja e hizo hincapié en el grupo de mujeres con las que se reunía semanalmente para cocinar, quienes podrían ponerlo en contacto con gente de confianza.

De esa forma, Álvaro había dado con Abdallah al Kabani, el hermano de Wafaa al Kabani, una vecina y amiga siria de su madre. Para él, esta cobertura periodística entrañaba una cuestión personal. Al fin y al cabo, la sangre de esa gente que sufría las consecuencias de la contienda era la misma que corría por las venas de su madre. Inmerso en esos pensamientos, se sintió extraño, al borde de la emoción, por la tarea que afrontaría. ¿Acaso estas fotos significarían algo distinto al resto de sus reportajes? Se trataba de una situación peligrosa, lo sabía. Desde 2012, Siria ocupaba el podio de países más mortíferos para los periodistas. Y los riesgos crecían. Podían secuestrarlo, herirlo o matarlo. Las tres alternativas le provocaron una sensación desconocida: inquietud. «¿Por qué me lo tomo así, a la tremenda? ¿Acaso se trata de una premonición?», caviló. No pudo responderse porque de repente un hombre que transpiraba copiosamente acababa de entrar al aeropuerto portando un cartel con su apellido. Contento, sus nefastos pensamientos se esfumaron.

Caminó unos pasos y el libanés fue a su encuentro.

—¿Señor Sánchez?

—Sí...

—*Salam* —dijo inclinándose y luego agregó—: Mucho gusto, soy Mustafá, lamento haberme retrasado. El tráfico estaba fatal —se excusó con un dejo de pena y le extendió la mano para estrecharla con la del recién llegado.

Álvaro había aprendido que, para los árabes, el saludo era muy importante, pues lo consideraban una forma de dar amor, una ofrenda de un ser humano a otro, una bondad que recibirá su recompensa en el mundo espiritual. Pudo comprobarlo en los gestos de su interlocutor y fue condescendiente con el atraso del hombre.

—Lo importante, Mustafá, es que has venido —dijo sonriendo mientras abandonaban el aire acondicionado del aeropuerto. El calor terriblemente abrasador del verano del Medio Oriente le dio de lleno en el rostro.

Tras acomodar la maleta y el equipo fotográfico de Álvaro, Mustafá condujo rumbo a Damasco. A cada kilómetro que avanzaban, la capital del Líbano quedaba a sus espaldas, pero aumentaban los retenes. Demorados por los controles, el viaje de cien kilómetros que apenas demandaba dos horas insumiría cuatro. Por suerte, Mustafá, que charlaba sin parar usando el español mezclado con palabras árabes, alivió la odisea terrestre con preguntas y comentarios formulados con tanto tacto que logró que los temas resultaran impersonales y triviales. Acostumbrado a trasladar pasajeros, evidentemente sabía muy bien que nadie brindaría información que luego podría ponerlos en peligro.

Una vez que llegaron al control fronterizo libanés, le sellaron el pasaporte. Luego, a escasos metros, repitió la operación del lado sirio. Sin embargo, este trámite fue un poco más engorroso porque se sumó la revisión del equipaje.

Cuando los hombres hicieron comentarios sobre sus equipos de fotografía y llamaron a un supervisor, Álvaro temió un problema. Pero al comprobar que el encargado daba el permiso, se tranquilizó.

La primera vez que visitó Siria para conocer el pueblo de su abuelo había usado su pasaporte argentino y el trámite había resultado sencillo. Los oficiales de Inmigración lo habían registrado como un simple turista con ancestros en Siria y con parientes en Qara. Además, había contado con la complacencia que provoca el documento argentino, que en Medio Oriente siempre es mejor recibido que el español. Pero en esta oportunidad, había presentado el pasaporte legado por don Sánchez –con su correspondiente visado– y las credenciales de periodista.

Su jefe en Barcelona le había advertido: «Tienes que ser cuidadoso, siempre se corre el riesgo de ser secuestrado por algún grupo extremista. Si eso sucede, ya sabes: quedas en sus manos». Claro que lo sabía, no se le borraba la imagen de su amigo, el periodista Marc Marginedas, recientemente liberado después de seis meses de cautiverio. Cuando lo cruzó en los pasillos del diario tras el secuestro, le costó reconocerlo por la delgadez de su figura y el rostro demacrado. Durante el abrazo, Marc le dijo: «Fue atroz». Luego, al intentar entablar una conversación, no pudo; taciturno y huidizo, su colega parecía una persona diferente. Debieron pasar varias semanas para reencontrarse con el viejo Marc.

Marginedas no era el único. Javier Espinosa y Ricardo Gracia, más decenas de periodistas y fotógrafos de todo el mundo, habían pasado por trances semejantes. Los grupos sediciosos levantados en armas contra el gobierno sirio buscaban capturar a los reporteros porque significaban grandes victorias que les proporcionaban fama y dinero. Aunque no quedaba constancia, se pagaban suculentos montos por los rescates, dinero con el que financiaban la causa rebelde.

Al ingresar en Damasco, cerca de la dirección de destino, pese a la charla que habían compartido, el conductor desconocía el propósito del viaje de su pasajero. Tampoco estaba al tanto de que, tras visitar la casa de Al Kabani, se instalaría en un hotel. Mustafá, un verdadero experto en escapar de temas prohibidos como política, religión y datos personales, ni siquiera había preguntado a qué se dedicaba su acompañante.

Al bajarse del vehículo, Álvaro se despidió con una sonrisa agradecida. Mustafá había sido un agradable compañero de viaje. Luego, con su maleta metalizada en la mano, de pie frente a la dirección que tenía en su teléfono, miró el lujoso edificio de varios pisos que se erigía ante sus ojos. Tras reparar en los guardias armados que custodiaban el ingreso de un imponente pórtico de mármol, se fijó en la pintoresca y antigua plaza oriental ubicada enfrente. El rumor de la fuente y los bancos de piedra negra, una mezcla de construcción antigua y moderna que ratificaba el mote de «ciudad más vieja del mundo», invitaban al sosiego.

La arquitectura de la zona destilaba lujo. No era para menos: estaba en Abu Rummaneh, el barrio de las embajadas y de las familias ricas y poderosas de Damasco. Abdallah al Kabani, su facilitador, vivía allí y reunía las características de esa clase de persona. Si bien su hermana, Wafaa, le había dado su teléfono, Álvaro creyó oportuno —por respeto— contactarlo a través de la página web de sus comercios de exportación de telas. Tras el primer acercamiento, el hombre le sugirió conversar por teléfono. Con suma discreción, Álvaro lo llamó varias veces. Pero si bien Al Kabani había sido muy amable, Álvaro no terminaba de saber —dada la imposibilidad de tocar abiertamente el tema hablando por línea— hasta qué punto su contacto sirio lo apoyaría. En la última charla le había dado la fecha de su viaje y el empresario, haciendo gala de la hospitalidad siria, lo había invitado a su casa después de investigarlo y de pedirle antecedentes a su hermana Wafaa. Cuando Álvaro le comentó que le gustaría tomar fotos de su fábrica en Duma, la ciudad que había quedado en manos de los rebeldes, obtuvo como primera respuesta: «Es imposible. No podrá llegar porque no lo dejarán pasar». Pero luego le propuso: «Venga a casa, aquí hablaremos». Álvaro, que captó la prudencia que escondían esas palabras, aceptó sin dudar un instante.

Inmerso en el recuerdo de aquellas charlas, y con la convicción de que este hombre lo ayudaría a conseguir las fotografías que pretendía, notó la dura mirada de los guardias. Entonces, decidió hacer una llamada a Al Kabani para que le autorizara la entrada. Evidentemente, sería la única forma de que pudiese ingresar al edificio. A pesar de que la guerra no se desarrollaba en Damasco, se respiraba cierta tensión en el ambiente. Una quietud extraña se notaba si se observaban los detalles con detenimiento: muchos custodios armados patrullando las calles en camiones militares, agentes de seguridad movilizados en autos negros, personas murmurando, pasos apurados, los constantes cortes de luz y el sonido de estallidos provenientes de algún suburbio donde se estaba peleando.

* * *

Minutos después, Álvaro conoció personalmente a Al Kabani. Y en el interior de su amplio departamento, mientras disfrutaba del aire acondicionado, reparó en que, por lo lujoso, bien podía pasar por un *penthouse* ubicado en Manhattan. Pero ciertos detalles típicos sirios, como los cojines de seda desparramados entre los sofás, las lámparas de cobre tallado y las alfombras gruesas de diseño oriental, delataban su ubicación en el mundo árabe. Durante la charla, supo que el anfitrión profesaba la religión sunita, a diferencia del presidente de la nación, que era alauita. Y también que no tenía una relación estrecha con su hermana Wafaa, pues el hombre parecía saber poco de la vida de ella, al igual que de sus sobrinos argentinos, los muchachos que tanto nombraba su madre. Claro que no preguntó nada respecto a ninguno de los dos descubrimientos porque no estaba bien visto abordar cuestiones personales, de religión o política.

19

Sentados en la sala, los dos hombres mezclaban idiomas; alternaban el árabe con el español y el inglés. Álvaro, como herencia de su madre, manejaba un poco de árabe pero no le alcanzaba para comunicarse en una conversación intensa. Cuando la mucama filipina llegó con sendos vasos de vidrio repletos de té, Al Kabani se dirigió a ella en inglés. La mujer se retiró y los hombres prosiguieron su charla mientras tomaban la típica bebida.

–Habla muy bien el español –comentó Álvaro.

–Tuve que aprenderlo para poder vender mis telas a los españoles.

–¿Cómo se arregla con sus industrias ahora que el país está en guerra?

Era *vox populi* que las exportaciones estaban suspendidas y la economía siria se hallaba alterada por completo.

–Pues los españoles y los estadounidenses quieren mis telas y yo no puedo despacharlas. Mis fábricas de Duma en este momento están cerradas. Como sabe, la ciudad ha sido tomada por los rebeldes y la zona es completamente belicosa.

–Por eso recurrí a usted. Como le adelanté por teléfono, quiero fotografiar Duma.

Álvaro habló abiertamente. Estaban solos. Era el momento. Al Kabani hizo lo mismo.

–Por esa razón he decidido ayudarlo. Deseo que muestre al mundo las fábricas cerradas, las industrias sin poder exportar, sin siquiera poder vender en nuestro propio país a causa de la violencia reinante. Es necesario que las naciones vean lo que nos está pasando.

–Entiendo. Eso es lo que quiero exponer con mi trabajo.

–Usted lo sabrá de sobra, pero en Duma deberá extremar los cuidados porque corre muchos peligros.

–Lo sé, lo sé...

–Supongo que también tiene claro que el mero hecho de hablar de estos temas puede provocar que nos maten.

–Estoy al tanto, quédese tranquilo. Soy periodista.

—Bien. Entonces le contaré algunos detalles para que comprenda la magnitud de lo que vivirá en Duma. Las bombas y los tiroteos no cesan. Los cortes de luz y la falta de agua corriente son constantes. Hay zonas que están completamente incomunicadas entre sí.

—Sé que en los lugares tomados por los milicianos la violencia es extrema, que no sólo pelean contra el ejército, sino también entre los diferentes grupos rebeldes.

—Así es, señor Sánchez. Esos grupos están en continua lucha contra el ejército del presidente Al Asad, quien trata de recuperar la ciudad, verdadero objetivo de disputa más allá de las luchas internas.

—A eso he venido: quiero fotografiar la ciudad. Sólo necesito ingresar a Duma. Lo demás será similar al resto de las coberturas periodísticas realizadas en otros conflictos bélicos.

—¿Ha estado en otros países en guerra?

—Sí, en Afganistán e Irak. También cubrí la insurgencia en Nigeria.

—Bien, entonces sabrá cómo moverse. He buscado un contacto para que pueda entrar a Duma. Esa persona lo llevará, se asegurará de que ingrese y lo acompañará a la fábrica. El regreso, probablemente, sea bajo su responsabilidad.

—Estoy de acuerdo. Le agradezco.

—Es un hombre de mi confianza. Le he pagado muy bien a él… —dijo en tono confidente. Luego agregó—: Y a los que deben permitirles la entrada.

—Gracias. Yo no podría haberlo hecho.

Podía imaginarse pidiéndole dinero a su jefe para estos menesteres y también su respuesta: «¿Estás loco?».

—No se preocupe, que para algo Alá me ha permitido tener fortuna. No todo es para darse gustos. La bendición trae responsabilidad. Ahora bien, tenga en cuenta que el contacto lo llevará en su auto para sortear los controles sin problema.

—¿De dónde saldremos?

—De aquí.

—¿Cuándo?

—Mañana al mediodía.

—Entonces volveré a esa hora. Estoy muy agradecido —dijo Álvaro mientras se ponía de pie. No quería seguir molestando. Además, aún le restaba llegar al hotel que el diario le había reservado en el centro. Apoyó la mano en el carro de su valija listo para retirarse.

—Espere, por favor, hay una cosa importante: esta noche no dormirá en otro lugar que no sea mi casa.

La frase lo tomó por sorpresa.

—Gracias, pero no quisiera importunar.

—No es una molestia. Y no se lo estoy ofreciendo como una opción. Se quedará en mi casa porque es mejor partir con el contacto desde aquí. Además, usted es mi huésped.

—¿Cree que es lo mejor? —preguntó resignado. No tenía elección.

—Jamás permitiría que una visita mía, recomendada por mi hermana Wafaa, durmiera o comiera en otro lugar que no fuera mi casa —dijo Abdallah utilizando un tono ceremonioso. Como buen sirio, tenía incorporada la idea de hospitalidad y hacía gala de ella. No aceptaría que se la rechazaran, se trataba de su dignidad. Era parte de su cultura.

Álvaro lo captó. Comprendió que, si insistía, el hombre se ofendería al punto de arruinar su oportunidad de ir a Duma.

—Entiendo y está bien. Haremos como usted disponga.

Al Kabani sonrió complacido.

—Mahalia lo acompañará al cuarto que he destinado para usted —dijo y tocó la campanita para llamar a la empleada filipina. Luego agregó—: En dos horas lo espero en el comedor para cenar y le presentaré al resto de la familia.

La mucama apareció y enseguida lo guio. Se trataba de una señora mayor. Las familias sirias adineradas solían contar con domésticas filipinas que emigraban al país debido a que se les pagaba muy bien. Se las prefería por sobre otras nacionalidades porque destacaban por ser muy serviciales; además, instruían a los hijos en el idioma inglés, que dominaban a la perfección.

De camino al cuarto de la planta alta que le habían destinado, divisó una puerta abierta que le mostró que en la casa vivía una chica joven. La habitación tenía las paredes empapeladas con flores de lis, acolchado y cortinas haciendo juego en tonos de rosa y detalles inequívocamente femeninos y juveniles. Le pareció una decoración recargada, una moda nada minimalista, pero se trataba del estilo preponderante en los hogares de Damasco. Había leído que en Siria las personas no tenían interés por viajar, no gastaban en vuelos, sino que preferían invertir ese dinero en cambiar el mobiliario completo y la ropa de cama una vez al año, antes de la llegada del invierno.

Cuando Sánchez se quedó solo en su suite se sintió raro. Acostumbrado a los hoteles, ahora se hallaba instalado en un lujoso cuarto de una casa siria decorado al mejor estilo de Medio Oriente: los empapelados, las cortinas y los acolchados combinaban el gris con el blanco y todos repetían el mismo motivo: el dibujo de un halcón. Se trataba de un hogar extraño con costumbres diferentes a las conocidas. Su trabajo, que le permitía descubrir detalles idiosincrásicos en diferentes latitudes, le resultaba emocionante. Decidió darse una ducha y descansar hasta la hora de la cena. El viaje lo había dejado agotado.

* * *

Tendido en la cama, con los ojos cerrados, soñoliento, Álvaro escuchó que golpeaban la puerta del cuarto y una voz que provenía del más allá le anunciaba:

—Mister Sánchez, *they are waiting for you to dinner.*

Abrió los ojos y recordó dónde estaba. Se había quedado completamente dormido y el reloj marcaba las 20.15. Mahalia le recordó que lo esperaban para cenar. Ante la demora, Al Kabani la había enviado para buscarlo. Se puso de pie y, apurado, se calzó una camisa blanca y un jean. Se miró al espejo; aún lucía cansado. Se mojó la cara y su pelo claro para despabilarse. Y en unos instantes bajó al salón con el cabello húmedo. No lo llevaba corto. Se lo acomodó con las manos como solía hacer cuando estaba nervioso. Sentía cierta ansiedad por la velada que le esperaba.

* * *

Media hora después, la cena se desarrollaba con normalidad en el comedor de la familia Al Kabani. Comían *iabra'a*, unos *rolls* de arroz y carne envueltos en hojas de parra, y *hummus* de garbanzo, acompañados por *tamr hindi*, una bebida dulzona y levemente ácida muy refrescante, elaborada a base de dátiles. Según le explicaron, se trataba de un menú habitual en la casa. En esa velada, lo único distinto era la ubicación de los comensales en la mesa. Se había agregado una silla para Álvaro Sánchez, el periodista occidental nieto de sirios que se encontraba de visita.

La familia de Abdallah estaba compuesta por su esposa Anisa y dos hijas: Salma, la mayor, que esa noche se hallaba presente, y Malak, que vivía en Beirut y estaba casada.

Entre los comensales se hallaba Namira, la hermana de Abdallah, quien había llegado de visita para conocer al periodista.

Las tres mujeres iban vestidas a la manera occidental y no llevaban *hiyab* en la cabeza. A veces, la influencia cosmopolita que le otorgaban los viajes o los roces con costumbres europeas volvía a las familias musulmanas más flexibles y se permitían sortear la tradición de taparse el rostro y el pelo, y lucir ropa de estilo moderno. A Álvaro le llamó la atención que Salma prescindiera de calzado y sólo llevara puestas medias. No sabía por qué. ¿Acaso se trataba de una costumbre siria que él no conocía?

Durante la charla, a Álvaro le quedó claro que Al Kabani era un empresario importante y que sus dos hijas habían estudiado en la Universidad de Damasco. Salma, de veintiséis años, se había graduado como traductora de español. Tenía una belleza delicada y oriental: grandes ojos marrones claros de largas pes-

24

tañas, cabello oscuro muy largo y piel extremadamente dorada. Álvaro la encontraba hermosa pero sólo la miraba cuando ella tomaba la palabra. Quería ser muy cuidadoso, estaba en una casa siria sunita y de religión musulmana. Bastante abierto había sido su anfitrión al permitirle cenar con las mujeres. De hecho, amigos y colegas le habían relatado que, de visita en casas sirias, habían comido sólo con los hombres de la familia. De esa forma, los padres evitaban posibles situaciones problemáticas, como miradas inapropiadas o indiscretas. Aun las familias de la comunidad cristiana establecida en Siria −aunque minoritaria con respecto a la musulmana, era importante social y políticamente en la vida de Damasco y Alepo− criaban a sus hijos de manera mucho más conservadora que las de Occidente

Anisa tenía rasgos más rústicos que su hija; Salma se parecía más a su tía que a su madre. Definitivamente, los genes de su padre habían sido más fuertes.

En su juventud −juzgó Sánchez−, Namira debió haber sido una mujer hermosa. Y si bien calculó que rondaba los setenta años, aún conservaba sus atributos. Ella contó que llevaba adelante un negocio inmobiliario próspero: compraba y vendía propiedades y alquilaba departamentos amoblados para turistas. De sus palabras, Álvaro dedujo que sería propietaria de varias decenas de departamentos que manejaba a través de administradores. Viuda desde hacía muchos años, no tenía hijos, pero sí dos grandes perros de raza mastín napolitano a los que amaba.

Anisa no trabajaba; jamás lo había hecho. Se notaba que vivía en un mundo propio, ajeno a las responsabilidades, y sometida a la tutela de su marido −casi− como si fuera una niña. Sus intereses se relacionaban estrictamente con la comida y la familia, pues todos sus comentarios e indagaciones se dirigían a esos temas. En medio de la velada, le preguntó:

−Señor Sánchez, ¿es verdad que su madre cocina cada viernes con mi cuñada?

−Así es, son amigas. Participan de un grupo que se reúne a cocinar comida siria.

—Me parece tan extraño que ella se haya acostumbrado a vivir en un país tan lejano como el suyo. Cuando perdió a su marido pensé que regresaría a Siria, pero no fue así —dijo Anisa.

—Creo que justamente comparten mucho con mi madre porque ambas son viudas.

—Será... —dijo levantando los hombros. Luego agregó—: Sé que fue al pueblo de los ancestros de su madre. ¿Allí conoció a sus parientes?

—Sí, pero sólo había algunos primos lejanos con los que no mantuve la relación. Pasó demasiado tiempo entre que mi abuelo se fue a la Argentina y mi visita a Qara.

—Tenemos muchos amigos que toman mate —comentó Namira.

—¿Aquí, en Siria? —preguntó Álvaro sorprendido.

—Sí. Es una costumbre que se ha arraigado —explicó Namira— porque muchos inmigrantes que regresaron a Siria tras vivir un tiempo prolongado en su país la trajeron. ¿Usted toma? ¿Cree que es un vicio?

Por momentos, Álvaro se sentía en un interrogatorio. El grupo lo indagaba sobre distintos temas, y respondía. Pero se abstenía de llevar la conversación hacia cuestiones personales referidas a la familia Al Kabani. Y en ese afán, mencionó que había oído que el *tamr hindi*, la bebida que estaba sobre la mesa, solía tomarse durante el ayuno de Ramadán.

Al Kabani le preguntó:

—¿Usted sabe qué es el Ramadán?

—Entiendo que es el mes del ayuno, los días en que no se come.

—Es mucho más. No sólo se trata de comida, sino que es un tiempo de autopurificación. Nos levantamos antes del alba para tomar un desayuno ligero porque no volveremos a ingerir nada mientras haya luz. Se trata de limpiarse física, mental y espiritualmente. Durante ese tiempo no se habla mal de otros, se ayuda a quien lo necesita. Son treinta días para aprender a ser generoso, cordial y servicial con la familia y con la comunidad.

—Desconocía la profundidad, pensé que sólo se trataba de evitar la ingesta de alimentos —dijo Álvaro, que también había escuchado que se abstenían del sexo. Pero no se atrevió a comentarlo.

—La idea es que ese mes sirva para limpiar el organismo, fortalecer la voluntad, incrementar la paciencia y aprender a ponerse en el lugar del que no tiene comida.

—Es en mayo, ¿verdad? —dijo Álvaro tratando de no mostrarse tan ignorante sobre la tradición islámica.

Sin embargo, la cuestión de la fecha no era tan clara, y la lección de Al Kabani continuó:

—El inicio varía porque nos guiamos por el calendario lunar. Es el noveno mes de ese sistema. Por eso el Ramadán comienza once días antes cada año. Coincide con la fecha en la que el profeta Mahoma recibió la primera revelación del Corán.

—Muy interesante —señaló Álvaro sin atreverse a hacer más comentarios. Definitivamente, el Ramadán resultaba más complicado de lo que había creído.

Salma, que percibió la contrariedad en el rostro del periodista, le ofreció una vía de escape.

—Cuénteme, señor Sánchez, acerca de sus fotografías —dijo ella luciendo un perfecto español, propio de su título de traductora.

—¿Qué quiere saber? —preguntó Álvaro, que no deseaba volver a equivocarse en las respuestas.

—Por ejemplo... ¿Siempre cubre guerras? ¿Cómo empezó con este trabajo?

—Mi inicio es una larga historia... —suspiró Álvaro, deseoso de explayarse sobre la labor que lo apasionaba.

La muchacha demostraba interés y conocimiento sobre el tema.

—¿Vende las imágenes a un solo periódico? —preguntó Salma.

Y él otra vez respondió con detalles.

Durante la cena, y al abordar ciertos temas, Álvaro notó la misma sutileza de la que hizo gala el chofer que lo trajo del Líbano. Pero algo quedaba claro: Abdallah y su familia se hallaban molestos con la guerra porque impedía que los negocios fluyeran por su cauce normal. Cada día en guerra, con la fábrica y la exportación cerradas, perdían miles de dólares. Y aunque más modesto, el negocio inmobiliario de Namira también se resentía por la ausencia de turistas.

Las tres mujeres estaban al tanto de que el hombre pensaba ayudarlo para llegar a Duma al día siguiente. Si bien no lo hablaban abiertamente, había comentarios que lo denotaban.

Ya iban por el postre, un delicioso *baklava* que cautivaba con su dulzor los sentidos de los comensales, cuando Abdallah formuló una última, contundente e inesperada pregunta.

—Señor Sánchez, ¿y cuáles son sus ideas políticas respecto a esta situación que estamos atravesando? ¿Está del lado de Rusia o de Estados Unidos? Los occidentales siempre apoyan uno de esos dos extremos.

La pregunta lo tomó por sorpresa. Nada de religión ni de política y de golpe semejante interrogante. Pensó la respuesta mil veces en diez segundos. Una palabra equivocada y podía perder todo lo que había logrado. Lanzó su idea a cuentagotas.

—Amo al pueblo sirio, es la sangre de mi madre. Creo que son víctimas de las potencias atraídas por las riquezas de su nación. Rusia y Estados Unidos son las cabezas visibles de los bloques interesados.

Estaba por agregar algo, pero comprendió que sería mejor ser amo de su silencio, y no esclavo de las palabras, y se calló.

Abdallah lo miró por unos instantes y luego hizo un gesto de complacencia. Sánchez respiró aliviado, había acertado en responder escuetamente.

Hacia el final de la velada, cuando compartían los últimos minutos de sobremesa, Namira comenzó a organizar la partida a su casa. Por celular llamó a su chofer. La visita había terminado. Regresaría en su auto tal como había llegado.

Ante la distracción de los comensales, Álvaro aprovechó para consultar su teléfono. Acababa de entrarle un mensaje de Paloma con tono de recriminación: «¿Se puede saber si has llegado bien? ¿Estás vivo?». No lo llamaba Alvi, ni siquiera Álvaro. «Molesta y con toda razón», reconoció. ¡Se había olvidado de darle noticias! Decidió apurar su retirada de la mesa pretextando cansancio y se marchó a sus aposentos de la planta alta. Ya solo, con la camisa fuera del pantalón, intentó disculparse con Paloma mostrando su faceta más cariñosa: escribió «Mi chiqui» y le contó las novedades. Luego envió otro a Tomás Torrens, su jefe en *El Periódico de Catalunya*, para adelantarle que el viaje iba bien, y se quedó profundamente dormido. Su último pensamiento fue «Ojalá duerma bien». Necesitaba descansar. Le esperaba una jornada difícil.

Frente al ingreso de mármol del edificio, el chofer de Namira le abrió la portezuela del coche a su jefa en el mismo momento en que Abdallah atendía en el comedor una llamada de Ibrahim, el contacto que llevaría a Álvaro Sánchez hasta Duma, quien le avisaba que la partida debía posponerse veinticuatro horas ya que no estaban dadas las condiciones de seguridad, porque el guardia que les flanquearía el ingreso a la ciudad no se encontraría en su puesto. «Por lo tanto, el traslado del paquete se hará pasado mañana», dijo Ibrahim en clave. Luego cortó.

–¿Todo bien, padre? –preguntó Salma.

–Sí, sólo que la partida se pospone veinticuatro horas.

–¿Te preocupa? –preguntó Anisa a su esposo.

–No. Esas pocas horas no cambiarán nada. Mañana le avisaré a Sánchez, ahora probablemente esté dormido –dijo Abdallah sin imaginar cuánto cambiarían su vida y la de su familia esas horas de demora.

El tiempo, esa palabra inventada por los seres humanos para medir los cambios que se producen en su mundo, para mensurar cuánto se tarda en pasar de un estado a otro. Las horas, esa medida que, dependiendo de con qué se las rellene, podían cambiar un entorno, transformar una vida, trastocar la existencia de una familia.

CAPÍTULO 2

El hombre no puede saltar
fuera de su propia sombra.
PROVERBIO ÁRABE

Sánchez bajó a desayunar muy temprano pensando que sería el único. Pero no, allí ya se encontraban Abdallah, su esposa e hija. Los tres lo saludaron con el «buenos días» en árabe.

—*Sabah aljer.*

—*Sabah aljer* —le respondió Álvaro con buena pronunciación.

—¿Ha dormido usted bien, señor Sánchez? —preguntó Anisa.

—Perfectamente, gracias. Tengo que decir que la cama es muy cómoda.

—Me alegro —dijo Abdallah.

—Yo, también. Me siento listo para enfrentar lo que sea que me toque vivir hoy.

—Pues justamente estaba por informarle que los planes se han pospuesto por veinticuatro horas. Saldrán en el mismo horario que acordamos pero en el día de mañana.

La sorpresa y la decepción pintaron el rostro de Sánchez.

—¿Por qué? ¿Qué ha pasado?

—Nada grave. Sólo que no están dadas las condiciones de seguridad.

—¿Qué significa eso? —preguntó Álvaro, que no terminaba de entender si habían surgido novedades en la zona en conflicto y peligraba el viaje o sólo se posponía.

—Lo que dije —respondió Abdallah cortante.

El hombre no quería dar explicaciones. Álvaro lo captó y se limitó a preguntar:

—¿Hay certeza de que saldremos mañana?

—Creo que sí, aunque no se lo puedo firmar.

—Bien.

—Ahora que ya le he dado la noticia, me retiraré. Me esperan en mi oficina de Damasco. Lo invitaría a que me acompañe pero lo que me toca hacer hoy es muy técnico y tendré que avisarle a mi gente que seguiremos sin trabajar.

—Lo lamento.

—Estese tranquilo. Ya estamos acostumbrados a esta situación. Entiendo que usted conoce la ciudad pero, si lo prefiere, mi esposa y mi hija pueden llevarlo de paseo a los lugares que desee. Cuenta con el chofer a su disposición.

—Le agradezco, pero no es necesario. Tengo trabajo pendiente. Aprovecharé el tiempo para adelantar con mi *notebook*.

—Use el estudio de la casa, allí estará más cómodo. Y pídale a Mahalia lo que necesite. Cargador, papel, lo que sea. Recuerde que en breve volverán a cortar la electricidad.

Álvaro asintió y volvió a agradecerle. Se despidieron.

Un rato después, encerrado en su cuarto, bocetaba la crónica que escribiría para el periódico acerca de su llegada a Siria. Sobre el papel plasmaba sus primeras impresiones de su periplo en tierra libanesa, su ingreso al territorio en conflicto, la espeluznante cantidad de guardias armados diseminados por las calles de la ciudad. El perfil del chofer y unos comentarios sobre las comidas que probó desde su llegada le darían color al artículo. Por seguridad, todos los nombres verdaderos quedarían a salvo.

Tecleó durante una hora y luego se dedicó a poner al día su correo. Nunca disponía de tanta tranquilidad, como en esta oportunidad.

Hacia el mediodía se cortó el suministro eléctrico. Cansado e incómodo de tanto trabajar sentado en la cama con la computadora sobre su regazo, decidió salir del cuarto y aceptar la propuesta de Abdallah. Bajó y no encontró a nadie, salvo a Mahalia, que, en su perfecto inglés, lo entretuvo hablando del calor de Damasco. Luego, lo condujo a la oficina.

Sánchez se instaló con su *notebook* en el estudio, un sitio decorado al estilo clásico pero con muchos detalles. Muebles oscuros, cortinados de terciopelo bordó, un gran escritorio de caoba con un sillón enorme de cuero. Una de las paredes, desde el pie al techo, estaba completamente cubierta por una biblioteca repleta de volúmenes en árabe, inglés, francés y español.

Entre los últimos, encontró una colección relativa al márketing y algunas novelas, como *La sombra del viento*, de Ruiz Zafón, y una extraña edición de *Ficciones*, los cuentos de Borges, uno de sus preferidos. En inglés proliferaban los de Philip Kotler. Incluso vio un gran libro con imágenes que contaba la historia de la fotografía; le pareció magnífico. No lo conocía. Lo hojeó. Cuando lo devolvió al anaquel se cayeron al piso varias fotografías. La tentación fue demasiado grande y las husmeó. Se trataba de una sesión de fotos de manos femeninas maquilladas con *henna*, a la oriental, tal como se las pintaban las mujeres árabes como parte de su ornamentación para celebrar su compromiso o casamiento. No eran las manos de una sola mujer, sino de muchas distintas. Le parecieron fotos bastante artísticas, aunque algo ingenuas. Las volvió a poner en su lugar.

Luego, tras abandonar la biblioteca, se acercó a la ventana y descubrió que desde allí se podía ver el bulevar Al Jalaa. A esa hora el sol daba de pleno sobre el cantero central y acentuaba la intensidad y la luminosidad del verde de las palmeras. La imagen se le metió en la retina y le proporcionó placer. Entonces, fue inevitable que sus manos y su corazón le exigieran su cámara. Quería captar ese lugar y ese momento. Fue a su cuarto y regresó con su Canon.

Durante varios minutos, en el estudio se escucharon los clics.

Finalmente, se detuvo satisfecho y controló en su máquina los disparos que había realizado. Lo que vio, le gustó. Sonrió complacido. Aún con el cuerpo recostado sobre la ventana, mientras apreciaba su obra, escuchó que le hablaban.

—Señor Sánchez, ¿ya encontró una bella postal de Damasco para fotografiar?

Álvaro giró y contempló a Salma vestida con un conjunto celeste de pantalón y camisola de seda al típico estilo sirio. El pelo largo, negro y brillante le caía sobre la espalda casi hasta la cintura. Esta vez, llevaba los ojos muy maquillados. El color de sus pupilas se destacaba por ser de un marrón muy claro y sus pestañas, larguísimas. Tenía un lunar pequeñito sobre el labio superior. Realmente era una mujer hermosa. La encontraba parecida a la actriz libanesa Nadine Nassib Njeim, pero más natural. A pesar del impacto, trató de sonar normal.

—Sí, desde esta ventana tomé una bonita vista —respondió Álvaro pensando con cuál de las dos imágenes quedarse, la que acababa de fotografiar o la que irrumpió delante suyo.

—Tengo una idea. Sígame —propuso Salma, que, como siempre, iba descalza.

Álvaro se quedó petrificado, no estaba seguro de que fuera buena idea obedecerle. No conocía las reglas de la casa ni de la familia en cuanto al trato que debía dispensarle a las mujeres. Dudó en avanzar.

Salma, que pareció adivinar el resquemor, agregó:

—Vamos… recuerde que mi padre dijo que podía llevarlo de paseo. Y yo simplemente quiero mostrarle la terraza del edificio, desde donde podrá tomar unas fotos fabulosas. Se lo prometo.

La propuesta fue demasiado tentadora y la siguió como un autómata.

Antes de salir, Salma se calzó una especie de zuecos bajos de color azul y subieron por el ascensor.

Cuando Álvaro le pidió que lo llamara por su nombre y no «señor Sánchez», aceptó complacida. Al llegar a la terraza, apenas un poco más arriba, pero con una vista abierta y despejada, comprobó que los siete pisos de altura del edificio de Al Kabani ofrecían una hermosa panorámica de la ciudad. Con las montañas de fondo, ahora las palmeras del bulevar ocupaban el primer plano.

—Tuviste una muy buena idea —agradeció sin dejar de mirar por el lente y de apretar el disparador de su Canon.

Salma sonrió.

Las tomas le llevaron varios minutos. Cuando finalizó, Álvaro giró y sorprendió a Salma de espalda, embelesada, apreciando la soleada ciudad. El pelo oscuro cayendo sobre su ropa celeste con la ciudad de Damasco como fondo le pareció una imagen maravillosa.

Puso en palabras su deseo rogando que no se ofendiera.

—¿Me permites fotografiarte? Tu figura con ropa clara y la ciudad teñida de sol sería un gran retrato.

Salma asintió con un leve movimiento.

—¡Claro! Para eso te traje, para que saques las mejores fotografías del mundo de la ciudad más hermosa del planeta —expresó sonriendo y Álvaro captó la primera imagen.

Luego retrató a Salma de espalda junto a los edificios de Damasco pero a medida que avanzó con sus clics la fue rodeando hasta descubrir el perfil femenino. Entonces, sin pensarlo, fue centrándose más y más en el rostro. La mirada de Salma se volvía lánguida y él la captaba en un primerísimo primer plano. La boca roja se entreabría y él retrataba el detalle. Ella se acomodaba el cabello detrás de la oreja y él la inmortalizaba en una bella instantánea impregnada de sol con las palmeras como marco.

Álvaro se entretuvo durante un rato hasta que dio por terminadas las dos prolíficas sesiones: la de Damasco y la de Salma.

—No creas que no me di cuenta de que me has sacado las últimas fotos a mí —señaló.

Álvaro se perturbó porque comprendió que podía tratarse de un reproche.

—Perdón si te molesté.

—No te preocupes. Comprendo qué significa ver personas, objetos o lugares y no poder resistirse a dejarlo plasmado. Suelo sacar fotos… bastante seguido.

—Tienes razón: lo hice por impulso. ¿También te gusta la fotografía?

—Sí, como *hobby* —reconoció—, aunque me hubiera gustado hacerlo como trabajo, como tú.

—¿Lo has intentado?

Álvaro preguntó y de inmediato se arrepintió. Comenzaba a imaginar las razones que se lo impedían.

—Ya sabes... en mi país no siempre podemos estudiar lo que queremos, sino lo que debemos.

—Explícame...

—Cuando nuestras notas en la primaria y la secundaria son altas se nos permite elegir entre las mejores carreras. No está bien visto escoger otras.

—¿Y cuáles son las mejores?

—Las más buscadas... las que tienen cierto prestigio, como medicina, bioquímica y todas las vinculadas con esa rama. Luego siguen las relativas a la ingeniería.

—Pero tú has estudiado idioma...

—Porque, en mi caso, mi padre necesitaba ayuda con el español. La elección tuvo una finalidad específica: colaborar con la empresa familiar.

—Pero ¿podrías haber elegido otra?

—Tal vez, sí, aunque hubiera sido impensado. Se considera un verdadero desaire hacia los padres y la sociedad misma que, pudiendo estudiar las carreras más respetadas, o la que necesita nuestra familia, nos neguemos. Eso sucedió en mi caso con el traductorado. Jamás podría haber elegido fotografía.

—Realmente se me hace difícil entender lo que me dices. Significa que, si tus notas son sobresalientes, tienes acceso a elegir entre las que se consideran las mejores carreras y debes optar por ellas a pesar de que tu deseo sea estudiar otras.

—Así es.

—Me parece insólito.

—Entiendo que, en algún punto, esta manera de elegir no está del todo bien, pero siempre ha sido así y no hay niños a los que no se la inculquen desde que tienen uso de razón.

—Y tu hermana, ¿qué estudió?

—Es bioquímica. Sus notas se lo permitieron.

—¿Ejerce su profesión?

—No. Su esposo también es bioquímico y ambos prefirieron que ella se dedique a la crianza de los niños. Tienen dos.

A Álvaro le costaba entender las explicaciones de Salma,

pues provenían de un conjunto de creencias muy diferentes a las suyas. Las de ambos se hallaban determinadas por los usos y costumbres que a cada uno le habían inculcado sus padres según la cultura en la que habían nacido y crecido. No podía imaginarse a sí mismo negándose a materializar su pasión porque había algo supuestamente mejor que no se podía rechazar por imperio de la familia o por la presión social. Apenado por la situación, trató de animarla.

—El trabajo que realizas con tu padre es muy bueno. Tienen una gran empresa.

—Sí, por eso estoy contenta y acepto la fotografía como un *hobby*. ¿Me permites? —dijo extendiendo su mano hacia la cámara.

Álvaro dudó un instante. No cedía fácilmente su tesoro.

—Sé usarla —agregó Salma como si hubiera adivinado.

La frase y la mirada dulce de color canela lo convencieron.

Salma tomó la Canon y giró el seguro con delicadeza. Sabía manejarla. Enfocó y, antes de gatillar, mirándolo a los ojos, pidió permiso.

—¿Puedo?

Álvaro imitó su gesto de aprobación y ella disparó un par de fotos. Luego, volviéndose a él, lo enfocó y nuevamente preguntó:

—¿Puedo? Así… estaríamos a mano…

Álvaro, nervioso, se acomodó el cabello con los dedos. Se sintió inseguro. Él nunca era el modelo sino quien lo enfocaba. Descorazonado, con un atisbo de timidez, aceptó. Ella, con un clic, captó ese gesto.

Tres tomas más del perfil de Álvaro con la montaña de fondo y la corta sesión de Salma terminó. Respiró aliviado.

—¿Tienes hambre? —preguntó ella cuando le devolvió la cámara.

—No. He desayunado muy bien y no acostumbro almorzar —respondió.

—Pero ya son las tres de la tarde.

Sánchez se encogió de hombros.

Salma extendió su mano y señaló hacia abajo, en la calle, un negocio que se distinguía perfectamente desde la terraza.

—¿Ves ese local? Vende los más deliciosos *emaa*.

—¿Qué son?

—Hem, *emaa*, *buza*… ¿cómo se dice en inglés…? *Pistachio ice cream!* ¿Los has probado?

—El fruto seco, sí; pero no helado.

Álvaro, que había visitado el pueblo de su abuelo, había saboreado algunas comidas sirias, también comía el *kepi* y el *baklava* que preparaba su madre, pero estaba seguro de que en La Rioja jamás había oído sobre el helado de pistacho.

—Entonces, tienes que probarlos —propuso Salma mientras él seguía indeciso—. Yo iré ahora mismo. Si tú no quieres, te lo pierdes.

—Vamos —aceptó Álvaro y a continuación lanzó la pregunta que rondaba su mente desde que habían subido a la terraza—: ¿Abdallah no se molestará si vamos juntos?

—Claro que no. ¿Acaso no recuerdas que dijo que podíamos llevarte a pasear con mi madre?

—Entonces, invitaremos a tu madre —propuso para no incurrir en una infracción.

Salma lanzó una carcajada y exclamó:

—Aprendes muy rápido a moverte en la sociedad siria. La invitaremos. Aunque… ¿cómo crees que estudié una carrera en la universidad? Te advierto que iba a clases sola y tenía amigos varones.

Álvaro no terminaba de entender. La mentalidad siria no entraba en su esquema occidental de valores. Los estudiantes con las mejores notas no podían elegir libremente la carrera. Ella presumía de hacer lo que quería puesto que había estudiado en la universidad pero aceptaba que invitaran a Anisa como chaperona. Salma era la viva dicotomía, la misma que, por momentos, veía en la cultura de esa ciudad. Porque durante la cena de la noche anterior, mientras contaba cómo atendía a los inversores extranjeros, Álvaro la encontró independiente; incluso, notó el respeto con el que su padre escuchaba las opiniones que vertía sobre el negocio. Sin embargo, cuando se explayó sobre los países que conocía, quedó claro que siempre había viajado acompañada de sus padres, como si fuera una adolescente.

—Te veo en la sala, espérame allí —pidió Salma y luego desapareció dejando a Álvaro inmerso en sus cavilaciones.

Momentos después, sentado en el sofá, aguardó a las dos mujeres, que aparecieron sin el *hiyab* en la cabeza. Sabía que algunas prescindían del velo en el interior de sus viviendas pero lo utilizaban para poner un pie en la calle o realizar ciertos trámites. En Damasco, su uso era opcional, mientras que en otras ciudades resultaba obligatorio. Sin embargo, ciertas costumbres seguían generándole incertidumbre. Por ejemplo, los pies descalzos de Salma: ¿religión o comodidad? Antes de salir, junto a la puerta, ella se calzó los zapatos. Él aprovechó y cargó su cámara.

Media hora después, Álvaro, Salma y su madre comían los deliciosos helados. Pidió permiso al encargado y fotografió el postre; luego, se ocupó de las manos del vendedor.

Anisa le señaló:

—Señor Sánchez, no puedo creer que, siendo su madre siria, no haya probado nunca estos helados.

Como única respuesta, levantó las cejas. Cómo explicarle a esta mujer que, si bien en su familia tenían sangre siria y cocinaban niños envueltos, ese mundo estaba muy lejos de Siria y de los *emaa*. A estas alturas, su madre, Dana Sánchez, era totalmente argentina como la que más. El padre de ella había llegado a América siendo sólo un joven, igual que tantos inmigrantes. Tras casarse con una porteña, se instaló en La Rioja, donde nacieron Dana y tres hermanos más.

—Creo que tú y tu familia se han perdido de las mejores cosas de la vida —comentó Salma y se echó a reír mientras saboreaba l helado.

A Álvaro se le iluminó el rostro. No había manera de resisse a esa risa cantarina que encontraba encantadora.

Cuando regresaron a la casa, Salma se quitó los zapatos y Álvaro enfiló hacia el cuarto. Pero Anisa interrumpió su marcha.

–Señor Sánchez –lo llamó tras mirar su teléfono–, mi esposo acaba de mandarme un mensaje para que le avise que mañana saldrán de madrugada, a las cinco.

La noticia lo animó.

–¡Perfecto! –exclamó entusiasmado. Los planes se aceleraban.

La mujer le explicó:

–Entonces adelantaré el horario de la cena, así podrá comer y acostarse temprano.

–Gracias, señora Anisa –respondió un tanto inseguro. No sabía si estaba bien dirigirse de esa forma. Pero como la mujer relajó la expresión, asumió que había acertado.

* * *

Álvaro se hallaba vestido para la cena. Bañado y perfumado, mataba el tiempo enviando mensajes por celular. Su jefe le recomendaba que lo mantuviera al tanto de su llegada a Duma. Pablito, un compañero de trabajo, le pedía –mitad en broma, mitad en serio– información sobre mujeres sirias; quería conocer qué tal estaban y cuán cierto era que no había prostitutas. En otro chat, Paloma le deseó suerte. Terminaba de responderle un «Gracias» cuando llamaron a la puerta. Abrió convencido de que se trataba de Mahalia, pero se encontró con Salma descalza.

A punto de invitarla a pasar, se abstuvo. Sospechó que tampoco sería correcto que ingresara a su cuarto. Cualquier paso en falso pondría en peligro el trabajo que debía hacer. Permaneció apoyado en el marco de la puerta.

–Mira… –dijo ella extendiendo la mano y acercándole una cámara excepcional.

Se trataba de una edición limitada de la Leica Serie M, lo mejor y más caro que había en el mercado. La tenían los profesionales o quienes podían darse el gusto.

—¿Es tuya? —preguntó Álvaro mientras la inspeccionaba con interés.

—Sí.

—Es preciosa —dijo con admiración.

—Te dije que me gustaba sacar fotografías. En algún momento te muestro unas que saqué de manos de mujeres.

¡Con que las había tomado ella! No se atrevió a decirle que ya las había visto.

Álvaro se detuvo en el rostro dulce... Ese lunarcito... Ella se le estaba volviendo una debilidad.

—No te hago pasar porque...

—Sí, sí, entiendo... —dijo sin dejarlo terminar.

Al menos, había acertado: ambos concordaban en que no estaba bien que Salma entrara. Los separaban tantas costumbres diferentes que en el trato hacia ella andaba a tientas. Ya no aguantaba seguir caminando en la ignorancia. Lo que él conocía acerca de la cultura siria no incluía detalles de la vida práctica. Necesitaba entender un poco más.

—Quisiera hacerte una pregunta personal. ¿Por qué para ir a la heladería tú y tu madre no se colocaron el velo?

—Es una decisión personal. Aquí, en Damasco, podemos prescindir del *hiyab*. Hay mujeres que lo usan por convicción. A veces, ante determinadas circunstancias, yo misma lo uso. Pero en ciertos lugares, como en Duma, es obligatorio porque las mujeres podemos ser criticadas o agredidas.

—Hum...

—He sido educada de manera bastante liberal debido a la influencia de los viajes que realizamos y de las personas que conocemos —comentó, aunque omitió mencionar la posición económica de la que gozaba. Muchas veces, a mayor poder adquisitivo de una familia siria, la crianza de los hijos se flexibilizaba. En una educación estricta se hacía difícil consentirlos con los gustos caros a los que tenían acceso, tal como vestir marcas de moda y de diseñadores o conducir vehículos último modelo.

Ella continuó con la explicación:

—En mi caso, prescindir del velo es algo personal. Lo uso cuando las circunstancias lo exigen. Pero en los últimos tiempos, a causa de la guerra, en algunos lugares, sobre todo los que están bajo el dominio de los grupos extremos, se tornó peligroso salir sin él. Las mujeres corren peligro de ser agredidas si muestran su pelo o su rostro.

Álvaro había leído sobre esos ataques que se producían en la calle a plena luz del día. De repente, dos o tres personas comenzaban a pegarle a una mujer indefensa. O le tiraban agua hirviendo.

—¿Y lo de andar descalza... también es por religión?

—¡Nooo! —Salma estalló en una carcajada—. ¡Lo hago desde niña! Siempre me ha gustado andar así. No tiene nada que ver con las costumbres de las mujeres sirias.

Él miró hacia abajo y también sonrió. La risa cantarina de Salma cada vez lo seducía más. Y los pies descalzos se sumaron a esa lista de encantos. Las uñas de los dedos pintadas de rojo ejercieron sobre él una oleada extraña que le despertó una mezcla de excitación natural y atracción prohibida. Como no tenía dudas de que podía acarrearle problemas, apenas posó sus ojos de hombre en los pies de la muchacha y desvió la mirada. Por suerte, en pocas horas se marcharía y ya no volvería a verla.

—Deja de interrogarme y permíteme que te saque una foto con mi máquina —pidió Salma.

—¡Otra más! —se quejó. Álvaro no se sentía cómodo del lado opuesto de la cámara.

—No siempre tengo oportunidad de fotografiar a extranjeros. Tienes los ojos y el pelo muy claros, y eso aquí no es común.

Salma gatilló y tomó varios retratos. Luego lo saludó y, así como había llegado sin aviso, también se marchó. Mientras caminaba por el pasillo se dio vuelta y le dijo:

—¡Tienes suerte, Álvaro Sánchez! Vienes de otro país y puedes fotografiar lo que sucede en Siria. Yo daría cualquier cosa por hacer ese tipo de imágenes reales. Sin embargo, debo conformarme con tomarle fotos al fotógrafo.

La frase caló hondo en el espíritu de Álvaro y le dio pena. Hubiera querido decirle algo, pero no había qué; ella tenía razón. Por primera vez había oído en la voz de Salma un dejo de rebeldía y ya no de resignación. Hasta ese momento, cuando ella se refería a su forma de vida, siempre había ofrecido explicaciones en un tono conforme. Incluso, podía descubrirse cierto orgullo por pertenecer a una cultura milenaria, tal como si fuera la mejor del mundo. Pero en la última frase dejó entrever una queja firme.

* * *

La cena de la familia Al Kabani, con Álvaro presente en la mesa por segunda noche consecutiva, transcurrió con una noticia electrizante para él: en la cochera del edificio se hallaba guardado el Kia Rio, el auto que, conducido por Ibrahim, el chofer que Abdallah había contratado, cruzaría a Duma. Aún no conocía a ese hombre, pero ya comenzaba a ser crucial en su vida. Durante varias horas su existencia estaría en las manos de este sirio.

Salvo la novedad del vehículo, el resto de la comida se desarrolló sin mucha conversación. Abdallah no tenía deseos de hablar y las mujeres respetaron su decisión. Lacónico y taciturno, el hombre contó que, pese a las tratativas, no existía posibilidad alguna de reanudar las ventas de sus productos. Por lo tanto, la fábrica seguiría inactiva. Álvaro, con la cabeza puesta en Duma, también se llamó a silencio.

Después del delicioso *kanafeh* preparado con queso y fideos de harina que comieron de postre, Álvaro agradeció la hospitalidad de la que fue objeto y, antes de retirarse al cuarto, se despidió de las mujeres con la intensidad del que cree que nunca más volverá a cruzarse con esas personas. Pese a que comenzaba a sentirse a gusto en el salón de decoración detallista, entre sabores fuertes y deliciosos, y rodeado del sonido de las palabras pronunciadas en árabe, su misión lo esperaba en otro lado. Quizás en otras circunstancias podría dejarse embriagar por esa dulce cultura milenaria.

Abdallah le señaló:

—A las cinco debe salir. Lo veré un rato antes en el comedor para que le presente a Ibrahim y tome un café.

—Aquí estaré —confirmó y, mientras recogía el celular, intentó contenerse, pero fue imposible. La poderosa atracción que Salma ejercía sobre él lo obligó a dirigir fugazmente sus ojos hacia ella. Las miradas se encontraron. En ese instante, si Álvaro hubiera podido descubrir qué sentía la chica que tan bien le caía, habría comprobado que la embargaba la pena de la despedida.

Salma encontraba a ese hombre rubio muy interesante por lo mundano y audaz —cualidades que admiraba—, amén de su condición de fotógrafo, actividad que ella amaba. Mientras Álvaro se despedía de su padre con un fuerte apretón de manos, lo contempló una vez más. Le gustaban los movimientos casi salvajes que acentuaban su determinación, como si ningún obstáculo pudiera detenerlo. Le agradaba su rostro armónico, su incipiente barba rubia y esos ojos claros que no escondían nada y mostraban su interior sin pudores. Le simpatizaba que siempre vistiera un jean gastado, como si la ropa le importara poco, no como a los hombres sirios que ella conocía, quienes elegían con sumo cuidado sus caros atuendos.

—Adiós, Salma —se despidió él.

—Hasta luego —saludó ella.

La mirada marrón y la verde se cruzaron de forma profunda.

* * *

El reloj marcaba las 4.40 de la mañana y hacía mucho calor cuando Sánchez bajó al comedor vestido de jean y camisa celeste, cargado con su pequeña mochila Samsonite color negra. Adentro llevaba muy poco, lo necesario para una incursión breve: un abrigo, agua mineral, un par de paquetes de galletas y unas barras de cereal. El equipamiento fotográfico había quedado reducido a lo estrictamente necesario. Había acordado que Abdallah se encargaría de enviar la valija metalizada al hotel donde Sánchez tenía la reserva. Mientras descendía por los escalones y percibía el aroma a café, le llamó la atención escuchar voces y comprobar que las luces de toda la casa ya estaban encendidas. Afuera aún era de noche, pero desde el descanso de la escalera vio que Mahalia apoyaba la cafetera en la mesa tal como si fueran las nueve de la mañana.

Abdallah sirvió su taza y la de Ibrahim, un sirio alto y moreno, de típicas facciones árabes, con barba y cabello algo rizados. Hablaba mucho y mezclaba el árabe con el inglés.

En cuanto Abdallah descubrió a Álvaro, se lo presentó. Sánchez se incorporó a la mesa y se sirvió café. Ibrahim continuó su monólogo exclusivamente en árabe. Las palabras brotaban de su boca a borbotones. Álvaro tomó un par de sorbos de su taza y pidió:

—Más despacio, por favor, que no logro entender.

Abdallah señaló:

—Dice que deben partir ya mismo porque los guardias de confianza están en este momento en los puestos de control. Si se demoran, será imposible atravesar las vallas. En tal caso, podría suceder una desgracia. ¿Entiende?

—Sí, claro. Vamos —dijo Álvaro poniéndose de pie.

Se despidió de Abdallah con la promesa de que, una vez que regresara a España, lo mantendría al tanto de las fotos. De nuevo le agradeció por el hospedaje y las demás molestias que se había tomado por él.

—Asegúrese de sacar las fotos y de mostrar al mundo lo que vea. Ese será para mí el mejor agradecimiento. Ahora, váyanse, que la hora pasa. Yo me encargo de que su valija salga hoy mismo para el hotel.

En instantes, llenos de adrenalina, Ibrahim y Álvaro bajaron rumbo a las cocheras del edificio, ubicadas en el subsuelo. A pesar de la hora, el calor ya apretaba. Cuando llegaron, se subieron apurados al Kia Rio y pusieron el motor en marcha. Afuera seguía de noche.

Apenas tenían por delante veinte kilómetros hasta Duma, pero la travesía podía depararles cualquier sorpresa porque debían sortear varios controles. Si no se presentaban contratiempos, llegarían con las primeras claridades.

Ibrahim hablaba poco. Su atención estaba fijada en los movimientos de la calle. A poco de andar, aún dentro de Damasco, se toparon con la primera revisión bajo el control de los partidarios del gobierno del presidente Bashar al Asad.

—Tú no hables, yo me encargo de todo —dijo Ibrahim en inglés un instante antes de detener el coche y entregar los papeles que funcionaban como salvoconducto.

Los milicianos les permitieron seguir de inmediato. Evidentemente, se trataba de una autorización con alguna firma importante. Aun así, Álvaro notó que Ibrahim respiró aliviado, como si hubiera existido la posibilidad de que algo saliera mal.

Llegando a Duma, muy cerca del ingreso a la ciudad, los mismos papeles hicieron levantar la valla del segundo puesto. Y de nuevo se escuchó el suspiro de alivio del sirio. Tras superarlo, le aclaró a Sánchez:

—Fue el último control de este lado. El próximo será del grupo rebelde. Está a la entrada de Duma. Ahora comienza lo peligroso.

—¿Presentarás los mismos papeles?

—No, allí presentaremos los nuestros y otro que traigo, pero tranquilo, la gente que está apostada en el lugar ya fue avisada de que cruzaríamos. Al Kabani pagó por ello. Aunque —advirtió con cierta tensión en la voz— seguramente nos requisarán el coche.

—¿Haces esto seguido? —preguntó Álvaro y de inmediato asumió que la experiencia de cruzar a Duma con este hombre al volante le serviría para uno de sus primeros artículos. Por supuesto, debería omitir los nombres.

—Es mi trabajo. Así me gano la vida —respondió Ibrahim encogiéndose de hombros como si se tratara de una labor común.

Habían avanzado varias calles cuando a lo lejos divisaron la valla de Duma rodeada por varios guardias vestidos con ropa árabe y turbante en la cabeza. La tensión creció en ambos.

Mientras se preparaban para afrontar la inspección, tal como si el habitáculo del auto fuera el ambiente de un concierto musical herido por un violín desafinado, oyeron un sonido que los sobresaltó. Provenía del asiento trasero. Sonó completamente fuera de contexto. La voz de una tercera persona, aunque suave, les erizó la piel.

—*Marhabaan*...

La palabra inundó el auto.

Los dos hombres saltaron en sus butacas. A Álvaro le costó entender de dónde venía ese «Hola» en árabe y quién lo pronunciaba. A Ibrahim, igual, pero su reacción fue rápida: clavó los frenos de golpe, sacó un revólver de abajo de su asiento y, con un giro, de inmediato apuntó a...

Ambos miraron al mismo tiempo hacia atrás y atónitos descubrieron el dulce rostro de Salma con el pelo tapado con un velo negro.

—*Shit!* —insultó Ibrahim.

¡Carajo! «¿Qué hace Salma aquí?», pensó Álvaro. ¿Cómo había llegado? ¡La habían traído escondida todo el trecho del viaje y no se habían dado cuenta!

Salma habló en árabe e Ibrahim le respondió en su idioma. El hombre gritaba; ella intentaba convencerlo de que no regresara.

—Cálmate, Ibrahim, no grites —le pidió Sánchez.

Desde donde estaban, aunque lejanas, podían divisar las figuras de los guardias. Aún no habían detectado al Kia Rio, pero si seguían estacionados, pronto tendrían problemas. Dos hombres y una mujer discutiendo en un auto aparcado atraerían la atención, vendrían por ellos y, si no les disparaban antes, quién sabe qué les harían.

Pero Ibrahim parecía más aterrorizado por la presencia de Salma que por la represalia de los guardias.

Álvaro comprendió que, si iban a avanzar, debían hacerlo cuanto antes. Y si no, debían regresar ya mismo. Aunque algo le decía que, si desandaban el camino, aumentarían las posibilidades de enfrentar problemas. En su mente barajaba varias alternativas, pero no conocía todas las combinaciones, como, por ejemplo, si Salma lograría pasar el control.

Álvaro sólo captaba una parte de la discusión en árabe, pero el tono de las voces le indicaba que Ibrahim quería retornar, mientras que Salma lo conminaba a continuar.

Le pareció que los milicianos señalaban el auto. Tal vez ya los hubieran descubierto. Si era así, debían avanzar. De lo contrario, si se marchaban, probablemente les dispararían. Álvaro exclamó:

—¡Creo que nos vieron! Sigamos con el plan. Si nos descubren dando la vuelta pensarán que huimos.

—Y nos dispararán —agregó Ibrahim.

—Continuemos. Tengo mis papeles —exclamó Salma, que los sacó de entre sus ropas y se los extendió a Ibrahim.

—O nos matan aquí o al regreso lo hace tu padre, Salma —vaticinó el sirio y los rechazó. Por un instante, apoyó su cabeza sobre el volante mientras repetía un insulto árabe.

—¡Vamos, Ibrahim, arranca! —le rogó Álvaro.

—*Raya'an* —Salma le suplicó un lastimero «Te lo ruego».

—Está bien, seguiremos. Pero no importa lo que haga, Al Kabani se enojará —advirtió mientras apretaba el acelerador del Kia.

—Mi padre ha pagado mucho dinero para lograr las fotos, no podemos volvernos sin ellas —agregó Salma.

—Pero que hayas venido con nosotros no le gustará. Aunque peor será que nos maten ahora, así que continuaremos —Ibrahim comentó sus pensamientos en voz alta mientras el vehículo avanzaba.

Habían adelantado unos pocos metros cuando Álvaro, sin poder contenerse, se dio vuelta y preguntó:

—¿Qué carajos haces aquí, Salma?

—Vine a sacar fotos. Es mi oportunidad de tomar verdaderas fotografías. He traído mi cámara —dijo señalando el bolso bandolero de color negro que llevaba cruzado sobre el torso.

—¡Ridículo! —protestó Álvaro asombrado.

—¡Cúbrete el rostro, Salma! —gritó enojado Ibrahim cuando se aproximó a los milicianos y añadió en tono religioso—: Y ruega a Alá que nos ayude.

A pesar de la situación, Álvaro notó que Ibrahim se había serenado. Salma se tapó el rostro por completo y sólo dejó al descubierto sus ojos. El resto de su cuerpo quedó envuelto en la túnica negra.

Los hombres de turbante y metralletas les indicaron que se detuvieran. Ibrahim les hizo caso y los saludó con parsimonia, tal como si viniera de excursión. Uno de los milicianos lo reconoció y lo saludó. De todos modos, le pidió los papeles. Otro de los guardias se dedicó a inspeccionar el interior del vehículo. Los tres entregaron sus documentos y, cuando se los devolvieron, los guardaron celosamente entre sus prendas. Las identificaciones establecían la diferencia entre la vida y la muerte.

El guardia de mayor rango comentó algo en tono amigable e Ibrahim de inmediato le ordenó a Álvaro:

—Sácales una fotografía. Me dicen que puedes tomarles una foto a los guardias. Cuentas con su permiso, pero no les enfoques el rostro.

Álvaro seguía anonadado por la presencia de Salma.

—¡Que les saques, hombre! ¡Quieren que lo hagas!

Álvaro entendió que se trataba de una orden. Si bien el convite lo había tomado desprevenido, accionó rápidamente su cámara e improvisó un par de fotos. Dos de los milicianos posaron con la seña de la victoria. Sobre la mano de uno, Álvaro descubrió un tatuaje con un mensaje en árabe y retrató el detalle con sigilo para no despertar resquemores.

Salma quiso imitarlo pero Ibrahim se lo impidió.

—¡Mierda, Salma! Tú, no.

Ella acató la orden.

Terminada la breve sesión, el Kia Rio avanzó y se alejaron de la guardia. Los tres iban mudos. A través de la ventanilla, Álvaro descubría en la castigada ciudad de Duma la misma cara sufriente que ya había palpado en otras urbes atacadas por la guerra, como en Afganistán o Irak: calles cubiertas por montículos de escombros, casas partidas por la mitad con los cables y las cañerías al aire, como si se tratara de un cuerpo humano con una quebradura expuesta. Abundaban las viviendas sin los vidrios en las aberturas y las montañas de basura asomaban en cada esquina. Los rostros de las pocas personas que cruzaron iban cargados de dolor, mugre y polvillo.

A doscientos metros de la valla, Ibrahim señaló:

—Debemos abandonar el auto, tenemos que hacer la incursión a pie. No se separen de mí.

Tras bajarse del vehículo, avanzaron con precaución, siempre mirando hacia atrás y a los costados.

—El lugar parece tranquilo —comentó Álvaro.

—Este sector de la ciudad por ahora está en calma —respondió el guía—, pero en cualquier momento puede violentarse. ¿Escuchan los tiros? En otras zonas están peleando.

Prestaron atención. A lo lejos se oía un ruido sordo y constante. Si se aguzaba el oído, se reconocía el sonido inconfundible de una balacera. Álvaro se mantuvo atento a las variaciones de los silbidos y los ecos que generaban los disparos. Podía distinguirlos: más lejos o más cerca, con impacto o balas perdidas.

Caminaron hasta que los tres tuvieron de frente a un grupo de hombres con armas al hombro y la cabeza tapada por turbantes de tela a cuadros negros y blancos.

—No, a ellos no. No les saques fotos. Pertenecen al Ejército del Islam —dictaminó Ibrahim.

En Duma había diferentes grupos rebeldes y no todos adherían a las mismas ramas. Los había de distintos colores e intereses; algunos, de ideas muy cerradas y violentas.

Cuando los hombres se alejaron y los tres avanzaron, por la vereda de enfrente apareció una mujer vestida de negro y con el *burka*, que le tapaba por completo la cabeza, y un niño de dos años en brazos. Su figura corva y sus pasos apurados denotaban terror. Como si alguien la persiguiera o escapara de algo, controlaba permanentemente quién venía a sus espaldas.

Álvaro asumió que, simplemente, huía de la guerra y enseguida captó la escena con su cámara.

Salma hizo aparecer la suya al tiempo que dijo:

—Te advierto, Ibrahim, que sacaré fotografías. Para eso he venido.

No esperó respuesta y disparó una serie de clics sobre la imagen de la madre que cargaba a la criatura. Lo hizo justo a tiempo, antes de que la mujer desapareciera a la vuelta de la esquina.

Ibrahim, resignado, se calló.

Con sus máquinas, se dedicaron a tomar fotografías de las casas derruidas, de los cables caídos y tendidos en el piso. Álvaro buscaba captar el aspecto desolado que mostraba Duma; Salma le seguía el paso mientras aprendía del ojo avezado.

Ibrahim caminaba nervioso detrás de Salma. Ella lo notó.

—Todo estará bien —lo consoló—. Mi padre no se enterará, te lo aseguro. No le diremos que vine. Hoy tenía planeado visitar a Namira. Esa será mi coartada —comentó para tranquilizar al guía.

El hombre no le respondió. Todos sus sentidos estaban puestos en los peligros de ese momento. Afrontaría lo que sobreviniera cuando regresaran sanos y salvos. Ahora sólo necesitaban mantenerse ilesos.

Por momentos y no tan lejanos, se oían tiroteos y algunas explosiones.

—Duma es un lugar peligroso, Salma —reconoció Álvaro.

Su compañera era una mezcla de chica ingenua y mujer de mundo. Durante la primera cena, había expuesto con entendimiento sobre la economía de su país y de la Comunidad Europea; los viajes en familia la habían convertido en una cosmopolita —de hecho, había visitado lugares que ni Álvaro conocía—, pero ahora quedaba en evidencia quién ejercía el verdadero dominio de su universo. Por más preparada y madura que pareciera, ella respondía a Al Kabani de manera estricta.

Salma le contestó:

—Entiendo que hay peligro, pero no es un sitio ajeno para

mí. Conozco muy bien la zona, la he visitado desde niña. Y en los últimos años venía cada día a trabajar a las oficinas de la fábrica conduciendo mi Audi.

La respuesta puso nuevamente al descubierto la discordancia que Álvaro percibía en sus actitudes. Tal vez por eso la hallaba tan atractiva. Además, su arrojo para colarse de polizón desafiando las prohibiciones y la pasión que transmitía aferrada a su cámara le inspiraban respeto. Él hacía su trabajo, pero ella –por la misma actividad– ponía en juego su universo de mujer siria.

Ibrahim le dijo a Salma:

–Conoces bien el lugar porque antes venías a trabajar, pero ahora es completamente diferente. Hay una guerra aquí.

El hombre formuló su queja en claro español para que Álvaro entendiera. Lo quería de su lado a la hora de juzgar la intrepidez de la joven. Sobre todo, cuando tuvieran que excusarse ante Al Kabani por haberla traído.

Avanzaban cuando de repente un grupo de niños pasó a su lado corriendo como un torbellino. Iban gritando, jugaban a la guerra, llevaban palos en sus manos. Uno de ellos empuñaba una pistola de verdad y transformó la escena en un cuadro surrealista. Los disparos de ambas cámaras resonaron y captaron distintas versiones de la escena mientras los tiroteos seguían sonando como música de fondo.

Los tres caminaban y las imágenes de una guerra infame conformaban una película sin cortes. Salma y Álvaro plasmaron en fotos los restos de la carrocería carbonizada de dos autos abandonados en la calle; una casa derruida cuyos habitantes utilizaban el marco de una ventana sin vidrios para atar un cordón del que colgaban la ropa que secaban al sol; entre las prendas, abundaban las de niños. Salma se detuvo en una manta con dibujos de ositos.

La hora pasaba y las cámaras continuaban registrando el desastre. Un poco más adelante fotografiaron un ejemplar de la típica rosa de Siria colmada de flores que sobrevivía en lo que alguna vez había sido un jardín, ahora cubierto por un montón de escombros. La rosa mostraba cómo la vida siempre se abría paso aun en medio de la destrucción.

Los disparos de las cámaras se sucedían. Un hombre caminaba por la calle abrazado a un gran zapallo amarillo como si fuera el más precioso tesoro —sin dudas lo era por la escasez de alimentos frescos— y quedaba retratado. Tres mujeres vestidas de negro con el rostro tapado llorando sobre un cuerpo tendido en el piso atravesaban el lente y quedaban grabadas en la memoria.

Si alguien hubiera podido indagar el interior de ambas cámaras, habría comprobado cómo cada uno registraba la misma escena pero con matices distintivos, logrando un resultado diferente. Demostrando, así, que ninguna alma es igual a otra y que, como cada una percibe la realidad a su manera, la obra de cada artista es única y jamás será idéntica a la de otro. La fotografía, que no es ajena a esta mágica regla, probaba que la creación —en cualquiera de sus formas— viene de la mano del mundo interior del alma.

Álvaro sacó su iPhone y tomó algunas fotos.

Ibrahim chequeó su celular y, al descubrir que habían sobrepasado el mediodía, señaló:

—Es momento de ir a la fábrica.

—Buena idea —aprobó Álvaro. No olvidaba que su presencia en Duma se la debía a Al Kabani, que quería, entre los horrores de la guerra, mostrar el propio: su negocio, que había prosperado durante las dos últimas generaciones, ahora se hallaba cerrado y a él y a quinientos empleados se les negaba la posibilidad de trabajar.

Regresaron por el vehículo. Ibrahim les convidó unas *raha* que había cargado antes de salir. Comieron las golosinas con ganas; ese fue su almuerzo. Luego condujo hasta llegar a la zona fabril atestada de oficinas y edificios abandonados, hasta que estacionó y avanzaron a pie. Al fin, Salma se detuvo y señaló dos construcciones derruidas.

—¡Aquí es! —exclamó—. En estos edificios funcionaba nuestra

empresa. A la izquierda estaban las oficinas y en el galpón grande, el taller con las máquinas. Espero que algunas continúen en su sitio. Otras habrán sido saqueadas o vandalizadas.

Las persianas bajas transmitían melancolía y las montañas de escombros y basura daban la cuota de horror. Aun así, seguían siendo grandes construcciones que se mantenían en pie.

—Traje las llaves de la oficina. Si quieren, podemos entrar —propuso Salma dirigiéndose al ingreso principal.

—No, nada de entrar. Saquen las fotos y vámonos —ordenó Ibrahim mirando su celular. Seguía atento a los mensajes.

Ambos tomaron imágenes de las edificaciones de Al Kabani y de las fábricas vecinas que se encontraban en igual estado de abandono.

Álvaro observó a Salma. A pesar de llevar el rostro tapado, tenía los ojos llenos de lágrimas. Se enterneció. Hubiera querido decirle que esa calamidad acabaría pronto, que a la guerra le quedaba poco tiempo, pero sabía que no podía prometer absolutamente nada. Deseaba tomarle la mano o abrazarla para reconfortarla, pero también entendía que se trataba de algo imposible porque una mujer sunita no vería con buenos ojos ese tipo de demostración de afecto brindada por un hombre occidental al que, además, conocía poco.

Cuando terminaron, Álvaro habló con el sirio sobre la siguiente etapa de su misión: fotografiar la guerra, retratar la acción de los soldados y los milicianos.

—Ibrahim, ahora necesito que me lleves a la línea de fuego.

—Es peligroso. Estamos con la hija de Al Kabani.

—Tengo que hacerlo. He venido para esto desde muy lejos. Es mi oportunidad.

—Vendremos otro día.

Álvaro insistió.

Ibrahim evaluó el riesgo y le propuso:

—Te llevaré, pero sólo bajarás tú del auto.

—De acuerdo.

A medida que se acercaban a la zona roja, los tiros se oían

con absoluta claridad. Una gran explosión fijó el límite que Ibrahim no cruzaría.

–Hasta aquí llego. Bájate, español –ordenó–, y ve a hacer ese loco trabajo tuyo.

Álvaro obedeció y, antes de grabarse las referencias visuales que lo traerían al punto de encuentro, la puerta trasera se abrió.

–¡Yo también iré! –dijo Salma.

Y al intentar descender, los hombres exclamaron al unísono:

–¡No!

En Afganistán, Álvaro había trabajado junto con una compañera, pero Salma no sabría cómo moverse en la línea de batalla. Además, le preocupaba lo que diría Al Kabani.

Ibrahim bajó el vidrio y le habló a Álvaro:

–Escúchame bien: esperaré por ti aquí, en el auto, durante veinte minutos. Pero si la situación se pone fea, tendré que moverme, cambiar de posición. En tal caso –pausado, mezcló inglés y español para ser completamente comprendido–, deberás arreglártelas solo hasta que pueda regresar por ti.

Álvaro miró la hora en su reloj y respondió:

–A las cuatro en punto estaré aquí.

Luego comenzó a correr como lo había hecho cuando cubrió la guerra de Afganistán y también en otras oportunidades. Se lanzó a la calle protegido por unas construcciones bajas y en minutos se atrincheró en lo recio de la contienda bélica. Los disparos resonaban a pocos metros, la adrenalina lo recorría entero mientras una sola meta se adueñaba de su mente: sacar las fotos. Todo lo demás, incluida su propia vida, quedaba supeditado a ese objetivo. Nada importaba, sólo las imágenes que mostrarían al mundo lo que sucedía en el frente de batalla de Duma, Siria. Un tiro zumbó muy cerca. No le importó. Y siguió avanzando.

CAPÍTULO 3

El suspiro de una mujer
se oye desde más lejos que el rugido de un león.

Proverbio árabe

Álvaro llevaba unos pocos minutos deambulando por las calles de Duma donde se peleaba la guerra. Corría a velocidad, buscaba un lugar para guarecerse y ubicarse con su cámara.

La balacera lo rodeaba. En el afán de alcanzar a dos hombres, una metralleta destruyó una pared y el ambiente se llenó de un intenso polvillo. Por un momento, no vio nada. Cambió de lugar y recuperó la visión de la calle.

A su alrededor, las exclamaciones –arengas, órdenes y gritos de odio– se mezclaban con las de dolor físico de los heridos. Logró instalarse en un sitio que consideró perfecto para su labor –aunque algo inseguro– y captó lo que deseaba: rostros aterrorizados, hombres disparando, casas humeantes, trazas aéreas de proyectiles, mujeres con el típico llanto largo y lastimero frente a sus muertos. Una síntesis de la locura que se vivía en la violenta guerra siria.

Sin medir su seguridad ni la hora, continuó haciendo su trabajo hasta que un rapto de lucidez le recordó que Ibrahim lo esperaba.

Miró su reloj; marcaba las 16.04. Entonces dio media vuelta e inició una carrera a todo lo que le daban las piernas. Tenía que llegar al auto cuanto antes o el sirio se marcharía. Concentrado en su propósito, lo sorprendió la figura que se le venía encima: Ibrahim iba a su encuentro corriendo a máxima velocidad. Cuando lo tuvo a centímetros, el hombre exclamó:

–*Let's go!* ¡Vamos, vamos, Sánchez! Tenemos un problema. Acaban de avisarme que cambiarán la guardia. Si se van mis hombres antes de que lleguemos, se complicará nuestra salida de Duma.

Ambos cubrieron el trecho que los separaba del vehículo, donde los aguardaba Salma, se subieron y el sirio arrancó con violencia. Durante la retirada, una detonación impactó muy cerca y por unos instantes quedaron sordos. El auto se detuvo. Cuando salieron del shock, los tres comprobaron si estaban heridos. La mirada les devolvió la certeza de que se hallaban sanos y salvos; siguieron avanzando con prisa.

El ejército del presidente Bashar al Asad bombardeaba la zona. No tenían otra alternativa que cambiar de ruta; no podían regresar por el mismo camino. Ibrahim se concentró en la calle. Temían que los tiros y bombas los alcanzaran y destrozaran el Kia Rio.

El sirio manejaba con frenadas bruscas y puestas de marchas violentas. Desesperado, buscaba cómo huir del laberinto. Necesitaba dar con calles alternativas que lo condujeran hacia la guardia que les facilitaría la salida de Duma. Pero cada esquina estaba imposible. La explosión de otra bomba provocó un grito de Salma y el sirio clavó el freno. Los tres pensaron que habían sido lastimados. El aturdimiento les duró un rato, pero para cuando se repusieron Ibrahim avanzó nuevamente, aunque más lento porque la escasa visibilidad a raíz del polvo en suspensión y la ausencia de referencias —las casas y los edificios conocidos habían sido demolidos— lo habían desorientado. Decidió esperar a que el polvillo se disipara y detuvo el motor del vehículo. Luego de unos minutos, miró su reloj y exclamó:

—*Shit!* ¡Es tarde! ¡La guardia ya fue cambiada! Tendremos que esperar aquí hasta que me den instrucciones para saber a dónde dirigirnos.

Urgido por novedades, mandó un mensaje por celular y permaneció atento a la pantalla. Esperaba una respuesta, la necesitaba ya mismo.

Álvaro aprovechó y envió un mensaje a su jefe. En pocas palabras lo puso al tanto: «Tengo las fotos. Todo va bien. Ahora sólo resta salir de este infierno».

Salma controló su teléfono pero no escribió nada; lo guardó en el bolso negro que llevaba cruzado. No olvidaba que su familia la creía en casa de su tía Namira.

Después de diez minutos, y cuando parecía que Ibrahim enloquecería, recibió el esperado mensaje con las instrucciones.

—Tendremos que ir a la casa de unas personas que conozco aquí, en Duma —compartió los nuevos planes—. Allí estaremos seguros hasta que me avisen que ha llegado un guardia de confianza.

Los tres estaban preocupados; cada uno a su manera. Sobre todo Ibrahim, que era responsable de la seguridad del grupo; en especial, por la inesperada presencia de nada menos que la hija de Al Kabani.

—¿Podremos regresar hoy? —preguntó Salma con la preocupación latente de que descubrieran su ausencia.

—Claro que sí —respondió Ibrahim y comentó su temor—. Está cayendo el sol y eso nos obligará a pasar la valla durante la guardia nocturna. Será aún más peligroso. Son más rigurosos.

Una vez que las explosiones se calmaron, el sirio se bajó del auto y les ordenó:

—Vamos, iremos a la vivienda donde nos esperan.

—¿A pie? —preguntó Salma.

—Sí. El auto quedará aquí. No podemos estacionarlo en la puerta de la casa porque podría traerles problemas. No es tan lejos.

Álvaro percibió que Ibrahim ya no transmitía el aplomo de las primeras horas del día. El regreso comenzaba a descontrolarse. Caminaron varias calles con mucha precaución hasta que llegaron a una zona donde algunas casas aún en pie mantenían vida de barrio. Si bien habían sufrido ataques, la gente todavía residía allí. El ruido a motor delataba qué familia disponía de generador eléctrico propio, como en ciertas casas de Damasco. No obstante, Álvaro recordó que en la zona de la última guardia había observado que el tendido de electricidad funcionaba.

En minutos, dentro de la humilde morada siria, Álvaro se

hallaba sentado junto a Salma en un desvencijado sillón de cuero color marrón, rodeado de gente que no conocía y a la que ni siquiera le entendía una palabra. ¿Arameo, azerí, kurdo? Un hombre de turbante blanco y larga barba hablaba con Ibrahim muy cerca de la puerta en un dialecto diferente a los utilizados en Damasco.

Empezaba a sentir cansancio y hambre. Asumió que Salma y el conductor estarían igual. Ella se había quitado el velo del rostro y, ensimismada, captaba retazos de la conversación de los hombres. Evidentemente, entendía. Desde el fondo, junto a una cocina, dos mujeres vestidas de negro y con el rostro tapado reparaban en él como si fuera un extraterrestre. Tal vez nunca habían visto a un extranjero con el pelo tan rubio. Ambas mujeres habían dejado de lado las papas que pelaban cuando ellos llegaron y ahora se dedicaban a desentrañar cómo seguía esta novela instalada en su casa con los extraños que había traído Ibrahim. Su presencia les llamaba más la atención que las bombas que afuera estallaban sin parar.

Álvaro inspeccionó su entorno para localizar un enchufe. La vivienda contaba con generador; por lo tanto, tendría que haber uno. Lo necesitaba, la batería de su celular estaba al límite.

Aunque arruinados y cubiertos de polvo, los muebles de la estancia donde se encontraban le demostraban que alguna vez había funcionado como la sala de ese hogar. Unido a la cocina, apenas separado por una tela que oficiaba de cortina, el living había perdido su esplendor. Todas las ventanas —las que daban al patio y al exterior— carecían de vidrios. Las paredes internas —derrumbadas por alguna razón que a Álvaro se le escapaba— habían sido reemplazadas por telas de colores clavadas al techo. Los trapos colgados otorgaban la sensación de estar en una gran carpa.

Para Álvaro, estar sentado en el centro de ese escenario fue una tentación demasiado grande. Quería fotografiarlo, no podía desperdiciar esa oportunidad. Dejando de lado la búsqueda del enchufe, configuró su cámara para la luz lúgubre que reinaba en el sitio. Luego lanzó una seguidilla de disparos. Su acción despertó los gritos encendidos de las mujeres y la explosión del hombre del turbante, que exclamó un par de frases en tono amenazante.

—*Sorry, sorry*, lo siento —se disculpó Álvaro levantando la palma de sus manos y buscando restaurar la paz. No había calculado que se armaría semejante escándalo por unas fotos.

Ibrahim logró tranquilizar al hombre con una breve explicación. Luego, mirando a Álvaro exclamó:

—*Bismillah!* ¿Qué crees que haces? ¿Acaso quieres que nos maten?

—¡No creí que se pondrían así!

—No desean ser retratados. En el islam está prohibido pintar o dibujar un ser humano porque consideramos que el único creador es Dios. ¡Deberías conocer nuestras creencias! Tampoco tenemos estatuas ni esculturas de personas. El islam condena la fotografía. ¡Por eso no quieren ser retratados!

—¡Carajo! —dijo Álvaro y lanzó un silbido.

Pasado el momento de estupor, Adil, el hombre del turbante, ordenó a las mujeres que prepararan una jarra de té para los visitantes. Mientras tanto, afuera, las explosiones continuaban oyéndose.

Ibrahim les comentó que el hombre aseguraba que podían permanecer en la vivienda hasta que recibiera el aviso de que el guardia de confianza se hallaba en la valla. Luego, tras chequear una vez más su celular, se alejó unos metros hacia la entrada y siguió conversando en voz baja con Adil.

Álvaro, sentado junto a Salma, le preguntó:

—¿Qué hablaba Ibrahim con el hombre?

—Están preocupados. Tienen miedo de que nuestra visita llame la atención de algún grupo radical.

—¿Es grave?

—No. Siempre hay miedo en la guerra —respondió aplomada pese al caos reinante.

—¿Estás bien? Pareces cansada.

—Sí, estoy agotada. La noche está al caer y ha sido un día agitado.

—No te puedes quejar —respondió Sánchez—, has podido cumplir tu deseo.

—Sí, eso me pone feliz —reconoció sonriendo mientras tocaba la cámara que llevaba colgada al cuello.

Por un instante, sus ojos se encontraron. Los rostros de Álvaro y Salma reflejaron una sonrisa. Ella podía ser sunita, musulmana, o lo que fuera, pero él sabía bien qué significaba esa mirada. Había estado con demasiadas mujeres para no conocerla. Él le gustaba. Y sin dejar de observarla, se acercó más.

La tenía a centímetros. Su pierna rozó la suya. Pudo sentir su aliento.

Lo que le transmitían los ojos canela y la cercanía le procuraron una oleada de excitación. Deseaba besarla. La escena no podía ser más ridícula: estaba refugiado en una casa en la punta del mundo, en medio de la guerra, gobernado por su elemental instinto de hombre. Decidió evitar las ideas sensuales que venían a su mente si miraba la boca de Salma. Pero resultaba imposible; ella también miraba la de él. Ambos tenían la extraña sensación de que el universo se había detenido y que allí estaban los dos solos, gustándose, con ganas de besarse, sentados en un sillón marrón arruinado de un living polvoriento, rodeados de telas que hacían de puerta, de cortina, de paredes. Recordó cómo Paloma, en Barcelona, inventaba un ambiente propicio para pasar una noche juntos; se perfumaba, prendía velas y descorchaba una botella de vino. Se trataba de artilugios de pareja que usaban para lograr lo que aquí acababa de darse entre él y Salma de manera natural y espontánea.

Mientras una de las mujeres les acercaba dos vasos de vidrio transparente repletos de té, una explosión hizo vibrar las pocas paredes que quedaban en la casa. Salma se puso de pie, extendió su mano y tomó uno de los vasos justo cuando una nueva detonación, esta vez más fuerte aún, la desestabilizó, trastabilló y su bebida cayó al suelo.

En la sala, todos se observaron entre sí. Aún nadie había pronunciado ni una palabra cuando oyeron una tercera bomba. La onda expansiva los tambaleó y provocó la caída de la mujer más vieja. El ambiente se movió desde los cimientos. Por la intensidad del ruido, Álvaro creyó que había quedado sordo. A partir de ese momento, los vestigios de coherencia se perdieron por completo. Las mujeres gritaban e invocaban a Alá mientras se agarraban la cabeza y suplicaban al cielo.

Haciendo los trapos a un lado, Ibrahim y Adil salieron de la sala por la puerta de calle. La casa se movía como si fuera una caja de zapatos. Parecía que iba a derrumbarse. La bomba había caído a pocos metros.

—Tenemos que irnos ya mismo. De lo contrario… —dijo Ibrahim asomado desde la puerta, enredado en los trapos. Pero no terminó la frase porque una ráfaga de metralleta dio de lleno en el frente de la vivienda—. *Bismillah!* —exclamó y se frenó en seco.

Además de bombardeada, la zona estaba siendo atacada por tierra por quién sabe qué grupo.

—¡Salma, ven aquí! —gritó Álvaro, que intentaba trepar por la ventana de la cocina que daba al patio trasero, por la que acababa de huir la mujer más joven.

No había tiempo para nada.

Salma obedeció, se acercó unos pasos hacia la abertura pero una segunda ráfaga de metralletas ingresó a la casa por la ventana del frente y traspasó las telas. Los proyectiles impactaron en la sala y alcanzaron el pecho de Ibrahim.

Horrorizada, Salma detuvo su huida con la intención de ayudarlo. Pero no pudo avanzar. Se tiró al suelo para evitar la balacera justo en el momento en que una nueva explosión detonó tan cerca como la última.

—¡Maldición! ¡Déjalo y ven aquí! —gritó Álvaro, que estaba seguro de que el sirio había muerto. Nadie podía sobrevivir a semejante tiroteo.

Ella no pareció oírlo o, si lo hizo, no le importó, porque

avanzó cuerpo a tierra hasta donde Ibrahim yacía en el piso. Se arrodilló junto al hombre mientras veía aterrada cómo la sangre le brotaba a borbotones a través de la camisa. Los ojos del hombre no se abrían.

Las balas seguían silbando en la sala.

—¡¡Salma, ven aquí!! —gritó nuevamente Álvaro, que al fin había logrado subir al alféizar de la ventana que comunicaba con el patio. Pegó un salto y salió. Pero al asumir que Salma también moriría si no abandonaba la sala, regresó sobre sus pasos para rescatarla. En medio de la maniobra, mientras insultaba en todos los idiomas que conocía, comprobó que Salma estaba a punto de treparse a la ventana. La tomó del brazo y la ayudó a apoyar el trasero en el marco; luego, la jaló con fuerza. La túnica de Salma se enredó y entorpeció sus movimientos. La tela se rasgó y dejó al descubierto el pantalón de jean que llevaba abajo. Su bolso cayó al piso y allí lo dejó. Sólo le importaba la cámara, que seguía colgada en su cuello.

Los percances la demoraron, pero al fin Salma logró pisar del otro lado. Afuera estaba segura.

«¿Ahora qué debemos hacer?», se preguntó Álvaro.

La situación se había desmadrado. Apenas un momento atrás la miraba con deseo y ahora debían correr para salvar sus vidas. ¿A dónde ir? No conocía el lugar. Observó el entorno y descubrió que la mujer joven les llevaba varios metros de ventaja; ya había atravesado el patio. De un tirón, Álvaro tomó de la mano a Salma y la siguieron a la máxima velocidad que daban sus pies. En esa huida se jugaban su posibilidad de vivir.

Uno de los laterales del patio se comunicaba con otro. La mujer lo cruzó y ellos, por detrás. Y así, gracias a este sistema preparado para escapar, avanzaron por las casas vecinas.

Finalmente, los tres aparecieron en un terreno baldío que daba a la calle. La mujer siria cruzó de acera y desapareció. Dieron por sentado que se había guarecido en otra morada, pero no acertaban en cuál. Sin posibilidad de seguirla, no se les abriría ninguna puerta.

Álvaro evaluó dos esquinas, eligió una; y con Salma todavía de la mano, dobló. A la carrera, avanzaron varias calles hasta alejarse por completo de lo recio del ataque. Las explosiones y los tiros iban quedando atrás. Agotados, sintiéndose fuera del peligro mayor, se apoyaron en cuclillas contra un vehículo abandonado. Escondidos detrás de la arruinada carrocería, la noche había caído por completo y ahora los protegía.

—Descansa, Salma, ya nos alejamos del ataque —dijo Álvaro hablando de manera entrecortada. Después de la tremenda corrida, el corazón le iba al galope. Tocó la cámara y respiró aliviado; su tesoro aún colgaba del cuello.

—Murió Ibrahim... Lo vi. Estaba muerto —explicó agitada y con los ojos llorosos.

—Lo asesinaron.

—Tenía esposa e hijos —mencionó más para sí misma que para Álvaro.

Ambos estaban en shock. Álvaro se debatía entre condolerse por el hombre, seguir corriendo o ubicar un lugar más seguro donde guarecerse. La voz agitada de Salma lo sacó de sus cavilaciones.

—Sánchez...

—Dime...

—Necesito ir al baño... Ahora.

—Yo, también. Ve tú primero, que yo vigilaré que no venga nadie.

—¿A dónde voy?

Con la cabeza, Álvaro le indicó apenas un metro más allá. En la guerra de Afganistán había trabajado con fotógrafas europeas que no habían tenido ningún pudor en hacer sus necesidades frente a él o el grupo de reporteros. Pero Salma había sido criada de otra manera. Para ella, el cuerpo era sagrado; la privacidad de la piel, un tesoro. No importaba el peligro que la acechara.

Álvaro repitió el gesto y, por un momento, creyó que se negaría, pero sus exigencias fisiológicas fueron más fuertes que cualquier atisbo de decoro. De pie, se ubicó en la punta del auto, se levantó la túnica y, tras bajarse el jean, se agachó para cumplir su cometido. Luego le tocó el turno a Álvaro. Cuando terminó, se acuclilló junto a ella y le dijo con voz clara y baja:

—Salma, tenemos que irnos.

—¿A dónde?

—Buscaremos un lugar más seguro. No podemos quedarnos en la calle.

—¿Y el auto?

—No sé. Por ahora, no podremos acercarnos. Pero antes de comenzar la búsqueda, por favor, vigila. Debo enviar un mensaje —anunció mientras se descolgaba la mochila para buscar su teléfono. Cuando lo encontró, buscó el contacto de su jefe. Se apuró al comprobar que le quedaba uno por ciento de batería. Maldijo haberse distraído y no haber dado con el enchufe mientras estaba en la casa de Adil. Su incursión en Duma se estaba poniendo fea. Escribió el mensaje de inmediato. Las palabras refulgieron en la pantalla: «Nos atacaron, mi contacto en Duma ha muerto. Estoy escapando. La hija de Al Kabani está conmigo. Tengo las fotos». Luego adjuntó dos de las que había tomado con su celular. Por suerte, todo salió rápidamente y llegó a destino.

Al comprobar que había terminado su comunicación, Salma pidió:

—Escríbele a mi padre. Avísale que estamos aquí.

La gravedad de la situación los obligaba a contactarlo pese a que Salma había venido en secreto, sin su permiso. Ambos calibraban la ira que despertaría en Abdallah la aventura de su hija. Pero para afrontar las consecuencias —incluso si sospechaba que el fotógrafo la había inducido—, primero debían salir con vida de Duma.

—Tal vez sea mejor que le escribas desde tu teléfono —sugirió Álvaro.

—Lo perdí cuando huimos, quedó en el bolso.

—Ay, Salma… —suspiró y buscó entre sus contactos el de Abdallah. Pero antes de terminar de escribir dos palabras, la pantalla se oscureció. La batería había quedado en cero, vacía por completo.

–¡Mierda, se apagó!

Salma, a punto de llorar, se mordió el labio.

Permanecieron taciturnos pensando a dónde ir hasta que ella rompió el silencio.

–Sánchez...

–¿Qué?

–Vamos a la fábrica. Tengo las llaves.

La propuesta sorprendió a Álvaro, aunque la sopesó y dijo:

–No creo que sea buena idea. Queda lejos.

–¡Pero no podemos quedarnos aquí, en la calle! Además, sé ir por un camino más corto que nos ahorrará varios minutos.

–Quizá –arriesgó– podríamos intentar pasar la guardia.

–¡Estás loco! ¡Nos matarán!

Ella tenía razón: jamás les permitirían avanzar, los tomarían como prisioneros o les sucedería algo peor. Álvaro recordó a su amigo Marc Marginedas. También tenía fresco el caso de la reportera de la cadena CBS, atacada en una plaza de El Cairo mientras cubría la Primavera Árabe en 2011. Después de tomarse unos segundos para responderle, aceptó.

–Vamos a la fábrica. Tal vez tengas razón –respondió y deliberadamente omitió mencionar por qué había cambiado de parecer.

Al resguardo de la fábrica podrían ganar tiempo para evaluar las opciones. De pie, otra vez avanzaron tomados de la mano; pero en esta ocasión Salma guio el camino. Iban de puntillas. Si durante el día la ciudad era insegura, la noche la volvía más peligrosa. Cualquiera podía ver en ellos un posible enemigo y dispararles.

Por momentos, Salma se detenía, dudaba, echaba un vistazo. Y seguían. Con la guerra, Duma había cambiado lo suficiente como para sentirse forastera.

Eligió una callejuela, pero un gran montículo de escombros les obstruyó el paso y debieron treparlo para aparecer del otro lado. Luego se metieron por una serie de patios intercomunicados y caminaron un largo trecho por casas abandonadas hasta que finalmente dieron con la calle de la fábrica. Pero, atónitos y descorazonados, comprobaron que el lugar parecía otro luego del último bombardeo.

—*Bismillah!* ¡Han destruido los salones! —exclamó desesperada al ver el edificio donde se suponía que estaban las máquinas—. ¡¿Y ahora?! ¿Dónde iremos? Esta guerra cruel destruye todo a su paso. Ya nunca podremos volver a trabajar aquí. ¡Nunca! ¡Y no tenemos dónde pasar la noche!

El salón grande estaba destruido y en el edificio de oficinas una explosión había abierto un gran boquete.

Salma se tapó el rostro con las manos y lloró desconsoladamente. Por primera vez desde que había salido de su casa se permitía un momento de flaqueza.

—Cálmate, Salma…

—¡Mira ese maldito boquete! ¡Maldita guerra! ¡Malditos hombres que pelean y se matan! —expresó y luego lanzó una perorata de palabras en árabe.

Entremezcladas con el llanto, Álvaro no entendió todas pero sí las suficientes para estar seguro de que insultaba amargamente.

—Cálmate, ya se nos ocurrirá algo —dijo él y la abrazó.

—Todo está mal —respondió resignada y golpeó a Álvaro en el pecho.

—Cálmate, todo estará bien —repitió y, abrazándola con fuerza hasta inmovilizarla, logró sosegarla—. Mira las oficinas, aún están en pie. Podemos entrar por el boquete.

—Pero ya no será seguro. Si no hubiera explotado una bomba, podríamos haber cerrado con llave.

—No importa —minimizó Álvaro, convencido de que unas llaves no alcanzarían para separarlos del peligro que acechaba en Duma—. Ven, vamos adentro. Al menos por esta noche estaremos al cobijo. Nadie nos molestará, nadie sabrá que estamos aquí.

Salma lo siguió aunque enseguida se adelantó porque sabía

dónde estaban las escaleras y la distribución de las oficinas del inmueble.

En el primer piso, Álvaro propuso:

—Por seguridad, deberíamos quedarnos aquí. Temo que pueda producirse algún derrumbe.

—Sí, pensé lo mismo.

Caminaban a tientas en la oscuridad. La luna que ingresaba por las ventanas apenas les servía para reconocer sus siluetas. Pero poco a poco sus ojos se iban acostumbrando y podían ver mejor. Así, en la penumbra, Álvaro descubrió que, en tiempos de normalidad, las oficinas habían funcionado con todas las comodidades.

—Por suerte está agradable. No sabes el frío que hace aquí en invierno.

Se sentaron en el piso, junto a una ventana, y por primera vez se quitaron sus cámaras del cuello.

—¿Tienes hambre? —preguntó Sánchez.

—No, tengo mucha sed.

Álvaro sacó de su mochila la botella de agua mineral que le quedaba de las dos que había cargado antes de salir. La bebieron a medias.

Los dos paquetes de galletas Sami permanecían intactos. Aunque no tenían hambre, en algún momento les servirían.

—Deberíamos comprobar si sale agua del grifo del baño y cargar la botella —propuso Salma.

—Mañana lo haremos —respondió Álvaro, que, en la oscuridad reinante, temió tropezar con cables u otros obstáculos—. Ahora, descansa.

—No creo que pueda dormir.

—Ven aquí —dijo. Y extendiendo su brazo, apoyó suavemente la cabeza de Salma contra su pecho.

¡Al diablo con las costumbres árabes! ¡Al demonio con los prejuicios y los pudores! Ella necesitaba eso, un buen abrazo, el contacto con otro ser humano que la calmara. Y la verdad: él también lo precisaba. Acababan de salvarse de ser asesinados por una balacera, de ser aplastados tras la explosión de un edificio. El mundo y sus ridículas ideas de lo que estaba mal podían irse a la mierda. Lo que estaba mal era la guerra y no un abrazo. Se hallaba seguro de que en ese momento Salma opinaba lo mismo. La pegó aún más contra él y ella se lo permitió sin chistar. Y así se quedaron un largo rato.

—Perdí el teléfono pero tengo las fotos —comentó ella.

—Qué bueno, aunque ahora sería más útil el teléfono.

—O el tuyo, con la batería cargada —retrucó.

Álvaro levantó las cejas a modo de protesta —aunque no le faltaba razón— y se llamó a silencio. Salma tenía esas salidas que traslucían su constante dicotomía entre rebeldía y sumisión.

—¿Sabes, Sánchez…? Fue mejor que la bomba abriera un boquete en las oficinas o no hubiéramos podido entrar. Las llaves quedaron dentro del bolso que perdí.

—Salma, Salma… ¿Recién te das cuenta de que no las traes contigo? —preguntó sonriendo.

—Sí, hace un instante.

—¡Y mira que lloraste por culpa del boquete que no te dejaba cerrar con llave!

—Sí, lloré bastante —reconoció y rio al recordar el berrinche. Se sentía ridícula. Toda la situación lo era.

Él también rio. Y de repente, sin pensar, los dos comenzaron a desternillarse hasta que ya no pudieron parar las carcajadas.

La risa, más que por lo gracioso, provenía de los nervios que habían acumulado. Y para ellos, fue una verdadera catarsis. Porque después, cuando se calmaron, durmieron durante un par de horas, las suficientes para tener la fuerza que la mañana les exigiría.

* * *

La luz del alba encontró a Álvaro y Salma incómodos, deseando que lo que estaban viviendo fuera la pesadilla de una mala noche.

La mente de Salma repetía la misma pregunta: ¿qué dirían sus padres cuando descubrieran la mentira? Álvaro abrió los ojos y su cabeza se puso a trabajar en una sola idea: ¿cómo salir de Duma?

Despertaron en las mismas posiciones en las que el sueño los había vencido: él, sentado con la espalda apoyada contra la pared; ella, con su cabeza apoyada sobre las piernas de este hombre rubio que apenas dos días atrás no conocía. No sabía cómo había acabado en esa postura, pero había descansado. Los rodeaban escritorios, archiveros y computadoras. Algunas tenían boxes individuales divididos entre sí por paneles transparentes.

Salma se levantó primero y fue directamente al baño. Aunque la instalación sanitaria no funcionaba bien, pudo utilizar el retrete y cargar la botella en el grifo. Probablemente el agua duraría poco tiempo porque se trataba de lo que había quedado en los tanques antes de los cortes y los bombardeos. Estaba casi segura de que en Duma habían interrumpido el suministro de agua corriente. Tampoco le preocupó demasiado, no planeaba quedarse allí mucho tiempo.

Álvaro, por su parte, ocupó ese rato en comprobar si la electricidad llegaba a alguno de los enchufes. Pero nada. La luz había desaparecido del edificio hacía mucho tiempo. «Tal vez afuera», pensó. En la ciudad de Damasco cortaban el suministro todos los días. Lo había experimentado en persona: tenían luz tres horas y tres, no. Y así sucesivamente. Si en la capital del país se las arreglaban de esa forma, no quería imaginarse cómo lo harían en la periferia o en zonas rurales. Comenzaba a aceptar que sería imposible cargar su celular, pero debía intentarlo. Había descubierto el tendido eléctrico funcionando cerca de la guardia de la entrada, cuando los soldados le solicitaron ser fotografiados.

Comieron las galletas mientras Salma se quitaba la túnica negra. El calor era insoportable; allí nadie la vería. La imagen del cuerpo menudo de Salma enfundado en jean y camisa de mangas cortas color rosado a Álvaro le pareció fuera de contexto. En ese mundo musulmán —ahora gris, polvoriento y devastado—, su figura refulgía. Temió que anduviese vestida así; se le antojaba desnuda. Su propio jean y su camisa celeste también resultaban inapropiados, pero no dijo nada al respecto y se concentró en resolver la forma de escapar de Duma.

–Saldré de aquí –propuso Álvaro– y veré cómo está la calle. Tal vez encuentre electricidad. También necesitaremos comida.

–¿Comida…?

–Sí… –afirmó sin querer explicarle que temía que su salida de Duma no fuera rápida.

Mientras se preparaba para salir, oyeron voces provenientes del exterior y espiaron por la ventana. Muy lentamente, uno a uno, al menos una decena de jeeps cargados de milicianos armados hasta los dientes avanzaba hacia la zona roja.

Uno de los vehículos se detuvo y el resto lo imitó. El conductor se bajó, realizó una llamada y dio instrucciones. Probablemente le habían comunicado un cambio de planes porque de inmediato prosiguieron la marcha pero con otro rumbo. Luego, cuando el convoy se alejó, distinguieron a un grupo de hombres que cantaban consignas políticas a viva voz.

–Creo que debemos esperar un poco –propuso Salma.

Álvaro suscribió; había demasiado movimiento en las cercanías.

–Cuando salgas, te acompañaré. Conozco la zona –dijo ella.

–No. Llamaré menos la atención si voy solo. Pero necesito que me hagas un plano –pidió. Sacó una hoja de su libreta y se la entregó junto con el lápiz. Cada objeto de su mochila se había convertido en un pequeño tesoro. Todo servía en este mundo de carencias; agradecía haberlos cargado.

–¡Espera! Tengo un papel más grande –dijo Salma.

–Bien.

Salma desapareció y enseguida volvió con una hoja.

–En estas oficinas, al menos, papel no faltaba. Pero cuida el lápiz porque, aunque no lo creas, no veo otro por ningún lado –recomendó Salma y comenzó a dibujar.

En pocos minutos tuvo listo un gráfico elemental de las principales calles de la ciudad. Por las dudas, se lo explicó; nunca había sido muy buena para los planos. Además, los bombardeos habían cambiado la fisonomía de la ciudad.

Recién al mediodía la calle estuvo en completa calma y retomaron la idea de realizar una incursión a Duma.

Tras cerciorarse por última vez del panorama, Álvaro dijo:

—Me voy. Trataré de buscar la manera de marcharnos pronto de aquí. —Luego, ensimismado en su meta, agregó a modo de deseo—: Si sólo lograra enchufar mi celular...

Necesitaba novedades del exterior. Si su jefe había logrado comunicarle a Al Kabani la situación, quizá, ya se habría activado un plan de salvataje. El empresario textil estaría rastreando un nuevo contacto para que los sacara de la ciudad. El diario o el padre de Salma tendrían que poner una buena suma de dinero para conseguir la persona indicada que hiciera el papel de Ibrahim; no se le ocurría otra posibilidad. Estaba seguro de que ellos no los abandonarían.

—Tu pelo, Sánchez —le señaló Salma.

—¿Qué tiene? —dijo tocándose la cabeza.

¿Acaso tenía caliza o algo parecido? Bien podía ser, había dormido tirado en el piso de un edificio abandonado.

—Me refiero a que tu cabello claro llama demasiado la atención. Te verán de lejos y te dispararán. O querrán secuestrarte para pedir dinero. ¿Sabes que hacen eso con los periodistas?

—Por supuesto. Tienes razón, me había olvidado de cuán peligroso es aquí ser rubio —respondió consciente de que le faltaba lucidez para dar el siguiente paso.

Con el abrigo guardado en la mochila —un suéter color celeste—, intentó convertirlo en turbante. Pero no pudo.

—Espera —dijo Salma y abandonó por un instante la oficina. Luego volvió con una cortina oscura entre las manos.

—Ayúdame a cortarla por la mitad.

De un tirón, la desgarraron entre ambos.

—Es perfecta para un turbante —comentó Salma y, con destreza, le armó uno sobre su cabeza.

Cuando terminó, Álvaro consideró que, de lejos, bien podía pasar por un paisano. Por sus ojos verdes, no se preocupó, había visto muchos sirios de ojos claros. Además, no pensaba acercarse a nadie. Por lo menos, por ahora; sólo anhelaba un enchufe con electricidad.

—Listo, vete —aprobó ella mientras él se calzaba la mochila Samsonite al hombro.

Álvaro se hallaba bajando las escaleras cuando Salma le gritó:

—¡Sánchez!

—¿Qué?

—Ten cuidado.

Él se detuvo en uno de los peldaños y, dándose vuelta, le respondió:

—Tú también... No hagas nada peligroso... ¡Que tenemos que salir vivos!

Salma meditó sobre la última frase. Abrigaba la esperanza de marcharse pronto, pero la realidad le demostraba que no contaba con certezas. Se descorazonó ante la posibilidad de quedar atrapados un largo tiempo. Y languideció cuando comprendió que un ataque —una bala o una bomba— podría acabar con su existencia. De acuerdo a las vivencias de las últimas veinticuatro horas, ese final no parecía descabellado.

Luego, para animarse, consideró que, si su padre supiese dónde y en qué condiciones se hallaba, estaría dispuesto a mover cielo y tierra para liberarla; incluso, a dar su fortuna. Sin embargo, al recordar el ardid con que el que había viajado a Duma, ya no estuvo tan segura de cómo reaccionaría. El engaño sería difícil en su relación. Como lo conocía lo suficiente, sabía que Abdallah colaboraría con el rescate, pero la treta que había urdido merecía un castigo y quién sabe cuál recaería sobre su persona. No era sencillo ser mujer, siria y sunita. Sánchez no podía formarse una idea completa de lo que podía ocurrirle por la flagrante mentira a su padre y, sobre todo, por haber pasado tantas horas a solas con un hombre. Había evitado mencionar esa preocupación porque ya bastante tenían con la de salir vivos. ¿Y si morían? A su mente vino la frase de Mahoma –«Sé en esta vida como si fueras un extranjero o un pasajero»– y se relajó. Al fin y al cabo, nadie era eterno. Al recitarla, resolvió hacer su rezo de la mañana. Buscó la alfombra con la palabra «WELCOME» grabada que había visto en la entrada y, ubicándola en dirección a La Meca, oró.

Unos minutos después, cuando terminó, inspeccionó uno a uno los ambientes que la rodeaban, esos que alguna vez habían sido parte de su lugar de trabajo. Necesitaba encontrar algo que les ayudara a subsistir en ese inhóspito sitio. Caminaba por los boxes cuando recordó la cocina del segundo piso. Sánchez le había advertido del peligro de un derrumbe pero debía llegar allí, estaba segura de que encontraría algo de provecho. Subió con mucho cuidado los peldaños, pero nada se movió, ni peligró.

Cuando llegó, constató lo que imaginaba: los bidones de agua mineral que el personal solía beber de los *dispensers* seguían en su lugar. También encontró velas y algunos utensilios de cocina, como cubiertos, abridores de botellas, rollos de papel de cocina, platos y vasos de plástico color amarillo, que utilizaban los empleados, y hasta un mantel floreado que habían usado en el último cumpleaños que festejaron en la oficina. Y lo mejor del hallazgo: varios paquetes de galletas Sami, un bocado insignificante en viejos tiempos, pero hoy todo un manjar.

Avanzó por el pasillo y llegó a la que alguna vez fuera su oficina. Al descubrirla intacta, congelada en el tiempo, quiso llorar. Casi no se veían huellas de los ataques. La normalidad que allí se respiraba le dolió. Cerró los ojos con fuerza y pudo sentir los murmullos de los empleados, los teléfonos sonando, el ajetreo de la calle, las bocinas de los autos en una mañana cualquiera.

Recordó la merienda que tomaba en ese lugar y la idea de la comida la hizo regresar a la realidad. Buscó en los cajones de su escritorio y allí encontró varias barras de Snickers, sus preferidas. Todavía recordaba cuando pasaba por la tienda de la gasolinera y cargaba una docena, su provisión para toda la semana. Del otro cajón sacó algunos objetos personales, unas toallitas de higiene femenina que guardaba para los casos de apuro, dos o tres cosméticos, una crema para manos y un peine. Luego pasó por la que fuera la oficina de su padre y la inspeccionó, pero allí no encontró nada útil, salvo un encendedor y los cojines de un gran sillón. Si debían pasar otra noche en la fábrica, los usaría como cama.

En el baño de esa oficina dio con una enorme botella de jabón líquido color azul con aroma marino —el preferido de Al Kabani— con dosificador. Se la acercó a la nariz y, al aspirar el perfume, la fragancia le trajo la viva imagen de su padre. ¡Quién sabe cuándo volvería a verlo! Y lo peor: ¡cómo se enojaría cuando se enterara de su absurda travesura! A esta hora, su ausencia ya habría sido notada y la torturaba.

Decidió bajar con su pequeño botín y lo descargó sobre el escritorio ubicado junto a la ventana que los había visto dormir. El mueble les serviría de mesa; acomodó dos sillas junto a él.

Frente a los comestibles, los Snickers la tentaban. Se moría por atiborrarse con el dulce, pero no le pareció justo. Así que sólo comió la mitad y la otra la guardó para Sánchez. Por el momento, lo mejor sería racionar los alimentos.

Le parecía que Álvaro tardaba. Nerviosa, espió varias veces por las distintas ventanas. En la calle no había movimiento. Apenas dos milicianos con sus armas al hombro pasaron caminando y hablando muy bajo. Más tarde vio pasar un pequeño camión con guardias que viajaban en los estribos y en la caja trasera. Reían, gritaban. El mundo masculino —teñido de bestialidad— la atemorizó. ¿Qué pasaría si esos hombres la encontraban ahí, sola? Abundaban los casos de mujeres violadas durante la guerra. Le corrió un escalofrío. Debían salir de Duma como fuera.

Caminaba ansiosa cuando escuchó ruidos y comprobó que Álvaro había regresado.

—Está fresco aquí. Afuera el calor es insoportable —dijo mientras se quitaba el peso de la espalda y dejaba al descubierto la camisa mojada.

Al reparar en el sudor, asumió que pronto tendrían que bañarse, lo que implicaba un problema adicional para la vida diaria. Pero decidió centrarse en la buena noticia y del interior de su mochila sacó una gran cantidad de higos. Contó que muy cerca de allí, en un patio bombardeado, había descubierto una planta cargada de frutos.

El resto, no era positivo. Álvaro le informó que los milicianos habían colocado un nuevo puesto de control a pocas calles de allí, por lo que deberían extremar los cuidados. En los alrededores no había encontrado viviendas habitadas ni electricidad; por lo tanto, no había podido cargar el celular. Las pocas casas en pie lucían vacías y abandonadas. En un rato saldría de nuevo e intentaría hurgar en otras para encontrar algo más de comida. Al día siguiente probaría alejarse hasta dar con una zona que tuviera electricidad. Por ahora, sólo barajaba la posibilidad de escapar con ayuda del exterior. Tenía que lograr contactar con su jefe o con Al Kabani. Y para eso, necesitaba el celular.

—Sánchez, ¿por qué vas a salir de nuevo para buscar comida? ¿Crees que tendremos que quedarnos muchos días?

—Espero que no. Pero como no veo ninguna salida, lo mejor será precavernos.

Salma hubiera querido indagar sobre la cantidad de días que permanecerían, qué comerían o qué harían si caían en manos de los milicianos. No se atrevió. Temió escuchar las respuestas. Optó por mostrarle su botín y pedirle que trajera los bidones, demasiado pesados para transportarlos por su cuenta.

Con la última luz de la tarde, Álvaro salió con el propósito de inspeccionar dos casas que había seleccionado en su recorrida.

Salma se quedó armando dos camas con los cojines y las cortinas claras de una de las ventanas. Pasarían una nueva noche en Duma. Por un momento, al caer en la cuenta de lo que esto significaba, se quebró y lloró amargamente mientras decía en voz alta:

—*Ia latif!* ¿Qué haremos? ¡¿Cómo saldremos de aquí?!

Rogó por que nada malo le pasara a Álvaro; le parecía un

buen hombre. Estaban juntos en esa travesía que había empezado como una audacia y que empeoraba cada día. Al pensar en Sánchez sobrevoló de nuevo la idea que rondaba en su cabeza desde que lo había conocido: le gustaba. Le gustaba mucho. Decidió espantar esos pensamientos. No quería enojar a Alá porque necesitaba que los ayudara a salir de Duma. Ese fotógrafo occidental estaba muy lejos de sus creencias religiosas, muy lejos de sus percepciones morales sobre la vida, muy lejos de su mundo musulmán.

Entonces, ante la cama que acababa de armar para Álvaro, dudó. Quizás, ella estaba equivocada y él, más cerca de lo que creía. A pesar de habérsela tendido en la otra punta, compartirían el techo.

Álvaro Sánchez era lo único que ella tenía en ese momento. Todo lo demás —seres queridos, derechos como ciudadana, posición económica— se había esfumado. En este mundo de destrucción sólo estaban él y ella. No había nadie más. Y quién podía saber por cuánto tiempo.

CAPÍTULO 4

*El que convive con una tribu
cuarenta días ya es parte de ella.*
PROVERBIO ÁRABE

Álvaro y Salma llevaban cinco días instalados en la oficina de la fábrica. Su rutina diaria no sufría variaciones: desayunos y cenas frugales realizados con las provisiones que habían logrado acopiar y que dosificaban con cuidado. Su alimento consistía en higos, galletas y Snickers. Luego, durante sus incursiones, Álvaro sumó avena y una bolsa de cebollas con largos brotes verdes que no dudaron en comerlos crudos.

Salía cada día al exterior en busca de los víveres de las casas abandonadas, pero no daba con ninguna que contara con electricidad. Si bien había descubierto cuáles tenían generadores, resultaba muy riesgoso presentarse y pedir que le cargaran el celular. No podía predecir si sus moradores serían hospitalarios o lo denunciarían, si pertenecían o no a un grupo radical dispuesto a tomarlo como prisionero, si estaban dispuestos a tenderle una mano o a dispararle. En medio de esa guerra violenta que se libraba en la ciudad tomada, la muerte podía sobrevenir por mucho menos que meterse en una casa.

En cada nueva incursión, Álvaro se animaba a alejarse un poco más de la fábrica. Empezaba a sentirse seguro en la ciudad, ya no se perdía, ni necesitaba mirar a cada rato el plano que había dibujado Salma. Sabía por dónde ir para no encontrarse con milicianos, conocía por dónde andar para no toparse con enormes montículos de escombros que le entorpecieran el paso. Ya había desarrollado la habilidad de identificar las viviendas abandonadas con alimentos o elementos útiles, como la navaja con la que se rasuraría la barba que venía creciendo.

77

El pelo quedaba oculto por el turbante, pero la barba rubia lo delataría.

Con Salma había acordado que obviarían el almuerzo y la merienda. Sin claridad sobre cuánto duraría la estancia allí, era mejor cuidar las provisiones. Por lo tanto, sólo desayunaban y cenaban. Para beber, disponían de los bidones. Los baños aún funcionaban con el agua almacenada en los dos tanques, aunque desconocían cuánto más les duraría.

Por momentos, la convivencia se volvía extraña porque en el aire flotaba la atracción entre ellos, pero ambos se cuidaban de no pasar los límites imaginarios que se habían trazado y que demarcaban la intimidad de sus cuerpos. La intensidad de la lucha con el exterior les consumía toda la energía y una relación generaría un problema adicional. Por lo menos, para él. Para ella, en cambio, se trataba de un acto taxativamente prohibido.

Pese a las disquisiciones, ellos convivían en esa sala de cuatro por cinco y se apoyaban en la lucha diaria por subsistir. Interactuaban y en ese intercambio se descubrían el uno al otro. «Para desnudar una personalidad, nada mejor que vivir al límite, encerrados en un cuarto y acechados por el peligro», pensó Álvaro, quien, durante las horas muertas, comenzaba a conocer a Salma en profundidad. En varias ocasiones habían conversado sobre gajes del oficio, encuadres, luz, exposición y tecnologías asociadas con las marcas. Álvaro empuñaba la Leica, jugaba con esa especie de Rolls Royce que ella había entrado a la guerra de contrabando, pero, para no consumir la batería —las suyas eran incompatibles—, se abstenía de chequear las tomas. Salma escuchaba con atención cómo él se lamentaba por la poca provisión de elementos fotográficos que tenía; sin embargo, en teoría, él iba a entrar y salir de Duma el mismo día. La idea nunca había sido pasar allí tanto tiempo. Cuando dejó de lamentarse por la escasa previsión, la conversación adoptó un tono más didáctico.

—Observa tu entorno con avidez, descubre escenarios y luego trata de captarlos con el lente —recomendó.

—Eso haré.

Álvaro comprendía que Salma nunca llegaría a utilizar los trucos que le enseñaba. Pero aun así, estaba claro que a ambos les apasionaba conversar sobre fotografía, escucharse y descubrir aristas que, de otra manera, jamás hubieran develado.

Salma, una mujer suave en todos los aspectos, se movía con delicadeza, hablaba despacio y, a pesar de la situación extrema, mantenía la calma. Álvaro sólo la había visto quebrarse en una oportunidad, cuando descubrió el boquete. Como persona espiritual, rezaba su oración cinco veces al día. Tendía la alfombra que había encontrado en la entrada del edificio y se arrodillaba en dirección a La Meca. Con la mano en el pecho, agachaba la cabeza y recitaba el Corán durante cinco minutos. Como a raíz de la escasez de agua no había podido practicar minuciosamente la ablución, esa meticulosa limpieza que, como purificación, exigía su religión antes del rezo, se justificó: «Alá, que todo lo sabe, me entenderá». Álvaro quiso saber por qué y, tras la oración, Salma le explicó que el agua simbolizaba la purificación y que la correcta ejecución del *wudu* incluía un triple lavado minucioso de las manos, del interior de la boca, de los brazos hasta el codo, de los pies hasta los tobillos, del pelo —con la mano húmeda— y el sonado de nariz.

—Uf... —suspiró Álvaro, que comprendió que no disponía de las comodidades mínimas—. Y si estás en un lugar donde no hay ni una gota de agua, como en el desierto o aquí mismo, ¿cómo lo haces? —preguntó.

—Si no tienes agua cerca está permitido hacer la limpieza con polvo, arena o tierra limpia. Pero una vez completada la ablución, se debe repetir: «Atestiguo que no hay más divinidad que Dios y atestiguo que Mahoma es Su servidor y enviado» —describió Salma con claridad.

—Entonces, son reglas flexibles.

—No diría que son flexibles, sino que se tiene en cuenta que lo más importante es el corazón de las personas. Lo que verdaderamente cuenta es la intención del alma. El profeta dijo:

«Las buenas obras dependen de las intenciones, y cada hombre recibirá según su intención».

Salma solía repetirle frases de Mahoma. Tenía algunas preferidas que usaba a menudo, como «Al lado de la dificultad está la felicidad» y «Hay una recompensa por la bondad que demuestra cada vida, sea humana o animal».

Salma era así: profunda, sensible y mística. A veces, la encontraba ingenua, pero en ciertas ocasiones exhibía lucidez y sagacidad, como cuando le daba ideas útiles en su lucha diaria por la subsistencia. En ella, la dicotomía entre rebeldía y sumisión siempre estaba presente: aceptaba las reglas que el mundo musulmán le imponía —y las defendía con suma exaltación—, pero también sus frases cortantes —pocas, aunque suficientes para comprender la dualidad— contenían un dejo de rebeldía hacia su cultura.

Salma había recobrado su costumbre de andar con los pies descalzos. Para ello, se había tomado la molestia de rebuscar una escoba en los armarios de la cocina para barrer la habitación. «Pero es que no aguantaba más. Si voy a morir, al menos será con los pies libres», dijo cuando Álvaro la sorprendió descalza. Y desde ese día, sus zapatos quedaron abandonados en un rincón de la oficina. Cuando Álvaro la veía andar así por el «pequeño hogar» —como ella había rebautizado a su antiguo lugar de trabajo—, se sentía acompañado.

Claro que la aparente normalidad y el buen humor podían esfumarse. En más de una oportunidad a ella la atacaba la tristeza y él se ponía huraño, ensimismado e irritable. Para ninguno de los dos resultaba fácil aceptar que no sabían cuándo saldrían, si es que no morían antes. Por su forma de ser, a Álvaro la situación no le provocaba tristeza sino una especie de ira reflexiva: «¿Por qué existían las guerras? ¿Por qué el ser humano es capaz de tantas atrocidades?». Si el mundo viviera en paz, en lugar de mostrar enfrentamientos, él se encontraría en algún lugar paradisíaco retratando las bellezas naturales. Pero ¿por qué había acabado atrapado en Duma? Cuando llegaba a esta pregunta, se detenía; sabía muy bien la respuesta: porque deseaba que la gente conociera las injusticias que se cometían en las distintas zonas del globo. Amaba su trabajo, sí, pero siempre lo había ejercido sabiendo que podía quedar atrapado o morir cumpliendo su labor.

Salma, por su parte, también empezaba a descifrar la psiquis de este hombre de ojos claros por el que cada día se sentía más atraída: era audaz e impulsivo y odiaba las injusticias, una persona amable, risueña y respetuosa de cada idea que había expuesto. Por su inclinación hacia la fotografía, nunca había aceptado relaciones serias con una mujer porque una familia no compatibilizaba con su vida de trotamundos. La última confesión había sido parte de una charla profunda en la que mencionó a Paloma, una compañera de trabajo con quien compartía una relación abierta, sin compromiso. La confidencia la llevaba a pensar que se trataba de un hombre mujeriego y promiscuo, tal como afirmaba su padre que eran todos los occidentales, un comportamiento muy diferente al de los musulmanes, que vivían la vida en pareja sólo dentro del matrimonio. Aunque podían tener varias esposas, las relaciones extramatrimoniales y el concubinato en Siria estaban penados con hasta dos años de prisión.

En las largas conversaciones no les quedaba tema sin tocar. Hablaban de sus gustos en literatura y en la música. Álvaro le contó que extrañaba escuchar música; sobre todo, de su grupo favorito, Air Bag. Le prometió que a su regreso le regalaría un CD de la banda argentina. Salma comentó que se inclinaba por la música en inglés.

En cuanto a la familia, ella confesó que no eran muy unidas con su hermana; le llevaba cuatro años de edad a Malak y pasaban mucho tiempo sin verse. A los diecisiete, después de enamorarse de un muchacho que los Al Kabani adoraron desde un principio, se casó y enseguida se mudó a Beirut, en el Líbano, donde su esposo regenteaba las empresas químicas de su familia. Malak llevaba una vida muy tradicional, completamente absorbida por su rol de madre y esposa.

Álvaro no tenía hermanos; sus padres se habían conocido de grandes y el segundo hijo nunca llegó. Sufría cierta tristeza y melancolía por la muerte de su padre. Se torturaba pensando que, si el día del accidente hubiera ido a recogerlo temprano, tal vez se habría salvado. Salma le daba su parecer en contrario; creía que se trataba de un enigma que jamás descifrarían. Él no podía entenderlo así.

Esa tarde ambos conversaban tranquilos después de haberse bañado por primera vez desde que habían llegado. Ya no los satisfacían esas pocas agüitas con las que se higienizaban y habían organizado un sistema de ducha. En ollas, y luego de varios acarreos, Sánchez había logrado acopiar una buena cantidad de agua desde una de las casas aledañas. Con el clima caluroso, no tuvieron necesidad de calentarla.

Una vez que Salma concluyó la faena, Álvaro seguía sin explicarse cómo había logrado lavar ese cabello tan largo. Tampoco entendía cómo él se había afeitado con la navaja que encontró. Quitarse la barba con ese rudimentario implemento le había costado bastante trabajo. Aún así, se alegraba; sabía muy bien que su vello rubio podía costarle la vida.

Por esos días, «paciencia» se había convertido en la palabra clave. Si bien no contaban con los elementos adecuados para llevar adelante una vida diaria normal, las horas sobraban. Y el nuevo sistema para bañarse había quedado inaugurado y en marcha.

Cuando terminaron la ardua tarea de higienizarse sin comodidades, el relax del cuerpo limpio los invadió en forma de pequeña felicidad y charlaron larga y despreocupadamente.

Pero al ver que el sol caía, Salma dispuso la ración sobre el escritorio y cenaron con los vestigios de claridad. Utilizaban las horas de luz natural para cuestiones prácticas y conservaban las velas para una emergencia. A esa altura de la jornada, con la ingesta de apenas un desayuno liviano, estaban muertos de hambre. Antes de cada comida, ella extendía el mantel floreado sobre el escritorio y, sentados en sillas de oficina, masticaban lentamente la flaca porción de avena con higo o de avena con cebolla. El desayuno y la cena se habían vuelto un ritual esperado, los ayudaba a sentirse vivos y a gozar de una pizca de normalidad. La comida los unía, las sobremesas se extendían y los temas se profundizaban al tiempo que entre ellos aumentaba la confianza. Por la noche, muchas veces el sol caía por completo y seguían conversando a la luz de la luna que entraba por las ventanas de la calle.

—¿Cómo aguantas vivir en Damasco con la guerra acechando todo el tiempo? Me pregunto cómo hace la gente para vivir en Duma —reflexionó Álvaro mientras comía su ración de galleta, que encontraba deliciosa—. Yo sólo vengo a trabajar por unos días, pero vivir así durante años no podría soportarlo.

—Comienza poco a poco. Un día te despiertas y te das con que se desató un conflicto. Primero, te sorprendes; luego, cuando se produce una escalada de violencia, te asustas. Pero a continuación vienen los cambios y te vas acostumbrando porque no llegan de repente.

—¿Cómo fueron esos cambios?

—Primero se acabó la vida nocturna, los restaurantes, los bares, las reuniones sociales. La calle se fue llenando de militares. El dólar subía sin parar mientras la comida comenzaba a faltar. Para ir de un lado a otro teníamos que pasar por varios controles policiales. Luego se produjeron los atentados, y las bombas no tardaron en caer.

—De todos modos, me cuesta entender cómo te acostumbras...

—La guerra se libra en el país de uno; entonces, sientes algo parecido a cuando en tu familia hay problemas. La situación está mal, pero los lazos no se rompen fácilmente. Es tu casa, son tus parientes, te quedas con ellos, te amoldas porque es tu gente. Además, la opción sería dejar tu hogar, todo lo que construiste en términos materiales y en lazos afectivos.

La mera explicación de Salma a Álvaro le producía dolor.

—¿Por qué crees que empezó esta contienda? ¿Quién la inició? —se animó a preguntarle.

Siempre había querido conocer la respuesta de boca de un sirio. El interrogante rebosaba connotación política pero había suficiente confianza para formulárselo.

−Algunos sostienen que unos alumnos de Daraa pintaron las paredes de su escuela contra el presidente. Otros, que fueron unos adolescentes que grafitearon en la vía pública contra Bashar al Asad. En todo caso, todo comenzó a principios de 2011 −explicó Salma y abundó en detalles−. Esos muchachos fueron llevados a la cárcel, donde se los torturó. En su defensa, la gente salió a la calle para manifestarse contra el gobierno. Las protestas duraron varios días en las principales ciudades, como Baniás, y en las provincias de Daraa, Tartus y Hóms. Para disuadirlas, las fuerzas de seguridad abrieron fuego contra los manifestantes, lo que provocó que los opositores al gobierno se armaran. Y así, la violencia se incrementó en toda Siria.

Salma estaba convencida de que al país habían ingresado terroristas de otras nacionalidades que alentaron y financiaron la formación de cientos de grupos rebeldes que combatían en los distintos lugares para tomar el control de los pueblos y ciudades. Además, se enfrentaron tres de las ramas musulmanas que convivían en Siria: los chiítas, los sunitas y los alauitas. Finalmente, con la intervención de las potencias internacionales, la situación se descontroló.

Ella terminó su exposición con una aclaración.

−En la actualidad, hay dos grupos muy marcados: el que apoya al presidente porque el sistema le da algún rédito económico, y el que lo rechaza porque reclama libertad.

Álvaro encontraba apasionante el relato sobre la guerra, pero también la resiliencia de Salma y del pueblo sirio, que permanecían en el país tratando de seguir adelante con su vida. En algunos casos, como si la lucha no existiera, porque las actividades que la contienda no trastocaba seguían realizándose igual que antes.

Hablaron del tema por más de una hora. Ya habían terminado de cenar cuando empezaron a soñar con lo que harían y con lo que comerían cuando salieran de Duma. Se les había vuelto común pasar tiempo conversando sobre comidas, como si nombrarlas los acercara a los platos deseados. Mencionar sus ingredientes o ciertos trucos de la preparación, describirlos suculentos cuando tenían poco y nada para comer les daba un extraño placer. Sin embargo, por más que los imaginaran con sumo detalle, al final se iban a dormir con el estómago vacío y las tripas seguían crujiendo. Si bien ninguno de los dos pasaba hambre, estaban al límite. Pero hablar de comidas siempre los terminaba atrapando.

—¿Lo primero que haré? Hum... Iré a la heladería y pediré el helado de pistacho más grande —dijo ella, que amaba los dulces. Y agregó—: ¿Y tú?

—Cuando regrese a España, comeré un pulpo a la gallega con un buen vino de Rueda.

—Yo misma cocinaré en casa un *baklava* —comentó Salma con la mirada perdida. Casi podía sentir el delicioso aroma, imaginaba las nueces, al almíbar, la masa...

—Y en cuanto pueda, iré a la Argentina para visitar a mi madre y la invitaré a comer una buena parrillada.

—¿Qué es una parrillada?

—Distintos trozos de la mejor carne del mundo asada a la leña. Tienes que ir a la Argentina para probarla.

—Tal vez, en alguna oportunidad.

La frase de Salma los sumió en la melancolía. No creían que esa visita sucediera alguna vez. Durante un rato habían hablado de manera positiva, soñadora, pero la actualidad los aplastaba. La noche caía y llenaba de sombras el ambiente. Ya no podían ver sus figuras. Una serie de explosiones se escuchaba a lo lejos.

Salma recogió la mesa y Álvaro ordenó las sillas.

En pocos minutos, cada uno se acostó en su cama construida con cojines y cortinas como sábanas. Pese al sueño, el reinicio de los estallidos no los dejaba dormir.

—¿Las sientes? —preguntó Salma en la oscuridad.

—Sí.

Un fogonazo iluminó el espacio.

—¿Están más cerca, verdad?

Reapareció el terror de tener que sufrirlas en carne propia.

Álvaro permaneció callado, no quiso responderle, no deseaba confirmárselo. Durante unos minutos ambos mantuvieron el oído atento a las bombas que continuaban explotando y a las sirenas que zumbaban y se sumaban a la orquesta del horror.

Luego de un rato, se escuchó la voz de Salma en la penumbra del cuarto:

—Tengo miedo…

—Todo estará bien, Salma. No caerán aquí —arriesgó Sánchez aunque también albergaba su cuota de turbación.

—No sólo por las bombas. Tengo miedo de que nunca podamos salir de Duma.

Sánchez advirtió que lloraba. Pensó en ir hasta ella para consolarla, pero al fin, temiendo importunarla, se decidió por proponerle:

—¿Quieres armar tu cama más cerca de la mía? Te daré la mano y te ayudará a dormir.

No era fácil establecer un trato físico. Él sabía muy bien del celo con el que los musulmanes criaban a sus hijas. Pero ante ciertas situaciones, ante ciertos momentos duros, simplemente eran seres humanos necesitados del otro.

Salma no respondió, pero Sánchez la oyó juntar sus bártulos y caminar hasta su lado con la cama a cuestas. En pocos minutos ambos aposentos estaban uno al lado del otro bajo la ventana. Él le tomó la mano.

Las detonaciones no cesaban, las paredes vibraban con las ondas expansivas. La paz no tenía cabida.

De la calle les llegaba el ruido de vehículos en movimiento. El sonido inconfundible de un camión vino acompañado del canto típico de guerra.

—*Allahu akbar! Allahu akbar!* —gritaban.

Los nervios se les crisparon.

Los hombres pedían la protección de Alá antes de iniciar el

ataque, rogaban para que su dios les permitiera salir ilesos al momento de matar. Salma y Álvaro rogaron por que la ofensiva no fuera en la zona.

—*Allahu akbar! Allahu akbar!*

La frase recorría el aire anunciando muerte.

Repetían las mismas palabras que estaban escritas en la bandera de ISIS, la misma que cantan los grupos extremistas cuando van a matar.

La energía de sus voces era espeluznante. Salma se aproximó más a Sánchez y se acurrucó en el pecho masculino. Álvaro la sintió temblar. La abrazó y, sin pensarlo, le acarició el cabello buscando calmarla. La negrura de la noche y sus explosiones se mezclaron con la ternura y el miedo. Afuera, el caos y la violencia en estado puro; adentro, la armonía y la calma, pero teñidas de terror.

Minutos de temor, de bombas, de sirenas, y el agradecimiento de estar acompañados. Porque en soledad ese suplicio hubiera sido imposible de resistir. En la calle, el cielo se caía a pedazos.

Llevaban un rato así, abrazados, casi inmóviles, cuando al fin las explosiones parecieron ceder. Aguzaron el oído buscando asirse a la ilusión de que el horror acabaría.

La tranquilidad iba regresando poco a poco.

No morirían esa noche; había cierta felicidad en saberlo. El corazón de Salma abandonó la convulsión y se fue serenando.

Otra vez el agradecimiento; en esta oportunidad, por estar vivos.

Liberados del terror, ambos cuerpos comenzaron a concentrarse en una realidad más próxima y pequeña. Mientras los estallidos languidecían hasta apagarse por completo, sus sentidos aumentaban la sensibilidad. Porque los oídos de Álvaro ahora estaban puestos en la respiración rítmica de Salma; su olfato iba atrapado en el perfume que ella emanaba. Olía a mar. ¿Era el jabón líquido? ¿O acaso se trataba de su aroma natural? Su mano de hombre se extasiaba en la suavidad del cabello que seguía acariciando.

Salma se hallaba igual: atenta a la mano que la acariciaba y le despertaba un cúmulo de sensaciones, con la audición puesta en la respiración de Álvaro, que se aceleraba. Creía saber la razón: la proximidad de sus formas de mujer pegadas a su cadera y sus piernas entrelazadas a las de Álvaro.

Los ruidos habían cesado, la calma –apenas interrumpida por el ulular lejano de unas sirenas– se recostaba sobre la ciudad. En el ambiente se respiraba quietud. Sin embargo, la piel de ambos parecía bullir con exigencias indomables. Salma distinguió el apremio de su cuerpo e hizo lo impensado, pero lo esperado por Sánchez, que se mantenía estático por miedo a quebrar el hechizo. Salma se movió muy despacio sobre sí misma y el roce de su jean contra la cortina que hacía de sábana a Álvaro le sonó maravilloso. Ella giró y sus rostros quedaron enfrentados, pegados. Sus respiraciones se acercaron pidiendo más y Sánchez, avanzando los cinco centímetros que lo separaban de la boca de Salma, la besó. Ella le respondió. Y en ese cuartito de Duma, rodeado de destrucción y violencia, se produjo la magia que borró de un plumazo el miedo, que fue reemplazado por avidez, deseo, esperanza y vida.

Salma al Kabani y Álvaro Sánchez se besaron durante minutos. Sus bocas se buscaban, se reconocían, se deseaban. Los prejuicios, la guerra, las diferentes creencias y las angustias, todo, todo quedaba afuera. Ella exhaló un gemido que fue una invitación. Álvaro apoyó su mano en el borde de la cadera de Salma y sus dedos apenas rozaron su trasero, pero no avanzaron. Siguieron besándose hasta que una sirena los regresó a la realidad y se detuvieron. Ella abandonó esa boca que le pedía más y volvió a apoyar su cabeza en el hombro de él. Y así, mirando el techo que no veían, se mantuvieron abrazados hasta que sus respiraciones se calmaron. Transcurrido un buen rato, se durmieron.

La barrera que habían cruzado los había desestabilizado. Sabían que acababan de traspasar el límite tácito que habían mantenido desde que se conocieron. Aún no estaban preparados para ir por más, pero la vida no se daba por vencida. El destino —o lo que fuera— los había puesto allí, en una oficina bombardeada de Duma, y les había regalado todo el tiempo del mundo para conocerse en profundidad.

* * *

Por la mañana, no hablaron de lo sucedido durante la noche. Tampoco se volvieron a besar. Silenciosos, compartieron el último Snickers y los consabidos higos de cada día. Esa planta venía salvándolos del hambre y dándoles las vitaminas necesarias para afrontar la jornada. Las galletas que les quedaban las reservaron para la cena.

Cuando terminaron, Álvaro escribió la pared con un lápiz.

—¿Qué haces? —preguntó Salma.

—Un calendario. Para marcar qué día es hoy y cuántos llevamos aquí. No podemos darnos el lujo de perder el sentido del tiempo.

—Tienes razón —aceptó. Ella misma empezaba a enredarse con los días y las noches.

—Llevamos aquí una semana —informó Álvaro.

—A veces, me parece un mes.

—Es fácil perder la noción del tiempo. Y en mi libreta comenzaré a llevar un diario para no olvidar lo que vivimos aquí cada jornada —dijo Sánchez.

Tras dar por terminado el calendario en el muro, se preparó para su salida diaria.

—¡Esta vez voy a acompañarte! —exclamó Salma al verlo alistado.

—Ya sabes que es peligroso.

—Claro, y también para ti. No puedo seguir encerrada, me volveré loca.

Álvaro reconoció que tenía razón. Desde que se habían guarecido en la oficina, Salma no había salido al exterior. Si la situación resultaba desesperante por sí sola, pasarla encerrada podía volverla mucho peor. Pero había una realidad incontrastable: en la calle, una mujer corría más peligros que un hombre. Aun así, le respondió:

—Está bien, Salma, vamos. Pero tendremos que ser muy cuidadosos.

Ella se colocó la túnica negra sobre el jean y la camisa rosada, y con el velo se tapó la cabeza y la cara. Sólo se veían sus ojos color marrón. Álvaro, luego de calzarse el turbante al que ya se había acostumbrado, cargó su mochila. Bajaron las escaleras juntos y en minutos caminaban por la calle como una pareja siria local que rogaba por no cruzarse con los milicianos mientras intentaba realizar una diligencia.

—Tengo en vista una casa deshabitada en la que sospecho que encontraremos algo de comer —dijo con el tono del experto en pillaje de subsistencia. Luego de avanzar en su dirección, agregó—: Por supuesto, también intentaremos cargar el celular.

Salma asintió contenta. Al fin estaba en la calle.

Caminaron varios metros hasta ubicar la vivienda. Y una vez que se cercioraron de que realmente no había nadie, ingresaron. El interior se mantenía intacto, sin roturas. El mobiliario de la sala les reveló que en la casa había vivido una familia con niños pequeños. Se notaba que hacía mucho que nadie la habitaba. Al saber que no se toparían con personas, probaron las perillas de la luz y los enchufes. Ahí tampoco había electricidad.

Álvaro fue directo al armario de la cocina. Y tal como lo pensó, encontró una lata de papilla para bebés y dos paquetes de fideos.

—Te lo dije…

—Pero necesitaremos fuego para cocinarlos —alertó Salma, que sabía que el anafe de la cocina de la oficina no funcionaba por falta de gas. La guerra se había llevado consigo todas las comodidades.

—Ya nos arreglaremos —dijo mientras cargaba los comestibles en la mochila.

Cuando salieron a la calle, se tropezaron con una mujer y un hombre. Álvaro y Salma bajaron la vista y guardaron silencio. La pareja hizo lo mismo. Los pocos habitantes de Duma tenían miedo. Nadie sabía cuándo y por qué podían considerarlos enemigos. Por la diversidad de los grupos rebeldes que habían tomado la ciudad —algunos muy radicales— el riesgo aumentaba.

Se alejaron unos metros y Álvaro giró para mirarlos. La mujer —en un claro gesto de sumisión— caminaba unos pasos detrás del hombre. ¡Entonces comprendió por qué Salma no avanzaba a la par! Pero ¿evitaba llamar la atención o estaba convencida de que así debía caminar? Con Salma siempre quedaba la duda. Su eterna disyuntiva entre rebeldía o sumisión.

Obligado a girar la cabeza, Álvaro le contó su plan. En realidad, lo repetía por enésima vez para insuflarse ánimo.

—¡En la guardia de Duma había electricidad! Así que probablemente las casas cercanas cuenten con el suministro.

—¿Quieres entrar a una casa de esa zona?

—Sí, a una abandonada. Tenemos comida. Ahora es prioritario cargar la batería.

—La zona está vigilada por milicianos armados.

—Debemos probar.

—Es muy peligroso —protestó.

—Pero es nuestra oportunidad para comunicarnos y pedir que vengan por nosotros. Mira, ya que has asumido el riesgo de acompañarme, podré contar con tu ayuda.

Salma, que reconocía que no había alternativas, dijo:

—Está bien, intentémoslo.

Si querían salir con vida, debían explorar la zona, activar el celular y dejar que Al Kabani y el diario negociaran las condiciones de su liberación.

Avanzaron y, en las proximidades de la guardia, extremaron los recaudos.

—Salma, ¿ves la casa de techo rojo que está en la esquina? —Ella asintió con la cabeza—. Sé que está abandonada porque la vengo observando desde que salgo. Creo que tiene electricidad. Así que intentaré entrar. Tú te quedarás en la vereda de enfrente. Si ves algo extraño, sílbame.

—No sé silbar.

—Entonces, haz un sonido o llámame. ¡Haz lo que sea! Pero no corras peligro.

Avanzaron unos metros y divisaron a cinco guardias. Reían, hablaban fuerte. Sin vehículos que controlar, los hombres se entretenían con sus relajadas conversaciones.

Salma siguió caminando unos pasos detrás de Álvaro y así, muy despacio, ambos cubrieron un trecho sin que ninguno de los guardias se percatara de la pareja. Un poco más allá, cuatro mujeres arrodilladas lloraban la muerte de un niño que, tal vez, había fallecido a causa de las explosiones de la noche. Hasta la triste muerte les ayudaba a pasar inadvertidos.

Habían transcurrido unos instantes cuando Salma y Sánchez llegaron hasta la casa de techo rojo. Sin preámbulo, él se coló por uno de los laterales de la vivienda. Mientras tanto, y durante unos minutos que le parecieron eternos, desde la vereda de enfrente ella controló el movimiento de la calle; sobre todo, de los milicianos.

Poco rato después, Sánchez salió. Negando con el índice, le anticipó que no había tenido suerte. Y de inmediato, sin avisarle de su plan, de un salto se introdujo en la morada vecina a través de la ventana sin vidrio. Pero el movimiento furtivo llamó la atención de un miliciano, que abandonó el grupo para encaminarse hacia la vivienda.

En voz baja, Salma intentó advertirle a Álvaro, pero él no daba señales de haberla oído; ella no debía gritar o pondría en peligro su vida. Con el miliciano aproximándose, decidió acoplarse a las dolientes que a pocos pasos lloraban la muerte del niño. Se arrodilló muy cerca y comenzó con el llanto cantado y desconsolado de las demás. No sabía de qué otra manera alertar a Álvaro. Sus sollozos se transformaron en lastimeros gritos idénticos a los de las mujeres.

«Tiene que escucharme, tiene que escucharme», rogaba. Álvaro debía ponerse a resguardo sin que el guardia descubriera que ella lo acompañaba.

De rodillas, imploró más fuerte. El miliciano pasó a su lado y la ignoró. Una mujer no constituía peligro. Pero el lamento consiguió alertar a Sánchez, que, en su huida, fue descubierto. No podía dejarse apresar. Corrió rogando llegar a la esquina antes de que el guardia le apuntara.

Tras las primeras zancadas, escuchó el zumbido de los proyectiles. Pasaron cerca, casi lo rozan. Exigió al máximo sus piernas y, aterrorizado, corrió y corrió todo lo que pudo. En esa corrida le iba la vida. Dobló en la esquina y se puso a salvo de las balas.

El desahogo le permitió meterse por las callejuelas que había empezado a conocer muy bien durante sus incursiones matutinas. Acabó la carrera internándose en un edificio vacío de varios pisos. Desde allí, espió la confusión del guardia, que no acertaba la dirección que debía tomar mientras otro miliciano se acercaba para apoyarlo. Los hombres intercambiaron frases en su dialecto y escrutaron hacia los cuatro puntos cardinales. Sin rastros de su presa, decidieron regresar. No valía la pena gastar energías en un hombre desarmado que, seguramente, sólo buscaba comida.

Salma, en su afán por camuflarse, se había acercado al grupo de deudas. El cuerpo inerte de un niño herido por esquirlas más la zozobra recién vivida por los disparos la quebraron, la dejaron en carne viva, y su pena se mimetizó con la de las mujeres. Esta vez lloraba de verdad. Estaba harta de la guerra. Harta de estar atrapada en Duma. Álvaro, la única persona que tenía en este mundo en guerra, podía haber sido atrapado o estar herido, muerto. Y siguió llorando. Y tuvo que reconocerlo: ella sentía algo muy fuerte por ese hombre occidental que se había convertido en su compañero. No quería que nada le pasase. Rogó por él:

—*Ia latif! Ia latif!*

Oró mientras los guardias pasaban a su lado como si ella y las demás mujeres no existieran. En esta parte del mundo, la guerra era cosa de hombres; el sexo femenino no intervenía de ninguna forma, salvo con sus lágrimas.

Cuando los guardias se reagruparon junto a la valla para continuar su cháchara, Salma decidió abandonar a las mujeres y marcharse. Ni la presencia ni la ausencia de ella les había llamado la atención. Sumidas en su propio mundo de horror y tristeza, no repararon en su maniobra. Además, se había naturalizado que una mujer llorara en la calle o que otra –sin importar su bando– se escondiera en un grupo.

Apurada, emprendió el regreso. Cada tanto, miraba hacia atrás. Caminaba con miedo, temía que la atraparan, temía que Álvaro hubiese sufrido un percance. Temor y más temor; se ahogaba en él.

Cuando llegó a su escondite, subió las escaleras apresuradamente con el vivo impulso de sentirse a salvo. Pero una vez que estuvo entre las cuatro paredes de la oficina, la ausencia de Sánchez se le hizo más patente y, nerviosa, comenzó a dar vueltas por cada rincón. Fisgoneaba a través de las ventanas deseando divisar la figura sana y salva de su compañero.

Las horas fueron pasando y Sánchez seguía desaparecido. Comió su ración de higos y galletas. Husmeó la calle una y mil veces. Y se resignó a aceptar que había sido apresado. Lloró por él. Ojalá no le hicieran daño. Lloró por ella. Ojalá encontrara la salida de Duma. Si lo intentaba y fallaba, en el mejor de los casos terminaría en una de esas lúgubres celdas de las que tanto se hablaba. En el peor, una vez atrapada, quedaría a merced de sus captores. Había oído demasiadas historias terribles.

La tarde caía definitivamente cuando consideró seriamente que las mujeres con las que había compartido el dolor podían ayudarla. Estaba segura de que, si estaba en su poder, lo harían. El problema radicaba en que dependían de sus hombres y ellos jamás les permitirían ayudarla. En tal caso, si aceptaban involucrarse, tendrían que hacerlo a escondidas. Pero

¿tomarían ese riesgo por una extraña? ¿Podían realmente hacer algo por ella?

El intento de huir de Duma se había transformado en un laberinto sin salida. La penumbra que se cernía sobre el cuarto mostraba que el día llegaba a su fin. La noche volvía aún más negros sus pensamientos.

Acostada en posición fetal sobre su nido de cojines, Salma se hallaba completamente descorazonada. Presa de la desesperación, unos pasos en la escalera la pusieron a la defensiva. ¿Sería Álvaro? ¿O uno de esos temibles hombres armados?

Expectante y temblando, al fin oyó una voz:

—Salma…, aquí estoy.

Era él.

—¡Ay, Sánchez…! —exclamó desde la oscuridad con una mezcla de alivio y emoción.

—Los milicianos patrullaron la zona y no podía salir del escondite —contó mientras terminaba de subir las escaleras.

—Pensé que te había pasado algo…

—Estoy bien, estoy bien… —dijo y, mientras se quitaba la mochila, continuó con la idea fija—: Y también estoy seguro de que hay electricidad junto a los guardias. Lo vi. Tenemos que volver a la valla.

Aparecido entre las sombras, Salma se lanzó a sus brazos. No le importaba la electricidad, ni los enchufes. Nada. Él estaba vivo. El resto, ¿a quién le interesaba? Vivo. Había regresado y ya no estaba sola.

Se abrazaron. Y así se quedaron un buen rato hasta que, separándose un poco, Álvaro la miró en la penumbra. No podía ver sus ojos color canela pero estaba convencido de que en ellos había amor hacia él, así como ella lo podría haber visto en su mirada.

—¿Sientes? —preguntó Salma.

—¿Qué cosa? —Álvaro salió de su abstracción.

—El amor que te tengo.

Se quedó estupefacto. Estaba pensando exactamente lo mismo.

—Sí, puedo sentirlo. ¿Y tú, al mío?

A media luz, Álvaro vio cómo ella asentía con la cabeza. No distinguía su rostro con nitidez pero podía sentirla toda, en cuerpo y alma. Ella, igual. Luego de unos instantes abrazados, Sánchez le tomó el rostro con las manos y la besó. Primero, con ternura; luego, con pasión.

Se besaron con locura y desesperación. Estaban vivos. ¿Quién podía asegurarles hasta cuándo? Estaban lejos de todo, no tenían a nadie, salvo a ellos, salvo ese abrazo, esos besos. Se querían, lo habían declarado.

Su instinto de hombre le exigió avanzar, le puso las manos en las caderas y la apretó contra su cuerpo. Su boca bajó por el delicado cuello de Salma y sintió su respiración entrecortada por el deseo; ella le respondía. Le desabrochó el jean y, muy despacio, metió su mano dentro de la ropa interior. Avanzó lentamente, centímetro a centímetro. Hasta que tocó piel húmeda. Muy húmeda. Hurgó. Dibujó. Descubrió. Salma, al sentir los dedos de hombre, gimió.

Él se conmocionó. Le habló suave.

—Chiqui mía…, chiqui —repitió esa palabra que tantas veces había usado cuando lo embargaba la ternura que le despertaban las mujeres que había amado.

En la oscuridad, sintió que Salma se tensaba y que su piel se cerraba a sus caricias porque, aunque certeras, ya no eran bien recibidas.

La oscuridad agudizaba los sentidos de ambos. Y Álvaro supo que algo andaba mal.

—¿Qué pasa, Salma?

—¿Qué es «chiqui»?

—Es una forma cariñosa de decirle a una mujer en español.

—Supongo que la has usado antes, ¿verdad?

Álvaro no quería mentirle pero tampoco deseaba decirle la verdad. Podía terminar arruinando el momento. Sólo exclamó:

—Ay, Salma, ¿qué ocurre…?

—No sé… creo que no estamos haciendo lo correcto.

Una simple y pequeña palabra había abierto una brecha. Una grieta que separaba sus mundos: el occidental y el árabe.

—¿Por qué te has puesto así por una palabra? ¿Acaso ustedes no tienen expresiones cariñosas para llamar a una mujer?

—Sí, un esposo se la diría a su esposa. Y a nadie más —comentó Salma sin entrar en el detalle de que jamás un matrimonio utilizaría esas palabras en un sitio en el que no estuvieran solos. Eran apodos cariñosos que únicamente podían ser usados si estaban casados y en la intimidad. Antes de casarse, un hombre musulmán jamás habría pronunciado esos sobrenombres a ninguna mujer.

Allí, bajo la forma de una breve explicación, se reavivaron las diferencias de educación, costumbres y religión. Esta vez, aparecían para aguar el fuego iniciado apenas unos instantes atrás.

—Está bien, quédate tranquila. No haremos nada que tú no quieras —dijo Álvaro separándose de Salma.

—Esto es una locura. Cuando nos marchemos de Duma, todo acabará. ¿Y cómo explicaré lo que pasó aquí? —razonó mientras se cerraba la cremallera del pantalón.

—¿A quién tendrás que explicárselo?

—A mi padre, a mi madre… Y alguna vez, al que sea mi marido.

Álvaro quedó estupefacto. Hubiera querido decirle que en el mundo occidental una mujer de su edad no debía explicarle nada a nadie —mucho menos a sus padres—, que ella bien podía guardarse para sí misma lo que viviera en Duma, que eso pertenecía a su intimidad y a nadie más, y que si alguna vez terminaba casándose, eso sería parte de su pasado. Ningún hombre podría recriminarle nada de lo que hubiera hecho antes de conocerlo. Su explicación no serviría. Ella no cambiaría. Tal vez, incluso, hasta la ofendiera.

Álvaro se sentó en el piso y apoyó la espalda contra la pared. Estaba vivo pero harto; quería irse de Duma. Salma y él eran muy diferentes. No lograba entenderla; se sentía frustrado. ¿Por qué ella no le explicaba de una buena vez cómo funcionaba su mundo? La respuesta que él mismo se propició le dolió. Aunque quisiera, no podría, simplemente, porque debería remontarse a toda su vida, a lo enseñado y vivido durante su existencia desde que había nacido hasta el mismísimo día de hoy. Una pareja occidental contaba con la ventaja de haber recibido una educación similar bajo ciertos patrones culturales parecidos. Y sus miembros podían intuir el comportamiento o suponer las reacciones ante aquello que, por geografía o idiosincrasia, les resultara desconocido. Pero entre él y Salma, no.

Álvaro quiso conocer un detalle importante: ¿por qué una mujer muy hermosa de una familia adinerada aún no se había casado? Además, si en la cultura árabe los matrimonios solían concertarse entre esposos muy jóvenes. De hecho, su hermana se había casado a los diecisiete.

—¿Has tenido novio o un prometido, o como mierda se llame en tu cultura un hombre para ti? —indagó con escaso tacto y enojado por la situación.

—Sí, he tenido —reconoció Salma, que seguía de pie, apoyada contra la ventana.

La respuesta lo tomó por sorpresa.

—¿Y qué pasó?

—En nuestra cultura, el *wakil* es quien busca el candidato. En mi caso, mi padre actuó en mi nombre y fue quien encontró uno con el que concertamos un futuro matrimonio. Pero al poco tiempo, cuando se acercaba la boda, me negué a seguir la relación.

—¿Por qué?

—El hombre en cuestión no me gustaba.

—¿No te trajo problemas la decisión? —preguntó cada vez más sorprendido.

—Tuve que rogarle, pero mi padre es un hombre bondadoso y entendió. Cuando se lo dije, por supuesto: le causó una gran contrariedad. Además, debió pagar una suma de dinero para romper el compromiso matrimonial. Sin embargo, en ese momento, él me lo permitió.

Álvaro soltó un silbido y agregó:

—Pues no esperaba tanto de Al Kabani.

Ella se sentó junto a él en los cojines que hacían de cama.

—Así fue… y le estaré eternamente agradecida. Desde ese día, mi pobre padre ha tratado de concertar otros compromisos nupciales pero aún no lo ha logrado. El rechazo sin razón del candidato me creó mala fama. Por otro lado —suspiró—, mi padre no quiere cualquier persona para mí. Tampoco yo —deslizó como si su opinión no contara.

Álvaro se lo hizo notar.

—Lo que tú quieres es lo más importante.

—No creas. Cuando mi padre consiga un prometido de su agrado, ya no podré volver a negarme si realmente no hay una causa. Así que quiera Alá que ese hombre sea de mi entera simpatía.

Después de semejante exposición, Álvaro no sabía si pensar bien de Al Kabani por haber liberado a su hija de un matrimonio sin amor, o mal, por seguir tratando de concertar otro que probablemente también careciera de amor.

—¿Y tú, Sánchez, qué tienes en tu pasado? —indagó Salma. Ella había desnudado su historial y aún sabía poco de Álvaro.

—Mucho y poco. Depende de cómo se lo vea.

—Cuéntame.

—No sé si puedes imaginarte cuán diferente son las relaciones amorosas en Occidente. Para nosotros es normal probar con varias personas hasta dar con la indicada.

—Me imagino… probar y probar. Con una, con otra y más. Probar como querías hacer conmigo hace un rato.

—No hables así. Se prueba de una relación a la vez.

—Ah, me dejas más tranquila —dijo sarcástica.

—Mi mundo es muy diferente al tuyo. Las parejas eligen hasta dónde llegar, como recién hicimos nosotros, cuando decidimos parar…

Álvaro abundó en explicaciones para que dedujera cómo se concebían y se sostenían las relaciones amorosas. Pero por más que ofrecía ejemplos, ella no le hallaba sentido.

—Álvaro, sé cómo funciona, no soy tonta. Pero pensar en algo así, para mí es pavoroso.

—¿Y cómo se supone que debe ser?

—Se inicia un noviazgo y ambos se respetan hasta que contraen matrimonio.

—¿Se respetan?

—Me refiero a que no tienen intimidad sexual.

—¿Todos cumplen ese mandato?

—Eso queda en la conciencia de cada uno. Pero la pureza de una mujer es tan importante que no tienes idea de lo que se llega a hacer para cuidarla.

Álvaro no necesitaba que se lo explicara, sabía de boca de un amigo que algunas chicas árabes consentían tener relaciones sexuales anales antes que genitales para no perder la virginidad que debían conservar hasta el día de la boda. En casos extremos, hasta se realizaban una operación quirúrgica para que les reconstruyeran el himen. También se vendían unos dispositivos íntimos fabricados en China que simulaban una vagina inmaculada y el sangrado durante la relación sexual. Pero a Álvaro no le interesaban las otras mujeres, sino Salma. Quiso saber más de ella y le preguntó de frente:

—¿Nunca te has acostado con un hombre?

—No —dijo sin dudar.

—Así que eres pura, tal como quiere Alá.

Ella comprendió que la frase contenía un dejo de ofensa. Álvaro había sonado odioso y peyorativo. Molesta, se atrevió a poner en palabras lo que nunca antes había contado.

—En la escuela secundaria había un chico… Mohamad se llamaba. Estábamos enamorados. Cuando nos dábamos besos a escondidas, él me apretaba contra su cuerpo. Me gustaba mucho y eso me hacía sentir mal. Porque el Corán, bueno, tú sabes, prescribe que una pareja no debe tener sexo hasta la boda.

—¿Entonces cómo se conocerá una pareja?

—No hace falta el sexo para conocerse. A veces, se hacen viajes de varios días con las madres de ambos, los cuatro.

—¿Sólo eso?

—Sí, y te puedo asegurar que ayuda a conocerse. El segundo califa enseña: «No me recomiendes a alguien si no has viajado con él, si no has compartido carpa...».

Álvaro revoleó los ojos. «¡Dios! Esto del califa es demasiado», pensó. Pero como no deseaba ofenderla, continuó la charla.

—Esos consejos no me parecen descabellados. Pero al fin, ¿qué fue de Mohamad? —preguntó y, al nombrar a ese muchacho sin rostro, supo que le caía muy mal.

—Cuando empecé la universidad desapareció de mi vida. Pero lo que sentí por Mohamad me sirvió para negarme a continuar con el prometido elegido por mi padre.

—¿Y qué dice el islam sobre el amor?

—Que es sagrado, que es un estado del alma que trasciende los sentimientos. Tiene más que ver con la afinidad entre los seres. Su fuente primigenia es el Creador.

—Explícame un poco más...

—En este mundo, todo amor es divino. Tanto el que tiene una persona por su pareja, como el de un animal por sus crías, y hasta el de un árbol por la tierra que lo alimenta.

—Entonces, el amor que yo le tengo a mi profesión también es divino.

—Sí.

Álvaro levantó las cejas y asintió con la cabeza en señal de aprobación. La explicación tenía cierta lógica y coincidía con sus pensamientos acerca de que las vocaciones venían grabadas en el ADN de las personas; es decir que allí, en nuestro interior, habían sido puestas por un ser superior. Un ser divino. ¿El Creador? ¿Dios? ¿Alá? Estos dos, ¿eran los mismos?

La charla se había puesto filosófica e iba para largo. La pasión de esa noche definitivamente se había enfriado y ya no volvería. «Tal vez ni siquiera regrese alguna vez», pensó Álvaro porque Salma acababa de hacerle una declaración terminante respecto al sexo.

Tenía hambre, no había comido nada desde el desayuno.

Se lo dijo y ambos terminaron compartiendo la lata de papilla para bebé y los fideos que había encontrado durante la mañana y que había cargado durante toda la tarde en la mochila. Se los comieron crudos mientras continuaban charlando de religión.

Para cuando les llegó el turno a los higos, ambos se hallaban tan cansados que se durmieron con el sabor dulce en la boca. Él, pensando en qué escribiría al día siguiente en su diario; tenía mucho por relatar. Ella, planeando volver a salir al exterior; quería tomar fotografías. Si iba a morir en Duma, al menos antes realizaría lo que le gustaba.

Media hora después, uno al lado del otro, dormían pero con el sueño alterado.

En la quietud de la noche, de repente, de forma autómata y a un mismo tiempo, ambos se buscaron para darse la mano. Luego de este movimiento, y ya entrelazados, al fin los dos lograron la paz del sueño profundo. El mundo bien podía caerse a pedazos a su alrededor, que a ellos no les importaría porque lo principal estaba en orden: se tenían el uno al otro.

DIARIO DE ÁLVARO

Si antes de venir a Siria me hubieran anticipado que en este país me esperaban un bombardeo, un tiroteo y la muerte de mi contacto, probablemente lo habría creído. No es descabellado. Mi profesión me enfrenta a este tipo de atrocidades. Pero si a eso le hubiesen agregado que durante una semana viviría en Duma en un edificio abandonado, encerrado con una chica siria, creo que jamás lo habría creído.

Si me hubiesen asegurado que dormiría durante todos estos días al lado de esta mujer que me gusta, y a la cual yo también le gusto, pero con la que no tengo sexo, tampoco lo habría creído. Como tampoco que los fideos crudos pueden saber tan deliciosos. Creo que podría resumir mi última experiencia con un proverbio acuñado para la ocasión: «Para el hambre no hay fideos crudos». Mi viaje a Siria ha sido pura sorpresa. Pero aquí estoy, esperando poder sobrevivirlo para contarlo en persona. Hoy por poco me matan. Buscando electricidad para mi celular casi pierdo la vida. Los guardias me dispararon pero no me dieron. No obstante, esta no ha sido la única situación en la que estuve al límite; desde que estoy atrapado en Duma me he sentido cerca de la muerte varias veces. Me pregunto: ¿será que aún no llegó mi tiempo de morir? ¿Cada persona tiene una hora señalada? ¿Está escrito el destino o lo vamos construyendo a cada paso que damos?

Recuerdo el día de la muerte de mi padre. Desde entonces, tantas veces me pregunté qué hubiera sucedido si la tarde del accidente, en vez de regresar a casa en transporte, yo hubiera ido a buscarlo, como habíamos quedado en la mañana. Si no le hubiese cambiado el plan, ¿él se habría salvado? Siempre me ha torturado esa pregunta. A pesar de los años, me la sigo haciendo. No sé por qué, pero creo que en este lugar obtendré la respuesta. La muerte danza a mi alrededor y sospecho que le sacaré información. Aunque no la quiero cerca, se ha empecinado en ser mi compañera en Duma.

CAPÍTULO 5

Adécuate a los tiempos que corren porque,
si no, los tiempos te dejarán fuera de ellos.
PROVERBIO ÁRABE

Damasco, Siria, 2014

Abdallah apoyó con violencia el teléfono sobre su base. Acababa de hacer una llamada a la casa de su hermana Namira y las respuestas que había obtenido no eran las esperadas.

—¿Qué te dijo? —preguntó su esposa.

—¡Que Salma no está en su casa y que en ningún momento fue para allá!

—¿Estás seguro?

—¡Claro, Anisa, claro! ¡No se puede creer!

—¡Alá nos proteja! ¿Y ahora qué haremos?

—Namira está viniendo para acá. Quiere contarme una conversación que mantuvo con Salma.

—¿Llamaremos a la policía?

—Primero escucharemos lo que mi hermana tiene para decirnos.

Con ciertos retaceos y evasivas, Namira acababa de informarle que Salma no había dormido en su casa, como les había dicho a sus padres. En un par de ocasiones, cuando no deseaba entablar una discusión con Al Kabani por una salida con compañeros de la universidad, Salma la había usado como coartada y ella había sido su cómplice porque sabía cuán buena chica era su sobrina. Reuniones en la casa de alguna amiga, salidas inofensivas. Le llamó la atención que hubiera usado ese pretexto, pues hacía bastante que no lo utilizaba. Aunque Salma ya era toda una mujer. «Estas cosas pasan porque no está casada»,

105

asumió Namira. Su sobrina había dado demasiadas vueltas con los pretendientes. Pero no tenía ningún derecho a criticarla; su propia historia no se lo permitía. Con el paso de los años, comenzaba a olvidarse de cuánto había sufrido en su juventud por su condición de mujer. Hacía tiempo que había aceptado mansamente las reglas consuetudinarias impuestas por los hombres a las mujeres y su pensamiento se había domesticado. Tantos años va la gota de agua a la piedra que termina marcando un surco. Aun en contra de lo que la roca quiere. Porque podía decirse que a ella la habían domado.

«Pobre Salma –pensó–. A veces, la belleza resulta una maldición». Ella lo sabía por su propia experiencia.

Namira se vistió rápidamente, quería llegar cuanto antes a la casa de su hermano. Si su sobrina había concretado la idea que le había explicado por celular, bien podía temer por su vida. Pero por teléfono no podía contarle a Abdallah sobre el posible paradero de Salma. Ante este problema, su posición de hermana mayor le daba cierto grado de decisión. En Siria era considerada una especie de segunda madre y por esa razón se la respetaba especialmente. Su opinión contaba; se la consultaba y se la escuchaba. «¡Salma, Salma, muchachita tonta!», rezongó Namira mientras se subía al coche para que su chofer la llevara a la casa de Al Kabani.

* * *

Una hora después, sentados a la mesa del comedor, los integrantes de la familia Al Kabani bebían sendos vasos de té. Juntos dilucidaban el entuerto de la desaparición de Salma.

–¿Pero qué tiene en la cabeza mi hija para cometer semejante locura? ¡Porque ingresar a Duma… tomada por los rebeldes… es una locura! ¡Y viajar con Ibrahim y el fotógrafo es otra… peor!

–Ella no me lo dijo abiertamente pero ya te conté cuánto deseaba hacerlo. Quería sacar fotos reales, insistía con esa idea.

106

—¿Cuándo se comunicó Ibrahim por última vez? —preguntó Namira.

—En el momento que ingresaron a Duma... Después, nunca más —respondió su hermano.

—*Bismillah!* ¡De eso hace ya cuarenta y ocho horas! —exclamó Namira.

—¡Llamemos ya mismo a la policía! —imploró Anisa.

—Sabes que, cuando reportemos lo sucedido, el honor de Salma estará en juego —advirtió Al Kabani.

—Es preferible perder el honor de la familia antes que un integrante —razonó Namira.

—Ya, ya, hermana.

Namira movió la cabeza negativamente. A veces, Abdallah podía ser muy terco, pero su condición de hermana mayor merecía respeto y él tenía la obligación de oírla.

—Como hermana mayor —insistió con su posición de primogénita de los Al Kabani—, te sugiero que hables pronto con las autoridades, con la gente del gobierno nacional. Esto excede a la policía local porque Salma no está en Damasco. Al menos, eso creemos...

—Esperaré un día más. Y si no aparece, pediré ayuda a mis amistades en el gobierno. Alahmad Rashid y sus hermanos reciben al presidente en su casa todas las semanas —nombró al hombre con el que compartía una amistad basada en los negocios textiles en los que estaban asociados—. Ellos tienen suficiente poder para ayudarnos si Salma realmente está en Duma.

—¿Poder? ¿En Duma? Allí sólo mandan quienes tienen un arma en la mano —señaló Namira.

—Si no pueden ayudarnos los amigos del presidente, ¡¿entonces, quién?! —exclamó Anisa.

—Los Rashid son alauitas como Al Asad. Ellos podrán pedirle que intervenga para que nos ayude —señaló Abdallah.

—Ay, marido, haz algo pronto. Nuestra hija tiene que volver sana y salva —dijo Anisa entre llantos.

—Eso espero, mujer, porque así sabrá lo que es un padre eno-jado. Pienso aplicarle todos los castigos que la ley me permite.

—Ni pienses en eso, no seas ridículo —exigió Anisa dejando de lado su sumisión habitual porque en esta oportunidad estaba en juego la vida de su hija.

—Ella estará bien, te lo garantizo —dijo convencido.

Salma era una chica especial. Desde pequeña se había mani-festado muy diferente de su hermana y de su madre. La prueba estaba en que a sus veintiséis años aún seguía soltera. Él la había visto actuar frente a los inversores españoles; nunca se amedrentaba. Su hija sabría sobrevivir allí donde fuera. Necesi-taba aferrarse a ese pensamiento; cualquier otra alternativa era dolorosa e inaceptable.

Abdallah caminó hasta la ventana mientras Namira y Anisa se estrechaban en un abrazo. Él miró al cielo y le rogó a Alá que Salma fuera fuerte. Pero se acordó del engaño y se le unie-ron los sentimientos: enojo y preocupación. ¡Ya vería cuando apareciera!

NUNÚ

Damasco, Siria, 1953

Nunú miró a su alrededor y abrió grande los ojos. Encontraba maravilloso todo lo que la rodeaba. Por primera vez su padre había autorizado la visita al mercado Al Hamidiyah, donde tenía un puesto de telas en la zona conocida como «Pase, Señora».

Estaba orgullosa del permiso concedido porque a Anás, su hermano menor, le habían negado la salida. «Ya llegará tu momento», había dicho su madre ante el berrinche que el niño había armado.

Nunú, a sus cinco años, esa mañana caminaba por la calle ancha que bordeaba las tiendas multicolores y se sentía feliz. Le encantaba observar los puestos atiborrados de vestidos, perfumes, alfombras, joyas, especies, utensilios de cocina, artesanías y hasta de juguetes. No podía creer que existiera semejante mundo colorido y vibrante y, sobre todo, que no lo hubiera conocido antes. Se le antojaba un universo mágico y asombroso donde se respiraba un ambiente excitante y divertido.

Su madre, que la conducía de la mano, le había exigido que no se soltara hasta que llegaran a la tienda de su padre. A esa hora, el gentío que pululaba por el casco antiguo de la ciudad de Damasco era incesante. La muchedumbre elegía prendas, enseres o alimentos. Las personas paseaban, regateaban y compraban.

A Nunú le llamó la atención la gran cantidad de gatos vagabundos que daban vueltas por el lugar y acompañaban las faenas de los humanos. Se agachó y tocó uno pequeño de color miel, pero su mamá le tiró de la mano y, tras un breve reto, ambas continuaron su recorrido.

Para ingresar al mercado, debieron cruzar las imponentes columnas del antiguo templo romano de doce metros de altura construido sobre las ruinas de otro aún más viejo, atribuido a los arameos. Lindante con las puertas de la mezquita de los Omeyas, erigida en el año 705, el zoco comenzó a edificarse en el año 1780, durante el reinado del sultán Abdul Hamid. Para mediados del siglo xx, sus seiscientos metros de extensión, más el volumen y la variedad de mercaderías transadas, lo convertían en el más importante y atractivo de los centros comerciales de la metrópoli. Aquello que cualquier persona necesitara, sin duda, lo encontraría allí.

Mientras avanzaba, absolutamente maravillada, Nunú miró hacia arriba y descubrió el arco de metal del techo. Le pareció hermoso, colosal. Sus agujeros permitían que el sol penetrara de una forma única, brindando una luz dorada. Pero no imaginó —aunque lo aprendería más tarde— que los orificios eran el resultado tanto de los disparos efectuados durante la retirada alemana y turca del año 1917, como de los aviones franceses que en 1925 habían atacado a los rebeldes sirios. Miró a su madre y la encontró hermosa como una princesa. La claridad tornasolada bañaba los bellos rasgos de su rostro enmarcados por un velo floreado. «Cuando sea grande, quiero ser como ella», pensó y siguió caminando.

Nunú oía el sonido de diferentes lenguas que no alcanzaba a comprender. Hombres y mujeres regateaban, reían, discutían en todos los dialectos árabes reunidos en Al Hamidiyah. El zoco exudaba vida y vibraba en armenio, azerí, circasiano, kurdo, arameo… Su madre se detuvo en una tienda atestada de prendas femeninas. En la entrada, y sobre la calle, colgaban de un hilo docenas de perchas que exhibían vestidos y túnicas de colores vivaces. La densa barrera que formaban las ropas les impedía el ingreso al negocio.

—¿Te gustan? —preguntó Leila a su niña en voz alta para imponerse sobre el griterío infernal de los vendedores.

—Sí —dijo Nunú un tanto distraída y mucho más interesada

en las dos cabras que berreaban a su lado mientras un hombre intentaba moverlas tirando de la soga que los animales llevaban al cuello.

—Pues si te agrada el lila, te haré uno igual. Podré hacerlo —comentó, pues sabía que se trataba del color preferido de su hija.

—¿De verdad? —continuó Nunú ahora entusiasmada. El ofrecimiento de su madre había logrado captar su atención.

—Sí, y te lo haré más bonito aun... Ya verás. Confeccionaré dos idénticos: uno para ti y otro para mí.

—Y vendremos al mercado vestidas iguales —propuso Nunú, que quería asegurarse una nueva visita.

—¡Maravilloso plan!

Nunú sonrió. En su vida de niña había momentos mágicos, como el que estaba compartiendo en ese preciso instante. Conocer el mercado, caminar entre los puestos tomada de la mano de su madre y pensar que se harían dos vestidos igual de bonitos para pasear juntas significaba la felicidad en su máxima expresión. Notó la misma dicha en los ojos de Leila, que, entusiasmada, confirmó:

—Está decidido: coseré dos. Ahora sigamos caminando, que aún queda mucho por ver.

Ambas continuaron la marcha. Cuando un objeto les llamaba la atención, se detenían en un puesto; en algunos permanecían sólo unos instantes mientras que a otros les dedicaban un buen rato. Cada tienda representaba una tentación imposible de resistir para los ojos y las manos de dos mujeres, cualquiera fuera su edad. Si Leila consideraba que las mercaderías de determinados negocios merecían explicaciones, entonces se detenía para realizar acotaciones, como ocurrió ante el que exhibía indumentaria para novias. Rodeada de vestidos bordados con perlas y carruajes cargados de flores dentro de los cuales la novia era presentada ante el novio, Leila le habló del *nikah* y aleccionó a su hija acerca de la ceremonia matrimonial. Nunú no entendió por completo el significado de «mandato coránico», una idea que su madre repitió varias veces, pero un asunto le quedó bien claro: la boda representaba un paso trascendental en la vida de una mujer.

Tras dejar atrás un local de repujado de metales preciosos, andando a paso lento y despreocupado, finalmente Leila se detuvo en el puesto de lámparas y, sin soltar a su hija, ambas se perdieron entre los cientos de faroles exhibidos. Leila tomó uno muy bonito que estaba en oferta y, sin pensarlo mucho, luego de un rápido acuerdo con el tendero, lo compró. Tenía que apurarse, pues Khalil, su marido, las esperaba. Además, estaban tardando demasiado. No quería que él se enfadara por una tonta demora. Había enojos que podían evitarse. Pagaron y siguieron.

En minutos, al alcanzar la tienda de Khalil, madre e hija se encontraron rodeadas de telas, maquillajes y perfumes. Nunú sonreía; entre todos esos objetos, acababa de descubrir una figura corpulenta y querida: la de su padre, que le estiraba los brazos y la llamaba.

Nunú se acercó corriendo. El hombre la alzó y le dio un beso sonoro. A ella le hizo cosquillas su barba pero no le importó.

—¿Te ha gustado el mercado, niña?

—Sí...

—¿Has visto qué lindo puesto tiene tu padre? Aquí los hombres de la familia siempre hemos ganado el dinero. Tu abuelo fundó este negocio.

Nunú asintió con la cabeza pero no dijo nada. Sus ojos se habían detenido en uno de los escaparates, se hallaban prendados de un pequeño y bonito frasco de vidrio lleno con perfume de nardo.

—¿Qué traes allí? —preguntó el hombre a su esposa.

Leila le respondió con voz cantarina.

—Una lámpara que he comprado.

Él hizo mala cara y bajó al piso a Nunú.

La niña fue tras el frasco, quería mirarlo de cerca. La pareja siguió la charla.

—Te he dicho que no me gusta que gastes dinero sin consultarme.

—Pero estaba muy barata…

—Ya conoces el dicho: «Lo barato sale caro si compras lo que no necesitas».

La mirada de Leila se ensombreció. Se había equivocado.

—Perdón. No volverá a pasar. De todas maneras, creo que podré reponer ese dinero si me dejas llevar unas telas para hacer un par de vestidos que luego intentaría vender.

—¿Vestidos? —preguntó sorprendido y luego, socarrón, añadió—: ¿Y dónde los venderás si puede saberse?

A veces, su mujer era muy ingenua.

—Aquí.

—¿En mi puesto?

La propuesta de su mujer lo sorprendió. No terminaba de creer que ella pudiera ganar dinero.

—Sí —respondió Leila y expuso—: Pensaba hacer uno para la niña y otro para mí. Pero creo que será mejor que los confeccione para la venta. Nos permitirá recuperar el dinero que gasté y ganar aún más.

—Lleva las telas, entonces. ¡Nazli, prepárale a mi mujer lo que desea! —le indicó Khalil a la empleada—: ¡Y apúrate, por favor, que hay mucho por ordenar!

El hombre resopló y a continuación, en voz baja, le comentó a su esposa:

—Nazli se está poniendo vieja y cada vez más lenta.

Leila observó el andar torpe de la mujer; su marido tenía razón. La mujer había sido contratada por el padre de Abdallah para limpiar el lugar y había terminado ayudando con las ventas. Ella le comentó:

—Me da pena. Nazli siempre le sirvió fielmente a tu padre.

—Es verdad, pero no puedo hacer beneficencia. Debo mantener a mi familia, así que pronto la despediré. Es una pérdida para el negocio.

Leila suspiró.

—Lo que tú decides siempre está bien —dijo sonriendo.

Se trataba de la respuesta adecuada. Ella había aprendido

que la paz hogareña se lograba con concesiones. Se había casado ilusionada pero los años de convivencia la habían ido desencantando del matrimonio. Aunque también la habían vuelto más astuta. Sabía cómo llevar el carácter de su marido. Nada mejor que un elogio para evitar media hora de regaños. No se equivocó. Él le sonrió y se marchó a atender a un cliente importante.

Mientras Nazli cumplía con la orden de Khalil, Leila le indicó:

—Córtame un trozo más de esa tela color lila. Uno pequeñito para hacerle un vestido a la niña.

—¿Segura? El señor nos regañará.

—Que no. Córtalo. Está distraído. Luego, en casa, yo le explicaré.

La mujer obedeció a regañadientes.

Nunú, que desde la otra punta distinguió el color lila de la tela, abandonó su hipnótica observación del frasco de perfume, se ubicó junto a su madre y le preguntó:

—¿Harás los dos vestidos iguales para que vengamos juntas al mercado?

—Esta vez, no. Sólo te haré uno a ti.

—¿Por qué? ¿Y el tuyo?

—Hija, tengo varios. El mío no es necesario; el tuyo, sí.

El gesto y la voz de su madre mostraban que algo había roto la magia del paseo, aunque no entendía qué. Pensaba y no alcanzaba a percibir dónde estaba el problema.

Un rato después, cuando madre e hija se alistaban para partir de regreso a la casa, Khalil le dijo a su mujer:

—Intenta devolver la lámpara. O al menos cambia esa porquería por algo más útil.

—Está bien —aceptó Leila.

Nunú y su madre se marcharon.

Ambas caminaban por el pasillo central del mercado. La niña llevaba en sus manos el frasco de perfume que su padre le había obsequiado. Pero ni siquiera ese regalo les permitía a las dos mujeres volver a sentir la dicha que habían experimentado cuando llegaron al zoco. Los pasos de Leila eran lentos. Aturdida, con la mirada extraviada, los puestos habían perdido el brillo de la mañana.

Nunú volvió a preguntarse qué le sucedía a su madre. ¿Por qué de repente parecía una persona triste y amargada? Y su interpelación otra vez se topó con el muro de la incomprensión. Su corta edad no se lo permitía.

Sin embargo, ese día no imaginó que en los próximos años viviría múltiples situaciones similares que, al fin, le responderían esa y muchas más preguntas. Respuestas que se le volverían carne en su propia vida y en la de tantas otras mujeres que conocería.

CAPÍTULO 6

Una sola mano no puede aplaudir.
PROVERBIO ÁRABE

En Duma, ese mediodía el calor no cejaba. El clima era asfixiante. Un sopor ahogante se cernía sobre la ciudad. Los pocos autos que solían deambular por la calle habían desaparecido, igual que las personas.

Salma, tras acabar su rezo, mientras recogía la alfombra, decidió recorrer la calle desierta. Duma, entre la guerra y el clima, parecía un pueblo fantasma. No se iría lejos, sólo quería sacar un par de fotos a cielo abierto. Con seguridad, Álvaro no la habría dejado. Pero como no estaba —realizaba su incursión diaria en busca de comida y electricidad—, se puso la túnica y el velo y bajó los escalones con la cámara en la mano.

Salir de la fábrica conllevaba ciertos peligros pero las ganas de hacer realidad la frase de Álvaro —«Observa tu entorno con avidez, descubre escenarios y luego trata de captarlos con la lente»— fue más fuerte que el temor. Deseaba vivir esa sensación. Y si bien existía una alta posibilidad de morir, al menos no quería irse de este mundo sin haber retratado ella sola la cara de una ciudad en guerra.

Antes de poner un pie en la calle, se repitió a sí misma la sentencia de Mahoma sobre el destino: «Si toda la humanidad se uniera para causarte algún daño, no te podrá ocurrir nada excepto lo que Dios ha destinado para ti». Entonces, bajó tranquila.

En la puerta de la fábrica, retrató los vidrios rotos y las paredes destruidas con el cielo azul de fondo. El contraste le pareció surrealista. Luego plasmó un verdadero hallazgo: una muñeca de plástico desnuda y despeinada tirada en el piso junto a los escombros. La captó con su cámara. Diez disparos hechos con precaución y decidió regresar a la oficina. Estaba satisfecha; le gustaron las imágenes que logró. Había descubierto los escenarios que había mencionado Álvaro.

Subió los escalones apurada con la emoción de haber fotografiado sola un retazo de la ciudad. Sentada en el piso, mientras apreciaba las tomas, la voz de Sánchez la sobresaltó tal como si se encontrara haciendo una travesura. Dejó la cámara.

—¡Salma, ven, tienes que ayudarme! —le gritó desde las escaleras.

Ella se preocupó. Álvaro no solía regresar tan pronto. Después de menos de dos horas en la calle, llegaba agitado, gritando. Algo debía andar mal.

Invariablemente, pese a la balacera que lo había espantado, todos los días procuraba acercarse a la zona de la valla, donde tenía identificada una casa abandonada que contaba con electricidad. Sin embargo, diariamente fracasaba por la cercanía de los milicianos. Visitaba el lugar hasta dos veces, una por la mañana y otra por la tarde, con la esperanza de que se produjera un descuido que le permitiera ingresar a la vivienda para cargar el celular. Estaba convencido de que en algún momento contaría con su oportunidad; un cambio de guardia o una distracción le servirían.

Cada día se aproximaba a la valla y merodeaba desde una esquina; a veces, por horas. Su límite consistía en no llamar la atención porque, si alguien se acercaba, él de inmediato se retiraba. Circulaba, daba una vuelta y regresaba a la zona o aprovechaba las horas para buscar comida, tarea que cada vez le demandaba más tiempo, pues, agotados los higos del árbol que en los últimos días se habían convertido en su principal alimento, debía ampliar su radio. Finiquitadas las galletas y buena parte del resto, tenía que rebuscar en sitios inexplorados. Sólo les quedaba la bolsa de avena, que comían en raciones cada vez más pequeñas. Con tan poca comida, las dos últimas noches se habían acostado con hambre.

—¡Salma, ayúdame! —repitió Sánchez.

Ella abandonó su letargo y corrió hasta el pasillo que comunicaba con las escaleras. Tal vez, Álvaro había sido herido. Pero cuando lo vio arrastrando tres bolsas negras de consorcio, respiró aliviada.

—Mira lo que traje… —señaló satisfecho desde abajo.

—Ay, Sánchez, qué susto me has dado… —dijo Salma mientras bajaba las escaleras.

—Ponte contenta. ¡Es comida! ¡Ayúdame! —exclamó y le entregó una de las bolsas. Él no podía subir los escalones con las tres en las manos.

—¿De dónde has sacado todo esto? —preguntó sorprendida. Si las bolsas contenían alimentos, el hambre no los perseguiría por bastante tiempo.

—Del sótano de una casa. Lo descubrí de casualidad.

—¡Cómo pesa! —soltó Salma mientras ponía todo su empeño en subir el bártulo.

—Porque está llena de latas. Lo que significa, Salmita mía, que ya no pasaremos hambre.

Ella sonrió. Él nunca la había llamado así. Además, esa comida la ponía feliz.

Cuando lograron subir las bolsas, las vaciaron sobre el escritorio para clasificarlas: atún, carne, garbanzos, tomates, duraznos y hasta ¡espaguetis! Varias de cada una. Salma daba grititos de admiración cuando descubría su contenido.

—¡No lo puedo creer! ¡*Bismillah*, abre ya mismo la de duraznos! —pidió.

Como amante de lo dulce, venía sufriendo la falta de azúcar.

Sánchez intentó abrirla con un cuchillo y ella, mientras buscaba en el cajoncito del mueble, le dijo:

—¡No seas cavernícola, Sánchez! Tenemos el abrelatas que traje de la cocina el día que llegamos.

Él se quedó mirándola y los dos comenzaron a reírse a carcajadas. ¿Acaso reían porque lo había llamado «cavernícola»? O, tal vez, sólo se trataba de la dicha de tener comida. Como fuera, la felicidad los embargaba. «¿Cómo es posible que unas latas nos provoquen tanta felicidad?», pensó Sánchez con la absoluta convicción de que también eran capaces de hacerles olvidar que aún estaban atrapados en Duma. No le encontró explicación, pero siguió contento. Nada tenía el poder de amargarlo en ese momento. Nada. Tenían comida.

Y Salma la saboreaba directamente de la lata. Con la destreza que otorga el hambre, abrió una lata de duraznos y, con los dedos, se los llevó a la boca.

—Así que yo soy el cavernícola…

No importaba lo que ella hiciera, a sus ojos siempre parecía delicada. Una chica con clase. La encontraba hermosa; comenzaba a sentir que ella lo llevaba de las narices sin siquiera intentarlo. Porque Salma no era como las mujeres occidentales que había conocido, mujeres que buscaban poder sobre los hombres y muchas veces lo lograban. Parecía que ella se conformaba con el respeto que a diario le brindaba. Salma no pretendía dominio alguno; sólo anhelaba que él no lo ejerciera sobre ella.

Álvaro sentía que perdía estabilidad; esa mujer le gustaba demasiado.

—Están deliciosos… —dijo Salma mientras seguía comiendo melocotones con la mano.

Ambos volvieron a reírse con ganas. Ella devoró el contenido de una lata de duraznos; él, dos de atún. Satisfechos y con el estómago lleno, conversaron.

—Mira, esto no es todo —dijo y, abriendo su mochila, le mostró sus otros tesoros: una botella de vino, un par de libros en árabe y tres o cuatro túnicas de diferentes colores.

—¿Y eso…?

—Los libros los tomé pensando en ti. La ropa es para los dos, la que tenemos ya no aguanta más —afirmó frunciendo el ceño—. Y el vino, para que esta noche festejemos.

—¡Libros! ¡Y una túnica limpia! —exclamó Salma y eligió la blanca porque le parecía la más pequeña. La tomó entre sus manos, la pegó a su nariz y comentó—: Huele bien.

—Este también debe tener buen aroma —dijo Sánchez levantando la botella de vino.

—Ya sabes que yo no bebo.

—Lo sé, lo sé. Pero creo que hoy podrías hacer una excepción.

—Lo pensaré.

A Álvaro le gustó la respuesta; contenía un dejo de flexibilidad. Desde su llegada a Duma, él también estaba más elástico con respecto a sus opiniones. Pensar que se podía morir de un momento a otro lo volvía menos radical sobre muchas ideas que hasta ese momento había creído inamovibles.

—Somos ricos —dijo Álvaro mirando todo lo que habían sacado de las bolsas.

—Sí, esto es oro —dijo Salma y, observando el botín, agregó—: Evidentemente, son las provisiones que una familia ocultó en su sótano previendo que afrontarían una situación como la que nosotros estamos viviendo.

¿Qué había sido de esas personas? No lo sabían. Pero, felices por la buena suerte, decidieron agradecer juntos y en voz alta a esa gente desconocida que había acumulado los artículos que ellos disfrutarían. Aunque esa familia no podía escucharlos, oraron de todos modos. Estaban seguros de que su agradecimiento viajaría por el aire y algo bueno les llegaría.

—Irá de alma a alma —dijo Salma segura y pegó su mano al corazón. Con la otra, guio la de Álvaro para que hiciera lo mismo.

Juntos dieron gracias a esa familia; también al universo que los había provisto, a Dios, a Alá y a la vida. Estaban vivos, no les faltaba comida y se tenían el uno al otro. Enfrentar ese calvario sin compañía hubiera sido mucho peor.

Las voces de Salma y Álvaro retumbaron en la oficinita. El ambiente se llenó de gratitud y ellos percibieron una especie de vibración, de conmoción interior. Algo extraordinario había sucedido. Acababan de vivir una experiencia fuerte y sobrenatural, de esas que experimentan las personas que en la vida han soltado todo —porque ya no tienen nada— y aun así sus corazones agradecen. El mensaje enviado en la oración voló y llegó a donde debía, a donde se necesitaba. El círculo se cerró.

Se miraron. Se sentían extraños, envueltos en una paz profunda. Las paredes exudaban gratitud. Si hubieran podido ver con los ojos del alma, oh, cuántos movimientos espirituales habrían descubierto en ese cuarto.

* * *

Media hora más tarde, luego del momento trascendental, la normalidad se apoderó de ambos y la charla giró en torno a la última incursión callejera de Álvaro. Agotados los detalles de la casa con sótano, le contó que su derrotero lo había llevado hasta el auto de Ibrahim. El Kia Rio seguía en el mismo lugar.

—Tal vez podamos escapar —señaló Sánchez.

—Pero no tenemos la llave.

—No, debería encontrar la casa de la que escapamos y revisar la ropa de Ibrahim. —La idea no los convenció—. Pero creo que puedo hacer un puente para que arranque. Lo intentaré.

Tal vez había llegado el momento de poner en práctica lo aprendido en el taller de su padre después de verlo trabajar tantas horas encima de los motores.

—Supongamos que logras hacerlo funcionar… ¿Estás proponiendo que pasemos la valla con el Kia?

—El auto será nuestra última opción. Si pasan los días y no logramos cargar los celulares, si nadie nos saca de aquí, entonces nos subiremos a ese vehículo y trataremos de atravesar el puesto de control.

—¿Aunque estén los guardias?

—Sí, hablo de marcharnos por las buenas o por las malas. Peor es quedarnos aquí toda la vida. O que nos descubran y nos maten. Tenemos más chances de huir en un auto que a pie.

Salma aceptó el razonamiento de Álvaro. Debían abandonar Duma aunque existiera la posibilidad latente de que los mataran.

—¿Cuándo quieres que lo intentemos?

—La fecha la pondrá esta comida —dijo señalando las latas y agregó—: Cuando se acabe, si aún no logramos establecer contacto, probaremos pasar la valla.

A pesar de la dura conversación que acababan de tener, la alegría que les había otorgado la comida no se les quitaba. Además, para que las latas se terminaran y llegaran esos momentos drásticos aún faltaba mucho tiempo.

Esa noche, por primera vez después de la última cena en la casa de Al Kabani, comerían una buena comida. Salma planeó poner la mesa y usar los platos de plástico amarillo que habían traído de la cocina. Y si Álvaro quería beber el vino, pues que lo bebiera; ella no lo acompañaría. Si lo hacía, no se sentiría bien bebiendo porque el Corán lo prohibía. Expresamente condenaba ingerirlo, venderlo, comprarlo y manipularlo. Y, aunque feliz por las novedades del día, Salma se negaba a contradecir las enseñanzas del libro sagrado.

Por otro lado, seguía agradecida por sus recientes posesiones. La comida y la ropa limpia —normalidades en su vida de Damasco— en Duma se habían convertido en auténticos lujos.

Álvaro, por su parte, buscaba entre los utensilios de los boxes de la oficina lo necesario para fabricar algo parecido a una llave que destrabara el volante del Kia. Después, hacerlo arrancar sería otro cantar. Tomó entre sus manos una abrochadora de hojas de papel y sus piezas de metal le parecieron perfectas para empezar el intento.

La voz de Salma lo sacó de sus cavilaciones de inventor.

—Necesito que me ayudes a traer agua. Ahora que puedo cambiarme de ropa, quiero lavar la que tengo puesta y bañarme.

Para propinarse verdaderos baños, necesitaban que Álvaro acarreara agua.

—Dame media hora, esto es importante —le pidió y siguió trabajando con el metal por un buen rato.

Cuando al fin se dio cuenta de que la tarea le insumiría más tiempo del previsto, decidió abandonarla; la continuaría después. Se puso de pie, listo para cumplir con el pedido de

Salma. Ahora que tenían ropa limpia, él también se bañaría y lavaría su pantalón y su camisa. Reparó en las diferencias abismales que había entre estos baños improvisados y la agradable ducha que solía tomar en su departamento. La vida civilizada estaba muy lejos, tanto como el agua fresca de la piscina de la casa de su familia. Cerró los ojos y se la imaginó; la anheló. Mientras se zambullía en el recuerdo, oyó la voz de su madre. Tantos veranos pidiéndole que la visitara, que dejara por unos días el invierno europeo... Pero él, siempre ocupado, se negaba. Se arrepintió de sus excusas, de no haber vuelto más seguido a su casa materna, de no haber pasado más momentos en su agradable compañía. ¿Cuándo volvería a verla, si es que alguna vez la veía de nuevo?

Le vino clara la imagen de Dana. ¿Acaso estaría pensando en él? ¿Ya se habría enterado de que estaba atrapado en Duma? No, imposible. Se sintió culpable de la preocupación que le causaría cuando lo supiera. Pensó fuerte y profundamente en ella.

La crudeza del extrañar y la preocupación que sintió lo obligaron a abandonar esos pensamientos. Si quería convertirse en un sobreviviente, no podía sumirse en ese pozo.

Luego, acercándose a Salma, le dijo:

—Traeré un par de ollas. Yo también lavaré mi ropa.

Las viviendas de Duma deshabitadas y en pie habían quedado con los tanques cargados de agua y Álvaro optaba por traerla de allí para no vaciar el propio. Aún tenían agua en el baño, pero la guardaban para el funcionamiento de los sanitarios.

Álvaro volvió enseguida con la primera tanda de ollas llenas. Las llevó al baño y vio a Salma vestida con la túnica blanca limpia.

—¡Ya te bañaste!

—No. Justamente me la pongo para bañarme.

—¿Qué?

—Es costumbre de las mujeres de mi familia darnos el primer baño del mes con la túnica. Nos recuerda que así como la ropa nos cubre, Alá lo hace con nosotros. Lo ideal es sumergirse en

123

una bañera, como lo haría en mi casa o en un cuarto de hotel, pero...

—Ah... —respondió Álvaro aún en estado de shock por la respuesta que acababa de recibir.

—A veces, cubrir la desnudez nos da lecciones.

—Ay, Salma... —murmuró Álvaro.

Las explicaciones de Salma siempre tomaban un carril diferente al que él conjeturaba.

—Primero debo lavarme el pelo. Ya sabes qué difícil resulta con tan poca agua...

Álvaro la contempló con ternura y una especie de conmiseración porque, atada a sus costumbres —tan engorrosas y extrañas para él—, debía practicarlas con incomodidad por el confinamiento. En oposición, recordó a Paloma haciendo toples a pleno sol en una playa de Málaga. Y de eso no hacía tanto. Al evocarla, se dio cuenta de que en todos los días que llevaba en Duma jamás se había acordado de la catalana. Afligido por las costumbres que, como mujer, ceñían la vida de Salma, le propuso:

—Te ayudaré. Hazte la espuma en el pelo, que te arrojaré el agua para enjuagártelo.

La frase sonó natural, la confianza aumentaba cada día.

—Gracias... —aceptó Salma. E inclinándose hacia delante, comenzó a lavar su pelo en la pileta con el poquito de jabón líquido azul que quedaba en el *dispenser*.

Álvaro la observó reclinada. Podía adivinar a la perfección la forma de su trasero a través de la túnica. ¡Cómo no! Lo tenía muy bien identificado desde el principio. Precisamente desde que la vio en jean la primera vez y ella caminó unos pasos delante de él. Álvaro, que había unido en su mente trozos de imágenes, logró recrearlo divinamente: pequeño, acorde a su delgadez y a su cuerpo delicado. El ser entero de Salma desbordaba delicadeza. Verla llevar adelante con suavidad su ritual de lavado lo introdujo en una intimidad corporal nueva que le produjo un cosquilleo sensual.

Vio cómo las manos femeninas hacían espuma y luego fregaban con esmero la cabeza; su pelo larguísimo le daba trabajo. Sus dedos iban y venían moviéndose con blandura al compás de una música llamada «limpieza». Pero a él se le antojaba otra cosa, su imaginación avanzaba hacia algo mucho más íntimo y erótico. Podía fantasear con que así sería el toque de Salma sobre su cuerpo de hombre. Ay, esas manos… Ay, ese trasero… Ay, ay…

Absorto en los movimientos femeninos, la voz de Salma lo tomó por sorpresa:

—Sánchez, échame el agua, así me enjuago.

Él obedeció y de inmediato le vació el contenido de la otra olla sobre el pelo. Cuando terminó, todavía le quedaba jabón pegado en la nuca.

—Te queda espuma —le avisó y, sin pensarlo, se la quitó con la mano. Le tocó la piel del cuello un par de veces hasta limpiársela por completo. Y entonces se vio a sí mismo junto a esa mujer reclinada hacia adelante, con el trasero tan cerca suyo, a la que le tocaba la nuca. No pudo evitarlo: su mente fue asaltada por imágenes sexuales.

—¿Ya está? —preguntó Salma tratando de sonar normal. Ella también comenzaba a agitarse. La experiencia tomaba otros matices. Sintió a Álvaro en su espalda, muy cerca de su cuerpo y un desasosiego la invadió.

—Sí —respondió Álvaro con la voz queda por el deseo.

Salma quitó la tapa del lavatorio y dejó escapar el agua. Luego, tras erguirse, volvió a taparla.

—Por favor, echa en la pileta el resto de agua.

Álvaro tomó la olla y, a punto de arrojarla, observó a Salma. Y quedó anonadado: el pelo mojado que le caía sobre los hombros chorreaba agua y mojaba la túnica. Se estaba empapando entera. Ella miró a Álvaro.

—No te preocupes. Recuerda que apenas termine con el pelo, me bañaré con esta ropa que tengo puesta —explicó Salma.

Pero Álvaro no la miraba abrumado porque le preocupara

la ropa; la observaba enardecido porque el líquido que caía del cabello le había mojado la túnica blanca y ahora la tela transparentaba la forma de sus pezones. Allí estaban, enhiestos, claros, exigiendo atención, recién despiertos por el roce de la prenda húmeda.

—¡Dios! —exclamó sin poder ponerle freno a su boca. Calculó que se trataba de la imagen más sexy que había visto en su vida. Se acordó de cómo Paloma lograba un efecto similar vistiendo los conjuntos de ropa interior de Victoria Secret y entonces reconoció con qué poco Salma había conseguido el mismo ardor.

Ajena a sus elucubraciones de hombre, sumergida en su quehacer de limpieza, se inclinó nuevamente para recibir en la cabeza el agua que faltaba.

—Cuando termine, me buscas una olla más, me la dejas aquí y yo sigo sola —propuso con la excusa de que se marchara de ese cuarto de baño. Sentía que algo de lo que hacían no estaba bien, aunque no sabía qué. Le gustaba que Álvaro se hubiera metido en su mundo privadísimo. Y lo peor: deseaba más. Pero entendía muy bien a dónde los llevaría esa porción extra. Lo quería inmerso en su universo, su piel lo reclamaba. Su interior se debatía entre lo que quería y lo que debía. Y según le habían enseñado, se contraponían.

Álvaro, que seguía con la mente y el cuerpo trastornados, arrojó despacio un chorro suave del agua que quedaba sobre el cuello de Salma. ¡Por Dios, cómo le gustaba esta mujer! Extasiado ante su cercanía, no deseaba salir de ese cuarto para ir por más agua; quería quedarse allí por siempre, cerca de ese cuerpo menudo, y ayudar a asearlo y a todo lo que tuviera que ver con esa piel dorada.

Aún alborotado por la visión de Salma, unas voces provenientes del piso de abajo lo alertaron. Intentó descifrar exactamente de dónde provenían. Tal vez estaba confundido y sólo se trataba de gente que pasaba por la calle y la conversación se colaba por la ventana. Pero la proximidad le indicó que los hombres habían ingresado por el boquete, como lo hacían ellos.

126

Permaneció muy quieto, concentrado en entender una pizca de lo que hablaban. Pero su árabe elemental sólo le permitió descifrar una del cúmulo de frases. Le bastó para que se le erizara la piel.

Los hombres decían que revisarían el edificio. Se alteró por completo. Si los encontraban, acorde al *modus operandi* de los integrantes de los grupos terroristas, los matarían. Un tiro a cada uno sin mediar explicación podía ser un final muy posible.

Salma, que a esas alturas también estaba segura de que había escuchado voces, abandonó la pileta. Aterrorizada, señaló en voz bajísima:

—¡Están aquí!

—Sí —respondió y le echó una nueva mirada.

La figura de Salma mostraba cómo la túnica mojada pegada al cuerpo transparentaba sus pezones, pero Álvaro no se enardeció: ¡se horrorizó! Porque comprendió con qué ojos la verían los soldados moros. Si los encontraban, a Salma le iría muy mal. Semidesnuda junto a un hombre occidental… La tacharían de prostituta. La violarían o la matarían. Él tampoco se salvaría, pero ahora sólo le preocupaba Salma.

Consciente de su propio riesgo, a ella se le desdibujó el rostro. Con rapidez recogió del suelo la cortina que había llevado como toalla y se la calzó en la espalda para tapar su cuerpo casi por completo.

Ambos permanecieron agazapados, alertas a las voces y a los pasos que a cada instante se acercaban. Álvaro notó la consternación en Salma; estaba a punto de llorar. Para evitarlo, se llevó el índice a la boca pidiéndole que no emitiera sonido. Luego, con una seña, la exhortó a esconderse detrás de la puerta del baño. Él fue detrás y allí se quedaron muy juntos con el corazón en vilo y la piel temblando, mientras los hombres recorrían el edificio. A su paso, de una patada, tiraban por el aire los artefactos de oficina con los que se cruzaban. Subieron las escaleras y avanzaron por el pasillo del piso donde Salma y Álvaro permanecían escondidos.

Con todas las fuerzas y a su manera, cada uno rogó a su Dios para que no entraran al cuarto de baño, ni a la oficina donde pernoctaban. Sus pocas pertenencias delatarían que un hombre y una mujer vivían allí. Y ya no se detendrían en su cacería.

Trascurrieron unos minutos que para ellos fueron siglos, instantes en los que los pasos se agigantaron, las voces fueron sentencias y los movimientos, la guadaña que siega.

Pero en lugar de husmear en el piso, continuaron subiendo la escalera y luego, cuando se escuchó la bocina del jeep, descendieron a la carrera.

Se habían marchado.

Álvaro y Salma no supieron bien qué hacer a continuación. La precaria normalidad que les había proporcionado el baño se había esfumado. Así era la existencia en Duma. Se estaba vivo en un instante y al siguiente se podía estar muerto. Por un momento, los movía el instinto sexual, pero en pocos minutos, el del miedo. Comían los fideos crudos y los duraznos con la mano como si se tratara de la más exquisita delicia. Habían aprendido que la vida continuaba y, con la esperanza de que pronto escaparían, seguían adelante. Sin esa ilusión era imposible subsistir.

Barrio La Quebrada, La Rioja, Argentina

En la casa del barrio La Quebrada de La Rioja, de pie junto a la mesada de su cocina, Dana de Sánchez tomó un plato y se le cayó al piso. La loza se estrelló y se hizo añicos. No le importó, llevaba los oídos absortos en lo que acababa de escuchar. Le había parecido percibir que su hijo Álvaro la llamaba desde el patio. El sonido de esa voz querida había sido tan claro que la vajilla se le escapó de las manos.

Pese al destrozo, no atinó a juntarlo. Con la mirada fija en la ventana que se prolongaba en el césped y la piscina de su patio, se quedó inmóvil esperando escuchar de nuevo la voz.

Afuera reinaba la quietud.

En ese espacio verde se había criado su hijo. Sin dejar de observar las plantas, meditó en el largo tiempo transcurrido desde la última visita de Álvaro. ¿Dos años? Sí.

Aunque estaba contenta por el éxito laboral que había logrado en Europa como periodista y fotógrafo, era su único hijo. Y a veces, como en esta oportunidad en que lo sintió deambulando por su casa, lo extrañaba demasiado. Tal vez iba siendo tiempo de visitarlo en Barcelona. O de pedirle que viniera a pasar una temporada en la Argentina.

Se agachó y comenzó a juntar los trozos de loza desperdigada. Al abrir el tacho de basura, nuevamente sintió la voz de su hijo. Esta vez había sido tan real que la piel de la espalda se le erizó. Se puso atenta.

Pero no, no estaba.

Se sentó en una de las sillas de la cocina a la espera del mismo sonido, que no se repitió. Su alma de madre permaneció en alerta. ¿Una señal? No era normal y jamás le había pasado nada similar. Tenía que mandarle un mensaje o intentar hablarle.

Le escribió un texto breve. Pero como no le llegaba, optó por llamarlo. Tampoco obtuvo respuesta.

Decidió tranquilizarse; seguramente estaba en otro país y sin internet. Ya se comunicaría con ella cuando pudiera. Hablar a la redacción del diario de Barcelona le pareció exagerado. Esperaría hasta el sábado; por lo general, se comunicaba los fines de semana.

Damasco, Siria

Nervioso, Abdallah se ubicó en una de las mesas del bar que había elegido en el casco céntrico de Damasco. El tipo de reunión que celebraría no podía haberla concretado en su oficina. Los hombres con los que se reuniría eran personas peligrosas y no quería que nadie los viera juntos.

En el bolsillo de su pantalón traía un sobre con dólares, el monto −«tarifa», dijeron− que le cobrarían para entrar a Duma y hallar a Salma.

Si bien ya había denunciado la desaparición y la gente de inteligencia del gobierno sirio se había comprometido a averiguar el paradero de su hija a través de contactos secretos, él insistiría por su lado. Nunca se estaba seguro de dónde podía venir la respuesta o, incluso, una solución. En Siria corrían tiempos extraños y violentos. No se podía confiar en nadie. Las traiciones, a la orden del día, podían sufrirlas cualquier bando. Sólo se tenía a sí mismo.

Dos hombres jóvenes de barba larga y oscura ingresaron al bar. Por el sigilo de sus movimientos, podía jurar que llevaban armas escondidas entre sus ropas.

Se acercaron a él.

−¿Señor Al Kabani…? −preguntó uno de ellos.

−Sí… −respondió entregado Abdallah.

Se sentaron, conversaron unas pocas palabras y en minutos saludaron y se marcharon con el trámite finiquitado.

Abdallah asumió que, si actuaban como le habían prometido, pronto hallarían a su hija. Además, le dieron a entender que Salma y el periodista español no habían sido tomados como prisioneros. Si así hubiera ocurrido, los captores ya lo habrían contactado para pedirle un rescate. Pero, a falta de noticias, le aclararon que también existía otra posibilidad más oscura. Él prefirió descartarla y les ofreció un extra por el éxito de la operación.

Bebió el último trago de su *tamr hindi* y se dedicó a responder un par de mensajes. Un amigo le preguntaba por Salma. La noticia de la desaparición, pese a su más estricta discreción, se había filtrado y personas cada vez más cercanas se enteraban de su tormento. A la honda preocupación por la vida de Salma se le sumaba una gran vergüenza.

NUNÚ

Damasco, Siria, 1959

A pesar del cansancio y del calor reinante, Nunú trajinó contenta las calles que iban desde el mercado hasta su casa del barrio Shaghur al Juwani, antes de trasponer la puerta del Este. Miró sus pies. Las sandalias que asomaban debajo de la túnica larga que llevaba puesta mostraban sus dedos ennegrecidos por la tierra del camino. Debería lavarse apenas llegara a su hogar. Cada vez que iba y venía al mercado le sucedía lo mismo.

Cuando atravesó el enorme patio de la mezquita de los Omeyas, como siempre, Nunú invocó a Alá. La bellísima obra arquitectónica con más de doce siglos de antigüedad, considerada uno de los lugares santos del islam, cobraba gran trascendencia durante el Ramadán. Apreció los pórticos y las arcadas y, al posar sus ojos sobre la torre, una vez más imaginó cómo se vería la ciudad desde esa altura.

Desde que Nunú había cumplido los once años, se le permitía ir al zoco para ayudar a su padre en la atención del puesto, rutina que realizaba varios días a la semana. Pese a que la atención en los locales del mercado era un territorio vedado casi por completo para las mujeres, su insistencia había terminado por convencerlo. Ella, como hija mayor, bien podía ayudarlo en el puesto, tal como lo había hecho la vieja Nazli durante tantos años. Incluso, en apoyo a Nunú, había conseguido que los tendederos vecinos la respetaran. Como la actividad comercial le encantaba, disfrutaba de acomodar y exhibir los productos en los escaparates con la intención de tentar a los clientes. Le agradaba tratar con ellos, cultivar el regateo, concretar ventas y cobrarlas. Manejar el dinero era lo suyo; los números se le daban muy bien. Se enorgullecía cada vez que su padre le pedía que resolviera sumas difíciles porque lo hacía más rápido que él y nunca se equivocaba. Cuando arrojaba el resultado, después de un guiño cómplice, él exclamaba: «¡Perfecto!». La aprobación paterna representaba el mejor de los regalos, incluso más que cualquier perfume o vestido de los que allí vendían y que tanto le gustaban, pero que no pedía porque sabía que malgastaría el dinero. Así se lo había explicado Khalil. Y él siempre tenía razón.

«Cuando sea mayor –pensó convencida–, estaré a cargo del puesto». No era común que las mujeres trabajaran en los locales del mercado, pero si los hombres de su familia habían empleado a Nazli y ahora a la nueva Rihanna, bien podían permitirle estar al mando del puesto y dirigirlo. El trabajo, que realizaba con absoluta naturalidad y solvencia, le fascinaba.

Acalorada y cansada, cubrió el último trecho hasta su casa. Cuando llegó, abrió la puerta y se quitó las sandalias. Luego, como había planeado, enfiló hacia el baño para asearse. Pero se detuvo al escuchar la voz de su madre, que la llamaba con insistencia. Se asomó a la cocina y allí la descubrió cosiendo, tarea en la que solía encontrarla enfrascada durante el último tiempo.

En el piso, sobre una mantita, dormía su hermana más pequeña. Un poco más allá, también en el suelo, su hermano Anás jugaba a las canicas.

–Al fin, Nunú, has regresado. Te estaba esperando. Necesito que limpies el piso de la casa.

–¡Mamá…!

–¿Qué sucede?

–Estoy cansada. Y en dos horas debo volver al mercado.

–Lo sé, pero, por favor, necesito tu ayuda. No quiero que a la noche, cuando tu padre vuelva, encuentre la casa sucia.

Nunú, aún descalza, tomó la escoba a desgano y comenzó a barrer la sala muy lentamente.

—¡Por favor, hija, pon empeño! —suplicó Leila mientras enhebraba una aguja para coser las perlas sobre el vestido.

—Pero es injusto… —protestó Nunú en un último intento por ser relevada de la tarea.

—Lo lamento, ya sabes que preciso tu colaboración. Debo terminar estos vestidos para llevarlos esta tarde al puesto de tu padre.

Con la vista clavada en su hermano, Nunú exclamó enojada:

—¿Y tú, Anás, por qué no ayudas?

—Porque soy pequeño.

—No es verdad. Yo tengo once y tú, diez. Somos casi iguales y nunca ayudas.

—Soy varón y no haré tareas de mujer. ¿Acaso no lo sabes? —gritó Anás desde el piso.

Nunú miró a su madre anhelante, esperaba su auxilio, su socorro. Pero ella, lejos de dárselo, sentenció:

—Tu hermano tiene razón. Él es varón.

Nunú se calló la boca y no respondió. Poco tiempo atrás había descubierto que, cuando su madre o un adulto pronunciaban esa frase, la discusión se terminaba y ya no había defensa por argüir. Deseó haber nacido en otro cuerpo. Lo dijo en voz alta y con rebeldía.

—¡Ojalá yo hubiese nacido varón!

—¡Calla, niña, que Alá te castigará! Jamás debes decir eso, jamás. Y termina de una vez de barrer aquí, que aún te faltan los cuartos —advirtió mientras repasaba los botones de la túnica.

Leila estaba agotada. Ama de casa, madre de tres hijos y costurera resultaban obligaciones absorbentes. Desde que los vestidos que confeccionaba se vendían en el mercado como pan, ya no tenía tiempo para los quehaceres domésticos; mucho menos, para descansar. Pero estaba contenta; se sentía útil. Una porción importante de los ingresos del negocio estaba en sus manos. Por ese motivo, amasaba la idea de hablar con su esposo sobre la posibilidad de contratar a dos costureras para que le ayudaran con la producción. Y si encontraba eco, también le propondría vender sólo sus vestidos para transformarlos en la mercadería principal del negocio. Al fin y al cabo, sus prendas les dejaban más dinero que la mera venta de las telas. Leila había creado una línea de túnicas únicas bordadas con perlas y piedras, y en su estilo innovador radicaba el motivo principal del éxito. Pero tenían que apurarse a desarrollarlo como industria antes de que otros copiaran sus diseños.

Un rato después, Leila abandonó las agujas e hilos para servirles el almuerzo a sus hijos. Había cocinado temprano la comida para que estuviera lista para esa hora. Se puso de pie y vio cómo su hija seguía limpiando. Se acercó y, mientras le daba un beso en la frente, le dijo:

—Gracias por ayudarme, pequeña.

Nunú sonrió y su madre agregó:

—¡Ah! Y algo más: no vuelvas a decir que quieres ser varón, te podría traer muchos problemas. Tienes que aprender cómo funciona la vida. Si no, saldrás lastimada. Y yo no quiero eso para ti.

—¿Mamá, por qué nunca te quejas de lo que está mal? —preguntó en sintonía con sus recientes reflexiones. Nunú, que poco a poco abandonaba la candidez de la niñez, comenzaba a indagar sobre aspectos punzantes.

—Porque no sirve de nada, no se obtiene ningún resultado.

—Yo me quejaré.

—Si lo haces, sólo destruirás tu vida —sentenció preocupada y disgustada por la rebeldía que exhibía su hija, la que sólo le traería problemas. Si bien planeaba mantener esta conversación más adelante, decidió hablarle con claridad. Nunú demostraba ser lo suficientemente madura como para enseñarle una regla decisiva para sobrevivir. Entonces, Leila decidió darle lo que consideraba una de las lecciones más simples e importantes para su vida. Tan sencilla como determinante—. Mira, Nunú, el mundo es de los hombres, no de las mujeres. Y eso nunca cambiará. —Hizo una pausa, suspiró fuerte y prosiguió—: Ellos mandan, ponen las reglas y, si no las obedecemos, sufriremos.

Lo mejor que te puede pasar es tener un buen marido para que te cuide. Siempre pido eso para ti y tu hermanita.

—Pero, mamá...

—Apréndelo y nunca te lo olvides. De lo contrario, saldrás más lastimada de lo que crees. Ellos mandan y siempre mandarán.

Nunú miró sobrecogida a su madre. No había esperado semejante explicación de su parte. Leila, ante sus ojos, era fuerte y la protegía de los peligros, al igual que a sus hermanos. Por eso, había pensado que le daría otra clase de lección. Una explicación teñida de solidaridad o hermandad relativa a su condición de mujer... Pero no esto...

—Es injusto —explotó.

—Lo sé. Pero debes aceptarlo —dijo al tiempo que, en la punta de la sala, su hija menor, que acababa de despertarse, comenzaba a lloriquear.

—Ahora, vamos a comer, que tu hermana tiene hambre.

Nunú abandonó la escoba para atender a la pequeña, pero su madre la detuvo y, tomándola de la mano, le dijo:

—Gracias... muchas gracias por ayudarme con la limpieza. Lo valoro mucho. Te amo, hija.

Ambas se miraron a los ojos durante un instante.

—Yo también te amo, mamá.

Nunú puso la mesa mientras pensaba en que ya no tenía tiempo para lavarse los pies. Pero no le importó; estaba apurada. Comería dos bocados porque tenía hambre y luego saldría directo hacia el mercado. Quería regresar cuanto antes. Había dejado por la mitad el inventario de los perfumes. Le parecía que no se estaban vendiendo lo suficiente y, una vez confirmado, quería contárselo a su padre para que dejara de comprarlos. Estaba segura de que la culpa la tenía el puesto vecino. Sus perfumes eran mejores y más baratos.

Leila, a pesar del cansancio, estaba feliz. Gracias a las pocas horas de sueño, había logrado terminar de bordar las túnicas; además, comería con los niños. Y eso, alegraba su mediodía.

* * *

Esa tarde, Nunú se hallaba en el zoco atendiendo a un cliente cuando percibió la presencia de su madre, que llegó con el velo negro en el pelo, un hijo en cada mano y un gran bulto en la espalda. Allí dentro traía los vestidos recién confeccionados. Anás, al ver a su padre, se escurrió para ir tras Khalil. Leila aprovechó y se sacó de encima el fardo con las prendas; luego, alzó a la pequeñita.

Su esposo la saludó mientras le proponía a Anás que eligiera un perfume con la ayuda de Rihanna, la nueva y joven empleada. La vieja Nazli ya no trabajaba en el local.

—He traído los vestidos —dijo Leila.

—Déjalos allí —indicó su marido señalando un mostrador.

Nunú, cuando se desocupó, se acercó para colgarlos. Pero, antes de sacarlos del atado, su padre le pidió que ordenara las cremas.

Leila, que había logrado terminarlos con sacrificio, no se dio por vencida e insistió:

—Debemos colgarlos cuanto antes. Hay mujeres que están esperándolos.

Nunú, mientras acomodaba los potingues tal como le había ordenado su padre, seguía con atención la conversación, convencida de que debería abandonar la tarea para exhibir en las perchas la reciente producción de su madre.

—Lo haremos luego —resolvió el hombre restándole importancia al asunto. Y añadió—: Leila, no vivimos únicamente de tus vestidos.

—De eso quería hablarte... Se me ha ocurrido que podríamos comerciar sólo mis túnicas. Se venden muy bien y en este momento es lo que más dinero nos da.

Khalil la escrutó sin poder creer lo que oía.

—¡¿Qué...?! Ridículo.

—Propongo lo que nos convendría hacer —dijo, pero de inmediato se reprochó a sí misma por haber sido tan directa.

—Aquí, quien decide lo que nos conviene soy yo. Además, tú ya no tienes tiempo de nada. ¿Cómo piensas coser doscientos vestidos si para tener listos veinte no das abasto?

—Podríamos tomar costureras y yo, simplemente, guiarlas.

—No me interesa ese plan.

—Pero ¿por qué?

—Porque yo lo digo y basta. No tengo que darte explicaciones.

—Piénsalo, esposo, por favor…

—Es mi negocio, Leila, y yo decido. No lo transformaré en un puesto de vestidos. Y menos, de los tuyos.

—Pero se venden mejor que todas las demás prendas —replicó con orgullo. Ella no podía creer que se negara. ¿Por qué no aceptaba la idea? Era perfecta. Ganarían más dinero. Insistió—: Se me ocurrió porque…

—Tú no estás para que se te ocurra nada. Así que acabemos con esta conversación.

Leila indagó en el rostro de su esposo para descifrar el motivo de su obstinación. Y entonces lo vio: allí estaba la respuesta metida en sus ojos oscuros. Lo comprendió: su mirada masculina iba teñida de temor. Miedo a que las ideas de una mujer —aunque fuera su propia esposa— fuesen mejor que las propias. Temor a que ella fuera más inteligente. Pavor a cambiar las estructuras que por años lo habían beneficiado. Recelo de perder el mando.

Khalil la quería, pero no la respetaba. El pánico no se lo permitía. Leila trató de actuar inteligentemente y dijo con voz suave:

—Pero es tu puesto, yo jamás intentaría…

—He dicho que basta. No puedes hacerme esto, insistir de esta manera, aquí, delante de todos.

Leila se llamó a silencio; había límites que no podía traspasar.

Posó su mirada en las manos de su esposo. Las llevaba crispadas, tensas. Su semblante se hallaba ensombrecido.

Leila no sabía que con su propuesta había provocado un hecho terrible: acababa de socavar un trozo de la hombría de su marido.

Sin embargo, Khalil no era tonto; podía entrever que la idea resultaría muy ventajosa aunque no hubiera anidado en su cabeza. El repentino descubrimiento que él terminaba de hacer, Leila lo pagaría caro. Pero recién se enteraría del precio de su atrevimiento en exactamente seis meses, cuando Khalil encontrara el medio perfecto para aumentar su seguridad como hombre.

La voz de Nunú lo sacó de sus cavilaciones. Un cliente que quería saludarlo le sirvió para dejar abandonados en la punta del local a su esposa y sus vestidos. Se retiró y dio por terminada la penosa situación vivida.

Khalil atendió al hombre que estaba junto a su hija, lo saludó con estima y le acercó la prenda que le pedía. Mientras le hablaba de las bondades del producto, Anás comenzó a tirarle del pantalón para mostrarle el perfume que había elegido.

Nunú, atenta a la situación, intervino. Bastante mal estaban las cosas entre sus padres como para agregar un nuevo problema por la indisciplina de su hermano.

—¡Anás, no molestes a papá! —le pidió.

—No me molesta. Quédate, niño.

Khalil giró y, dirigiéndose al cliente, le dijo:

—Te presento a Anás. Él es mi hijo varón. Mi sucesor aquí, en el puesto.

—Mucho gusto, jovencito —respondió el hombre sonriendo y luego centró su atención en la ropa que compraría.

Entonces, Khalil se dirigió a su hijo y pronunció las palabras que a Nunú le sonaron a sentencia:

—Quédate cerca mío, hijo, y aprende. Porque pronto vendrás a trabajar aquí en lugar de tu hermana. Algún día todo esto será tuyo y de nadie más.

Cuando su padre concluyó la oración, Nunú sintió que un cielo negro y tormentoso caía sobre ella. Su frágil mente de niña-mujer aprendía lecciones dolorosas. Sumó esa frase a las muchas que ya formaban parte de la larga lista que venía escribiendo en su interior y que le demostraban que el mundo se dividía en dos: masculino y femenino. El primero era grande, expansivo, permisivo. El otro, pequeño, retraído, adusto, restrictivo.

No importaba cuánta capacidad tuviera, ni cuánto esmero pusiera en las tareas. El mérito no se alcanzaba por esfuerzo, sino que se nacía con él.

Escudriñó a su madre pidiéndole que interviniera, que dijera algo en su favor, pero Leila ni siquiera vislumbró lo que acababa de pasar a pocos metros, más precisamente en el corazón de su hija.

Nunú pensó que si ellas se unían, tal vez, todo podría ser diferente. Al contemplar a su madre, la encontró distante, sumergida en sus cavilaciones, incapaz de sumarse a su cruzada. Nunú no se percataba de que Leila se hallaba inmersa en su propia contienda, luchando contra los mismos monstruos.

CAPÍTULO 7

No menosprecies la fuerza de los sentimientos:
un día de amor mueve los cimientos
construidos durante cien años.

PROVERBIO ÁRABE

Esa noche, sentados uno al lado del otro, Salma y Álvaro daban por terminada la cena. Los platos amarillos apoyados en el escritorio ya estaban vacíos. Civilizadamente, con cubiertos y servilletas, tal como lo habían planeado, comieron las provisiones encontradas mientras la última vela se extinguía. La intrusión de los milicianos les había aguado el festejo, pero tener comida era una celebración en sí misma. Por lo tanto, agradecieron por haber dispuesto de sus frugales manjares.

Tras la requisa del edificio, cuando los hombres se marcharon, Salma completó apurada su baño; luego, Álvaro hizo lo mismo.

La sensación de limpieza y saciedad los mantenía en paz. Ambos vestían las túnicas que Álvaro había encontrado en el sótano de la casa abandonada. Y los espaguetis de la lata servidos en el plato junto al atún, las remolachas y el *hummus* de garbanzos habían sido comidos con ganas.

–¿Abro el vino? –preguntó Álvaro antes de empezar a cenar.

–Yo no beberé. Pero ábrelo para ti –respondió.

Álvaro decidió dejarlo para otra ocasión, una en la que realmente quisiera emborracharse, porque ya estaba visto que lo tomaría solo. «¡No sabes la cantidad de cosas buenas que te pierdes! ¡La vida está repleta de simples placeres!» estuvo a punto de decirle, pero prefirió llamarse a silencio y aceptar que había sido educada para pensar de esa manera. Esa noche quería explicarle que la entendía, quería decirle que se había

140

transformado en una persona importante para él. Pero no sabía muy bien cómo empezar.

Intentó por lo más obvio.

—Lo que sucedió hoy al mediodía fue muy peligroso.

—Lo sé. Fue horrible. Pero ya no pensemos más en eso —pidió.

—Salma, quiero decirte algo serio.

Ella lo miró y le respondió suavemente:

—Dime…

Cualquiera hubiera pensado que nada acontecía en su interior femenino, pero desde que Álvaro había aparecido limpio con esa túnica azul que contrastaba con su pelo claro todavía mojado, Salma suspiraba por él. Porque si alguien hubiera podido ver lo que no se ve, habría descubierto que el corazón de Salma latía con violencia de sólo observarlo y oír su voz. Pero ella había sido criada para no exteriorizar lo que sentía. Ese tipo de demostraciones formaban parte de la intimidad entre esposos. Como mujer, debía callar, ser distante, fría y suave al mismo tiempo. Pero verlo vestido con ropa de su cultura había sido un shock. Lo había sentido más cercano que nunca.

—Salma, hoy temí que esos hombres te hicieran daño. Me di cuenta de que, si alguien te lastimara, me volvería loco. Quiero que sepas que, si tengo que defenderte, lo haré con mi propia vida —dijo deshecho. Le hablaba con el alma a flor de piel.

La declaración emocionó a Salma. Bastante tenía con que él le gustaba mucho y ahora se sumaba esta confesión.

—Ay, Álvaro… gracias —expresó Salma. Pero, fiel al estilo con el que había sido criada, bajó los decibeles de la conversación y compartió su deseo—: Espero que no nos pase nada a ninguno y que podamos irnos pronto de aquí.

—Yo también espero lo mismo, pero necesitaba decírtelo. Hay algo más… —Hizo silencio porque deseaba elegir bien las palabras para evitar una escena ridícula, hasta que largó a modo de introducción—: Salma, sé que esto puede sonar extraño…

—Dime qué pasa… —lo alentó con cierta preocupación.

—Que me he enamorado perdidamente de ti…

Salma lo escuchó serena mientras lo miraba en profundidad. Él continuó:

—Sé que puedo sonar cursi pero te estoy hablando con el corazón —confesó consciente de que no tenían el futuro comprado. Si morían en Duma, al menos se lo había dicho.

—Álvaro, tú también te has vuelto muy importante para mí —reconoció manteniendo el control.

Expectante, Sánchez aguardaba que Salma se explayara. Lo que acababa de decir era un buen comienzo, pero él quería escuchar más. Ella prosiguió:

—Creo que yo también estoy enamorada… Pero ¿te das cuenta de que iniciar algo sería una locura?

La revelación fue escueta, pero para ella significó una enormidad, algo de vida o muerte. Álvaro le respondió:

—Sí, por eso no te pido nada. Sólo deseaba que lo supieras. No quiero esconder lo que siento. Te me acercas y me vuelvo loco. Soy un hombre y… ¿Entiendes de qué hablo, verdad?

Se lo había explicado con cuidado para no ofenderla, pero aun así Salma se ruborizó y exclamó:

—¡Sánchez…!

—Al principio creí que se trataba de una atracción porque convivimos. Tú sabes: la cercanía, el encierro… Pero no, esto es otra cosa. Estoy seguro.

—Para bien o para mal, yo también siento lo mismo. A pesar de lo terriblemente occidental que eres.

Él se rio y la increpó:

—¡No sabía que ser occidental me quitaba atractivo!

—Ay, Álvaro, tú no sabes muchas cosas de mi cultura —deslizó sonriendo, como si esta vez el ingenuo fuera él.

Álvaro le tomó la mano, la miró y en esos ojos del color de la canela encontró el permiso para besarla.

Se besaron durante unos instantes y otra vez la catarata de deseo que habían intentado frenar rompió el dique. Habían puesto en palabras lo que venían sintiendo, un nuevo límite había sido traspasado. Aquí, en esa oficina, lejos de la vida que cada uno conocía, sus sentimientos no parecían tan peligrosos. Tal vez allá, en Damasco, en la casa de Al Kabani, sí; pero en Duma, no.

Mientras se besaban, Álvaro encontró que el aroma marino del jabón líquido se le antojaba el perfume más maravilloso y afrodisíaco que jamás había inhalado, que el pelo renegrido de Salma era el cabello de mujer más suave que había acariciado y que su boca, la más dulce que había probado. ¿Qué tenía Salma que jamás había encontrado en otras mujeres? No lo sabía. La respuesta, quizá, la encontrara en que se trataba de una mujer diferente a las conocidas. O, quizás, en que se hallaban lejos de todo, viviendo en soledad o quién sabe en qué. Tal vez no había ninguna razón en especial. Pero ella también sentía atracción hacia él, lo cual constituía un milagro. Magia pura que, en medio de esa guerra, dos personas tan distintas y criadas de maneras tan diferentes se eligieran y se dejaran llevar por lo que les pedía el corazón y el cuerpo.

Mientras se besaban, Álvaro, siempre diestro y seguro con las mujeres, esta vez no sabía si podía tocarle la pierna o si ella se ofendería si le besaba el escote y ni que hablar de acariciarle un seno. Así que con su lengua se dedicó a la boca de Salma perdiéndose en su piel y su saliva. Y dejó que Salma fijara los límites.

Ella, encendida, se puso de pie y se sentó sobre la falda. De inmediato, sintió la piel de Álvaro creciendo bajo su trasero. Había leído y estudiado sobre el cuerpo de los hombres, sabía bien qué significaba. En conversaciones de amigas, todas juntas se sacaban dudas y compartían información. Pero sobre esta fuerza incontrolable que bullía en su interior y que le exigía más y más nadie le había explicado nada. Ni siquiera le habían anticipado su existencia. Recordó los besos con Mohamad. ¡Qué poco, si los comparaba con esto! Trajo a su memoria las charlas con sus compañeras, las amonestaciones de su madre sobre el contenido de esos diálogos, las advertencias de su padre, quien solía repetir una frase que se le había grabado —«El sexo fuera del matrimonio es sacrílego»–, y las recomendaciones de que huyera de los deseos de los hombres. Un recuerdo llevó a otro y la culpa se interpuso a su ardor. ¡Debían parar ya mismo esa locura!

Se separó.

–Álvaro, lo lamento, pero no me siento bien. No puedo.

Otro corte abrupto. Se volvería loco. Avanzaban, retrocedían. Su mente occidental no entendía. Nada más contrario a lo vivido por él durante los últimos años en Europa.

–Sí, lo entiendo –dijo ofreciendo apenas un atisbo de comprensión.

Pero si estaban enamorados y los unía un sentimiento intenso, ¿por qué parar eso tan maravilloso que estaban viviendo? ¿Podía conformarse con la certeza de que ella había reconocido que sentía lo mismo? ¿Por qué a Salma le bastaban unos besos?

–Vamos, juntemos las cosas y tratemos de dormir –propuso ella poniéndose de pie– que, para una noche, todo lo que aquí ha pasado fue bastante.

–No estoy tan seguro… –retrucó Álvaro. Por lo que a él le concernía, la velada ni siquiera había comenzado.

Guardaron los restos de la cena, limpiaron la mesa, apagaron el pabilo de la vela y se acostaron. Poco a poco sus ojos se fueron acostumbrando a la penumbra. Podían verse, pero ya no conversaron.

Minutos después, ambos seguían despiertos, esa noche no habían practicado el ritual de tomarse de la mano para dormir. Por la ventana se observaba la luna enorme.

–Álvaro, ¿estás despierto?

–Sí.

–¿Aún tienes ganas de que nos tomemos el vino?

Él sonrió en la oscuridad. No lo dudó ni un instante.

–¡Claro!

Al menos, se darían ese gusto.

–Mira, el profeta dijo: «No tomarás alcohol». Pero en este

momento se trata de algo entre Alá y yo. Y creo que puedo manejarlo.

Una vez, siendo niña, Salma había visto a su padre ingerir una bebida con alcohol. Al increparlo, había obtenido la misma respuesta que acababa de darle a Álvaro. Si Al Kabani la podía aplicar para su conducta, ella también podía hacerlo. Se sintió rebelde, diferente; tal vez la culpa la tuviera el tiempo transcurrido fuera de su casa y lejos de las reglas y de los guardianes de esas normas.

—Vamos, que Alá no se enojará —dijo Álvaro.

—Cállate, Sánchez, y trae el vino de una vez antes de que me arrepienta.

Álvaro fue por la botella y por dos de los vasos de plástico amarillo. Sirvió un poco en cada uno y apoyados contra la pared ambos tomaron un sorbo. Era un tinto grueso y perfumado.

—¿Habías tomado alcohol alguna vez?

—Sí, un par de veces con mis amigas de la universidad. Pero lo hicimos más por travesura que por placer. Ahora es diferente porque lo estoy disfrutando —recordó y tomó un sorbo lentamente.

Álvaro sonrió.

Mientras bebían, Salma se dedicó a contar anécdotas de su época universitaria. Cuando Álvaro relató una de las suyas, ella lo interrumpió.

—Pero tú eres un viejo. ¿Hace cuánto fue eso?

—No soy un viejo; tú eres demasiado joven —se defendió. Bastante tenía que lidiar con la culpa que le despertaban los besos y abstraerse de que podrían considerarlo un sucio occidental aprovechándose de una ingenua mujer musulmana. Nueve años no era poca cosa.

Tomaron un vaso; luego, otro. Iban parejos. El alcohol los puso de buen humor y por un momento se les olvidó que estaban atrapados en Duma.

Se reían. El buen humor los embargaba, la guerra parecía lejana. Álvaro notaba cómo el vino había derrumbado ciertas barreras levantadas por Salma. La veía reír a carcajadas, la encontraba feliz. Supuso que así debería ser ella en tiempos normales. Deseó vivir épocas de sosiego a su lado. ¿Existía un futuro para ellos juntos? Imposible vaticinarlo. Decidió dejar de preguntarse lo que no tenía respuesta y se dedicó a saborear el vino. Total, ¿cuándo volvería a tomar un tinto, si es que seguía vivo para descorchar otro?

Después de vaciar la botella, relajados, cada uno se reclinó en su cama. Y así, en silencio, boca arriba, mirando el techo bajo la penumbra, permanecieron durante unos minutos. Hasta que Álvaro habló:

—Salma...

—¿Hum...?

—Te quiero —dijo sincero y con la guardia baja.

—Yo también te quiero.

—Pero yo te quiero para siempre, no sólo para este momento.

Y esas dos palabras dichas en ese preciso instante de felicidad sumadas al efecto del vino movieron los cimientos del mundo de Salma. Esas bases que se habían construido durante años con palabras y enseñanzas, esos fundamentos que se habían gestado cuando era sólo una niña, ahora peligraban, se resquebrajaban. Porque en la cama, inquieta, se movió de aquí para allá, de allá para aquí. Luego se sentó y extendió sus manos hacia arriba.

¡Álvaro descubrió que Salma se estaba quitando la túnica!

Intuyendo cuál sería el siguiente paso, se le aceleró el corazón. Le latía con tal violencia que le costaba respirar. Y así seguiría por varias horas. Porque la velada más importante de sus vidas recién comenzaba; sólo que ellos todavía no lo sabían.

Salma, completamente desnuda, se tendió de nuevo en la cama y pronunció las palabras que a Álvaro le sonaron a la «Quinta sinfonía» de Beethoven, su preferida:

—Ven... —propuso con voz suave y segura.

Él se reclinó hacia ella para verla mejor. La luna que entraba por la ventana le permitió descubrir los detalles que venía imaginando desde hacía semanas. El cuerpo menudo, la piel sedosa, los pechos pequeños de pezones claros, el ombligo delicioso.

El cabello larguísimo se desparramaba sobre la cama construida de cojines. El color renegrido contrastaba con la cortina blanca que hacía de sábana. Quería tocarla, beberla, aspirarla; hacerla su mujer ya mismo, pero temía quebrar el hechizo, conocía la educación de Salma, ya había vivido antes sus avances y retrocesos.

—Tómame... —dijo Salma, que había abandonado la lucha por mantener los cimientos. La construcción levantada durante años había cedido—. Tómame... —insistió.

Esa palabra encendió cada fibra de hombre en su cuerpo. Se hallaba listo para hacerla su mujer, pero tanto había esperado para poseerla que ahora, al verla entregada y sabiendo que era virgen, seguía temiendo avanzar.

—¿Estás segura? —exploró.

—Sí... Disfrútame y te disfrutaré.

Las palabras lo enardecieron y, al mismo tiempo, llamaron su atención. La ingenuidad que a veces mostraba Salma colisionaba con esa forma de hablarle. Ella pareció adivinar lo que había en la cabeza de Álvaro.

—He sido educada para entregarle todo al hombre que quiero. Para darle placer y obtener placer. A diferencia de tu mundo cristiano, que cree que el sexo sólo se practica para procrear, nosotros creemos que es para dar deleite. Ven, dame placer y te lo daré también.

Álvaro ya no soportó más. La explicación sólo lograba incrementar su excitación. Deseaba ese placer, quería darlo y recibirlo.

A pesar de que él era el experimentado en el sexo, ella parecía haber tomado control de lo que estaba por acontecer. Y a punto de treparse sobre ella, el movimiento de Salma lo descolocó. Sentada, inclinó la cabeza sobre su cuerpo y deslizó la boca por el sexo de Sánchez. Una y otra vez. Su lengua parecía tener un sexto sentido para hacer lo que él quería. Porque no llegaba a desearlo que ahí ya estaba Salma realizándolo con su boca diestra.

Álvaro creyó que moriría de placer. Fueron minutos de puro goce hasta que alcanzó a articular una frase coherente.

—Salma, detente, por favor...

Casi no le salían las palabras, pero se esmeró para expresar lo que sentía.

—Soy yo quien debe darte placer a ti, déjame, por favor.

Salma se detuvo y le sonrió dulcemente. Entonces, las manos de Álvaro indagaron los lugares íntimos y otra vez esa piel húmeda le respondió como en aquella oportunidad. Sólo que ahora Salma gemía sin cuidados ni vergüenzas; sus manos guiaban las de Álvaro y empujaban los dedos de hombre para que penetraran su interior. Había una decisión tomada: dejarse arrastrar por la correntada hasta donde fuera que la llevara.

Luego, con sus manos, Salma condujo la cabeza de Álvaro hacia sus senos. Y él obedeció; su boca sedienta inventó piruetas sobre esas dos montañas enhiestas que exigían que no se detuvieran.

Tras instantes de ardor mutuo, ella pidió:

—Ven, estoy lista...

Convertida en la directora de la sinfonía, él era un simple músico que ejecutaba la partitura.

Álvaro la besó en la boca y, sin detenerse, se subió sobre Salma. Con las manos acomodó su sexo junto al de ella, y luego empujó. Despacio. Una vez. Dos. Fuerte, muy fuerte. Una vez, dos, tres.

Salma gimió de dolor y de placer. Suspiró fuerte. Gimió de nuevo.

Álvaro descubrió goce en ese sonido, pero también una pizca de miedo y de dolor. Aun así, volvió a arremeter porque por primera vez desde que habían empezado el encuentro, era él quien dirigía y sabía hacia dónde iba. Con el rostro escondido en el hueco del cuello de Salma, dejó que sus sentidos se embriagaran con el aroma marino que exudaba su cabello. Esa piel tostada, como ninguna otra, lo enajenaba por completo. Nada podría detenerlo. Nada.

Algunos movimientos suaves; otros, no tanto. Ajustó el meneo en el punto exacto. Allí.

Hubo algunas palabras pronunciadas para lograr placer; otras, incoherentes, pero también necesarias.

Algunas fueron dichas en español y otras, en árabe. Porque Salma, con los ojos cerrados, entraba en un submundo inexplorado y hablaba en su idioma; necesitaba de sus vocablos para expresarse.

–*Habibi... habibi...*

–Salma...

Colmado de palabras y sonidos, el ambiente desbordaba con el inconfundible lenguaje del encuentro que allí estaba aconteciendo.

La locura de la noche avanzaba y las sábanas blancas hechas de cortina conocían el color rojo de la sangre, pero no el de la guerra sino el del amor. Una gota, mínima, minimísima, refulgía y enseñaba que el amor se abría paso, como fuere y donde fuera. Que el afecto nacía en los lugares más insólitos e inesperados, aun en medio de batallas, armas y peleas, y entre un hombre y una mujer de procedencias y culturas tan distintas. Ese germen sinuoso y contrariado demostraba que la vida urdía citas que no se planeaban pero allí estaban, marcando la existencia para siempre.

Lejanas se escuchaban las explosiones de la permanente batalla que se peleaba en Duma.

Pero ellos no se enteraban porque esa noche era de amor y no de guerra. Por varias horas, ninguna bomba lograría perturbarlos. Acababan de empezar una labor que sólo terminaría cuando ambos quedaran exánimes. Porque harían el amor esa vez. Y otra. Y más.

La penumbra mostraba sus figuras. Las barreras de sus pieles se derrumbaban. Eran uno. Pero esa luz tenue no alcanzaba a revelar los límites del alma, que allí también se rompían. Porque durante la velada, Salma no sólo entregaba su cuerpo, sino también los dogmas inculcados, las enseñanzas que la protegerían de la crítica y los principios que le garantizarían la vida eterna en el paraíso.

Álvaro, por su parte, se soltaba de todo lo aprehendido, de eso que había hecho suyo al creer que lo mantendría a salvo de una vida rutinaria y de caer en los lazos de una mujer.

Los absolutos de ambos se quebraban. Se hacían añicos.

Barrio La Quebrada, La Rioja, Argentina

En el barrio La Quebrada, sentadas a la mesa de la cocina, Dana Sánchez y su amiga Wafaa al Kabani intentaban acortar la espera tomando mate. Pero no podían, el líquido no les pasaba por la garganta. La semana anterior Dana había recibido una llamada de *El Periódico de Catalunya* para avisarle que, desde el ingreso de Álvaro a Siria, sólo habían recibido un par de mensajes, y que luego habían perdido el contacto. De eso, hacía varios días. Le explicaron que estaban realizando todo lo posible por localizarlo. Y que si en breve no tenían novedades, pedirían ayuda al gobierno local. La persona encargada de ponerla al corriente sobre la situación de su hijo le comentó que, si bien habían tratado de mantener el hecho en reserva, la noticia se había filtrado y pronto se difundiría por los medios. Antes de despedirse, prometió brindarle información.

De inmediato, Dana había cruzado la calle para contarle lo sucedido a su amiga y vecina Wafaa. La mujer llamó a Damasco y, para su sorpresa, su hermano le reveló que su hija mayor también estaba desaparecida. Comentó que, quizá, se encontraba en el mismo lugar que Sánchez. Aparentemente, Salma integraba el grupo que había partido a la ciudad de Duma para tomar las fotografías. No tenían ninguna certeza porque había abandonado la casa sin permiso del padre y sin avisar a la familia.

150

Wafaa, al oírlo, le había dado sus condolencias llena de remordimiento. En cierta manera, puesto que había actuado como nexo entre Álvaro y Abdallah, se sentía culpable. Cuando cortó, le contó a su amiga Dana que la desaparición era doble: su sobrina también estaba en el convoy que había partido en busca de las dichosas fotografías.

Desde que ambas mujeres se habían enterado del nefasto suceso de los jóvenes habían transcurrido varias semanas. Y esa tarde las dos se hallaban en la casa de Dana esperando una llamada de España.

La madre de Álvaro tenía presente que su hijo no le anticipaba las coberturas periodísticas; simplemente le hacía un llamado cuando regresaba de la guerra sano y salvo. Pero en esta ocasión sí le había hablado. Cómo no hacerlo, si se iba a Siria, el país de su abuelo. Recordaba muy bien la mañana en que se despidieron: ella había sentido un dolor muy grande y, por primera vez, temor por la vida de Álvaro. ¿Acaso había sido un mal presentimiento? Para tranquilizar la ansiedad de madre, se había dicho a sí misma que no, que sólo había sido su imaginación. Pero una voz interior taladraba su cabeza con la palabra «peligro» junto con el nombre de su hijo. Y desde ese momento no había noche que no hubiera rezado por su protección.

Y ahora, allí, estaba con Wafaa, hermanadas ya no sólo por la ascendencia siria y la comida típica que elaboraban juntas en el grupo de cocina, sino también por la desgracia familiar. Miró a su amiga y repitió la misma pregunta que le formulaba cada día.

—¿Has vuelto a hablar con tu hermano? ¿Tienes noticias?

—No, Dana, no tengo. No le hablo porque temo molestarlo. Le mandé un mensaje y no me lo ha respondido. La última vez que me atendió me dijo que seguían sin novedades. Se lo oía desesperado.

—No es para menos. Yo estoy igual —resopló. Se puso de pie y caminó hacia la ventana de la cocina que daba al parque de la casa.

—Pero para ellos es una desgracia doble. Es una hija. Aunque aparezca sana y salva, nunca más podrá llevar la vida de mujer honorable de antes.

—¡Qué ideas tienen…!

—Lo sé.

—¿Y con Namira, tu hermana, no hablas?

—No, ya sabes que ella nunca estuvo de acuerdo con mi decisión de venir a la Argentina.

—Pero son tiempos para mantenerse unidos… —dijo Dana mientras observaba la piscina del parque a través del vidrio.

Consternada, no podía dejar de recordar las veces que debió retar a Álvaro cuando niño por lanzarse al agua desde la orilla haciendo peligrosos clavados. Tantos años había disfrutado su hijo esa piscina y ahora nadie podía asegurarle que alguna vez volvería a nadar en ella. Al pensarlo, le dieron ganas de llorar, como cada día. Pero el timbre del celular que sonaba con fuerza no se lo permitió.

Atendió de inmediato. Otra vez le hablaban del periódico catalán para comunicarle que el gobierno español estaba en contacto con el sirio, que los hombres del presidente Al Asad habían tomado participación e intentarían negociar con los grupos rebeldes la devolución de Álvaro. Estaba de por medio el empresario local Al Kabani, quien pagaría el rescate por ser parte interesada: además de un empleado —«Un tal Ibrahim», dijo la voz al teléfono—, su hija formaba parte del grupo. Precisó que, según un mensaje del periodista, este hombre había muerto. «Pagaremos el rescate, señora, para que su hijo regrese con vida», afirmó el abogado del diario.

Dana cortó, se sentó en una silla y esta vez se permitió llorar. El problema se encaminaba —¡al fin!— hacia una posible solución. El gobierno sirio estaba buscando a su hijo.

—¡Cuéntame, por Dios! —le exigió Wafaa.

Dana le relató las buenas noticias.

* * *

Abdallah al Kabani salió de la fastuosa casa de la familia Rashid en Al Qaimariya y el calor de la tarde fue una bofetada para su rostro. A pesar de la belleza del casco histórico de la ciudad no daban ganas de caminar. El tórrido verano hacía difícil avanzar por las calles de Damasco.

Los restaurantes y bares de la zona rebosaban de gente, que buscaba refrescarse tomando bebidas frías. Pero a él, el calor no le importaba. Caminó y miró el cielo agradecido. Sus amistades acababan de confirmarle que lo ayudarían, que contactarían al presidente. Si bien ya había actuado por su cuenta y había mandado dos hombres a Duma para que averiguaran entre los rebeldes sobre Salma y el periodista, sus enviados habían vuelto sin información. Al grupo parecía habérselo tragado la tierra. Trataba de tranquilizarse asumiendo que se encontraban bien; si los hubieran asesinado —razonó—, sus hombres habrían regresado con la noticia. Debían de estar secuestrados o escondidos. Aguardaba con ansias la intervención gubernamental. Si sus amigos habían logrado interesar al presidente en su caso, pronto le encontrarían una solución y recibiría instrucciones. Entretanto, no descartaba enviar una nueva patrulla a Duma. Pero se contuvo; no quería seguir haciendo movimientos que pusieran en peligro la vida de su hija.

Como fuera, hacía tiempo que no tenían noticias de Salma y eso lo desesperaba. Por momentos, se enojaba con ella pensando que se merecía lo que le estaba pasando, pero en otros, cuando creía que le podía haber sucedido algo malo, se desmoronaba.

Imaginaba el regreso de su hija y el abrazo infinito que le estrecharía cuando la viera, pero también meditaba sobre las resoluciones que tomaría. No descartaba un encierro sin límite de tiempo. Como padre, tenía el derecho de llevarlo a cabo y probablemente lo hiciera. Tal vez, dos o tres años sin asomar la cabeza de su cuarto sería un buen escarmiento. Podría ser más o menos tiempo dependiendo de su actitud y del grado de arrepentimiento que mostrara. No la dejaría deambular por la casa y mucho menos usar el teléfono. Se lo merecía. La culpa, justamente, se la atribuía a la excesiva libertad que le había dado. Él le había permitido vivir libre y ella le había pagado con este embuste. Conocía casos de muchachas que, por mucho menos, quedaban confinadas durante una larga temporada.

Recordó a uno de los gerentes de su fábrica; la situación familiar del hombre siempre le había llamado la atención. A raíz de una desobediencia, el padre prolongaba indefinidamente —iba para cuatro años— el encierro de una de sus hijas. La chica había querido escapar para casarse con un cristiano, pero la familia había descubierto la artimaña a tiempo y desde entonces la hija pagaba su culpa.

En la mente de Abdallah se confundían los castigos imaginados para su hija con los gestos de cariño que le prodigaría y los extrañares.

DIARIO DE ÁLVARO

Estos días vienen siendo de muchos aprendizajes y descubrimientos. A pesar del encierro que vivimos en Duma, cada jornada es una escuela para mí y eso no deja de asombrarme. Aprendo a ser simplemente un hombre, un ser humano. Descubro cosas que, por haberlas naturalizado, hasta hoy no las tenía en cuenta, ni siquiera las veía.

La vida, la compañía y el sustento diario que siempre di por sentados hoy son un tesoro. Considero que los tres son un regalo.

Primero, la vida, porque estar vivo es una maravilla que nunca, hasta este momento, había valorado de verdad. En Barcelona, el estrés de los días laborales intensos, la agenda llena de actividades a la que me apegaba, no me lo permitía. Cada mañana me levantaba renegando porque el despertador sonaba demasiado temprano y cada noche me narcotizaba con un programa de televisión o una pastilla para dormir. Hoy miro el sol que entra por la ventana de la oficina y me siento vivo, como esas hormigas que han hecho un camino en el techo, o las plantas que, a pesar de la destrucción que circunda en Duma, siguen creciendo entre los escombros. Me percibo parte de un todo que respira al son de la música de la vida. Cada noche redescubro las horas que viví durante la jornada y medito sobre los sucesos recientes mientras miro el pedazo de cielo con estrellas que entra por la ventana.

155

No hay televisión y puedo pensar. No hay pastillas y el sueño viene igual. Caigo extenuado y agradecido. Soy feliz por la sola felicidad de existir.

Por eso hoy agradezco el privilegio de estar vivo.

Segundo, la compañía querida, porque tener a Salma por mujer me hace feliz como nunca pensé serlo. Por primera vez hemos hecho el amor y he descubierto que el sexo con amor no tiene parangón. Yo, que siempre tomé las relaciones sexuales como una descarga, como una manera más de contar con compañía, hoy me siento embriagado por lo sublime de la experiencia. Porque pasé de ser un experto en escapar de las relaciones comprometidas a sentirme un privilegiado de tener a alguien de quien preocuparme y que se preocupe por mí. Me agrada saber que, si me pasara algo, una persona se preocupará realmente por mí. Me gusta ocuparme de que ella esté bien. ¿Qué nos deparará el futuro a los dos? ¿Tendremos uno juntos? No lo sé. Pero sí estoy seguro de que, por el amor que le tengo a Salma, si es necesario en algún momento aquí, en Duma, daré la vida por ella. Salma se ha hecho parte de mí. Carne de mi carne.

Agradezco la compañía de esta mujer.

Tercero, los alimentos, porque la comida ha tomado otro lugar en mi existencia. Siempre acostumbrado a tener mi heladera repleta de compras, o a sentarme en el bar de Barcelona que tuviera más cerca para comer un bistec o un sándwich, jamás había reparado en que los alimentos no son gratuitos, y que deben ser conseguidos, que la comida puede faltar aunque tengas la mejor tarjeta de crédito. Reflexiono mientras sopeso las latas de garbanzos que están sobre el escritorio, y el corazón me da un brinco de alegría.

Entonces agradezco por los alimentos que, de una manera u otra, llegaron hoy a mí.

Aprendo una gran lección: para ser feliz no se necesita

mucho. Una sencilla comida basta, si se disfruta junto a una compañía querida, aunque fuera de las paredes de mi guarida duerma el enemigo. Porque unos brazos queridos pueden ser un verdadero hogar, más allá del lugar físico donde uno se encuentre.

Concluyo que nunca se debe dar por sentado nada de lo que tenemos, sino que es bueno y necesario agradecer por todo. Por eso hoy, aquí, en esta calurosa tarde de Duma, mientras escribo mi diario, me hago la firme promesa de agradecer cada vez que tenga ante mí un plato de comida, unos brazos brindándome cariño sincero y el sol de la mañana recordándome que estoy vivo.

NUNÚ

Damasco, Siria, 1960

Nunú acomodó su largo y renegrido cabello hacia atrás; a veces, ante el calor sofocante del verano, se sentía tentada de cortárselo. Tomó el último trago de leche que le quedaba del desayuno y se puso de pie para llevar la taza a la cocina. Caminó unos pasos y, al percibir humedad en la parte trasera de su túnica, revisó la tela. Y entonces la descubrió: el género de color amarillo tenía una mancha roja. La miró bien; era sangre, no había dudas. Avergonzada y temerosa de que su origen fuese el que imaginaba, dejó la vasija sin lavar y corrió a su cuarto. Estaba segura de que se trataba de su primera menstruación. A sus doce años, intuía que llegaría en cualquier momento.

A solas en la habitación que por las noches compartía con sus hermanos, revisó su ropa interior y tuvo la certeza. Acababa de dejar la infancia para transformarse en una mujer. La embargó la alegría de saber que se hacía grande, pero también se colmó de pena porque de ahora en más muchas cosas quedarían atrás para siempre. Como mujer, debía olvidarse de jugar con los demás niños en las calles de su barrio y de llevar el pelo al viento, ya que debería empezar a usar velo. También tendría que olvidarse de ciertas libertades porque de ahora en adelante participaría de las reuniones y de los ritos de las mujeres. Eso significaba que, mientras los niños correteaban y se divertían alrededor de la puerta del Este, ella debería afrontar las labores femeninas habituales, como cocinar, coser y fabricar velas y jabones. Y ya no tendría escapatoria. Amén de que dejaría de ser Nunú para convertirse en Namira. Ese era su nombre, el que sus padres eligieron cuando nació. Nunú, el otro, apenas si funcionaba como un simple apodo cariñoso, uno que nunca más nadie volvería a usar para llamarla, ni siquiera su madre. Porque dirigirse a ella como Nunú, su nombre de niña, sería irrespetuoso y hasta denigrante, según las costumbres árabes. En su cultura, sólo se podían emplear esos apelativos cariñosos durante la niñez. Si luego alguien lo pronunciaba, se consideraba como una falta de respeto. De hecho, ella misma había sido testigo del desprecio que representaba aludir a una persona por su viejo apodo infantil.

Se impresionó al asumirse con ese nombre, pues le sonaba a mujer mayor: Namira al Kabani. Que la llamaran así era equivalente a convertirse en otra persona. Se miró en el espejo buscando algún cambio externo, pero no lo halló. Seguía siendo la misma, la de siempre. La imagen del cristal se lo confirmó. El largo cabello renegrido cayéndole en cascada sobre la espalda no había sufrido alteraciones. Tampoco sus ojos grandes y oscuros de largas pestañas, sus cejas perfectas y su boca roja en forma de corazón manifestaban variaciones. Sonrió. Si bien debería empezar a taparse el pelo, a cambio obtendría un beneficio: le permitirían maquillarse. Ilusionada con la idea del *khol* en los ojos, se mudó de ropa y fue a contarle la buena nueva a su madre.

Cuando Leila observó la expresión que irradiaba el rostro de su hija, no necesitó palabras para adivinar lo sucedido. Conocía a sus retoños como la palma de sus manos y por un momento abandonó la tarea que la mantenía ocupada: preparar un canasto con los panecillos de pita rellenos con queso blanco y pepino que pronto llevaría al mercado, donde se encontraban trabajando su esposo y Anás. Desde que el chico acompañaba a su padre, ninguno volvía a la casa para comer. Nunú sólo iba a ayudar los sábados. Para Leila, la confección de vestidos había quedado en el olvido tanto porque no quería tener problemas con su esposo como porque un nuevo niño había llegado a su hogar. Su bebé había nacido pocos meses atrás, después de un parto doloroso y difícil en el que casi murieron los dos, razón por la que lo llamó Abdallah, «el abad de Dios». El niño había clausurado su etapa procreadora, pues, según le había explicado el médico, ya no podría concebir un nuevo vástago. Leila abandonó el canasto para escuchar con atención la noticia de boca de su hija.

Nunú habló y ella la abrazó. Sentía una mezcla de dolor y felicidad. Se alegró; lo sucedido indicaba que su hija gozaba de buena salud y que la vida seguiría adelante por el carril correspondiente. Pero también sabía que a partir de ese momento su pequeña enfrentaría muchas responsabilidades. Y claro, la vida junto a un marido. Si su hija tenía que estar bajo el dominio de un hombre, Leila prefería que fuese el de Khalil. Siempre sería mejor que estar bajo el mando de un esposo, pero la vida debía continuar y Nunú, tarde o temprano, tendría que casarse. Esa era la ley de su mundo; por lo menos, el que habitaban las mujeres como ellas.

Leila actuó instintivamente, se quitó el mejor anillo de los cuatro que cubrían su mano derecha y lo colocó en la palma abierta de su hija en señal de un pacto de cariño para que juntas recordaran ese día. Con el regalo, Leila buscaba grabar la ocasión en la memoria de ambas. Nunú sonrió. Le quedaba perfecto.

Miró el rostro armónico y bonito de Namira y, mientras le daba un abrazo, se consoló pensando que su pequeña se había convertido en una joven hermosa, detalle que pesaría a la hora de conseguir un buen esposo. No había muchas chicas tan lindas como ella; ni siquiera Wafaa, su otra hija. El círculo cercano ya hablaba de su gran belleza. Incluso había escuchado comentarios halagüeños en el mercado. Pese a su corta edad, Khalil ya había recibido propuestas de compromiso matrimonial. Además, se trataba de una buena muchacha. Leila había educado bien a sus hijas, pero Namira se destacaba especialmente por ser una joven trabajadora y disciplinada. Y con el paso de los años, comprobaba cómo se volvía cada vez más dócil. Con la incipiente madurez, esas tontas y peligrosas rebeldías que había manifestado tiempo atrás se disipaban.

Las virtudes de Nunú serían muy valoradas por un hombre a la hora de elegir esposa.

* * *

Leila, antes de marcharse al mercado, le dio a Nunú una serie de recomendaciones. Como hija mayor, se había transformado en su principal ayuda en la casa porque, con tantos niños, sobraban las tareas impostergables. La participación de Nunú en el puesto del «Pase, Señora» había sido reducida a sólo una jornada por semana, la del sábado. Ese día, si por alguna razón no estaba su padre, ella quedaba bajo el mando de su hermano. Aunque Anás tenía un año menos, su condición de varón era motivo suficiente para relegarla. Otra forma de organización sería impensada. Por la edad y la escasa diferencia que se llevaban entre sí, los hermanos se reían, bromeaban, hasta se molestaban y peleaban. Pero al momento de las resoluciones, Anás decidía.

De camino al zoco por la calle ancha Medhat Basha, Leila pensaba en cómo contarle a su marido la noticia de Nunú y en cómo plantearle su idea de aguardar para escuchar propuestas de compromiso matrimonial. No deseaba empezar ahora; le parecía demasiado pronto. Si bien «compromiso» no necesariamente significaba «matrimonio», le parecía mejor esperar a que su hija al menos tuviera diecisiete años.

Antes de ingresar al mercado, detuvo su marcha bajo la sombra del palacio de Azm para elegir con cuidado las palabras que le diría a su esposo. Y al reparo de la colorida y exquisita construcción de piedra, mármol, madera y metal, se acomodó el velo blanco y lo decidió: sería inflexible con la edad de Nunú para contraer matrimonio. Como esposa, nunca pedía nada, así que estaba segura de que Khalil no podría negarse ante su exigencia. Se apoyó contra la pared del palacio, esa que alguna vez había albergado un harén, y le pidió ayuda a Alá.

Leila estaba obligada a contarle la noticia a su esposo. La

menstruación de Nunú constituía un hecho importante que, además, les exigía tomar una serie de recaudos.

Pero, en cuanto llegó al mercado y lo tuvo enfrente, supo que debería esperar para darle la buena nueva. Su marido conversaba con otro hombre; ambos gesticulaban, hablaban fuerte, como si estuvieran al borde de una discusión.

Khalil la descubrió y de lejos le hizo una seña para que les echara una mano a Anás y a la muchacha que trabajaba en el puesto. Los clientes esperaban para ser atendidos y entre los tres no daban abasto. Leila saludó a su hijo con cariño y también a la jovencísima Rihanna, que los ayudaba con esmero. Mientras cortaba telas y cobraba a la par, descubrió que la joven le caía bien.

Durante media hora la actividad comercial fue frenética, pero luego la atención a los clientes mermó y el hombre que estaba de visita se marchó. Entonces, Leila pudo hablar con su marido. Pero no del tema que ella pretendía. Porque lo primero que le dijo fue:

—¿Puedes creer…? Salam me ha aumentado otra vez el precio de las telas. Ya no me sirve comprarle. La ganancia es muy pequeña.

—Es un verdadero problema —opinó ella.

—Me he enojado y le he dicho que no le compraré más.

—Pero necesitamos las telas porque en este momento es lo único que vendemos. Vestidos… ya no tenemos… —deslizó y se arrepintió. No quería traer a la memoria de su marido el origen del problema que alguna vez tuvieron a raíz de su iniciativa. Pero él no prestó atención al comentario. En realidad, tampoco parecía recordar aquel desentendimiento ni se hallaba a la defensiva, como al principio. Algo —no sabía bien qué— lo había remediado, y lucía diferente. Leila se lo adjudicaba —sin certeza— al nacimiento de su último hijo, Abdallah.

—¡Pues a Salam no pienso comprarle una tela más! —exclamó indignado.

—¿Y a quién le comprarás?

—Vengo pensando en otra cosa... —dijo con una sonrisa.

—¿En qué?

—Rihanna me ha dicho que su padre conoce al dueño de una pequeña fábrica de telas que tiene interés en venderla.

—¿Estás pensando en comprar una fábrica? —preguntó estupefacta. Ella no conocía mucho de precios, pero sospechó que esas máquinas debían ser caras.

—Sí.

—¿Con qué dinero?

—Con los ahorros.

—¿Tenemos tanto? —indagó Leila.

Su marido jamás le contaba qué hacía con el dinero o cuánto atesoraba. Todo lo referido al puesto del mercado quedaba reducido a una cuestión de hombres. Tenía claro que ese centro de poder le estaba vedado. Aun así, valoró que su esposo le contara su plan. Khalil era un buen hombre, jamás le pegaba y no le hacía faltar nada.

—No, pero pediré que me financie.

—¿Cuándo irás a ver al propietario de la fábrica?

—Ahora mismo. ¿Puedes quedarte en el puesto con Anás? Me llevaré a Rihanna para que me presente a su padre. Él me relacionará con el dueño. De lo contrario, no lograré una compra a plazo.

—Sí, claro —respondió Leila. Y desistió definitivamente de contarle la noticia de Nunú. Luego, mirando a la joven Rihanna, preguntó—: ¿Irás con ella? ¿Los dos solos?

Sabía que eso no estaba bien visto. Podría traerles problemas a los dos, a la chica y a él.

—El padre nos espera en el patio de la mezquita de los Omeyas.

—Entiendo, ve. Me quedaré ayudando a Anás.

Leila vio partir a su marido junto a la muchacha. Iba apurado y entusiasmado. Esa mañana exudaba el frenesí de los jóvenes. Pensó: «Joven como Rihanna». Y se preocupó. Los observó caminar de espaldas y entonces algo en su interior de mujer

163

le dio una voz de alarma. Por un instante temió que la chica le quitara el amor de su esposo. Khalil y la familia que juntos habían conformado significaban todo para ella. Se tranquilizó. No, no podía ser; él la quería. Además, acababan de tener un hijo. El cuarto niño. No, no y no. Escuchó que Anás la llamaba y abandonó sus preocupaciones –irreales, quizá– para prestarle atención al pedido de su hijo.

* * *

Esa noche, en la casa de Leila y Khalil, los hijos fueron acostados en sus camas más temprano que de costumbre. Él le había dicho a su esposa que deseaba mantener una conversación tranquila. «Quiero contarte sobre la fábrica y algo más» fueron sus palabras.

Los niños ya dormían y sólo Nunú quedaba dando vueltas por la casa. A pedido de sus padres, preparaba un té verde con hojas de menta bien dulce. Cuando terminó, lo dejó servido en dos tazas sobre la mesa del comedor y se retiró a su cuarto. Pero antes de ingresar, oyó los primeros retazos del diálogo y decidió quedarse en el pasillo para escuchar sin ser vista. Presentía que esa charla sería importante. Nunca antes había visto a sus padres sentarse a solas para conversar con un té de por medio. El ritual de otros hogares aquí resultaba extraño. Hablaban despacio. Muy quieta, aguzó el oído y distinguió la voz de su padre.

–Voy a comprar la fábrica, mujer. Hemos concertado un buen precio –anunció contento Khalil.

–¡Bendito sea Alá!

–Le daré los ahorros y me financiará el resto.

–¿Nos alcanzará con lo que ganas?

–De eso quería hablarte. El padre de Rihanna me presentó al dueño de la fábrica y me manifestó que me ayudará en la negociación porque el propietario le debe favores.

–¿Estás seguro de que lo hará? Es un extraño, casi no te conoce.

—Ya no será un desconocido. He decidido tomar una segunda esposa. Y he elegido a Rihanna. Es buena mujer. Y me ayuda en el mercado.

Leila escuchó pero tardó en darles sentido a las palabras. La frase se negaba a entrar en su mente. Durante unos instantes no dijo nada, no se movió, no pestañeó, ni siquiera respiró. Sólo sintió que se asfixiaba. El fantasma que ella y muchas de las esposas musulmanas temían, al fin, había tocado a su puerta y le pedía que lo dejara ingresar porque quería ser parte de su vida. Conocía su existencia desde niña; sin embargo, saber que tendría que compartir a su esposo la lastimaba. El espectro se materializó seis meses después del incidente de los vestidos. Aquel día la semilla había sido plantada en terreno fértil y hoy, finalmente, germinaba.

Él continuó su monólogo:

—Sólo quería que lo conocieras de mi boca. Ya sabes que muchos hombres ni siquiera se lo cuentan a sus esposas, que se enteran cuando la boda fue consumada. Así que estás avisada.

Tras un largo silencio durante el cual Leila fijó su mirada en los múltiples anillos de sus dedos, al fin dijo:

—Cuándo…

—¿Cuándo qué? —preguntó él.

—¿Qué día será la boda?

—La semana próxima. Debo apurarme porque, como te anticipé, la compra de la fábrica y la ceremonia van de la mano.

Luego de las últimas palabras, ambos se dedicaron a tomar el té en silencio, reconcentrados en sus pensamientos. Ella hubiera querido preguntar «¿Por qué? ¿Soy mala esposa? ¿O ya no te gusto? ¿Se me ha arruinado el cuerpo por albergar a tus hijos en mi vientre? ¿Fue por el lío de los vestidos? ¿Lo decidiste cuando te enteraste de que no podía tener más hijos? ¿Cuándo ocurrió?».

Los interrogantes se agolpaban en su interior dolorido. Pero sabía que no podía preguntar nada. No correspondía. Así que bebió su té muy despacio, ingiriendo al mismo tiempo la hiel que tragaban muchas mujeres de su tierra. Su esposo aspiraba el aroma del té junto con el aire nuevo y emocionante que en breve incorporaría a su vida. La análoga vivencia repartía hiel para ella y miel para él.

Transcurridos unos minutos, Khalil se puso de pie dando por zanjado el asunto. Entonces, aun previendo que despertaría su enojo, Leila se atrevió a interpelar por lo único que estaba dispuesta a arriesgarse. Por aquello que estaba dispuesta a exigir y a pelear. Dispuesta a morir y a matar. La voz le salió en un hilo, pero le salió.

−¿Y nuestros niños?

−Ya sabes… a ellos no les faltará nada. Tampoco a ti.

−¿A mí? −preguntó atónita, observándolo sin ver. No quería mirarlo. No podía. Nunca más lo haría. No permitiría que su imagen entrara en sus pupilas; lo había decidido.

−Sí, a ti tampoco te faltará nada. Porque, esta vez y como acostumbro, también cumpliré con el Corán. Y trataré a mis esposas con igualdad, como dice el libro sagrado −precisó e hizo hincapié en la última frase.

Leila hubiera querido gritarle que a ella le faltaría la dignidad, el saberse única, el amor exclusivo, el compañerismo que con esta decisión se perdía para siempre. Pero nuevamente calló.

Sintió deseos de ver a su madre, de hablar con ella porque había pasado por la misma experiencia. Aunque la mujer ya no estaba en este mundo, su ayuda hubiera sido escasa.

Nunú, que había oído buena parte de la conversación, se hallaba estupefacta. Con la mano derecha movía nerviosa los anillos que llevaba en los dedos de la izquierda. Al escuchar el ruido de la silla, que indicó que su padre se ponía de pie, se fue a su cuarto rápidamente de puntillas para no ser descubierta. Allí, se tendió en su lecho y lloró.

Lloró por su madre, por ella y por todas las mujeres.

En la cocina, Leila lavaba las tazas. A pesar de estar sola, no derramó ni una lágrima. Su corazón acababa de transformarse en piedra. Si no hubiera hecho la metamorfosis y logrado la dureza, su alma se habría partido en mil pedazos. Y ella debía seguir adelante por sus niños.

Recordó el pasaje de la *sharia* que sostenía que «el matrimonio es una permanente y perdurable relación en el sentido de que ambas partes deben aportar sus mayores esfuerzos para dirigir sus vidas armoniosamente y sobrellevar las grandes responsabilidades emergentes».

Trató de hallar fuerza en esas palabras, pero no lo logró en absoluto. Cómo hacerlo, si sus más profundas convicciones tambaleaban.

CAPÍTULO 8

Lo pasado ha huido,
lo que esperas está ausente,
pero el presente es tuyo.
PROVERBIO ÁRABE

Esa mañana, el calor de Duma se hacía sentir desde muy temprano. Álvaro se había despertado con las primeras claridades y, obediente a su compromiso diario de agradecer, elevó un pensamiento por estar vivo y junto a Salma. Llevaban tres semanas en Duma.

Ella dormía a su lado con placidez y completamente desnuda mirando hacia la pared. Durante la noche anterior habían hecho el amor dos veces antes de dormirse. Parecía que Álvaro nunca se saciaba de ese cuerpo. Y si después de sus seguidos y prolongados encuentros sexuales, en algún momento se detenían, no había otra razón que la merma de las fuerzas. Salma, al principio, tan negada a la intimidad, había resultado ser una mujer fogosa. Ella reflejaba totalmente la visión de su cultura a este respecto: el sexo había sido creado para dar placer. Por lo tanto, Salma se hallaba preparada para disfrutarlo junto a un esposo con paciencia, detalles y dedicación.

De acuerdo a la explicación que le había brindado como musulmana, consideraba su cuerpo un objeto para dar y recibir placer. Se trataba de un concepto muy diferente al occidental, donde la vida transcurría con prisas, impaciencias y culpas. Álvaro no dejaba de asombrarse de lo que Salma inventaba en la vida sexual que practicaban como pareja. Jamás dejaba de sorprenderlo. Desde que la frágil figura había tomado las riendas de los encuentros, él se había transformado en un esclavo de ese cuerpo menudo y exquisito constantemente dispuesto al goce.

168

Álvaro observó la espalda querida y pudo descubrir las vértebras de la columna de Salma. Siempre había sido delgada, pero la escasa alimentación de los últimos tiempos venía haciendo mella en su físico. Ambos contaban con varios kilos menos desde la llegada a Duma. ¡Pero cómo no, con la dieta que llevaban! Porque si bien desde que habían encontrado las latas no pasaban hambre, había ciertos alimentos, como las harinas, que no probaban desde hacía muchas semanas.

Esa mañana hubiera dado cualquier cosa por desayunar con un pedazo de pan, un simple trozo de pan blanco, caliente, recién sacado del horno del negocio del chino que tenía en la esquina de su departamento en el barrio Sant Gervasi de Barcelona.

Mientras recordaba antiguos y memorables desayunos, le pasó la mano por la espalda a Salma. La deslizó hacia arriba y hacia abajo, como sabía que le gustaba. Ella se movió y, poco a poco, volvió a la vida después de una noche reparadora. Luego, giró, lo abrazó y así, en paz, piel con piel, estuvieron durante unos minutos. Hasta que el cuerpo de Álvaro empezó a responder a la proximidad de Salma y estuvo listo para amarla. Le dio pequeños besos en la frente, enseguida bajó por los hombros y pronto exploró sus senos. Álvaro suspiró profundo y se tendió en la cama boca arriba con los ojos cerrados; disfrutaba el momento, de estar vivo, de tener a Salma a su lado. Ella, absolutamente despierta, se trepó sobre el cuerpo de Álvaro, lista para tomar su cuota de goce.

Álvaro sintió el peso del cuerpo de Salma sobre el suyo y abrió los ojos. Entonces vio una imagen que lo impactó. Desde la ventana entraba un rayo de sol, una luz fuerte y brillante que, plantada sobre el pelo oscuro, resplandecía con ímpetu. Salma y la luz forjaban una imagen de oro sobrenatural.

Ella se acomodó hasta sentir a Álvaro por completo dentro suyo y comenzó a moverse suavemente de arriba abajo, de abajo hacia arriba. Él, olvidándose de la luz, cerró los ojos y se dejó tragar por la bocanada de placer. Otra vez, prisionero de esa piel dorada, quedaba a su merced. Álvaro seguía el compás que le marcaba el delicado cuerpo, lo acompañaba en la danza dulce que le exigía, esa que por momentos era mansa, pero por otros, ruda, muy ruda.

La ciudad de Duma se despertaba y por la ventana se colaban los primeros rayos de la mañana. La luz parecía haberse instalado en ese pequeño recinto. Se posaba sobre los amantes que, concentrados en su rítmica labor, no se percataban de ella.

* * *

Una hora después, Álvaro Sánchez se dedicaba desde hacía un largo rato a tratar de fabricar un artefacto parecido a la llave del Kia. Cuando logró darle forma, se marchó a la calle. Intentaría destrabar el volante. Luego se consagraría a perseguir su meta diaria: ubicarse muy cerca de la valla de ingreso a Duma para vigilar a los guardianes, para controlar a los controladores. Allí esperaría una distracción y se colaría en la casa abandonada ubicada a pasos del puesto de vigilancia. Convencido de que la vivienda recibía electricidad, no cejaría.

Llegó al Kia y, después de comprobar que su presencia no había llamado la atención, se metió en el auto para constatar que el pequeño metal que tanto trabajo le había dado ni siquiera ingresaba por la rendija de la llave. Tendría que gastarlo aún más contra la pared de la oficina.

Se bajó abatido. El desánimo pintaba su rostro. Comenzaba a pensar que nunca lograrían salir con vida. Apesadumbrado y sigiloso, cubrió el trecho que lo separaba de la guardia.

Mientras avanzaba, miró el cielo y lo encontró más celeste que nunca. Se detuvo para admirarlo y entonces le pareció ver nuevamente la misma luz fuerte y brillante que esa mañana se había posado sobre Salma. Ahora, en cambio, acompañaba sus pasos y lo alumbraba extrañamente. Le pareció raro, aunque bien podía ser sólo fruto de su imaginación.

El encierro, la adrenalina, el estrés, el estado de vigilia, el sueño liviano, la falta de alimentación adecuada, la incomunicación podían enloquecer a cualquiera. Pero mientras continuaba pendiente de la luz, un estremecimiento ilógico movilizó su interior. Invadido por una sensación bella y pacífica, transformó su decaimiento en optimismo. Sintió una certeza de que todo saldría bien, que no había de qué temer.

Luego caminó como si flotara entre nubes. Dio unos pasos y se esperanzó. Tal vez la jornada fuera distinta, tal vez se tratara de un día especial, tal vez, al fin, enchufara el bendito teléfono.

Al llegar a la esquina donde solía detenerse para espiar a los guardias, vio movimientos extraños. Un auto gris pasaba lentamente seguido por uno negro. Evitó mirar abiertamente a los pasajeros para que no descubrieran sus rasgos occidentales. Pero algo estaba sucediendo y necesitaba saber qué. Observó de refilón. Sus ojos verdes descubrieron que en el interior del vehículo iba un hombre de pelo claro, similar al suyo. Lo escrutó mejor. ¡Llevaba una cámara en las manos! ¡Era un fotógrafo! Europeo, seguro. Sintió el impulso de llamar a su colega para pedirle ayuda, para que avisara a *El Periódico de Catalunya* que estaba vivo, para que lo rescataran junto con la mujer que… Y para…, y para…

Pero los vehículos avanzaron. Mantuvo la calma y el silencio; si gritaba, se descubriría y se convertiría en un blanco de ataque. Más adelante, los autos se detuvieron. Si quería hablar con sus ocupantes, debía apurar el paso. Se abstuvo de correr o llamaría la atención.

Dos hombres árabes bajaron del auto y el fotógrafo con sus clics comenzó su trabajo. Entonces, Álvaro dio pasos gigantes; tenía que llegar hasta él. Dos zancadas, cinco, diez, quince. Hasta que al fin, a pocos metros, el grupo lo descubrió. Álvaro se acercó más aun; una sonrisa le marcaba el rostro.

—Soy Álvaro Sánchez, trabajo para *El Periódico*, de Barcelona. Por favor, necesito tu ayuda, estoy atrapado en Duma desde hace días. Una chica está conmigo.

Trató de ser conciso y claro, temía que la emoción volviera sus palabras ininteligibles.

171

El fotógrafo lo miró sorprendido. Por más que Álvaro llevara puesto un turbante, si se lo miraba de cerca y se lo escuchaba hablar, enseguida se delataba como extranjero. Pero las palabras tardaron en entrar al cerebro del hombre.

—*Je sui francés... Mais* ¿qué puedo *je* hacer por usted? —preguntó mezclando los idiomas.

Preocupados, los dos moros se aproximaron para oír la conversación. ¿Quién era el extraño que se había acercado? ¿Por qué hablaba con el francés que custodiaban? Los sirios eran el contacto en Duma para el francés, como Ibrahim lo había sido para él. Por ese motivo, en la anormalidad identificaban un peligro, como la presencia de un extraño.

Uno mencionó una frase que delató su deseo de marcharse; algo andaba mal.

—Ayúdame —insistió Álvaro dirigiéndose al francés—. Mi contacto murió y he quedado atrapado en esta ciudad.

—*D'accord.* ¿Cómo te llamas?

—Álvaro Sánchez, de *El Periódico de Catalunya* —repitió mientras le miraba la camisa Polo color celeste y sentía una bofetada de realidad. El hombre vestía una prenda idéntica a la que él guardaba en su departamento en Sant Gervasi, ese que ahora le parecía tan lejano como esa ropa civilizada. Él vestía la túnica azul que había encontrado en el sótano.

—*Je m'appelle Andre Moreau.* Avisaré en tu diario que te vi aquí.

—Por favor, mi jefe es Tomás Torrens... —alcanzó a articular Álvaro.

A punto de ofrecer más explicaciones, comprendió que debía marcharse. La comitiva había llamado la atención de los guardias. Entonces, sólo agregó:

—Debo irme.

Sin más demora, avanzó con apuro, pero no se permitió correr. Cualquier movimiento extraño le costaría la vida.

Al llegar a la esquina, giró y desapareció de la vista de los milicianos. Respiró aliviado. Pero en ese instante se escuchó una ráfaga de tiros de metralleta proveniente de la zona que acababa de abandonar. ¿Acaso...?

Se pegó a la pared de la esquina y desde allí espió con sigilo. El espectáculo le provocó pavor. Los milicianos disparaban contra los dos árabes que acompañaban al francés y ahora repelían el ataque con las armas que habían hecho aparecer. La balacera perforó los dos coches. Y todos los hombres que estaban de pie, incluido el fotógrafo, cayeron heridos al suelo. La sangre salpicaba los vidrios y la chapa.

Frente a la imagen, Álvaro se horrorizó. Cerró los ojos con fuerza y volvió a abrirlos. No podía ser verdad. Tenía que haber visto mal.

Pero la escena resultó más cruenta: los milicianos remataron a los tres hombres. Aunque ya no respiraban, continuaron disparando con saña, enceguecidos. Ahora la sangre se había convertido en un río rojo sangre que teñía la calle.

«¡Dios mío! ¡Qué pesadilla!». Ese francés, un simple fotógrafo, acababa de morir acribillado. Un momento atrás había hablado con él. Y ahora... muerto. Acababan de asesinarlo. Con él también se iba su esperanza de recibir ayuda del exterior. Álvaro se llevó la mano a la frente en señal de horror.

Los milicianos de turbantes negros aún blandían sus armas calientes cuando se les acercó lentamente otro auto. Sin mediar palabra, los ocupantes abrieron fuego contra los guardias y se desató una batalla campal entre los dos bandos.

Ante la aparición de otro vehículo, Álvaro comprendió que debía huir ya mismo. Una bala perdida podría alcanzarlo. Un miliciano podía descubrirlo y dispararle.

Entonces se dio cuenta de que se encontraba frente a la oportunidad que había esperado durante tantas horas durante tantos días. La batalla se libraba en la esquina, en el punto caliente que habían formado los autos. Si intentaba meterse en la casa que —creía— tenía electricidad, pasaría desapercibido. La valla estaba cerca, desguarnecida, sin hombres. Respiró con fuerza y empezó a caminar. Se jugaba la vida. Si lo descubrían, le dispararían, pero no le importó. Después de lo que acababa de vivir no tenía dudas de que, si se quedaba en Duma, lo matarían o terminaría muriendo en una explosión.

Caminó. Los pasos hasta la casa se le hicieron eternos. Los ciento cincuenta metros le parecieron mil. Pero llegó.

Frente a la construcción, ajeno a los sucesos que ocurrían a sus espaldas, se lanzó al interior de la vivienda por una de las ventanas sin vidrios, como si se tratara de una piscina... sin agua. El envión lo obligó a aterrizar en el piso. Se puso de pie y, azuzado por la adrenalina, buscó sin pausa un enchufe. Sí, en la punta del salón. Se dirigió con prisa y, con las manos temblorosas, sacó el celular del bolsillo del pantalón. Sus dedos se enredaron en el cable y se le cayó al piso. ¡Por Dios! ¿Y si se rompía? No, estaba intacto. Necesitaba apurarse. Al fin logró enchufarlo. Y... ¡zas! El iPhone mostró la figura de la batería en rojo. ¡Estaba cargando!

Volvió sobre sus pasos hasta la ventana para espiar. El tiroteo continuaba. Un jeep aportaba hombres de refuerzo. Por suerte la valla seguía vacía. Y nadie lo había visto entrar. Regresó hasta su teléfono y permaneció con la mirada fija en la pantalla.

—¡Préndete, préndete...! ¡Mierda...!

Los segundos transcurrían. ¿O ya eran minutos? No lo sabía pero las balas y los gritos continuaban.

De repente, la luz roja de su celular se transformó en blanca y apareció la ridícula y bendita manzana de Apple. Su aparato le pedía la clave, dudó unos instantes. Tanto tiempo sin marcarla que debió esforzarse para recordar la fecha del cumpleaños de su madre enseguida. ¡Bingo! El número vino a su memoria.

Buscó el contacto de Tomás Torrens, su jefe, y escribió el mensaje que tantas veces había pensado: «Estoy vivo, atrapado en Duma. La hija de Al Kabani está conmigo. Urgente. Sácanos de aquí. No fuimos tomados prisioneros».

Lo mandó, lo vio salir y también llegar a su destinatario. Las dos líneas mostraban que acababa de entrar al celular de su jefe. De inmediato envió otro: «Estamos escondidos en la fábrica de Al Kabani».

Pero ya no tuvo la certeza de que este mensaje hubiera llegado. El tiroteo había cesado. Se acercó a la ventana y comprobó que la batahola había decantado en victoria para uno de los bandos y el grupo vencedor se alejaba. La valla había perdido a sus hombres y estaba vacía, pero pronto otros milicianos tomarían el control. Debía irse ya mismo. Desenchufó el aparato y, con energía, saltó por la ventana al exterior. Pero cuando apoyó el pie en el piso, un dolor punzante le perforó el tobillo. No le importó y se lanzó a una loca carrera. Fuera de peligro, miró atrás y, aliviado, constató que nadie lo perseguía. Entonces, aminoró la marcha y se permitió renguear para apaciguar el dolor. Revisó el pie: en su tobillo tenía una pelota de tenis. «Un esguince, seguro», pensó y recordó al gordo Fabio, que lo lesionó en el mismo pie durante un partido de fútbol entre amigos.

Se alejó con la prisa que el dolor le permitía. Cuando no lo dejaba avanzar, saltaba con la pierna sana y la lesionada flexionada. Pero se cansaba y demoraba más. Siguió su camino aguantando.

A pocos metros del lugar de la balacera, sin moros en la costa, abrigó la ingenua esperanza de hacer algo por el francés. Pero al acercarse no pudo identificarlo. Los cuerpos chamuscados por la pólvora no mostraban personas sino carne y jirones de ropa. Ni siquiera podía distinguir los rostros. Mucho menos, la camisa del hombre. Un mar de sangre cubría la calle.

La imagen de una auténtica masacre lo perturbó y le impidió avanzar. Nunca había visto seres humanos en ese estado. Entre los cadáveres, un colega, un hombre que bien podría haber sido él mismo. Impactado, decidió dirigir su energía en la retirada. Necesitaba dar vuelta la página, o se quedaría petrificado ante esa carnicería.

«¡Salma!». Recordó que ella lo esperaba y una fuerza sobrenatural lo impulsó a seguir. «¡Qué frágiles somos los seres humanos! ¡Qué efímera es la vida!». Llegó a la conclusión de que la existencia de una persona no tenía sentido sin los afectos. «Nada tiene sentido sin Salma». Ni la huida, ni los recientes peligros, ni siquiera la vida misma. Y ante este pensamiento se dio cuenta de cuán grande era el amor que sentía por esa mujer siria que un mes atrás ni siquiera conocía.

Miró el teléfono. Negro. La pantalla se había apagado nuevamente. Al menos, la carga había alcanzado para enviar el primer mensaje. Tomás Torrens ya contaba con noticias sobre su calvario. El segundo quedaba en la nebulosa.

* * *

Salma, en la oficina, leía uno de los libros que Álvaro había encontrado. Escuchó pasos y de inmediato supo que algo había sucedido. Sánchez nunca regresaba tan rápido de sus incursiones, ni siquiera sus pisadas por la escalera sonaban iguales. Se acercó al rellano y, al comprobar el estado en el que llegaba, exclamó:

—*Bismillah!* ¿Qué ha pasado, Álvaro? ¿Estás herido? —gritó mientras bajaba para ayudarlo.

La voz de Álvaro la tranquilizó.

—No, Salma, sólo me doblé el tobillo mientras escapaba de las balas.

Se abrazaron con la certeza de que ya no podrían vivir el uno sin el otro.

* * *

Una hora después, acostado en la cama, sumido en el silencio, Álvaro recibía la atención de Salma, que le ponía trapos mojados en el pie.

En pocas palabras, le explicó el enfrentamiento del que había sido testigo y compartió su plan para volver a enchufar el teléfono y recibir la respuesta al sos. Intuyó que, si su mensaje había activado el rescate, pronto les suministrarían instrucciones concretas.

176

—No me parece una buena idea. No puedes caminar.

—Tal vez mañana —repuso Álvaro con la mirada perdida y desde ese momento no volvió a pronunciar palabra.

Salma preguntaba y él respondía con monosílabos. No acertaba a desentrañar la causa de su silencio: ¿fruto del dolor físico o de la experiencia traumática? Lo que fuera, lo mantenía atrapado en un mundo propio.

—No estás bien, Álvaro. ¿Cómo puedo ayudarte? —sugirió al fin.

Álvaro no supo qué responderle. Aún se hallaba aturdido. La escena sangrienta había tocado sus fibras más íntimas. La masacre del francés había puesto en tela de juicio su vocación; hasta ese instante, su profesión era lo único seguro que tenía en su vida. Por esa pasión había relegado todo lo demás. Tanto pelear para lograr una foto y por ella se podía perder la vida. ¿Valía la pena su trabajo? La pregunta atacaba lo más profundo de su ser.

—Me ayuda tenerte cerca —respondió y se puso contra la pared.

Ella se tendió a su lado y le acarició la cabeza. Álvaro se dio vuelta y le dijo lo que sentía.

—Salma, la muerte es un monstruo que aniquila todo a su paso. Una vez que nos toca, ya no hay por qué luchar. La persona se ha ido. ¿Qué puedo hacer yo por el francés? Nada.

—No te olvides de que la vida es un estado transitorio. «Somos de Dios y a Él retornamos», lo dice el Corán. Ese hombre traspasó el umbral, la misma puerta que nosotros también pasaremos algún día. Todos lo harán.

Salma le ofreció algunas explicaciones más, pero no obtuvo respuesta; le pareció que ni siquiera le había prestado atención. Lo oyó respirar fuerte y tuvo la certeza de que se había dormido. «Mejor», pensó. Lo veía muy perturbado.

* * *

La noche había caído y Salma percibía que Álvaro continuaba taciturno y acongojado. Si bien su pie se estaba deshinchando, su estado de ánimo no mejoraba. Ella había intentado explicarle sus creencias acerca de la muerte. Para un hombre como Álvaro, sin embargo, semejante grado de fe era desconocido. Habían cenado espárragos y atún. Comieron con el tenedor directamente de las latas que abrieron porque los ánimos no alcanzaron ni siquiera para usar los platos de plástico amarillo.

Terminó de ordenar y, al tiempo que las penumbras iban llenando la oficina, se acostó junto a Álvaro, que continuaba sumergido en su ostracismo. Se apenó; él no era así. Se enterneció, quiso ayudarlo e hizo lo único que en ese momento estaba a su alcance. Le besó el pelo, los ojos, la cara, los hombros, pero él no le respondía como siempre; así que sólo se quedó allí cerca, muy quieta junto a él, mientras la noche caía por completo y la luna asomaba su cara por la ventana.

La voz de Álvaro retumbó en la penumbra de la oficina.

—Te juro que vi la muerte. La sentí. Estuvo junto a mí.

—Pero estás vivo, Álvaro.

—¡De pura casualidad! Ese fotógrafo asesinado podría haber sido yo. No puedo sacarme la idea de que un minuto atrás ese hombre estaba hablando conmigo y al rato su cuerpo se había reducido a pedazos de carne.

—Deberías tratar de no pensar más en eso.

—Ay, Salma, si hubieras visto la imagen… los hombres muertos, sus cuerpos tan destruidos que no podía identificar quién era quién. Quise buscar al francés pero apenas si había jirones de carne y sangre.

Salma escuchó la última frase y entonces creyó comprender qué le pasaba a Álvaro. Él era un hombre de imágenes. Como persona sensible, lo que entraba en su retina se le metía en el alma. Por eso, justamente, trabajaba como fotógrafo. Ese día, las figuras sangrientas y feroces habían penetrado sus ojos y habían anidado en su interior.

Se trataba de eso: imágenes que no podía olvidar. Pero él

tendría que abandonarlas para poder seguir adelante. Tal vez la solución fuese centrarse en otras nuevas, pero en la ciudad de Duma, destruida y desierta, no había paisajes bonitos por ver, ni niños sonrientes por fotografiar; mucho menos grandes espacios verdes o canteros con flores. La belleza natural había sucumbido bajo los escombros. Sólo los árboles fuertes se mantenían en pie en medio de las ruinas y únicamente las malezas resistentes se aferraban a la tierra. En ese momento, en ese polvorín llamado Duma, no había nada lindo con lo que él pudiera reemplazar las imágenes nefastas que, grabadas en su mente, se repetían una y otra vez, como si fuera una película continuada. O peor: un álbum de fotos del horror.

—Salma…

—Dime.

—La camisa del fotógrafo era clara. La busqué entre los cuerpos, pero no logré encontrarla. No estaba por ninguna parte porque la sangre… —siguió Álvaro.

Entonces, acercándose al oído, Salma le susurró:

—Shhh…

Y comenzó a besarlo. Álvaro también la besó pero su mente estaba lejos de allí, muy lejos.

Entonces, ella apeló a su imaginación para crear algo nuevo, alguna experiencia que contuviera el suficiente poder de regresarlo a este mundo. Algo que reseteara su memoria. Pero ese universo donde vivían no le prodigaba recursos suficientes. Salvo a sí misma. Una idea osada vino a su mente. Quizá podía ofrecerle algo diferente.

Se puso de pie y se desnudó por completo. Luego, dándole la espalda, se alzó el cabello con las manos y le movió el trasero de manera lenta y cadenciosa, como si la acompañara el son de una música árabe. Los ojos de Álvaro quedaron sorprendidos ante la figura que le mostraba la claridad de la luna que ingresaba por la ventana. Salma movía sus caderas suavemente para él: de derecha a izquierda, de izquierda a derecha; y luego, cada tanto, hacía una arremetida inesperada hacia abajo, un empujón fuerte que sacudía la imaginación de Álvaro.

Unos instantes de danza sensual y ella se metía de nuevo en la cama y pegaba sus nalgas al cuerpo de Álvaro. La espalda de Salma quedó contra su pecho; su rostro, pegado al cabello renegrido; las piernas de ambos, entrelazadas. Los dos cuerpos apretados formaban uno. Él apoyó sus manos en el trasero de Salma y con sus pulgares le apretó el sacro. Y a su mente regresaron las imágenes del baile sensual.

—¿Lo quieres? —lo incitó Salma—. Ven por él.

La osadía se hacía carne. En brazos de Álvaro se sentía segura para lo que fuere. Él le había prometido que daría su vida por ella; todo lo demás, al lado de eso, eran menudencias. Ella lo deseaba de todas las formas posibles, lo quería adentro suyo de todas las maneras que existían. Pero sobre todo porque necesitaba sacarlo del estado de dolor, liberarlo.

La invitación de Salma, unida a su natural sensualidad, surtieron efecto. Al fin Álvaro lograba interesarse por otra cosa que no fuera la muerte. Salma, para él, significaba la vida y otra vez lograba sorprenderlo. Cuando la conoció, jamás hubiera adivinado que sería de esa forma o que se animaría a actuar así.

—Ven aquí… te daré placer —ordenó ella.

Escuchó la frase y se embriagó con el vino antes de tomarlo. La mera propuesta ya lo emborrachaba.

—Y yo te lo daré a ti… —respondió.

Placer para ambos.

Placer, placer, placer. El adelanto de lo que estaba por acontecer los llenaba de erotismo.

Álvaro, urgido por su instinto de hombre, se alejaba de toda imagen sangrienta. En su mente sólo había espacio para una: el pequeño y redondo trasero de Salma. Las escenas cruentas ahora eran reemplazadas por otras de índole erótica.

Dos o tres movimientos de ajuste entre los cuerpos femenino y masculino.

Tres o cuatro palabras de convenio sobre cómo se llevaría a cabo.

Cuatro o cinco suspiros de excitación y adrenalina.

Y la vida se abría paso en la oficina de los Al Kabani. Las paredes conocían lo que nunca antes, igual que Salma, que gemía con fuerza en brazos de Álvaro. Él hacía y deshacía en la piel de mujer. Tejía y destejía deseos en ese cuerpo femenino. Porque Álvaro esa noche creaba espacios, forjaba ganas, conquistaba piel, urdía pensamientos que le permitieran llevar adelante su propósito. Pero nuevamente se daba cuenta de que no era él, sino Salma, quien dirigía el encuentro. Como siempre, todo lo que pasaba en su cama estaba en las manos de Salma, quien seguía siendo la directora de la sinfónica. Su voz suave daba las direcciones: «Ahora», «Sí», «Espera», «Más», «No», «Sí, quiero».

Él le hacía caso a rajatabla.

La noche avanzó y ellos perdieron el sentido del tiempo. No había lugar para nada que no fuera el enardecimiento que vivían en ese momento y lo que sentían el uno por el otro. Porque al final, cuando ya habían terminado y Álvaro aún respiraba entrecortado, le dijo:

—Salma, te amo. Te quiero más allá de tus costumbres y tus maneras de pensar distintas a las mías. Nada de eso me parece importante ante el sentimiento que te tengo. Amo tu alma.

Hubo silencio por unos instantes y ella le respondió:

—Yo también te amo, Álvaro Sánchez.

Se lo dijo con apellido. Para un sirio, el nombre completo era sinónimo de honor y de individualidad. Y la declaración que acababa de formular tenía el don de ser la más importante de su vida.

Otra vez se hizo silencio hasta que Salma agregó:

—¿Sabes…? Entiendo muy bien lo que dijiste porque siento lo mismo. Las nacionalidades y las costumbres se han vuelto insignificantes al lado del amor que te tengo. Al punto de que no deseo que nuestra vida en Duma acabe.

—Salma, quiero que sepas que, pase lo que pase, ya no nos

181

separaremos más. Te propongo una vida para los dos en Siria, en Europa o donde sea, pero una vida juntos. ¿Quieres lo mismo?

—Sí...

—¿Sabes que cuando volvamos, si es que podemos volver, todo será muy duro, verdad?

—Lo sé mejor que nadie. No tienes idea de lo que significa ser sunita.

—¿Estás preparada?

—Sí.

—Entonces, lo demás no importa porque lo arreglaremos.

Transcurrieron unos minutos de silencio y quietud. Ella, al comprobar que Álvaro se dormía, quiso terminar la noche con una frase de agradecimiento.

—Sé que lo que viviste hoy fue muy duro, pero estás vivo y es lo más importante.

—Fue un verdadero milagro haber podido cargar el celular sin que me maten.

—Por eso estoy agradecida a Alá.

—¿Sabes, Salma...? Esta mañana, cuando me marché, el cielo estaba muy celeste, me detuve a mirarlo y vi una luz...

—¿Una luz...?

—Una experiencia extraña que mañana te contaré. También la vi en tu pelo hoy temprano cuando hicimos el amor —dijo con la voz tomada por el sueño.

Salma pensó que estaba divagando y sonrió. «¡Una luz en el cielo para él y una en mi pelo!», porfió y volvió a sonreír.

Lo sintió acomodarse para dormir. Estaba a punto de desfallecer. La conversación y el amor prodigado los había dejado satisfechos, complacidos y cansados, sólo centrados en poder salvarse para poder estar juntos. Se amaban, se lo habían dicho mutuamente. Querían un futuro juntos.

Salma se atrevió a formular una pregunta, quería que le respondiese antes de que el sueño lo atrapara por completo.

—¿Tendrías un hijo conmigo?

A Álvaro, somnoliento como estaba, la pregunta lo tomó por

sorpresa. Y sin tiempo para elucubraciones, respondió sincero, liso y llano:

—Sí.

Recordaba muy bien que durante los primeros encuentros con Salma no se habían cuidado; y aunque precavidos, esa noche había sido diferente.

—Lo pregunto porque sabes que siempre hay riesgos, por más recaudos que se tomen.

A pesar de los encuentros, su período no había fallado, pero la activa vida sexual encerraba incertidumbre.

—Lo sé. Y si quieres saber si me haría cargo de un hijo, te digo que sí. Ahora, durmamos…

Aún se hallaban abrazados cuando Salma sintió que Álvaro dormía profundamente. Estaba segura de que la sombra de la muerte se había apartado de su ser. Sus últimas palabras exudaban vida, planes, futuro. Le besó el hombro y se dio media vuelta, lista para dormirse. Estaba en paz, casi feliz.

De cara a la pared, suspiró completamente satisfecha. Entonces pensó: «¡¿Qué hago durmiendo tan serena y contenta en las oficinas de Duma?! ¡Y con un hombre cristiano al lado!».

La respuesta que obtuvo para sí misma la sobrecogió: estaba donde debía estar. El destino había obrado y no podía librarse de su designio. Tras sopesarlo, supo que no quería marcharse de esa oficina. Descubrió que deseaba quedarse en ese lugar para siempre. Si les hubieran asegurado que no los matarían y que nunca les faltaría comida, ella, tranquila, hubiera firmado para quedarse en Duma eternamente.

Para ser feliz no necesitaba más que esa cama tendida con sábanas de cortinas, esos baños que se daban con ollas de agua, esas cenas frugales que compartían.

Sí, aceptaría sin dudar y para siempre esa existencia sencilla, mutilada, si le aseguraban que vivirían juntos y en paz de por vida. Volvió a pensarlo. Estaba segura. Elegiría esa vida, una y mil veces.

Ella no lo sabía, pero esos nuevos pensamientos acababan de marcar su ADN a perpetuidad.

DIARIO DE ÁLVARO

Duma, Duma, Duma, ciudad que hasta hace muy poco no conocía y que ahora se ha convertido en mi lugar. Si salimos vivos de aquí, creo que nunca olvidaré cuánto significó este sitio para mí. Hace más de un mes que estamos instalados, y soy una persona muy distinta de la que llegó con la mera exigencia de tomar unas fotografías.

Mis conceptos sobre temas trascendentales han cambiado. Por primera vez he comenzado a pensar en atarme a una mujer. Algo extraño y poderoso me ha unido a Salma. Y desde que lo descubrí, rechazo el cliché tan extendido acerca de que una pareja estable te quita libertad. Esa idea ya no entra en mi cerebro. No me importa si es verdad o no, amo a Salma, y la quiero a mi lado. Ella tiene todo lo que pensé que nadie tendría. Y lo que no tiene, no me importa, porque ya no deseo seguir buscándolo, no me interesa esa búsqueda, sólo quiero quedarme junto a ella.

Cuando avanzo por el camino de esas ideas arribo a una conclusión: tal vez sea tiempo de formar una familia y de empezar a vivir más quieto. Tal vez va llegando el momento de dejar atrás mi vida de trotamundos. Para aventura, la de Siria ha sido la mayor; ya no necesito más.

Tampoco quiero perderme de vivir cada minuto, ya no deseo la vida apresurada y estresante, las corridas y la falta de tiempo. No me interesan los premios laborales ni los reconocimientos y palabras lisonjeras de mis colegas. Ahora que no tengo nada, me siento libre de todo.

También he cambiado mi visión sobre la muerte. Comienzo a estar seguro de que tiene que haber algo del otro lado. «No puede acabar todo aquí, algo nos espera al cruzar el gran portal», como dice Salma, y yo empiezo a creer en sus palabras. Entiendo que la vida es un milagro, un prodigio que debe ser aprovechado y disfrutado de manera consciente en cada instante. Me prometo no volver a vivir anestesiado, insensibilizado, como un autómata que no se da cuenta de que cada instante es bello, único e irrepetible; que se va y se esfuma sin posibilidad de vivirlo nuevamente. Ya no quiero esperar a que llegue el fin de semana o la temporada de las vacaciones para poder vivir. Me hago el juramento de no volver a aceptar el agobio, el acelere, la culpa ridícula del final del día por no haber respondido todos los mails y los mensajes. Trabajaré para vivir y no viviré para trabajar.

Yo, que he sido siempre bastante escéptico, tengo que reconocer que estando aquí, en Duma, he tenido algunas experiencias fuertes y casi sobrenaturales. Esa luz brillante que se posó sobre mí el día que iba camino a buscar electricidad, el día de la gran balacera que no me mató... Eso no fue normal. Esa misma mañana también la vi sobre Salma. En mi caso, creo que fue una premonición de que iba a salvarme. Aunque hubiera mil balas silbando a mi alrededor, yo lograría salir vivo y podría enviar mi mensaje. Salma, tal vez, tenga que averiguar el significado de la suya.

La vida es más compleja de lo que creemos, y cada episodio que vivimos tiene una razón. Nada es casualidad. Estamos donde debemos estar para aprender las lecciones necesarias que nos harán vivir mejor.

Por eso, no reniego de lo que hoy me toca vivir; sólo deseo aprenderlo lo más rápido posible para que pase pronto.

Permito que fluya sin oponerme. No trato de cambiar lo que sé que no puedo.

Estar alejado de todo junto a una sola persona que tiene creencias completamente distintas a las mías y vivir siempre al límite de la muerte en cada jornada me ha otorgado una visión muy diferente de la vida. Y bienvenida sea. Abro los brazos y acepto. Dejo que venga lo que tenga que venir. Ya no deseo manejar todo a mi alrededor. A fuerza de no poder hacerlo, estoy aprendiendo que lo mejor es soltar y permitirle a la vida que fluya. Lo cual me serena porque, a pesar de las carencias de esta precaria existencia que llevamos en Duma, por primera vez en mi vida estoy en paz.

NUNÚ

Damasco, Siria, 1963

Nunú abandonó el zoco dejando atrás la Via Recta, la calle más antigua de Damasco, se acomodó el velo verde que llevaba sobre su pelo a juego con la túnica e ingresó a la oficina de la Compañía Siria de Correo. Debía enviar a España tres cartas redactadas por su padre. De puño y letra, Khalil les explicaba a los posibles compradores las bondades de sus telas. Durante el último año, el puesto del mercado había pasado a segundo plano; la fábrica de telas que funcionaba maravillosamente bien ocupaba el centro de su interés. El éxito de su factoría se reflejaba en el hecho de que habían comenzado a vender géneros a manufactureras que confeccionaban prendas.

La vida familiar de Khalil funcionaba como una réplica de la comercial, pues la convivencia con la nueva esposa relegaba a un segundo plano la que antes tenía con la primera.

A pesar del entusiasmo que le proporcionaba su joven mujer, proveía a Leila y los niños. Compraba un juego de muebles para la casa donde vivía con Rihanna y de inmediato adquiría otro igual para el hogar de Leila. Si le obsequiaba una cartera italiana a su segunda esposa, otra idéntica recibía la madre de sus hijos. Si bien se encargaba personalmente de las dos mujeres, su energía principal estaba enfocada en el progreso económico. Preveía que acrecentaría sus ganancias aún más si conseguía compradores en el extranjero. Si lograba exportar, estaría obligado a abandonar el puesto del mercado. Le daba tristeza desmantelarlo pero bien valía la pena porque significaba que dejaría de ser un mercader para volverse un empresario. En el fondo, consideraba que la suerte económica era fruto del nuevo matrimonio, hecho que lo ataba a Rihanna más de lo que creía.

El puesto también había sufrido una transformación. Ya no vendían cremas ni perfumes. Esos metros cuadrados que le pertenecían ahora se hallaban repletos de telas; muchas, provenientes de su fábrica. Mantenían en sus resmas los lienzos comunes, pero las sedas multicolores las colgaban en tanzas que iban desde el techo al piso, de una punta a la otra, tal como si fueran cientos de sábanas pendiendo de una soga. Casi no se podía caminar sin quedar apresados por el despliegue de mercadería.

Esa mañana, Nunú, que conocía cuán importante era para su padre el envío de las tres cartas, decidió concentrarse y hacer bien su tarea. Temía que ocurriera algún incidente. El país, políticamente convulsionado, atravesaba tiempos turbulentos y en la calle debía moverse con cuidado.

Ingresó al correo con cierto recelo. Poco tiempo atrás, durante la revuelta de marzo, esas oficinas —como así también el Ministerio de Defensa, la estación radiofónica y otros sitios de la metrópoli— habían sido tomadas por la milicia que respondía al Partido Baaz Árabe Socialista Sirio, brazo político que articuló el golpe de Estado contra el presidente Nazim al Kudsi, líder de la élite tradicional que día a día perdía poder ante las ideas progresistas que impulsaba Michel Aflaq. Con el derrocamiento, por primera vez se quebraba la antigua unión árabe que había gobernado Siria.

Los insurrectos, que contaban con el apoyo del baazismo, actuaron con la ayuda del Ejército, que envió sus tanques a Damasco. La acción conjunta dio como resultado la Revolución del 8 de Marzo de 1963 y llevó al gobierno a destacados miembros del Baaz, como Aflaq, Al Bitar y Al Atrash. Pero la idea del golpe, que había nacido de copiar lo sucedido en Irak, no contaba con la completa simpatía de la clase media siria. Por lo tanto, a pesar de haber derrocado a Al Kudsi y tomado el control, el Baaz no tenía el apoyo necesario de las bases para permanecer durante mucho tiempo en el poder. La situación era una bomba de tiempo cuyo tictac se oía en las calles de Damasco.

Nunú, aunque notaba la presencia militar en lugares estratégicos de la ciudad y sabía del casi millar de muertos, no comprendía el tenor de los movimientos políticos que se habían producido en su país, no sólo porque tenía quince años y era mujer —el sexo femenino no participaba de la vida política—, sino también porque a su propio padre no le importaban los vaivenes de la casta dirigente. Khalil sólo deseaba una cosa: que acabara de una buena vez el ajetreo del cambio de gobierno. Creía que, alcanzada la estabilidad política, la economía se normalizaría y él, por consiguiente, podría seguir adelante con el plan de exportar sus mercaderías a Europa. Consideraba que los políticos, sus ideas y revoluciones entorpecían la vida diaria de los negocios.

Una vez que Nunú ingresó al correo, observó la marcha incesante de los soldados. Intimidada por la actividad militar dentro de la dependencia, temió no poder cumplir con su encargo. Pero una larga fila de personas que esperaban ser atendidas por una ventanilla le indicó que el despacho de cartas funcionaba normalmente.

Realizó su trámite y media hora después salió del lugar con la constancia de los envíos en la mano. Ahora debía regresar a su casa para avisarle a su padre que había cumplido con la diligencia. El próximo sábado, como solía ocurrir cada semana, iría a atender el puesto, obligación que desempeñaba con gusto porque aún le agradaba la actividad comercial. Pero desde que había comprendido que nunca llevaría las riendas del local, ya no tenía la pasión de antes ni le ponía el mismo empeño. Ella no podía pensar en comerciar ni en ganar dinero, pues para eso estaba Anás. A veces, solía meditar que, tal vez, si no hubiera tenido un hermano varón, su historia habría sido diferente, aunque no estaba segura. Como fuere, algo era claro: ella sólo podía aspirar a encontrar un buen marido. Su padre se lo había manifestado claramente cuando le habló del tema. Sin embargo, comprendía que si ella aún no estaba prometida en matrimonio con un hombre sunita era, simplemente, porque su reciente boda con Rihanna lo mantenía distraído y se había olvidado de acelerar el proceso.

Si Nunú lo sopesaba fríamente, el casamiento de su padre la había beneficiado porque le había otorgado un respiro respecto al concierto nupcial. Pero el precio pagado había sido demasiado caro, pues la familia, tal como antes la disfrutaban con su madre y su padre unidos, había dejado de existir.

Khalil solía visitar su antigua casa durante algunas noches y parte de los días, pero luego se marchaba a la que compartía con Rihanna. El momento de su partida resultaba angustiante para Leila. Nunú lo percibía con claridad dada la transparencia de su madre. No obstante, cuando él se iba y se ausentaba por varios días, Leila entraba en un agradable y pacífico estado. Se la observaba tranquila y relajada, y sólo volvía a crisparse cuando su marido regresaba, como si su presencia le recordara que había sido reemplazada por una mujer más joven. Aunque durante su visita evitaban abordar el tema, ambos sabían muy bien que sólo se trataba de tiempo, pues en pocos meses la flamante esposa quedaría embarazada y todo se complicaría aún más.

Nunú y su hermana Wafaa habían aceptado la nueva situación familiar. Abdallah, el último de la prole Al Kabani, todavía era demasiado pequeño para darse cuenta del cambio. Pero a Anás le costaba aceptar que su padre no viviera a tiempo completo con ellos. Acostumbrado a ser el principal centro de interés de Khalil, ahora se sentía desplazado y se había vuelto un muchachito hosco. No soportaba que una mujer desconocida con quien había compartido el trabajo de ventas en el mercado, lo hubiera desplazado del sitial de privilegio que había ostentado como hijo varón.

Esa mañana, al regresar a su casa, Nunú buscó a su padre para entregarle el volante que constataba que las cartas habían sido despachadas. Guiada por las voces que provenían desde el comedor, lo descubrió conversando con un hombre que estaba acompañado de un joven. La camaradería con la que hablaban la indujo a suponer que ambos tenían una relación de larga data. Como la charla versaba sobre política, le llamó la atención, pues a su padre no le interesaba discurrir sobre temas urticantes. A sabiendas de que en un rato se marcharía a su otra casa y con el propósito de sacarlo del atolladero, se acercó tímidamente y le entregó el resguardo.

Khalil lo recibió en silencio y agradeció con un leve movimiento de cejas, pero no la presentó ante sus invitados, ni a ellos les explicó quién había ingresado al comedor. Para Nunú no fue una sorpresa, pues así funcionaba el mundo de los hombres; de hecho, muchas veces las mujeres parecían invisibles. O peor aun: tenían vedado participar en las reuniones masculinas.

Nunú enfiló hacia la cocina pero, mientras se retiraba, dio una última y rápida mirada al grupo. Entonces creyó morir de vergüenza cuando descubrió que el joven estaba observándola y de inmediato se arrepintió de su osadía. Si su padre se enteraba de la indiscreción, de que había volteado la cabeza con la intención de fisgonear, podía ligarse un buen reto o algo peor. Se apuró y desapareció.

En la cocina, como su madre realizaba varias tareas al mismo tiempo, le pidió que le ayudara a desmenuzar las berenjenas para el *baba ganoush*. Y mientras le pasaba la fuente, la puso al tanto sobre los visitantes.

—Tu padre está con un viejo amigo. Es una amistad de la niñez. El muchacho es su hijo… Uno de los muchos que tiene.

—No los conozco —dijo Nunú, que confirmó que nunca antes los había visto.

—Porque vivían en Kuwait. El hombre es maestro y pertenece al Baaz, el partido gobernante. Después del golpe, decidió regresar a Siria —informó Leila y a continuación agregó un comentario acerca de la situación política y su deseo de que el cambio de régimen ayudara a mejorar la vida de su propia familia.

Pero Nunú no escuchó esa frase, ni la siguiente, ni las otras que dijo su madre acerca de que también prepararía niños envueltos porque tenía las hojas de parra. Sus oídos estaban atentos a las voces que provenían de la sala. Los ojos oscuros y penetrantes con los que se cruzó la habían dejado pensando en el muchacho.

Nunú llevaba un rato deshaciendo las berenjenas con las manos y captando frases de la conversación de los hombres cuando la voz de su madre la sobresaltó.

—¡¿Namira, acaso no me escuchas?!

—¿Qué...?

No sólo no había escuchado, sino que el nombre Namira todavía le resultaba extraño. Para ella, abandonar el apodo de Nunú había supuesto una verdadera pérdida de identidad.

—Necesito que lleves la bebida que pidió tu padre —exhortó Leila y le acercó una bandeja con tres vasos humeantes cargados con una infusión de té verde con hojas de menta.

Nunú volvió a ingresar a la sala con la bandeja en las manos. Dispuso la bebida sobre la mesa sin mirar a nadie y sin decir nada. No sería indiscreta, ni se arriesgaría a tropezar con los mismos ojos. Pero el comentario de su padre la tomó por sorpresa.

—Ella es Namira, mi hija mayor.

Los dos visitantes la saludaron escuetamente, como el respeto exigía. Muchos padres ni siquiera permitían que hombres que no pertenecieran a la familia vieran a sus hijas. Ante la presentación, no tuvo más remedio que dar una mirada rápida y devolver el saludo. Los ojos oscuros y penetrantes otra vez iban clavados en Nunú. Ella lo advirtió y se retiró apurada.

En la cocina, siguió ayudando con la preparación de la comida mientras pensaba que el chico le había gustado. Era la primera vez que tenía esa sensación de agrado por un varón. Algo extraño le recorría el cuerpo. Se ruborizó.

Una hora después apareció su padre. Tras despedir a los visitantes, él también se marchaba.

—Me voy a mi casa. A mi otra casa —aclaró.

Leila se puso tensa y se refregó las manos una contra la otra. Cada despedida le provocaba el mismo ahogo. Le respondió:

—Estoy haciendo niños envueltos...

Nunú la miró. ¿Qué hacía su madre? ¿Por qué le rogaba? Era evidente que se trataba de una invitación velada. Una manera de suplicarle «Quédate».

Él lo entendió, pero contestó:

—No hago tiempo de comer aquí.

—Claro, está bien —aceptó Leila.

«¿Por qué le perdona todo?», se preguntó Nunú.

Khalil le habló a su hija.

—Namira, avísale a tu hermano Anás que Omar, el hijo de mi amigo que hoy me visitó, estará ayudándolo por un tiempo en el mercado.

—Sí, padre —dijo al tiempo que su mente repetía: «Omar, Omar, Omar... Así se llama».

Leila comentó:

—¿Y Anás? ¿Acaso no te ayuda?

Desde que Rihanna había aparecido en la vida de su familia, le aterrorizaba suponer que sus hijos serían desplazados.

—Por supuesto, mujer, pero es sólo un muchacho... Apenas tiene catorce años, y yo voy poco al puesto. Debe haber alguien mayor y Omar tiene diecinueve años.

—¿Son buenas personas? —preguntó Leila.

—Sí, sólo tienen un problema.

—¿Cuál? —preguntó Leila preocupada porque no deseaba que su hijo compartiera tiempo con nadie que fuera mayor y que, además, tuviera problemas.

—Están demasiado politizados. Se han vuelto unos fanáticos. Apoyan al Baaz con su propia vida. Y la política no da de comer; por lo menos, no a la gente común. Tal vez, a los muy poderosos los vuelve ricos. Pero a los demás, sólo nos hunde.

Khalil sostenía que tanto la Unión Árabe, que gobernaba antes del golpe, como el Partido Baaz Árabe Socialista Sirio, que ahora se hallaba en el poder, no hacían nada por él. Entonces ¿por qué darles horas de su vida a ellos? Su pobre amigo y hasta su hijo —apenas un muchacho— se llenaban la boca hablando de construir una nueva Siria y de unir al mundo árabe a través del baazismo. Pero él estaba seguro de que se trataba de ideales de dudosa concreción.

Leila oyó la respuesta y suspiró aliviada: abrazar una causa política no representaba un gran problema. «Por lo menos, no para nosotros», pensó sin imaginar que alguna vez lo sería, y de la manera más terrible. Creía que la política corría por un lado y la vida familiar, por otro.

Khalil se marchó. A partir de ese momento, poco a poco, la tranquilidad se apoderó de la casa.

Una rutina pacífica marcó el compás de las actividades de Leila y sus hijos. Una que se perdía sólo por algunos momentos, cuando destellos exultantes y desconocidos se enseñoreaban de la vida de Nunú, si pensaba en Omar, el muchacho alto de ojos que mostraban el alma.

* * *

El sábado que fue a atender el puesto, Nunú se hallaba nerviosa. Y así estuvo todo el día. La cercanía de Omar, que la miraba por el rabillo, la perturbaba. Cómo no alterarse, si desde que lo había visto en su casa ella tenía la certeza de que él sería el hombre de su vida.

Ambos sabían que, para que floreciera un cortejo en medio de los cuidados que se exigían, debería transcurrir cierto tiempo. Cualquier apuro podía ser mal interpretado y terminaría arruinando una futura unión. Los dos tenían claro que, para que prosperara el sentimiento que anidaba en sus corazones, estaban obligados a hablar lo menos posible entre ellos, a mirarse sólo cuando nadie los viera. Y a evitar el mínimo contacto físico hasta el casamiento. «Paso a paso», pensaba Omar. «Paso a paso», se decía a sí misma Nunú.

Por suerte, Anás y el muchacho se habían caído bien. Ese mismo día, apasionado, Omar le contó qué metas perseguía el Baaz y por qué él creía firmemente en las ideas del partido.

Él y su padre integraban el ala tradicional del baazismo, que pregonaba un socialismo moderado, respetaba la libertad de expresión y anhelaba la unión del mundo árabe. Alguna vez, esos países conformarían y actuarían como un mismo bloque frente a los países occidentales —con Estados Unidos a la cabeza— que pretendían usufructuar su riqueza.

Anás escuchaba a Omar con atención; le gustaba el punto de vista que sostenía con una sólida argumentación. Sobre todo, porque le permitía pensar que existía un mundo distinto fuera del puesto, más allá del mercado. Un universo donde se podía poner la energía y alguna vez brillar haciendo una actividad que no fuera vender. Inquieto, movilizado, cada tanto, Anás preguntaba. Y Omar se explayaba. Al sopesar sus convicciones, resultaba evidente que el muchacho terminaría captándolo como seguidor del partido. Nadie podía quedar indemne frente a tanta pasión desplegada; mucho menos, un joven como Anás, que buscaba un destino alternativo con tal de que fuese diferente al que su padre quería imponerle. Por ese motivo, y a como diera lugar, deseaba llamar la atención de Khalil, aun demostrándole que no seguiría sus pasos.

La política llenaba de sentido la existencia de Omar Salim. La amaba, respetaba el baazismo y sus ideales. Nunú, que lo oía desde la otra punta del puesto, se extasiaba ante la pasión con la que el muchacho se tomaba la vida. Esa actitud romántica e impetuosa le recordaba a sí misma, un tiempo atrás, cuando todavía se daba el gusto de ser rebelde.

CAPÍTULO 9

*La mano que da
está por encima de la que recibe.*
PROVERBIO ÁRABE

En la casa de la familia Al Kabani, Anisa y Namira, junto con la empleada filipina, permanecían encerradas en la cocina por expreso pedido de Abdallah, quien pidió que la casa estuviera en calma mientras en su estudio se llevaba adelante una reunión con las personas que lo estaban ayudando con el rescate de su hija. Se encontraban los hermanos Rashid, dos representantes del gobierno sirio y un español llegado desde Cataluña.

Al Kabani le mostró al enviado oficial un maletín repleto de dinero. Eso y más —si fuera necesario— pagaría para que le devolvieran a su hija. Hacía más de un mes que no la veía, pero al menos sabía que estaba viva.

Su amigo Alahmad Rashid había intercedido por su caso ante el presidente y de inmediato el mandatario había puesto a sus hombres a trabajar para lograr un contacto con los grupos rebeldes de Duma. Claro que con la rápida actuación tenía que ver la presión que ejercía el gobierno español. El apremio internacional —oenegés de derechos humanos, Periodistas Sin Fronteras— ayudaba para visibilizar el caso. No podía desaparecer así como así un ciudadano europeo, en Duma.

Y ahora, aquí, en el escritorio de la residencia Al Kabani, ultimaban los detalles para recuperar al periodista y a la hija del empresario. Según los mensajes de Sánchez, Ibrahim, el tercer hombre, había muerto.

Después de las gestiones públicas y privadas —que también incluía el depósito bancario de esa importante suma de dinero—, al fin uno de los grupos yihadistas estaba en movimiento intentando encontrarlos para sacarlos de Duma. El dinero se liberaría en el momento en que aparecieran sanos y salvos los desaparecidos.

El enviado del gobierno sirio recibió el maletín y dijo:

—Cuando aparezcan, se pagará, tal como piden. Pero jamás debemos reconocer que se entregó dinero —advirtió con elocuencia—. Jamás. O nos veremos obligados a pagar por cada rehén.

Se trataba de mantener en secreto aquello que sabía medio Damasco. Cada vez que secuestraban a un periodista se pedía dinero a cambio de su liberación. Para los grupos rebeldes que estaban en contra del presidente Bashar al Asad se trataba de una forma rápida de conseguir dólares y fama internacional para sostener su lucha. La justificación de los raptos recaía en la acusación: al secuestrado se le endilgaba ser un espía de Occidente.

Las negociaciones por la liberación de periodistas solían resultar fructíferas. Pero la presencia de una mujer siria de una familia sunita adinerada complicaba el «reembolso del paquete», según la jerga. Ella y el español ni siquiera habían caído prisioneros, sino que se trataba de negociar su salida de Duma. Se suponía que el pago facilitaría los controles de las vallas.

—De aquí no saldrá la información sobre el dinero —ordenó Rashid y los demás presentes asintieron con gestos y monosílabos—. Nadie más puede saber sobre el depósito para los rebeldes.

Los milicianos, después de muchas idas y venidas, habían acordado que el hombre y la mujer atrapados en Duma se presentarían en la valla. Y los guardias, tras estudiar los papeles que les entregaría la pareja, los dejarían avanzar. Persistía un problema: Álvaro debía leer el mensaje con las instrucciones, pero su celular seguía inactivo.

* * *

Como cada mañana, en la oficina de Duma, Álvaro Sánchez marcaba los días en el calendario que había dibujado en la pared. Era su manera de decir «presente» durante la tomada de lista que le hacía la vida. Se trataba de una forma de festejar que estaba vivo. Tras la marca, contó los palotes: ¡casi dos meses! desde que habían llegado. Quiso compartir su hallazgo con Salma, pero no la interrumpió: comenzaba su rezo, una de las cinco oraciones diarias dirigidas a La Meca.

Arrodillada sobre la alfombra que habían encontrado el primer día, Álvaro comenzaba a acostumbrarse a sus rituales, esos que la impulsaban para seguir adelante y le otorgaban la fe necesaria para enfrentar lo que les tocaba vivir.

A pesar de que Salma le había confesado que no se sentía espiritualmente tranquila por la vida íntima que practicaba, no abandonaba su liturgia diaria. Estricta, seguía cumpliéndola. Ese mundo religioso repleto de reglas, a Álvaro le resultaba difícil de entender, pues siempre había vivido despojado de religiosidad; practicaba sus propios y elementales preceptos cristianos, pero sin apegarse al rito. No acostumbraba pisar iglesia alguna.

Salma terminó el rezo y, lista para desayunar, se acercó al escritorio donde Álvaro esmerilaba la llave con la que pretendía destrabar el volante del Kia.

—Hace un rato marqué la fecha en el calendario... Mañana se cumplen sesenta días que estamos aquí —comentó.

—¡Dos meses...! ¡Cómo ha pasado el tiempo! —exclamó pensativa.

—Los días transcurren, Salma, sí, y los alimentos se consumen —razonó Álvaro, que abandonó su tarea y utilizó la llave para abrir una lata de duraznos y otra de tomate. Ese sería su desayuno.

Salma dividió las raciones en dos partes iguales y las sirvió en la vajilla plástica amarilla. Luego, pinchó un tomate de su plato y lo puso en el de Álvaro, que se sorprendió.

—¿Por qué me das un tomate extra? Estás más delgada que yo.

—Quiero dártelo.

—No lo acepto. Estás loca.

—Mira, Álvaro, necesito dártelo. Necesito *dar*... Pronto serán dos meses que no doy nada y eso no está bien.

Álvaro no comprendió. Ella le explicó:

—Comenzaré por el principio así me entiendes: el islam se asienta en cinco pilares. Uno de ellos es dar, ser generoso.

—Sí, y otro es la profesión de fe. Tiene que ver con esa frase que repites luego de la ablución y antes de rezar: «No hay más divinidad que Dios y Mahoma es su mensajero» —Álvaro la repitió sin equivocarse, la conocía de memoria. Se la había oído decir varias veces. Trataba de sacar a Salma del tema de la porción. No pensaba recibírsela, su cuerpo la necesitaba más que el suyo.

—El segundo pilar es la oración, que se hace cinco veces al día; y el tercero es dar —expuso ella.

—El cuarto es el Ramadán —completó Álvaro, que no olvidaba la explicación que Al Kabani le había ofrecido durante la cena en Damasco, e insistía en distraer a Salma—. Y el quinto es... —puso suspenso en su voz— ¡la peregrinación a La Meca! —remató mientras se llevaba un durazno a la boca, pero Salma no se dio por aludida. Entonces, exclamó terminante—: Bueno, muy bien, ahora que he aprobado el examen de los cinco pilares, por favor, pon nuevamente en tu plato la porción que me has agregado. Cómela tranquila porque yo te la *doy* a ti.

—No. Por favor, recíbela —Salma le suplicó perturbada. Tenía los ojos llorosos.

Álvaro, asombrado, dudó por unos instantes. Entonces, lo comprendió: la idea penetró en su mundo occidental. Durante esos dos meses había compartido suficiente como para no entender. Para Salma, su religión y su vida iban unidas de manera inseparable. Los cinco pilares del islam constituían los pilares de su vida.

—Está bien, Salma, recibiré lo que me has dado.

—Gracias —respondió satisfecha.

—Gracias a ti.

Él había comenzado a amarla. Y si tenía que comerse un tomate y un durazno de más, lo haría, no deseaba provocarle ninguna clase de sufrimiento. Bastante lo torturaba la incertidumbre de no saber cuándo se marcharían de Duma. Necesitaba que Salma estuviera entera para afrontar lo que se avecinaba.

Se tranquilizó, lo miró y le sonrió dulcemente. Su alma estaba en paz. No se cumplirían dos meses sin que ella fuera generosa.

Terminaron de desayunar y Álvaro se ocupó de la llave. La tarea de su padre siempre le había parecido elemental, pero, evidentemente, cada oficio contenía su grado de dificultad, de destreza, de ingenio. Ser mecánico no era fácil; mucho menos querer encender el motor de un auto sin llave.

Una hora después, Salma se le acercó por detrás, lo abrazó y, como cada mañana y cada noche, terminaron haciendo el amor. La oficina volvía a escuchar los suspiros de placer de ambos y el gritito apasionado de Salma, ese sonido especial que a Álvaro se le metía por los oídos para recorrerle las fibras más profundas de su cuerpo de hombre.

Un rato después, sosegados y abrazados en la cama, concluyó que Salma ocupaba un lugar en su existencia como jamás supuso que una mujer lograría. Esta vez estaba seguro: el sentimiento no tenía retorno, había llegado para quedarse. Lo tenía atrapado al punto de haberle trastocado sus sueños, sus deseos y sus planes para el futuro. ¿Ella sentiría lo mismo que él?

La contempló y sus ojos le dijeron que sí. La mirada marrón se unía a la verde de manera insondable. Los cambios se habían instalado de manera definitiva en su vida.

Diez minutos de charla y Álvaro continuó puliendo el metal de la abrochadora con la peregrina intención de destrabar el volante del Kia. Cuando consideró que estaría en condiciones de probarla, le avisó a Salma y bajó las escaleras rumbo a la calle.

Al verlo desaparecer, ella dejó pasar un rato. Luego, se colocó la túnica y el velo, tomó su cámara y abandonó la fábrica para repetir sus breves salidas para fotografiar. Precavida, por si necesitaba guarecerse rápidamente, jamás perdía de vista el boquete ni se alejaba de las inmediaciones.

La cámara le permitía abstraerse del salvajismo que la rodeaba. En Duma vivían de una manera muy elemental y fotografiar la conectaba con una labor civilizada. Con el radio acotado, cada vez le costaba más encontrar motivos nuevos y se contentaba con realizar tomas desde perspectivas curiosas, a contraluz, plano detalle de una construcción derruida... Cien metros, sólo los cien metros que rodeaban la fábrica alcanzaban para desarrollar su faceta artística y sentirse complacida.

Se sentó en la acera dispuesta a usar los quince minutos que dedicaba para fotografiar. Alguien la rozó por detrás y se asustó. De pie, reconoció que se trataba de un gato famélico y extrovertido que se fregaba contra su pierna. Contenta, el felino amarillo sería su modelo para las fotos de ese jueves. Lo enfocó y él se dejó. Lo retrató de frente y con una montaña de escombros de fondo. Se trataba de una foto muy buena.

Álvaro, a dos kilómetros de allí, arriba del auto, luchaba por accionar la llave.

* * *

En su lujosa residencia, Namira prendió las velas de su cuarto de baño. La luz iluminó las placas de mármol de Carrara que revestían la enorme habitación. Luego se acercó a la bañera y constató que el agua tibia estuviera como le gustaba, en el punto exacto de temperatura. Vestida con una túnica color crema que se prendía con pequeños botoncitos de oro, se metió dentro de la tina para practicar el ritual mensual que, a sus sesenta y seis años, seguía repitiendo como cuando era Nunú.

Cada treinta días realizaba la liturgia de sumergirse en el agua con ropa; así recordaba que, tal como una tela cubre la desnudez a pesar del agua, igual sucede con Alá. No importan los problemas, Él está y cubre a sus hijos.

Respetuosa de las tradiciones familiares y de los actos religiosos, veneraba el rito. No dejaba uno sin honrar: desde el Ramadán, la peregrinación a La Meca y el respeto de los días festivos hasta cuidarse de consumir alimentos prohibidos, practicar sus rezos diarios y visitar regularmente la mezquita. Y más, muchos más.

Namira siempre había sido así, obediente y respetuosa. Se sentía cómoda con esa actitud. En su casa, incluso, había recibido y atendido hasta el fin de sus días a su padre anciano porque se consideraba responsable de su bienestar, no como algunos que cuidaban a los mayores sólo porque la sociedad los señalaría si los internaban en una clínica. En Siria no existían los geriátricos −al menos, no como en Occidente− y meterlo en un hospicio significaba un acto ruin y censurado por la cultura árabe. El dicho popular resonaba entre quienes dudaban: «El que no tiene un viejo en la casa, que salga y lo compre». Por su sabiduría, los ancianos cumplían un rol esencial en los hogares.

Namira no estuvo tan segura de las cualidades de Khalil, su padre, pero no le importó. Ella había procedido de manera correcta.

Dentro del agua, la tibieza la relajó. Abandonó esas ideas y acomodó su mente al rito. Meditó en Alá, en cómo la ayudaría con sus problemas y en la confianza que le profesaba. Él era la túnica que cubría su desnudez y, pese a que sentía los problemas como el agua en la piel, no debía temer, estaba cubierta.

Entregada a un manso letargo, inevitablemente asaltó su mente la dificultad que atravesaba su hermano. Ojalá encontrara a su hija con vida, Alá así lo querría. Aunque, si lo lograba, el suceso se terminaría llevando la honra de Salma. El prolongado tiempo pasado fuera del hogar haría mella en su reputación. Pese a la discreción con la que se manejó la información, las familias de apellido ya comentaban la desgracia. Esa semana, los flamantes propietarios de la villa residencial que Namira había vendido en Beirut no eludieron el tema y se interesaron por la suerte de Salma. Namira retaceó ciertos datos pero debió reconocer que se trataba de un secuestro.

Mientras pensaba en la túnica que la cubría, unió las manos en señal de oración y colocó este problema junto con los que ya le había encomendado al Creador. Y así permaneció un largo rato hasta que dio por terminado el ritual.

Cuando Namira salió del baño, se tomó una hora para sí misma. Humectó su cara y su cuerpo con las cremas indicadas. Se peinó, se masajeó las manos y los pies. E hizo algunos ejercicios de estiramiento frente al sol que entraba por la ventana de su cuarto.

Era un tiempo propio y de nadie más. Siempre se lo permitía. Trabajaba muchas horas pero jamás prescindía de los cuidados que se brindaba. Durante su vida, ninguna persona se había encargado de consentirla, ni sus padres, ni sus hermanos, ni el hombre que le había tocado en suerte. Por eso, llevaba bastante tiempo haciéndolo sola.

Ella estaba para todos pero casi nunca había alguien para ella. Se trataba de su parte mala producto de ser demasiado fuerte. Pero ¿qué hacer? Le gustaba serlo. Y como no podía ser de otra manera, sin poder evitarlo, pergeñó cómo podía ayudar a Abdallah. Tenía ideas. Cuando lo tuviera enfrente, se las diría.

Otra vez y como siempre, la enérgica y esforzada Namira estaba disponible para todos los integrantes de la familia.

* * *

En la ciudad de Duma, una hora después, Álvaro regresaba exultante porque había podido girar el volante. Todavía le faltaba lo más difícil: lograr que el auto arrancara. Pero la pequeña victoria conseguida le permitía tener esperanza. Además, después de merodear la casa donde había logrado cargar el celular, si bien no había podido ingresar debido a la cercanía de los hombres, se le había ocurrido la idea de volver de noche. Las sombras lo camuflarían hasta dar con el enchufe que él tenía ubicado.

Llegó a la fábrica, subió las escaleras y encontró a Salma de muy buen humor. Le dio ternura verla jugueteando con la cámara como un chico. Qué pena que no pudiera trabajar como fotógrafa. Tal vez, cuando salieran de Duma, podría ayudarla a conseguirlo... Tal vez...

—Regresaste rápido.

—Sí, y con buenas noticias. Logré meter la llave y girar el volante del Kia.

Salma dejó la cámara y pegó un gritito de alegría.

—¿Fue imposible entrar en la casa... la de techo rojo? —preguntó esperando obtener la misma respuesta.

—No pude, no —se lamentó, sin embargo su voz recobró el brío de un plan nuevo—. Pero iré cuando caiga la noche.

Los tiempos se aceleraban. La escasez de latas marcaba un punto de inflexión: sin comida, había que activar la retirada. La higuera que tanto alimento nutritivo les había proporcionado ya no tenía ni un fruto. Tampoco quedaban casas por hurgar; por lo menos, sin correr peligro. Si no se marchaban pronto, morirían de hambre. Debían emprender la huida aunque se jugaran la vida.

DIARIO DE ÁLVARO

Hoy he marcado la fecha en el calendario que llevo escrito en la pared. Anoto los días como si fuera un preso. Pero no me siento así en absoluto. ¡Al contrario! Cuando llegué a Duma, jamás pensé que enfrentaría la disyuntiva que hoy parte en dos mi corazón. Por un lado, quiero marcharme cuanto antes; por otro, cuando pienso que Salma y yo perderemos la existencia que aquí compartimos, ya no lo deseo.

No obstante, la vida nos empuja y me aferro al plan de huir de Duma porque sé que una vez que las latas se acaben, las tripas comenzarán a clamar. No tenemos otra salida que asumir ese riesgo. Los setenta días transcurridos muestran que esto llega a su fin. El destino, Dios o Alá, sabrán hacia dónde debe girar nuestra existencia. ¿Qué nos espera si llegamos vivos a Damasco? ¿Cómo tomará la familia de Salma nuestra relación? No creo que sea tan terrible como ella vaticina. Al Kabani no parece un hombre retrógrado, es un empresario. Conoce el mundo. Tiene que entender. Pero si se aferra a su dogmatismo, pelearé por Salma y nuestro amor. El plan de huir debe culminar bien, tengo que asegurarme de que salgamos vivos.

NUNÚ

Damasco, Siria, 1965

Esa mañana, Nunú entró contenta al mercado. El tiempo que pasaba en el puesto lo consideraba el mejor de la semana. Un día de cada siete, se sentía verdaderamente feliz porque trabajaba en lo que le gustaba y junto al hombre que quería. Sin dudas, Omar Salim y ella se habían enamorado.

Claro que la incipiente relación consistía en conversar poco, mirarse mucho y aprovechar los simples roces de mano que ocasional y tímidamente podían darse cuando, entre los dos, tomaban las pesadas resmas de tela que desplegaban ante un cliente. Ese brevísimo contacto lo experimentaban como un momento idílico. A veces, comían juntos los higos y las nueces que solía traer Omar o el pan de pita con queso y pepino que ella compartía. En los altos dedicados a comer los tentempiés siempre los acompañaba Anás. Nunú estaba segura de que su hermano ya se había dado cuenta de lo que venía sucediendo entre ambos. Pero además de apreciar y admirar a Omar, Anás había empezado a compartir sus mismas ideas políticas y a acompañarlo a las reuniones que se celebraban en el comité. Desde su encuentro con Omar, Anás se había convertido en un auténtico defensor de las doctrinas baazistas que difundía Michel Aflaq, quien promovía el renacimiento del mundo árabe a través del socialismo.

Nunú creía que su hermano había abrazado la causa política como una forma de profundizar el distanciamiento que día a día se ahondaba en la relación con su padre. Anás parecía más tranquilo y entretenido; incluso, hasta había mejorado la relación entre hermanos.

Cuando Nunú llegó al puesto, los dos muchachos ya estaban debatiendo acerca de las nuevas medidas que había tomado el gobierno y de cómo la nueva rama del baazismo se distanciaba de las ideas centrales a las que ambos adherían. Los muchachos criticaban al nuevo sector disidente de tinte marxista, que ya no compartía la idea de unir los países del mundo árabe sino de realizar una verdadera revolución que acabara con el capitalismo en Siria.

Nunú contempló la vehemencia con la que departían y lamentó no haber oído el comienzo de la charla. Pero no tenía opción: la ayuda hogareña que le proporcionaba a su madre y los cuidados brindados a sus hermanitos demoraban su presencia en el puesto. Cada sábado, para trabajar en el zoco, se levantaba dos horas antes que el resto de la familia. No le importaba; el pequeño sacrificio se compensaba largamente con tal de apreciar la cara sonriente que Omar le dirigía cuando ella llegaba, tal como ocurrió en ese preciso momento.

Tras descubrirla, Omar Salim le regaló esa sonrisa blanca y pareja que Nunú había empezado a amar el día que lo conoció.

Anás, sin percatarse, cortó el hechizo de miradas con una pregunta.

—¿Namira, qué has traído para comer en el almuerzo?

Su hermana, que solía llegar con la canasta en brazos, siempre portaba delicias.

—Mamá nos envió *tabule*. Hay suficiente para los tres —respondió de inmediato. Omar acababa de ser integrado.

Nunú le mostró el interior del canasto donde traía el recipiente con la ensalada de *burgul*.

Anás aspiró e hizo una mueca de placer cuando su hermana quitó la servilleta y el delicioso aroma de las penetrantes hierbas aromáticas junto al limón se esparció por el ambiente. Omar, sin decir nada, observó encantado a Nunú, a quien encontraba bellísima, buena, trabajadora… Y sólo suya. Porque estaba seguro de que su amor era correspondido. ¡Ay, cómo deseaba conocer sus cabellos! Podía imaginarlos debajo del velo, largos, sedosos, oscuros. Como hombre, se perdía en ese pensamiento sensual. El velo verde de Nunú ocultaba su encanto más preciado.

Tras dos palabras más, en pocos minutos los jóvenes comenzaron el trabajo fuerte del día. Cuando el horario pico se acercó, los clientes paulatinamente colmaron el puesto. Sobre el mostrador, con las tijeras bien afiladas —que los tres empleaban con suma destreza—, cortaban una tela tras otra.

* * *

Después de varias horas de intenso trabajo, cuando la gente mermó, tomaron la decisión de comer algo. Lo harían por turnos. Primero, Anás; después, Nunú, y Omar, al final.

Anás se ubicó en un rincón y, sentado en un banquito, se dedicó a disfrutar el *tabule*. Nunú aprovechó el respiro y se dispuso a acomodar las telas que habían llegado. La cantidad de sedas que pendían de las tanzas cual sábanas de una soga la tenían atrapada cuando la presencia de Omar irrumpió en ese submundo multicolor.

—Me asustaste.

—Estás escondida aquí.

—Estoy colgando los nuevos géneros que llegaron. ¿Me ayudas?

—Sí, pero antes quiero agradecerte.

—¿Por qué?

—Siempre me tienes en cuenta cuando traes la comida. —Namira sonrió y él agregó—: Supongo que es porque soy importante para ti.

Ella se ruborizó.

—¿Soy importante? —insistió. Quería oír la respuesta de su boca.

Pero el recato de ella sólo le permitió asentir con la cabeza. Omar sonrió y, acercándosele, durante un instante apoyó sus labios contra los de Namira. Aspiró su delicioso aroma. Había soñado con ese pequeño gesto. Luego la besó y su lengua tocó la de Nunú, quien, ante semejante intimidad, creyó morir.

Era el primer beso que se daban en más de un año de atraerse, el primero para ella. Fue un simple beso, pero ellos sabían el significado: no habría vuelta atrás. Habían nacido para estar juntos.

Volvió a besarla. Nunú, a pesar de que moría de amor, puso distancia. Él entendió y buscó tranquilizarla.

—Le pediré a tu padre tu mano —anunció mirándola con ternura.

—Inténtalo, pero te advierto que no será fácil —vaticinó porque conocía qué opinaba su padre acerca de los hombres que se reunían en el comité.

—No te preocupes. Si soy capaz de dar un discurso convincente ante los baazistas, bien puedo explayarme ante él y persuadirlo.

Se miraron a los ojos por unos instantes y luego salieron de entre las telas. Caminaban entre nubes. Al fin tenían la certeza de que ambos sentían lo mismo. Acababan de abandonar el más maravilloso mundo, el del amor, el de los sentimientos y la atracción física. Uno que Nunú, a sus diecisiete años, ni siquiera había imaginado que existía. Omar, a sus veinte, algo había probado, pero muy poco. Porque lo que sentía por Namira era único.

* * *

Esa noche, en la casa de Leila se cenaba un menú especial: entre los *mezes*, se destacaban el *hummus* de garbanzo y sésamo, la *baba ganoush* de berenjena ahumada y la celebrada crema de yogur, pepino, menta, ajo y aceite que untarían sobre los panes. También había *fattoush* como le gustaba, con las verduras crudas y picadas en grandes trozos y un toque de melaza de granada, más las croquetas de pan salteadas con *sumac*. Y de plato principal, unos *falafel* de habas y cordero al horno.

Semejante cantidad y variedad de alimentos sólo se veía en su casa durante una fiesta familiar, cuando celebraban un nacimiento o recibían las visitas de los parientes de Ghuta y no en un día cualquiera de la semana. Sin embargo, esta velada se había vuelto especial desde el día anterior, cuando Khalil le anunció a su esposa que deseaba disfrutar de una tranquila cena con la familia. Ante el pedido, ella se había sentido halagada y, en un intento por retribuírselo, había preparado varios platillos especiales.

Khalil vestía una túnica rayada nueva. Leila lo notó; hacía un tiempo que él se arreglaba con mucho esmero. Deseó haberse comprado un vestido que estrenar esa noche, pero la elaboración de tanta comida le había consumido todas sus horas. Se miró las manos; al menos, rebosaban de anillos y pulseras.

Namira permanecía muy atenta; creía que de un momento a otro su padre le dirigiría la palabra. Presentía que esta reunión se relacionaba con el beso de Omar, aunque parecía imposible que lo supiera, simplemente, porque se habían besado detrás de una maraña de telas. Anás, a su lado, se hallaba ensimismado y huraño, como siempre que compartía la mesa con su padre. Wafaa y Abdallah jugueteaban y reñían por unos juguetes.

—Basta, niños —pidió Leila temiendo que la paz se perdiera por el mal comportamiento de los más pequeños.

Khalil tomó la palabra.

—He querido que estemos todos reunidos porque hay varios temas importantes que debo tratar con ustedes.

—¿Quieres que sirva la comida o primero deseas conversar? —preguntó Leila.

—Sirve, mujer, que iremos hablando mientras comemos —pidió. Y agregó—: Antes que nada, Anás, quiero decirte que me he enterado de que cada semana vas al comité y quiero pedirte que no lo visites más. Te lo digo delante de tu madre y de tu hermana Namira porque ellas me avisarán si no cumples mi orden.

El chico se sorprendió; jamás había pensado que su padre se entrometería con su actividad partidaria. Namira se movió nerviosa en su silla porque intuyó que esta prohibición se relacionaba con Omar y, por consiguiente, con ella.

—¿Y por qué no puedo ir? —interrogó Anás desafiante.

Leila frunció el ceño. Su hijo no debería haber hecho esa pregunta; traería problemas.

Khalil respondió:

—Porque en esta familia trabajamos. No perdemos el tiempo ni nos relacionamos con personas problemáticas.

—¿Problemáticas?

—¿Acaso no has oído lo que se dice por allí? ¿O acaso no sabes que dentro del mismo partido los baazistas se están socavando el piso, que se han dividido en dos facciones y quieren destituir a su propio gobierno?

—No todos son así. Mira a Omar y a su padre. Ellos apoyan al presidente Al Hafiz.

—Ellos son iguales a todos. ¡Míralos! Pierden horas y horas luchando por algo que jamás dará frutos; por lo menos, no para su familia. ¿Por qué crees que no puedo exportar? Por culpa de gente como esa, que no permite que el país se asiente de una buena vez y podamos vivir en paz y con normalidad.

—No estoy de acuerdo. Ellos no traen disensión.

—Bah, bah, da igual. Lo que digo es que ellos se dedican a las ideas y eso no sirve. Las horas deben usarse para trabajar.

—Con las ideas se construye un país. Y hasta se puede cambiarlo para bien.

—Lo que hay que construir es el bienestar de la familia.

Miró a su padre con reproche y dijo:

—¿Ah, sí...? ¿Cuál de las dos? —Anás no se olvidaba de que su padre repartía su tiempo en dos hogares.

—¡¿Qué dices?! ¡Cumplo con las dos! —le respondió Khalil en un grito.

Anás bajó la vista y se llamó a silencio convencido de que sería mejor no meterse con el tema de las segundas nupcias de su padre. Los celos que le despertaba la nueva mujer lo avergonzaban. Si abordaba esa cuestión —lo sabía—, saldría perdiendo. En cambio, si su padre cuestionaba sus ideas políticas, no se callaría y exigiría que se las respetara. A sus dieciséis años se sentía ya un hombre. Su abuelo se había casado a esa edad.

—Pero no está bien que me prohíbas asistir al comité.

—Todo lo que yo diga está bien —sentenció.

—En política, cada uno puede tener las ideas que quiera. Debes respetarme.

—Tú debes respetarme a mí, que para eso soy tu padre.

—Yo no…

Khalil no lo dejó terminar porque, con un golpe sobre la mesa, hizo saltar los platos por el aire.

—¡Te has pasado, Anás! ¡Deja de contradecirme y retírate ya mismo de la mesa!

Tras el grito, Leila intentó interceder.

—Tal vez, luego de comer en paz, ustedes dos podrían hablar…

—Calla, mujer. Anás me ha faltado el respeto, y debe pagarlo.

El chico se levantó y, rumbo a su cuarto, asumió que jamás abandonaría sus ideas. Jamás. Él podía elegir en qué creer. Para eso se había convertido en un hombre. ¿Acaso no se lo había enseñado su propio padre? «Un hombre puede elegir lo que quiere», le había dicho en una de las conversaciones que mantuvieron antes de que apareciera en sus vidas la horrible Rihanna. Recordaba muy bien sus palabras.

Ya en su habitación, Anás se tendió boca abajo sobre la cama. Y por rabia más que por convicción, se prometió a sí mismo defender sus ideas contra quien se le opusiera, aun si fuese su propio padre, y aun a costa de su propia vida. Estaba en juego su honor de hombre, y lo defendería.

En la sala, Leila sirvió el *falafel* y el *fattoush* deseando que la comida calmara los ánimos de Khalil. El sabor del *hummus* y del *baba ganoush* que habían comido momentos antes se había arruinado con el altercado.

—Pero no todas son malas noticias —Khalil retomó la conversación—. Quiero decirte, Namira, que he recibido una propuesta de compromiso matrimonial que creo que debemos aceptar.

—No me habías contado nada —dijo Leila contenta porque la conversación giraría hacia un tema agradable. Pero también experimentó preocupación porque el trámite parecía estar avanzado y ella permanecía ajena a los detalles. Siempre había dado por descontado que, ante ese momento, opinaría. Conocía muy bien a su hija y sabía qué le convendría.

—¿De quién es la propuesta? —preguntó ansiosa Nunú con la esperanza de que Omar fuera el pretendiente, aunque no podía explicarse la celeridad de la oferta. Los tiempos no le cerraban.

—Esposa, no te lo he contado antes porque ayer la recibí de parte de los Bichir, los dueños de la gran fábrica de telas, y recién te veo hoy. El muchacho en cuestión es Bâhir, el mayor. Ten la casa en perfectas condiciones porque pronto vendrán a conocernos.

Leila escuchó el apellido y enseguida supo a quién se refería, una familia adinerada y conocida en la ciudad, con tres hijos varones.

Nunú miró a su madre con desesperación. Su rostro reflejaba el trastorno causado por la noticia. Leila captó el sentimiento de su hija, pero no podía oponerse a Khalil ni manifestarse en contra de su deseo. Por lo menos, no por ahora.

Nunú, que no lograba desentrañar qué pensaba su madre, continuó inquiriéndola. Rogaba por medio de su mirada de joven mujer. Imploraba. Pero, como siempre, se le negaba.

—Está bien, esposo —concedió Leila—, esta semana recibiré a la familia Bichir en casa.

Después del episodio con Anás, no podía darse el lujo de armar otra batahola porque a su hija no le gustaba el candidato.

Su esposo, complacido, anunció:

—Ahora tengo algo más para contarles…

Khalil dejó en suspenso la frase para mirar con represión a Wafaa y Abdallah, que se pellizcaban quién sabe por qué desacuerdo, y les exigió:

—¡Niños, atiendan, se trata de una noticia importante!

Leila le quitó a Abdallah la mano que tenía sobre el brazo de su hermana y le procuró una mirada fuerte. La contienda entre los pequeños cesó.

—Papá, cuenta —pidió Wafaa.

—Van a tener un hermano. Rihanna está embarazada.

Leila sintió que el techo caía sobre su cabeza. El momento temido había llegado. ¿Qué decir? ¿Qué hacer? Hablar, no podía; no le salían las palabras. Su boca recibió la orden de su cerebro y, tal como se esperaba de ella, emitió una mueca semejante a una sonrisa.

—Leila, deseo que Rihanna venga a casa y que la atiendas. Tiene que llevarse bien con ustedes. Somos familia.

Leila rogó piedad con la mirada. No le apetecía ocuparse de Rihanna. Ni siquiera quería que entrara a su casa.

Esta vez, Leila imploraba. Sin embargo, anteponiendo la paz sobre su deseo, ella misma dejó de lado su petición. Negarse sería destructivo para su casa, sus hijos y para sí. Priorizaría una buena relación con la chica. No podía declararle la guerra. Ciertas mujeres se llevaban bien con la segunda esposa mientras que otras no congeniaban. Le pareció preferible lo primero porque, si no la aceptaba, corría el riesgo de que su marido terminara poniéndose del lado de Rihanna. Así que, resignada, respondió:

—Espera a que pase la visita de la familia Bichir e invita a Rihanna a comer —propuso en son de paz—. Será bienvenida —dijo la última palabra mientras se ponía de pie para traer el cordero. No quería que nadie notara que sus ojos se habían humedecido y que luchaba por contener las lágrimas.

Decididamente, la cena se había arruinado. El momento se había transformado en algo muy diferente de lo que soñó cuando preparó la comida. Había pensado que en la mesa charlarían como antes, todos juntos, en familia. Que reirían, que elogiarían sus platos. Que…

Ella había pedido y se le había negado.

CAPÍTULO 10

La crueldad es la fuerza de los cobardes.
Proverbio árabe

La noche del jueves, Salma y Álvaro cenaron temprano. Buscaban liberarse para que él pudiera partir. Cuando terminaron de comer, mirando por la ventana, ella dijo:

—La calle ya está a oscuras por completo.

Álvaro se acercó y, tras comprobarlo, comentó:

—No hay nadie, está ideal. Me voy. Deséame suerte y que regrese con una respuesta —dijo levantando su celular en alto.

—¡Por supuesto! Ojalá tu jefe te haya respondido el mensaje que le enviaste.

A Álvaro le rondaba el miedo de no haberlo enviado correctamente, temía que hubiera ido a otro destinatario, que no hubiera salido, que no hubiese llegado, que... ¿Y si había visto mal y su jefe no lo había recibido? ¿Y si no entendía esa especie de telegrama que había escrito a las apuradas? Toda clase de fantasmas venían a su mente. Cómo no temer, si la pantalla de su teléfono seguía negra.

—¡Maldita y bendita electricidad! —exclamó carcomido por la duda.

—Deja de maldecir, y ve de una buena vez, que estoy segura de que te irá bien. ¡Que Alá te bendiga y te guarde! —dijo y lo puso en manos de su dios.

Álvaro salió a la calle vestido de moro. La negrura de la noche lo camufló de inmediato. Se sintió seguro. Duma ya no era una ciudad extraña para él, se manejaba muy bien en sus calles, pero la amenaza seguía latente.

Cubrió el trecho que lo separaba de la zona y se apostó

en la esquina desde la que merodeaba los movimientos de los guardias: tres hombres, calmos, sentados, fumaban un cigarro y conversaban en voz baja.

No lo pensó más. Dio el primer paso y salió de la zona protegida por la esquina. Avanzó con la espalda pegada al muro, donde la oscuridad era más densa. En esos pasos se jugaba la vida; si lo descubrían, le dispararían sin miramientos. Adelantó unos metros con el cuerpo adherido a la pared, pero se detuvo cuando un guardia se puso de pie. ¿Acaso se había percatado de su presencia? Sintió que un sudor frío le corría por la espalda, que la respiración se le aceleraba a ritmo de galope. ¿Se trataba del final? ¿De su final? No, y no. Porque el guardia dio una última pitada y lanzó lejos la colilla. Luego volvió a sentarse.

Álvaro recobró fuerzas y continuó su tenebroso recorrido. Acababa de pasar por la parte más peligrosa.

Veinte metros, treinta, cuarenta.

Cincuenta más. Había conseguido apartarse de la vista de los hombres. La oscuridad de la noche lo ayudaba.

Ante la casa de techo rojo, se zambulló por la ventana, igual que la primera vez, aunque con cuidado para no torcerse el tobillo. A rastras, fue directo al enchufe, sacó del bolsillo el teléfono y lo puso a cargar.

Con los ojos clavados en el aparato, rogaba por que la luz de la pantalla se encendiera. Impaciente por la espera, se cuestionaba: «¿Qué hago dentro de una casa siria? ¡Y en Duma, como si fuera un ladrón!». Él, que jamás en su vida había tocado algo ajeno. Porque podía tener muchos defectos, pero ese, no. Don Sánchez se lo había enseñado con una penitencia de un mes sin jugar con amigos el día que robó la pelota de la casa del vecino, bajando por la terraza. Aunque, si lo pensaba bien, en esta casa, de noche, estaba él: ¡robando electricidad! ¿O eso no se consideraba robar?

Meditaba una estupidez tras otra para no volverse loco mientras esperaba que la batería diera señales, cuando al fin la pantalla refulgió y le lastimó los ojos. Parecía más potente que nunca. Temió que alguien del exterior notara la luz. Con las manos temblorosas buscó el contacto de su jefe. Leyó el mensaje que esperaba. Era largo y tenía un título con letra mayúscula: «INSTRUCCIONES: tu escape y el de la chica están arreglados. Se ha pagado un rescate por ambos. Cualquier sábado o domingo podrán pasar la valla por la que entraron a Duma. El grupo que la maneja está avisado, pero ten cuidado, ya sabes cuán poca es la seguridad en Siria. No sé si pasarán la guardia en auto o a pie (en vehículo es menos riesgoso), pero una vez que estén del otro lado, avanza por la misma calle. A varios metros los interceptará nuestra gente. No necesito que me respondas».

Álvaro volvió a leerlo. Y a pesar de que no era necesario, contestó: «Intentaremos próximo fin de semana. No sé si conseguiré un auto».

Hubiera querido quedarse y cargar por completo la batería del teléfono, pero prolongar la permanencia en esa casa constituía un riesgo. Debía moverse. Ya tenía lo que necesitaba: acababa de enterarse de que su salvoconducto estaba preparado. Se quedó tres minutos más y, cuando comprobó que su mensaje había sido recibido, emprendió el regreso sin aguardar una nueva respuesta.

Otra vez caminó pegado a la pared, pero en esta oportunidad fue aún más fácil: los hombres habían girado y le daban la espalda. Apuró su paso y, al llegar a la esquina, respiró aliviado. La incursión había sido un éxito y no había presentado ningún contratiempo. Ansioso, cubrió el trecho hasta la fábrica mitad caminando y mitad corriendo y pronto atravesó el boquete.

A Salma le bastó escuchar cómo subía los escalones de dos en dos para tener la certeza de que Álvaro llegaba rebosante de felicidad. Su pisada, que ya conocía bien, podía «hablarle» de su estado de ánimo.

Cuando lo vio aparecer en el rellano, exclamó en la penumbra:

—¡Te dije que te iría bien! ¡Cuéntame, por favor!

—¿Cómo lo sabes?

—Por tus pisadas…

Él sonrió en la oscuridad.

—Deja de reírte y cuéntame todo, por favor —insistió ella.

«¡Carajo, también sabe que estoy riendo!».

Feliz, comenzó a relatarle lo que había pasado. Intentó mostrarle el mensaje pero la batería se había agotado. De todas maneras, lo había memorizado. Se lo repitió.

—El plan está armado. A ver... hoy es noche de jueves, nos vamos el sábado —dijo y contó los días con los dedos—. Sólo dos noches más, Salma, hoy y el viernes, y... Bueno, mañana, sí o sí, tiene que arrancar el auto. ¡Bah! Y si el Kia sigue empacado, nos vamos caminando.

Como fuera, se marcharían ese fin de semana. Ya no había vuelta atrás.

Se acostaron. Y luego de varias horas de insomnio, se durmieron abrazados. La ansiedad de saber que al fin podrían abandonar Duma los había alterado. Había muchos interrogantes sin resolver. ¿Podrían sortear la valla sin contratiempos? ¿Realmente les permitirían pasar? ¿Estarían los hombres que le había mencionado Torrens aguardándolos tras pasar la guardia? Si llegaban a Damasco, ¿qué pasaría con ellos y su relación? Pero no había lugar para el desaliento, llevaban mucho tiempo luchando por conseguir el mensaje que esa noche Álvaro había traído. Una vez más, agradecieron.

* * *

El viernes por la tarde Álvaro pasó varias horas sentado frente al escritorio que hacía de mesa; con sus improvisadas herramientas se sumergió en la labor de construir un instrumento que le sirviera para arrancar el Kia.

Recién cuando la luz natural no le alcanzó para ver con claridad, abandonó la silla y le comunicó su decisión a Salma.

—Mañana temprano haré el último intento. Si no logro encender el motor, nos iremos a pie. Prepara lo que tenemos que llevar.

—Ya lo ves: no hay mucho, sólo nuestros documentos y las máquinas de fotos —señaló ella.

—Si cruzamos a pie, no podremos llevar nuestras cámaras. Sería peligroso. Sólo llevaremos las memorias.

Descorazonada, Salma movió la cabeza afirmativamente. Álvaro tenía razón. Le daba mucha pena dejar su hermosa Leica, pero al menos las fotos no se perderían. Además, aun no estaba dicha la última palabra.

Afuera, a lo lejos, se escuchaban explosiones. Comenzaba un bombardeo en alguna parte de la ciudad. Pero no temieron, la costumbre los había inmunizado contra el temor.

Sobre los platos amarillos, distribuyeron las arvejas y el atún de las tres latas restantes. Se sentaron a la mesa.

—Son las últimas —remarcó Álvaro, que administraba el inventario.

—Alcanzaron justo. Nunca nos faltó nada —meditó ella.

—Estoy agradecido por eso y por todo. El agradecimiento es una lección que he aprendido aquí. Gracias, Salma…

Ella lo miró sin comprender. No entendía por qué le agradecía. Se lo preguntó:

—¿De qué…?

—Has sido la mejor compañera que pudiera haber tenido en Duma.

Salma se movió incómoda. ¿Se estaban despidiendo? Él había hablado sobre un futuro juntos pero todo podía ser…

Ella expuso lo que sentía.

—¿Qué sucederá cuando lleguemos? Me refiero a que una vez que arribemos sanos y salvos a Damasco… ¿qué haremos? ¿Cómo nos trataremos entre nosotros y ante mi familia?

—Salma, hablaré con tu padre. Será lo primero que haga para explicarle que quiero una relación seria contigo.

—Ay, Sánchez, se armará un revuelo —vaticinó.

—Pues, que se arme. Y si tu padre se pone malo, me pondré más malo y te llevaré a vivir conmigo a Europa.

Él era un hombre y no un muchachito. A esas alturas, si

la mujer que amaba también lo había elegido y el amor se correspondía mutuamente, no dejaría que ningún ser humano se interpusiera. Ni siquiera el influyente y adinerado empresario textil Al Kabani.

Álvaro se puso de pie, dio la media vuelta y la buscó para abrazarla.

Se quedó un rato con Salma acurrucada en su pecho mientras ella meditaba en el regreso. Entendía muy bien cuán difícil se les podía poner todo en Damasco.

Álvaro volvió a su silla y comieron en silencio con la convicción de que, sorteada Duma, un mundo nuevo se abría para ellos. Por lo pronto, antes de soñar con la libertad, aún debían resolver varios asuntos pendientes: encender el Kia, pasar el control, que la barrera les habilitara la circulación, encontrar al contacto camino a Damasco… Mejor soñar con enfrentar a Al Kabani.

Concluida la cena, ambos acomodaron las cosas que necesitarían al día siguiente. Álvaro retiró de su cámara la memoria con el material registrado durante su prolongada estancia en Duma y la colocó junto a su diario personal. Sumó sus documentos y en una bolsa guardó todo —sus pequeños tesoros— en el cajón del escritorio. Luego, juntó los utensilios con los que realizaría el último intento en el auto.

Salma, por su parte, acomodó sus documentos en la misma bolsa, y controló que su jean y la camisa rosada recién lavados estuvieran secos. Se los pondría al día siguiente bajo la túnica. Ilusionada con la idea de captar por la mañana una foto más, aún no había retirado la memoria de su máquina.

Álvaro se acostó enseguida. No dormía bien desde que había recibido el mensaje con las instrucciones. Y ahora, ante la última noche que pasaría con Salma, se agigantó una sospecha: tendría que transcurrir muchísimo tiempo hasta volver a compartir el lecho. Tal vez, hasta deberían casarse para intimar. Después de conocerla, una boda ya no significaba lo mismo para él. Salma le había otorgado una nueva perspectiva a la palabra «matrimonio», le había quitado las nefastas connotaciones de la que había sido objeto esa institución durante tantos años: ni peso, ni carga, ni deseo de huir del compromiso. Porque casarse con Salma significaba compartir la vida tal como venían haciéndolo en esa oficina. Aunque con todas las comodidades y lejos de los bombardeos. La idea, en lugar de desagradarle, le gustó.

La observó cómo doblaba cuidadosamente la túnica que él vestiría al día siguiente. Luego, cuando la apoyó sobre la silla y terminó la faena, él la llamó.

—Salma, ven a la cama, es nuestra última noche juntos. Voy a hacerte el amor como nunca antes —amenazó sonriendo medio en broma, medio en serio.

Pero, al decir esas palabras, una nube negra le hizo pensar que podía ser una premonición. ¿Y si realmente se trataba de la última noche juntos? ¿Y si a uno de ellos le pasaba algo?

Salma, ajena sus elucubraciones, lo miró y también rio. Estaban agotados, pero intuía que sería un encuentro especial.

Tendida en la cama de sábanas de cortinas, junto a él, la felicidad la colmaba. Álvaro le decía ternezas en el oído y le llenaba de besos ruidosos la cara y el cuello. Salma presentía que Sánchez era un buen hombre y que no se había equivocado en brindarse a él por entero.

Jugaron en la cama durante un rato hasta que estuvieron listos para su ritual de amor.

Ella se acomodó para subirse sobre Álvaro. Le urgía tenerlo dentro.

—No, Salma, quédate debajo de mí.

—¿Por qué…?

—Quiero amarte mirándote a los ojos.

Le gustó la propuesta pero objetó:

—Te advierto que está demasiado oscuro.

—Ya verás que no.

—Como quieras —dijo risueña.

Él se trepó sobre Salma.

Sánchez había acertado. Una vez que los ojos se acostumbraban a la penumbra se reconocían perfectamente. Y gracias a esa media luz, esa noche, ellos hacían el amor con la piel y con los ojos. Porque nunca desde que Álvaro la penetró dejaron de mirarse y de decirse con la mirada lo mucho que había por decir: les daba pena vivir la última velada. Porque quién sabía cuánto tiempo tendría que pasar para que volviesen a ser libres como lo eran en la oficina de Duma.

* * *

Por la mañana, Álvaro se levantó temprano y se afeitó. Luego se dispuso para marcharse a la calle con la idea de hacer su último intento con el Kia. No hubo desayuno, ya no quedaba nada por comer. Pero no tenían hambre, estaban demasiado nerviosos. Si todo salía bien, esa noche dormirían en Damasco. El día del escape había llegado. Tanto lo habían deseado ¡y ahora estaba ocurriendo!

Álvaro se despidió de Salma con un beso largo. Enfrentaban la antesala de un día decisivo. Los pensamientos sobre los acontecimientos venideros los mantenían a flor de piel, pues arriesgarían la vida. Se querían. Él bajó las escaleras ensimismado en el Kia. En una bolsa llevaba todos los utensilios recolectados en la oficina y que podrían servirles como herramientas. Se sintió intranquilo al dejar la oficina, pero ¿cómo no estarlo con el día que tenían por delante?

En la calle, se apuró. Habían planeado atravesar la valla entre el mediodía y la siesta; les parecía la mejor hora. Antes era muy temprano; después, muy tarde. Caminaba esquivando escombros cuando se cruzó con un moro y de inmediato bajó la cabeza. La túnica y el turbante no lo eximían de problemas; sobre todo, porque su rostro quedaba a la vista.

Salma se quedó en la oficina dando vueltas, mirando cada tanto por la ventana, acumulando nervios. A medida que avanzó la mañana, también aumentó el calor. El día estaba tranquilo, nada se movía en la calle. Se le ocurrió que podía tomar las últimas fotos, aunque ya no había mucho por retratar. En el cielo descubrió una bandada de arrendajos; recordaba haber visto bandadas en la plaza oriental, frente a su edificio. Nunca le habían llamado la atención, pero aquí refulgían.

Los pájaros rondaban la zona en cantidades llamativas. Algunos, descendían y se posaban sobre los techos y las ventanas. Le pareció que valía la pena intentar fotografiarlos. Se calzó el jean y la camisa rosa y, sobre la ropa, su túnica negra y el velo de igual color. Bajó a la calle.

Al aire libre, disparó sus clics una y otra vez sobre los pájaros; varios sobrevolaban muy cerca de su cuerpo. Le costaba enfocarlos, los rayos del sol le daban en la cara y las aves se movían constantemente. Si miraba hacia arriba, el sol la cegaba, pero estaba segura de que el esmero valdría la pena y lograría unas fotos bellísimas. Los pájaros coloridos que contrastaban con el fondo de las paredes blancas descascaradas y arruinadas mostraban una Duma desconocida.

El velo de la cabeza le molestaba. En un par de oportunidades había tenido que tirarlo hacia atrás con la mano. Incómoda, giró y, tras asegurarse de que nadie alrededor la observaba, se lo quitó por unos instantes. Entonces, logró la perfección anhelada para sus tomas. Sonrió satisfecha. Tan entusiasmada revisaba el led de la cámara, controlando cómo habían quedado las imágenes, que no percibió que un hombre con turbante y túnica marrón había cruzado la calle. Cuando lo tuvo cerca, muy cerca, fue demasiado tarde.

Caminó a la par de Salma y, al comprobar que no llevaba velo, le hizo un ademán de desdén. Salma, que lo captó, de inmediato se calzó el *hiyab* en la cabeza, decidió dar por terminada su sesión y enfiló hacia el boquete para meterse en el edificio.

Antes de perderla de vista en la esquina, él volteó y le dirigió un último vistazo a la mujer pecaminosa que había osado mostrarle el pelo. Siguiendo su trayectoria, descubrió que se refugiaba en la fábrica destruida. Pestañeó y volvió a observarla una vez más. Reconoció que en su mirada de hombre había un morbo contra el que no sabía cómo luchar. Lo enfadó que ella provocara su instinto sexual mostrándole el cabello y, al mismo tiempo, tuvo rabia contra él mismo porque disfrutaba al contemplarla. La cabellera despertaba sus más bajas pasiones. La culpó por el pecado al que lo había inducido.

Por eso, cuando unas calles más adelante el hombre de turbante marrón se encontró con una patrulla de milicianos, describió lo que había visto: una mujer pecadora había entrado a la fábrica de telas, sí, la de la esquina abandonada. «¡Sabrá Alá qué hace escondida allí!» deslizó muy seguro a modo de injuria. El hombre del turbante conocía los negocios y las fábricas que funcionaban antes de la guerra... y estaba muy conforme con que los grupos radicales hubieran tomado el control de Duma.

Los milicianos oyeron su explicación y apuraron el paso; no les costaba nada echar un ojo. Para eso estaban en Duma, para hacer que las reglas se cumplieran, y para poner orden donde no lo había. Su tarea incluía desde deshacerse de los enemigos —matarlos si apoyaban el bando contrario— hasta obligar a las mujeres árabes que querían vivir pecaminosamente como las occidentales a volver a la buena senda.

Faltaba una hora para que llegara el jeep con los relevos. Y durante ese tiempo ellos eran los responsables de patrullar las calles.

En la oficina, Salma se quitó la túnica y miró las fotos que acababa de lograr. No quería quedarse quieta, sin hacer nada. Si meditaba sobre la huida, en la hora decisiva que se aproximaba, se cargaría de ansiedad.

Los tres hombres cruzaron de acera y el paso de sus borceguíes retumbó en la calle. Eran altos, tenían barba larga, usaban turbantes blancos y negros. Uno —un muchacho, apenas— era bastante más joven que los otros dos. Blandían con orgullo sus armas colgadas al pecho y las municiones enganchadas en la cintura.

Avanzaron rumbo a la fábrica mientras comentaban en voz alta un partido de fútbol. De camino, los pájaros que antes Salma había fotografiado, emprendieron un vuelo rasante y tuvieron que correrse. Uno, molesto por el graznido, escupió e insultó; otro, les disparó. Un ave cayó al piso. Se rio. Los demás lo imitaron. «¡Una pequeña diversión!», gritó uno. Así sobrellevaban la vida de fastidio a la que los empujaba la guerra. Buscaron otro blanco, pero nada les llamó la atención y decidieron proseguir a su meta: la fábrica de telas.

Frente al edificio, se organizaron. Uno se encargaría de tirar abajo la puerta principal; mientras tanto, los otros dos ingresarían por el boquete. La perra de pelo suelto tal vez tuviera escondidos hombres y un arsenal. Tal vez allí dormía una célula que se agazapaba en edificios abandonados para luego emboscarlos y matar a sus hombres. Cualesquiera fueran sus propósitos, ellos los desbaratarían. Con las armas en las manos se sentían invencibles.

Desde la oficina, Salma escuchó los ruidos de las patadas que pegaban contra la puerta principal. Aguzó su oído y enseguida se sobresaltó con el estallido que provocó la abertura al ceder y caer al piso.

El ruido le dio la certeza de que estaba por suceder algo muy malo. Escuchó los gritos cavernícolas, oyó frases en árabe y las entendió. Las palabras penetraron en su mente y el terror se apoderó de su ser. Las voces preguntaban dónde estaba la puta occidental que no usaba velo, en qué lugar se escondían las ratas. Salma comprendió: el hombre que la había visto fotografiando la había acusado. Se puso de pie e, indecisa y paralizada, se escondió detrás de la puerta del baño, como aquella primera vez.

Temblando, desde su escondite oía cómo las pisadas brutas y hombrunas se abrían paso por las distintas oficinas. Pateaban las puertas, proferían gritos. Al igual que Salma, el temor los carcomía y la alerta no cesaba. Podía tratarse de una emboscada, podían morir a manos de un enemigo guarecido dispuesto a cargarse a los tres, uno a uno.

Gritar y desquitarse la bronca con cada mueble con el que tropezaban les ayudaba a encontrar el valor necesario para enfrentar la pesquisa a ciegas. Salma, inmóvil, inerme, trataba de serenarse.

Ella los oyó subir por las escaleras, las mismas en que tantas veces había escuchado los pasos de Álvaro, esos que la alegraban porque le confirmaban que otra vez llegaba sano y salvo. Pero estas pisadas eran de horror, porque los hombres estaban a unos pocos metros.

Los escuchó merodear el piso, entrar a la oficina y proferir maldiciones al descubrir que allí vivían dos o más personas. Los utensilios y lo poco que Salma y Álvaro tenían demostraban que en ese cuarto se desarrollaba vida humana.

La puerta del baño continuaba siendo la única barrera.

Patearon el escritorio que había sido su improvisada mesa en cada desayuno y cena.

Salma, tras la abertura, con la espalda pegada a la pared, cerró muy fuerte los ojos. No quería ver. No quería respirar. No quería existir…

Después de unos instantes de zozobra, contentos por el revoltijo y los destrozos causados, pero decepcionados por no haber dado con la puta occidental, estaban resueltos a marcharse. El miliciano que había ingresado por la puerta principal de la fábrica apuraba la retirada de sus dos compañeros.

Ella creyó que se iban, que las pisadas se alejaban rumbo a la puerta que conectaba con la escalera. Sí, se marchaban.

Pero antes de abandonar el rellano, se detuvieron.

Salma oyó unas palabras que le erizaron la piel: los extraños comentaban sobre un detalle muy familiar, hablaban de una tela rosada…

Nombraron un lienzo rosa, lo habían reconocido a través del rabillo de la puerta.

No, no, no.

No, no y no.

La habían descubierto…

Por primera vez, Salma abrió los ojos y vio una mano enorme con las uñas sucias que, aferrada al perfil, intentaba abrir la puerta con violencia. El corazón le explotó en el pecho. Con un movimiento simple, el hombre hizo a un lado la puerta y dejó al descubierto la figura de jean y camisa rosa.

Ante el hallazgo del bello rostro, la sorpresa del miliciano viró a plena satisfacción. Sonrió lascivamente y para Salma esa sonrisa fue su sentencia de muerte porque, la mataran o no, ella deseaba morir en el acto.

Lo oyó insultarla. Una y otra vez le gritaba «¡Perra occidental!».

Lo demás ya no lo captó. Sólo entendió que esa voz potente profería perversidades sexuales, indecencias atroces que jamás hubiera querido oír.

La tomó del brazo con fuerza, la arrastró hasta la oficina y la exhibió ante su compañero como un trofeo.

Enseguida se sumó el tercer hombre, el más joven, y entre risas y frases soeces le dieron a entender lo que estaba por acontecer. Salma balbuceó en árabe un intento de explicación. Quería decirles que era sunita, hija de un empresario importante, que esa fábrica pertenecía a su padre, que él les pagaría muy bien si la liberaban, que quedó atrapada en Duma por sacar fotos, que, que y que...

Pero no la escuchaban. Salma intentó escapar. Fue en vano: el barbudo la sujetó del pelo y, con un empujón, la lanzó contra el lecho de sábanas de cortinas.

Por unos instantes, la observó tendida en la cama y apreció el pelo larguísimo de la chica, que le caía sobre los hombros. El jean parecía refulgir.

—Pantalones vaqueros de Estados Unidos... —dijo en árabe y enseguida se levantó la túnica y comenzó a desprenderse los botones de su pantalón.

La miró con lascivia una vez más y se lanzó sobre Salma, que se resistió, le pegó en la cara con los puños, lo rasguñó. Pero él más se enojó. Ella gritó, pateó, pegó, pero los otros dos le sostuvieron los brazos hacia arriba. Las manazas del barbudo le arrancaron el jean con violencia y, de un tirón, también los botones de la camisa rosada, que dejaron al descubierto sus senos. Los otros dos milicianos miraban sonriendo complacidos el espectáculo. Esperaban su turno.

Salma trató de moverse bajo ese cuerpo pesado que olía hediondo y que sin compasión la exigía, pero no logró desplazarse ni un solo centímetro.

Entonces lo supo, tuvo la certeza: no tenía salida. Una carne extraña penetraba su interior. La sintió. Se quedó muda e inmóvil. No profirió ningún grito, ni se movió más. Cerró fuerte los ojos y quiso morir.

Y murió, pero sólo una parte. La indispensable para poder seguir viva.

Y la cama que había conocido el amor, conoció el odio, y las sábanas que habían aprendido palabras de ternura, conocieron las depravadas. La almohada que la noche anterior escuchó suspiros de placer, esa mañana oyó los de dolor.

Salma, en la oficina de Duma, lloraba sin lágrimas y sin sonido; el llanto de tantas mujeres en el mundo árabe.

* * *

A un par de kilómetros de la fábrica, Álvaro renegaba dentro del Kia, demasiado moderno para sus viejos gajes. Tal vez fuera imposible hacerlo arrancar. Tal vez, si tuviera otra herramienta, maquinaba. La llave fabricada con alambres había destrabado el volante y encendido las luces, pero no le ofrecía nada más.

—¡Carajo! Si tuviera una pinza pequeña… —insultó en voz alta y se agachó para buscar en el piso del Kia. Quizá bajo la alfombra contara con una herramienta que lo ayudara.

La levantó, pasó la mano y sintió algo. Se agachó y entonces lo descubrió: un pequeño sobre de plástico transparente en cuyo interior una pieza de metal destellaba ante sus ojos. Lo alzó. ¡No podía ser…! Allí, ante sus narices, brillaba una llave del

Kia. ¡Tantos días tratando de hacerlo arrancar con elementos rudimentarios y ahí estaba el instrumento perfecto! ¿Cómo no lo había pensado antes? ¡Si entre los autos de alquiler era una práctica muy común dejar una llave de repuesto para utilizarla en caso de extravío! ¡Esa posibilidad jamás se le había pasado por la cabeza!

«Ojalá que la batería funcione», rogó con miedo antes de probarla.

Introdujo la nueva llave en la hendija, el motor corcoveó dos veces y al tercer intento ¡arrancó!

—¡Sí, sí, sí! —gritó contento.

Tenían auto para cruzar la valla. Correrían menos peligro.

Repasó el cruce a Damasco, los detalles que aún debían sortear y se puso serio. La difícil travesía recién comenzaba. Pasaría por Salma y se marcharían ya mismo, sin dilaciones.

Esperó unos pocos minutos con el auto en marcha buscando asegurarse de que funcionara bien y que ningún ojo extraño estuviese sobre el Kia. Miró y sólo vio a lo lejos a dos mujeres completamente tapadas con sus *burkas*. Se dijo a sí mismo que era hora de marcharse.

Con cuidado, avanzó las calles que lo separaban de la fábrica. Cuando estaba cerca y feliz porque nada se había interpuesto en su camino, algo le quitó la dicha.

Desde lejos pudo divisar que un jeep con milicianos se había estacionado próximo a la fábrica. Decidió detenerse. A cien metros, no distinguía con claridad los movimientos; debía asegurarse de que no había peligro. Se bajó del Kia y fijó la vista en el vehículo bélico.

Sobresaltado, comprendió que el jeep se hallaba justo enfrente del edificio de Al Kabani. Preocupado por Salma, inició una carrera sigilosa.

En el interior de la oficina que fuera el hogar de Álvaro y Salma se había desatado una acalorada discusión entre los tres milicianos barbados. El más joven exigía probar el bocado que los otros dos ya habían disfrutado, pero mientras se acomodaban la ropa, lo instaban a abandonar la idea porque debían marcharse de inmediato. La bocina insistente del jeep los convocaba a la puerta para el relevo. El tercero en cuestión, insatisfecho, no quería retirarse sin su parte; ardiente por las escenas sexuales de sus compañeros, ahora deseaba protagonizar la suya propia. Preparado, con el pantalón abierto, sólo necesitaba cinco minutos más para dejar su marca en ese cuerpo semidesnudo que lo enardecía. Salma, tendida en el piso, seguía con los ojos cerrados y las extremidades contraídas. Se hallaba en su mundo, en un estado semiinconsciente.

Álvaro caminó los últimos metros hacia la fábrica con cautela. Avanzaba mirando hacia abajo, no quería llamar la atención del conductor del jeep. Pero el hombre estaba de espalda y ensimismado por conseguir el retorno de sus compañeros a bocinazos. La cabeza de Sánchez rebosaba de interrogantes: «¿Dónde carajo están los milicianos que llama el conductor? ¿Dentro de la fábrica?». Evidentemente, sí.

Afinó sus pensamientos y preguntas: «¿En qué piso están? ¿Y Salma?». La puerta de ingreso principal derribada lo horrorizó, pero al mismo tiempo lo envalentonó. Porque, turbado ante la idea de que ella hubiera sufrido un ataque, se lanzó a la fábrica sin ningún reparo. El conductor, que seguía de espaldas estacionado frente al boquete con la bocina al rojo vivo, ni se enteró.

Álvaro avanzó por las distintas oficinas y, a medida que se acercaba, distinguió de dónde provenían las voces masculinas. «¿Y Salma?». No se escuchaba. «Estará oculta», sospechó.

A punto de alcanzar el rellano que conducía al primer piso donde había vivido junto a Salma durante más de dos meses, una madera se movió bajo sus pies y un pedazo de revoque cayó al piso. Álvaro permaneció inmóvil.

Pero el ruido atrajo a los hombres y los alertó justo cuando ya se disponían a bajar las escaleras. Aguzaron los oídos.

Luego de unos segundos sin que nada se moviese de lugar, los milicianos descartaron el sonido y siguieron su marcha hacia la salida. El último de ellos, antes de poner un pie en el exterior, con su metralleta cerró fuego sobre el agujero del boquete y dirigió la ráfaga hacia donde Álvaro permanecía agazapado.

Con los milicianos sobre el jeep, Álvaro corrió a la oficina buscando a Salma. Supuso que no debía estar allí, tenía que estar escondida. No se atrevía a llamarla, el jeep aún no había arrancado.

Subió los peldaños de dos en dos y, apoyado en el marco de la puerta de la oficina, supo que el vehículo se marchaba. Ingresó al cuarto y vio lo que nunca hubiera querido ver: recostada hacia un lado, Salma sollozaba. No llevaba puestos los pantalones, podía notar la piel dorada de sus nalgas.

Se llenó de espanto.

—Salma… —balbuceó mientras comenzaba a entender lo que no quería comprender. Aunque todavía abrigaba una esperanza.

Se acercó a ese cuerpo menudo y lo giró. Los ojos cerrados, los senos al descubierto. La tela de la camisa rosa, rota. Sus piernas, sucias de…

Álvaro hizo una arcada.

—¡No, no! ¿Acaso ellos…? —vociferó sin animarse a expresar sus sospechas. Al fin, tomó coraje y preguntó—: ¿Ellos te lastimaron? Salma, mi amor…

La abrazó, no respondía. Sólo se dejaba ceñir cual muñeca de trapo. Él continuó meciéndola y arrumándola con palabras de afecto durante un par de minutos.

—No, Salma, no, no…

Álvaro llevaba los ojos llenos de lágrimas.

Se trataba de una pesadilla. Maldita guerra. Maldita Duma. Malditos hombres. Ojalá murieran. Les deseó la muerte con todo su corazón. Ojalá una bomba los matara. O mejor aún: ojalá él pudiera matarlos con sus propias manos y ¡ya mismo! Se incorporó, listo para perseguirlos hasta darles muerte. Estaba por bajar las escaleras cuando un mareo lo obligó a pensar con coherencia. Los guardias ya se habían marchado, Salma tendida allí, lastimada, lo necesitaba. El Kia, afuera, estacionado muy cerca. Era sábado. El día que, según el mensaje, podían atravesar la valla. Lo intentarían.

Apenas recompuesto, volvió sobre sus pasos.

Salma aún sollozaba. Se acercó y le habló al oído.

—Amor mío, te vestiré. Luego te alzaré y te llevaré en brazos hasta el auto. El Kia arrancó… Nos iremos de aquí —murmuró—. Todo estará bien.

Salma no le respondió. Seguía en su mundo de asco, miedo y dolor.

Álvaro indagó a su alrededor. El entorno revelaba la violencia experimentada en ese pequeño habitáculo. ¿Qué hacer? ¿Qué debía buscar? Aún asqueado y mareado, sin acertar a dar el siguiente paso, descubrió el escritorio patas para arriba.

Fue hasta el mueble, revolvió el cajón y extrajo la bolsa con los documentos, las memorias y su diario, todo cuanto había preparado la noche anterior. La guardó en el bolsillo. En el medio del caos, divisó la túnica negra de Salma e intentó ponérsela, pero, como ella no ayudaba, él se enredaba. Hasta que al fin decidió envolverle el cuerpo con la tela y le colocó el *hiyab* como pudo.

Álvaro intentó sentar a Salma que, al incorporarse, vomitó.

La limpió. Caminó por la oficina como león enjaulado. Furioso, desolado, rendido, iracundo. Necesitaba calmarse y que ella reaccionara.

—Tienes que ayudar —le pidió—. Tenemos que irnos de este lugar. Te prometo que hoy dormirás en Damasco. Te lo prometo, Salma. Vamos… ¡por favor!

Las palabras retumbaron en el cuarto y Salma, por primera vez, pareció volver a este mundo y comprender. Porque, aunque con mínimos movimientos, colaboró para que él pudiera sujetarla en brazos.

Al descender las escaleras sosteniendo el peso inerte de Salma, Álvaro volvió a marearse antes de alcanzar la mitad del tramo. Con la vista nublada, debió detenerse un instante. Pero avanzó y salió por la puerta principal. Una vez afuera, la adrenalina fue tan grande que lo sacó del malestar.

Abrió el Kia e introdujo a Salma en el asiento del acompañante. Luego se subió y, aferrado al volante, condujo con una sola meta: cruzar a Damasco.

«Tengo que llegar a la valla. Tengo que llegar, tengo que llegar», repetía como un mantra. Ese era su único pensamiento.

Y esa idea fue la que lo dirigió, le dio fuerzas y lucidez para avanzar los tres kilómetros que —él sabía— los separaban de la libertad.

A punto de alcanzar la valla, controló que Salma estuviera suficientemente bien para poder cruzar. Al menos, parecía consciente. Pequeños indicios le indicaban que lucharía: se acomodó el velo, la túnica y pulsó el botón de la ventanilla.

—Estaremos bien —aseguró Álvaro sin quitar la vista de la calle.

Ella volteó la cabeza hacia la izquierda y por primera vez reparó en que Álvaro conducía a su lado.

—Tienes sangre en la túnica —dijo Salma. Pronunció las palabras sin emoción alguna. Tanto que a Álvaro le costó entender su significado.

Se miró, se palpó, sintió la humedad y exclamó:

—¡Tienes razón! Creo que estoy herido —señaló mientras recordaba los disparos que lanzó el miliciano antes de irse de la fábrica. Luego agregó—: Pero no te preocupes, debe ser sólo un rasguño o no podría haber conducido hasta aquí. Estaremos bien —insistió—. Hoy dormiremos en Damasco.

Sus palabras iban dirigidas a Salma, pero también a sí mismo. Dolor, no sentía en absoluto. Terminó la frase y distinguió la valla de la guardia. El sitio lucía tranquilo, con escaso movimiento, tal vez por ser fin de semana. Se quitó el turbante y se lo apoyó en el hombro para taparse la mancha de sangre. Ya no le importaba mostrar el color de su pelo; al fin y al cabo, examinarían su documento europeo; además, se suponía que los hombres apostados deberían habilitarles el paso. Por algo su jefe le había indicado que cruzaran cualquier sábado o domingo. Condujo unos pocos metros más hasta que tuvo frente a sus ojos la barrera que los separaba de la libertad.

Detuvo el vehículo en el puesto. Por la ventanilla, mientras el motor aún estaba en marcha, entregó los papeles de ambos. El guardia se tomó unos segundos para cotejar las caras con las fotos y viceversa. Otro inspeccionó el baúl y los asientos traseros del Kia.

Los dos milicianos hablaron entre sí y llamaron a un tercero, que estaba un poco más allá. Durante la deliberación, sólo examinaban la documentación de Álvaro; la de Salma no les interesaba. El problema parecía ser el extranjero. No se ponían de acuerdo. Dos querían permitirles el paso; el tercero, no. Acalorada, la conversación sumaba gritos, gesticulaciones y observaciones sobre el auto.

Álvaro pensó: «¿Qué hago?». Esperó a que Salma le tradujera, que dijera algo, pero ella seguía ensimismada y sabiamente callada, lo mejor para estos casos.

Álvaro dio una mirada rápida a la mancha de sangre. La tela ya no lograba ocultarla aunque el dolor seguía ausente. El lamparón rojo aumentaba su tamaño. Entonces, su mente calibró la situación: se encontraba frente a la valla, arriba de un auto, con bastante pérdida de sangre y una herida de gravedad incierta. Salma, a su lado, sólo subsistía. Había sido lastimada en su cuerpo y en lo más profundo de su psiquis. Disponían de una única chance para escapar. Esta. En Duma no se quedarían. No y no. Si no los dejaban pasar por las buenas, entonces lo intentaría por las malas. Porque, si no los autorizaban a avanzar, los obligarían a bajar del auto, los tomarían prisioneros y hasta los acribillarían allí mismo. Estaba seguro. Si descendían del Kia no saldrían con vida de Duma.

La trifulca entre los guardias no mermaba. Se volteó para mirar a Salma nuevamente. Luego observó la valla que tenía enfrente. Pensó en avanzar y en llevarla por delante. Primera, segunda, a fondo. Echó un vistazo al cielo y entre las nubes le pareció ver esa luz fuerte y brillante que había visto en otras dos oportunidades, aunque tal vez sólo se trataba del sol de la siesta. Aun así, se decidió: «Avanzaré y que sea lo que tenga que ser», pensó resignado.

Le dio la orden a su pierna, que respondió. Su pie se movió y apretó con fuerza el acelerador. El coche embistió la barrera, que se partió en el acto. Por unos segundos, avanzó a todo motor. Hasta que sintió cómo las balas silbaban alrededor del vehículo e impactaban en la chapa, en los vidrios. Salma, a su lado, había levantado las piernas y las llevaba en cuclillas aprisionadas con sus brazos. Tenía la cabeza apoyada en las rodillas y así, en posición fetal, gritaba aterrorizada en árabe.

Las ruedas del Kia no se detenían, rodaban y rodaban.

Álvaro seguía adelante sin despegar el pie del acelerador. Sin embargo, ahora sí: lo aguijoneaba un dolor agudo. Una bala había alcanzado su abdomen. Estaba seguro, esta vez podía percibirla. Quizá fueran dos. Pero no le importó, siguió conduciendo con la balacera y los gritos de Salma de fondo.

El miedo lo cercaba, pero avanzaba mientras su cabeza se enredaba en cientos de pensamientos, de esos que vienen a la mente cuando la muerte ronda y se intuye, en un rapto de lucidez, que transcurren los últimos minutos de vida. Las semanas vividas con Salma pasaron ante sus ojos como en una película.

Avanzó ciego con una única meta: alejarse de Duma.

Avanzó hasta que las balas dejaron de escucharse. Los que disparaban habían quedado atrás.

Avanzó, inclusive, cuando la vista se le nubló y el coche, descontrolado, se ladeaba hacia la banquina. Salma, atenta, pegó un volantazo y logró encarrilar la dirección.

Avanzó, pero otra vez la nube negra le impidió ver y Salma volvió a enderezar el coche.

Avanzó hasta que ya no supo si estaba en este mundo o en el de más allá. Hasta que perdió toda conexión con la realidad. Porque ahora él se había sumergido en la piscina de la casa de su madre, en La Rioja, en Argentina. El día era soleado y se sentía feliz. Nadaba, flotaba. El agua estaba fresca, transparente, bella.

El Kia se había detenido y varias 4×4 de color negro con oficiales del gobierno llegaron en su auxilio. Los rodearon. Y de las camionetas descendieron con rapidez varios hombres. Iban armados hasta los dientes. Los agentes de inteligencia de Bashar al Asad habían planeado interceptarlos varias calles más adelante, pero Sánchez se había detenido antes de alcanzar el punto señalado. Por eso, al escuchar el tiroteo, habían salido al encuentro del Kia. Los guardaespaldas actuaron con celeridad.

El hombre rubio y la muchacha siria sangraban. Ambos tenían heridas de bala. Rápidamente los cargaron en una de las camionetas y partieron a toda velocidad para ofrecerles pronta atención médica en Al Zahrawi Hospital o en el Damasco Hospital. Las otras dos secundaban a los heridos. De los techos abiertos asomaban sus ocupantes que, amenazantes, blandían armas largas y apuntaban a cualquiera que se atreviera a mirar. Los vehículos iban a gran velocidad.

Por cercanía, al final, se decantaron por ingresarlos en Al Zahrawi, donde los esperaban con un equipo especializado para heridos de atentados. Los minutos podían hacer la diferencia entre la vida y la muerte.

* * *

Cinco horas después, un médico se presentó en la sala de espera del hospital para darles el parte médico a la familia Al Kabani y a los agentes del gobierno que velaban por la salud de las dos personas rescatadas; sobre todo, del periodista. Tras largas semanas de darlo por desaparecido, su escape de Duma había trascendido a los medios de comunicación y su caso ocupaba varios centímetros en la prensa y minutos en los telediarios. La presión internacional, que pugnaba por el éxito de la operación, había sido grande. Esta historia debía tener un final feliz; el director del hospital y los médicos lo sabían bien. Así se lo había exigido un alto mandatario apenas ingresaron los heridos.

Anisa, Abdallah y Namira escucharon con atención las palabras del facultativo. El hombre les explicó que Salma tenía dos heridas de bala en la pierna, pero que, dada la escasa gravedad, se recuperaría pronto. Anisa lloró de alegría ante la noticia.

Cuando el doctor concluyó con la familia Al Kabani, se dirigió al extremo de la sala para informarle las novedades al agente del gobierno. El hombre rubio atravesaba una situación delicada. Si bien una de las heridas de bala le había dado a la altura del hombro y carecía de gravedad, las otras habían impactado en el abdomen y perforado el intestino y el estómago en varios lugares. Aún seguía en cirugía y su estado era crítico.

Concluidos los partes, el médico llamó a un costado a Al Kabani. Y allí, a media voz, entre susurros, le brindó información que a nadie más daría, ni siquiera a Anisa, que era la madre. Esos datos sensibles quedaban reservados para el padre de la paciente; es decir, para el jefe de familia. Sin rodeos, le explicó que el cuerpo de su hija presentaba signos propios de haber sufrido una reciente agresión sexual.

A pocos metros, mientras atendía los comentarios de Anisa, Namira leyó el rostro de su hermano y no tardó en conjeturar el tenor de la novedad que recibía Abdallah. Estaba segura. Cualquier otra cosa hubiera sido contada a Anisa o a ella. Salvo *eso*.

Tras oír al doctor, Al Kabani se encaminó hacia su mujer y su hermana. Dio los pasos con la firme convicción de que la vida de su hija se había arruinado para siempre. Salma se había salvado, pero ella había perdido cualquier forma honorable de vivir. Su mundo de padre musulmán se derrumbaba. Tanto que él mismo cayó redondo al piso. Se había desmayado. Se acababa de enterar que se había extinguido una parte esencial de su familia y de su vida. Salma no disfrutaría de un futuro familiar feliz.

Dos médicos se acercaron para socorrerlo. Muy cerca de allí, tras la puerta de emergencia, cinco facultativos trataban de salvarle la vida al periodista rubio, como habían empezado a llamarlo.

DIARIO DE ÁLVARO

*Las ideas vienen a mi mente una tras otra. Se acercan
claras, nítidas, coherentes. Y entonces pienso que debería
escribirlas en el diario que garabateo cada semana. Están
teñidas de sabiduría, son pensamientos importantes que
no quiero olvidar y que, además, deseo compartir con
quien pueda necesitarlos. Deseo dejar por escrito mis
reflexiones. Lo intento, pero no puedo, mis manos no
responden. Estoy vivo pero encerrado en un cuerpo que
no acusa recibo y que los médicos tratan de salvar. Los
escucho luchar para que mi pulso se estabilice y para
que las hemorragias se detengan.*

*No sufro, no me duele nada. Tampoco nada me preo-
cupa. Mi alma vaga feliz y liviana por un mar de nubes
tibias y dulces como miel. Un océano donde no existen
los desasosiegos.*

*La serenidad me envuelve. Cómo no sentirme de esa ma-
nera si he encontrado una gran respuesta para muchos
de mis interrogantes; por ejemplo, uno que siempre me
atormentó: la muerte de mi padre. Porque ahora tengo la
certeza de que José no podría haberse salvado del fatídico
accidente aunque yo hubiera programado ir por él esa
tarde. Porque ese era el día para su muerte y no otro.
Y porque entiendo, además, que este lugar donde estoy
es sólo la antesala de algo más sublime. Este principio
ya me muestra parte de su cobijo y belleza, adelantándo-
me que lo mejor está más allá, cruzando la línea. Hoy*

comprendo que, para perder la vida, hay que soltarse. Y José, mi padre, decidió soltarse. A veces las personas se sueltan de un momento a otro, otras se van soltando despacito, día a día.

Voy planeando por el cielo como pájaro que, cansado de tanto vuelo, se deja llevar por las corrientes de aire. Nado en este mar de calma sin reproches para mí, ni para nadie. Sé que siempre he dado lo mejor. No he vacilado en entregarme a pleno en todo lo que he emprendido. He perseguido mis sueños, he amado a personas, he disfrutado mi trabajo y he sido fiel a mí mismo. ¿Qué más puedo pedir o desear? Sólo me queda por decir: que venga lo que tenga que venir...

NUNÚ

Damasco, Siria, finales de 1965

Ese sábado a la siesta, en el puesto del mercado, Namira apreciaba la tela dorada que había llegado durante la mañana y soñaba. Su hermano le había sugerido que debía reservarse un trozo porque le sentaba muy bien a su piel. No la destinaría para realizar un vestido de fajina, pues se trataba de un género especial. ¿Serviría, tal vez, para confeccionar un traje de novia? Sí. Pero ¿quién podía saber cuándo se casaría? Ni siquiera estaba segura de poder concretarlo con el hombre que quería. Volvió a apoyar la resma contra el rostro y llegó a la conclusión de que Anás tenía razón: el color le sentaba muy bien. Abandonó el paño sobre el mostrador con tristeza.

En la otra punta del puesto, Anás y Omar, concentrados en su propio mundo, aprovechaban la tranquilidad de la hora para conversar sobre la reunión política en la que habían participado la tarde anterior. Los muchachos habían forjado una verdadera amistad al calor de los ideales que abrazaban y ambos empezaban a ser respetados entre los baazistas del comité. El padre de Omar, con tantas bocas para alimentar, destinaba su energía a sostener a su familia y ya casi no participaba de la vida política a la que antes le dedicaba varias horas del día, sobre todo, tras regresar del exilio.

La figura del presidente Amin al Hafiz, un militar que había asumido gracias al golpe del año 1963 y que ellos apoyaban fervientemente, se había desgastado y el partido se hallaba dividido a causa de una disputa de poder interna. Por un lado, estaba el sector tradicional del Baaz, al que pertenecían Anás y Omar, que contaba con el liderazgo intelectual de Michel Aflaq, Salah al Bitar y Munif al Razzaz. Por otro, la radicalizada corriente neobaazista liderada por Salah Jadid, que, desde el Comité Militar, disputaba el poder.

El predicamento de Aflaq, un árabe católico greco-ortodoxo que había impulsado el panarabismo mediante la creación de la República Árabe Unida —formada por Siria y Egipto, y más tarde por Irak, como un modo de integrar la cultura, el idioma y la religión de pueblos de la región con un pasado común—, y había introducido el patrón clásico del socialismo moderado, perdía fuerza ante la prevalencia de los que postulaban un modelo influenciado por el marxismo. Asimismo, el secretario general del Comando Nacional, Al Razzaz, recibía críticas feroces; sobre todo, desde que había prohibido que el Comando Regional nombrara o quitara militares.

El ambiente silencioso del mercado permitía que los muchachos se explayaran con pasión sobre la orientación del partido y las disputas entre Al Razzaz y Jadid, que amenazaba con levantarse en armas.

—¿Te preocupa que los neobaazistas aumenten su poder? ¿Qué dice tu padre? —preguntó Anás, que consideraba la palabra de ese hombre como santa. El suyo le parecía un ignorante que sólo entendía de mercadeo, mientras que el de Omar, un erudito.

—Dice que no les teme. Que no podrán hacer nada porque apenas son unos pocos delirantes —respondió mirando a Namira por el rabillo. La conversación empezaba a perder brillo; se acercaba la hora del ansiado encuentro con ella.

Namira descubrió a Omar mirando el gran reloj ubicado en la entrada del mercado y lo imitó. Las agujas marcaban las tres de la tarde.

A esa hora del día los clientes mermaban y la actividad de los puestos caía en una especie de hastío que pacificaba los ánimos de los vendedores. Pero no los de Namira y Omar, pues para ellos se trataba del momento más esperado de la semana.

La pareja aprovechaba la tranquilidad del horario para encontrarse en la parte más densa de las sedas que colgaban desde el techo al piso del puesto. Aducían que las ordenaban y allí Omar se las ingeniaba para robarle un beso. La cantidad de géneros formaba una densa pared móvil y multicolor que daba vida a un ambiente mágico donde, una vez a la semana, se besaban. El beso pequeño, corto, dado con apuro y a escondidas, procuraba huir tanto de los ojos de Anás como de algún transeúnte del mercado. Pero esa intimidad que disfrutaban... ¡ay, cómo movilizaba cada rincón del cuerpo de Nunú! Ella sacó cuentas y concluyó que sólo se besaban cuatro veces al mes. Tras varios meses de sigilosos encuentros, el interés mutuo crecía cada día. Y si Omar aún no le había expuesto a Khalil sus verdaderas pretensiones hacia Namira era, simplemente, porque la joven lo disuadía. Temía que, una vez que conversaran, su padre no aceptara la propuesta y, como represalia hacia ella, le negara trabajar en el zoco. Ante la posibilidad de no volver a verse, Nunú prefería prolongar el rito de cada sábado.

Omar, como parte de un plan trazado a mediano plazo, ahorraba mucho de lo que ganaba para poder comprar un terreno con la firme convicción de que, una vez que adquiriera una propiedad, podría presentarse ante su futuro suegro y reclamar la mano de Namira. Conforme a las costumbres, ofrecer un hogar era requisito indispensable. Sin nada en su haber, corría el riesgo de malgastar la posibilidad de abordarlo y no obtener el resultado esperado. También estaba pendiente conocer qué pretendía Khalil sobre una cuestión primordial: la dote. Entretanto, todavía le faltaba —y mucho— para adquirir una parcela, pues su flaco sueldo no se engrosaba con las horas que ocupaba en el comité del Partido Baaz, su gran pasión.

«Algún día me darán un puesto político y estaremos salvados», había repetido Omar a Namira en varias oportunidades. Sin embargo, fuera por un trabajo en el gobierno o por la compra de un terreno, ella sabía que el momento de estar juntos llegaría. Entre los dos solían contar cada céntimo que el muchacho lograba ahorrar. Aun así, como a veces les pesaba la falta de un futuro cierto, fantaseaban con acelerar el plan. Después del beso, ese sábado Omar le preguntó:

—¿Estás segura de que no quieres que vaya a hablar con Khalil?

—No, aún no. ¿Cuánto dinero nos falta para poder comprar el terreno?

—A este paso, creo que un año… Quizás un poco más —estimó él.

—Ya llegará el momento. Por ahora, tenemos que esperar. No podemos arriesgarnos y que se niegue —señaló ella.

—Lo sé y tienes razón. Pero la impaciencia me nubla.

Ese fue el final de la conversación porque la voz de Anás, que los llamaba para pedirles que lo ayudaran a cortar la tela de una resma grande, los interrumpió.

* * *

Por la tarde, después de limpiar la casa con frenesí durante las primeras horas de la mañana con la ayuda de Namira, Leila aguardaba ansiosa la llegada de Rihanna. Ya había dispuesto los vasos altos en los que, en un rato, serviría té verde con menta, cuando Khalil viniera por primera vez con su segunda esposa. Para controlar que estuvieran impecables, miró a trasluz los vasos nuevos, caros y de vidrio transparente que había comprado especialmente para la reunión celebrada esa semana con los Bichir, la familia del pretendiente de su hija.

Si Namira se casaba o no con el chico, ya se vería más adelante; por lo pronto, había tratado de dejar una buena impresión en Bâhir y en sus padres, conforme a la solicitud de Khalil.

La reunión no había salido mal, pero ella, como madre, había captado desde el primer momento que entre su hija y Bâhir Bichir no había —ni habría nunca— química. Namira era una chica demasiado sagaz para un hombre insípido como Bâhir. El dinero de su familia constituía su único atractivo. Durante la entrevista casi no se le había escuchado la voz, aunque quedó claro que al muchacho sí le había gustado Namira. Cómo no, si su hija era preciosa; por eso, justamente, la habían buscado. Su belleza le había granjeado la posibilidad de ser elegida como la futura esposa del primogénito de una familia de un nivel económico mucho más alto que el de los Al Kabani.

Estaba segura de que Khalil también había notado la falta de atracción entre los jóvenes, pero a él sólo le interesaba un detalle de índole mercantil: el lazo lo emparentaría con los propietarios de la fábrica textil más importante de Damasco. Cuando los Bichir se marcharon, Khalil concluyó: «La reunión fue un éxito. Creo que Namira tiene asegurada una buena vida». Pero obvió decir que, de esa unión, esperaba su propio rédito: ayuda para su pequeña fábrica.

Leila, al ver el entusiasmo de su marido y el desinterés de su hija, le brindó su consejo sin tapujos.

—Namira, dejemos que el compromiso matrimonial avance durante un tiempo. No lo detengas ahora. Pero observa muy bien los defectos del muchacho, que luego se lo diremos a tu padre. De ese modo, podrás deshacer el compromiso.

—¿Piensas que él me permitirá rechazarlo?

—Claro, un compromiso es para conocerse. Y si las partes no se agradan, se disuelve. Tu padre tendrá que escucharte. Aunque… ¿estás segura de que no te agrada? No parece mal muchacho y su posición económica es muy sólida.

—No, madre, me parece horrible.

—Está bien.

—Tengo miedo de que papá complique las cosas.

—No te preocupes, hija. Encuéntrale un defecto grave y tendrás un motivo real para negarte sin provocar su enojo.

—Así lo haré —aseguró Namira.

Leila, como madre, deseaba que su sugerencia diera el resultado esperado. Pero del problema de su hija se encargaría luego porque esa tarde debía ocuparse de los suyos. En minutos, recibiría a Rihanna y Khalil. Por suerte, su esposo había cambiado la cena por una merienda, lo que abreviaría la visita.

Puso a hervir el agua para el té mientras retaba a Wafaa y Abdallah, que, persiguiéndose, daban vueltas a su alrededor y crispaban sus nervios. Su ansiedad creció cuando pensó que la joven Rihanna seguramente estaría arreglándose con sus mejores galas para la ocasión.

Sin embargo, Leila jamás hubiera imaginado que la muchacha se encontraba peor. Porque mientras ella, con sus hijos alrededor, se preguntaba si su casa estaría lo suficientemente limpia y las galletas *graibes* lo bastante ricas, la muchacha, en la soledad de la suya, se hacía interrogantes todavía más difíciles de responder: «¿Seré tan buena esposa como Leila lo ha sido hasta el momento? ¿Lograré ser una madre eficiente como ella?». Esa mujer que, con cuatro hijos, bien podía ser su madre, aún se veía espléndida, mientras que ella, con cuatro meses de embarazo, había engordado nueve kilos.

Leila retocaba el mantel rojo dispuesto sobre la mesa cuando tocaron a la puerta; le llamó la atención. El reloj de la pared marcaba la hora señalada por Khalil, pero él nunca se anunciaba. No tenía que hacerlo; al fin y al cabo, la casa le pertenecía. La situación le causó gracia y se rio maliciosamente. Resultaba evidente que él también albergaba inseguridades con respecto a la visita.

Nunú abrió la puerta y Rihanna, junto a su padre, ingresó a la sala para dar inicio a un nuevo capítulo familiar. En instantes, los seis se encontraban sentados alrededor de la mesa del comedor.

Leila sirvió el té y la reunión transcurrió dentro de cierta normalidad. Wafaa y Abdallah se mostraron amigables con Rihanna; la candidez propia de la edad de los niños les permitía pensar que, si a esa mujer la había traído su padre, no podía ser mala; y que si Khalil le tocaba la mano con cariño, ellos podían imitarlo. Mientras tomaban el té y comían las *graibes*, comentaron acerca de la ausencia de Anás, quien no había regresado debido a su trabajo en el puesto del mercado. Luego intercambiaron recetas porque cada mujer conocía variantes de las galletas polvorosas. Una le ponía nueces; la otra, almendras.

La reunión se desenvolvía bien hasta que empezó a ir mejor aún; por lo menos, para las dos esposas, porque Rihanna habló de su embarazo y le pidió a Leila consejos para evitar las náuseas y sobre otros temas relacionados con la crianza de los pequeños. Ella se los brindó con gusto y entre ambas se produjo una extraña camaradería. La charla se volvió intimista; tanto que Khalil sintió que estaba de más en esa conversación femenina. Incómodo, decidió salir al patio por unos minutos y aprovechó para fumar tranquilo un cigarro.

Entonces, mientras Leila le proporcionaba a la joven mujer su experiencia, algo transformó su mente. Acababa de descubrir la llave para lograr la ansiada paz. Esa chica sufría los mismos dolores que padecían ella y todas las mujeres que conocía. En lugar de declararse la guerra —conjeturó—, debían unirse. Porque cuando Rihanna pedía, se le negaba, tal como le ocurría a ella. Eso significaba que no era su enemiga.

Ante el repentino hallazgo, Leila relajó el rostro y endulzó las palabras. La chica lo notó y la imitó. El ambiente cambió.

Cuando Khalil regresó, sus dos esposas conversaban con cordialidad, casi como amigas, y asumió que el tiempo de la visita había sido suficiente. Propuso irse. Temía —y no se equivocaba— que, si las dejaba a solas, acabarían criticándolo a sus espaldas. Él y todos los hombres serían objeto de sus juicios.

Pero la vida no era justa, ni perfecta y una pequeña batalla ganada en silencio por el sexo femenino no significaba el triunfo de la guerra. Porque cuando la pareja se encontraba en la puerta, a punto de despedirse, Leila formuló una pregunta ingenua que hizo tambalear la paz tácita.

—¿Khalil, vendrás el viernes por la tarde al cumpleaños de Abdallah?

—Sí —confirmó su esposo sin darle demasiada importancia.

Rihanna, al oír la conversación, se animó a señalar:

—Pero ese día a la tarde tengo el primer turno con el médico para controlar el estado del bebé.

Khalil la contempló con incredulidad.

—Pues ve con tu madre —le respondió secamente ante el atrevimiento de protestar allí y en ese momento.

—Yo creí que... —balbuceó Rihanna, pero no pudo terminar porque Khalil se dio vuelta y la ignoró.

Mirando a Leila, confirmó:

—El viernes vendré al cumpleaños.

Rihanna pedía y se le negaba. Así estaban dadas las reglas del juego para ella, para Leila, Namira y las demás mujeres.

* * *

Los hermanos Nunú y Anás ingresaron juntos al puesto del mercado. Liberada de las tareas domésticas que había realizado durante la madrugada, ese día había llegado temprano al trabajo porque tenía una imperiosa necesidad de hablar con Omar. Le urgía contarle que su padre había conseguido un pretendiente, que el compromiso se llevaría a cabo pero que sólo hasta que consiguiera deshacerse de Bâhir Bichir. Luego, con el camino allanado, Omar aparecería en escena con su propuesta matrimonial.

El plan resultaría complicado y difícil de poner en práctica —calculaba Nunú—, pero se consoló proyectando que, con el amor como sostén, no se darían por vencidos y que esperarían la llegada del momento oportuno.

Anás, ajeno a la ebullición interior de su hermana, y enfervorizado por sus propios pensamientos, le anticipó que la jornada sería importante porque, junto con Omar, asistiría a una reunión con un admirado e influyente líder político al que procuraban conocer desde hacía un largo tiempo. Aparentemente, el hombre podía conseguirle un puesto rentado dentro del comité o, quizás, en uno de los ministerios de gobierno. «Nada destacado ni con un sueldo alto —aclaró—; simplemente, acorde a la tarea de un asistente». Aunque minimizó la colaboración que prestaría, no ocultó que la posibilidad de entremezclarse con la dirigencia partidaria le resultaba muy emocionante. La propuesta laboral, en primer lugar, la había recibido Omar, pero declinó porque la paga ni siquiera igualaba la del mercado. Y su prioridad —Nunú lo sabía aunque evitara mencionárselo a su hermano— estaba dirigida a ahorrar dinero para la compra de un terreno.

—Me alegro por ti… —celebró la noticia.

—Hermana, creo que me dedicaré a la política.

—¿Qué dices, Anás? Tienes que seguir con el puesto y la fábrica de papá.

—No es lo que deseo. Quiero formarme, convertirme en diputado y, más adelante, me gustaría dirigir el país.

—Pues yo quiero tantas cosas… —replicó Namira al distinguir a lo lejos a Omar, que ya se encontraba en el puesto. Cuando el muchacho le sonrió, ella se apesadumbró al repasar la tracalada de malas noticias que tendría que contarle.

Su hermano la miró y exclamó:

—¿Te crees que no sé que ustedes están enamorados?

Namira giró y lo observó anhelante, con preocupación.

—¿No le dirás a nadie, verdad?

—Claro que no. Omar es mi amigo y daría la vida por él. Me ha enseñado lo más importante: la doctrina baazista.

Para Anás, este descubrimiento había funcionado como su tabla de salvación. Asido a estas ideas, había logrado desprenderse de sensaciones funestas —¿pena, celos?— surgidas tras el segundo casamiento de su padre. Su adolescencia iba acabando y comenzaba a percibirse como un auténtico hombre. Ya no temía los reproches de Khalil. Y notaba que tenía condiciones naturales para sostener sus propios pensamientos.

—¿Por qué no te casas con Omar y acaban con el asunto? —le soltó a su hermana.

—Es lo que planeamos. Pero aún nos falta un poco más de tiempo para lograrlo.

—Pues a mí también me falta un poco más de tiempo para poder largarme del puesto y dedicarme a lo que realmente quiero.

Namira sonrió. La vida era insólita; sobre todo, para las mujeres. Ella quería trabajar en la tienda y no la dejaban. Anás, que contaba con la bendición para hacerlo, la rechazaba. Ella no podía casarse con Omar; en cambio, su hermano sí podía ser su mejor amigo. E, incluso, manifestar abiertamente que, por él, daría la vida.

CAPÍTULO 11

Cuatro cosas hay que nunca más vuelven:
una bala disparada, una palabra dicha,
un tiempo pasado y una ocasión desaprovechada.
PROVERBIO ÁRABE

Después de cinco días de internación en el hospital, esa mañana Salma fue dada de alta. Debería utilizar muletas; las necesitaría hasta que cicatrizaran las lastimaduras de su pierna. Muy temprano había tenido una entrevista con dos agentes del gobierno interesados en conocer detalles de su vida en Duma. Habló poco, fue parca, pero los hombres grabaron y registraron ciertos datos por escrito. El cuerpo de Ibrahim se hallaba desaparecido, nadie acertaba a dar con su ubicación y el gobierno no podía entregárselo a su familia.

En una hora vendrían los padres de Salma para retirarla, pero antes de marcharse quería ver a Álvaro. Aunque la habían mantenido al tanto sobre la evolución del paciente, no lo había vuelto a ver desde el fatídico sábado en que casi pierden la vida durante el escape de Duma.

Salma se preparó para subir por el ascensor los dos pisos que la separaban de su habitación, junto con una enfermera que había accedido a acompañarla. Su caso, bien conocido en el hospital, había trascendido las fronteras de Damasco y repercutía en el mundo. Los principales periódicos seguían con interés el caso del periodista y la hija del empresario textil. Escribían, con detalle y regodeo, sobre Sánchez, un occidental atrapado en el mundo musulmán. Por lo menos, así había titulado *Le Monde*, el único diario extranjero que ella había alcanzado a ojear.

Salma y la mujer subieron los dos pisos y, antes de llegar a la puerta de la habitación de Álvaro, se toparon con dos guardias

251

armados asignados por el gobierno. Menuda protección recibía el periodista.

La enfermera, al ver la decepción en el rostro de Salma, le dijo:

—Señorita, aguarde un momento, que averiguaré si puede pasar.

Enseguida se presentó la jefa de enfermeras, quien le explicó que necesitaría una autorización, pues aún no había permisos para visitas. Tal vez al día siguiente.

Salma insistió, intentó explicarle que habían huido juntos de Duma. La mujer no cejó y le expuso, además, que en ese preciso momento dos médicos revisaban al convaleciente.

Salma se resignó; tendría que esperar al día siguiente para verlo. Ambas bajaron por el ascensor —igual que habían llegado—, sólo que esta vez ya no había entusiasmo ni adrenalina y la pierna dolía de nuevo. Pero no se daría por vencida, regresaría al día siguiente. Sabía que Álvaro se hallaba estable y fuera de peligro, aunque muy lastimado y lleno de sondas. Requería de muchos cuidados; además, aún debía ser sometido a un par de operaciones más. Ya habría tiempo para verse, y hablar. «Ahora, lo importante es que se recupere», pensó mientras bajaba del ascensor. Dio dos pasos por el pasillo y enseguida descubrió la figura de sus padres, prestos para llevarla a casa.

En cuanto la vio, Anisa fue a su encuentro y la abrazó. Abdallah, no. Él no olvidaba. Su hija se había marchado de la casa con un engaño. Y si bien estaba contento de que hubiera regresado viva, aún estaba enojado. Salma se había puesto en peligro a sí misma, y tenía la culpa de cuanto le había pasado. Su desobediencia la había colocado en esa situación y ahora, allí estaban las consecuencias. A la vista de todos y de Alá. Su pierna lastimada por las balas sanaría y cicatrizaría. La pureza perdida durante una violación, no, esa jamás volvería, se había corrompido para siempre. La idea lo perturbaba, su mente no podía tolerarla. Aún no había decidido si abordaría el tema con Salma. Ya vería más adelante. Por ahora no se sentía preparado. Su mujer seguiría al margen; no había ninguna necesidad de contárselo. Cuantas menos personas se enteraran, mejor. Bastante le pesaba que los médicos estuvieran al tanto de lo sucedido. Y que los diarios de Damasco mencionaran que Salma al Kabani, la hija del empresario textil, había quedado atrapada durante más de dos meses en Duma, junto con el periodista español Álvaro Sánchez.

Acompañada por sus padres, Salma atravesó la puerta principal del nosocomio en silla de ruedas; se trataba de su primera salida al exterior desde que la habían internado. Miró el cielo y sintió que el sol le daba en la cara; agradeció la sensación tibia en su piel. Estaba viva, sí, pero también le dolía el corazón por los cruentos sucesos vividos. Tampoco tenía cerca a Álvaro. Aún no había abandonado el sanatorio y ya lo estaba extrañando. Repasó por última vez el edificio, intentó identificar su habitación y se prometió regresar al día siguiente y cada vez que se lo permitieran.

Avanzaban hacia el vehículo cuando una bandada de pájaros pasó por delante de la familia Al Kabani. Pertenecían a la misma especie que había fotografiado en Duma durante el último día. Al recordarlo, comenzó a llorar. Aún había mucho por sanar en su interior. El recuerdo de las agresiones sufridas sobrevolaba su mente una y otra vez.

Salma subió al coche con sus padres y los arrendajos tomaron vuelo y se posaron en las ventanas del tercer piso.

Álvaro, desde su cama, miró a través del vidrio y notó la presencia inquieta de los pájaros; disfrutó de la imagen. Empezaba a tener más conciencia de lo que sucedía en el exterior.

—*Mister* Sánchez —dijo en inglés uno de los tres médicos que lo rodeaban—, quiero hablarle sobre su caso y acerca de su salud.

—Dígame, lo escucho… —consintió Álvaro en voz baja. Aún le fallaban las fuerzas.

—Está usted evolucionando muy bien, pero supongo que recuerda que ayer le comenté que faltan dos operaciones.

—¿Cuándo me intervendrán? —preguntó Sánchez, aprovechando que estaba lúcido. Dudaba; no recordaba si se lo habían mencionado. No podía memorizar los detalles de las conversaciones. Los últimos días los había pasado atiborrado de calmantes de toda clase y durmiendo el día entero. La nebulosa comenzaba a disiparse y entraba en contacto con la realidad.

—Antes de hablar de fechas, debo informarle que el gobierno español requiere que lo enviemos cuanto antes a su país —dijo acomodando el pie del suero, que chirrió al cambiarlo de lugar.

Álvaro, molesto, cerró los ojos; los ruidos le hacían mal.

—¿Se siente usted bien?

—Sí, sólo que mis oídos están sensibles. ¿Usted dice a España? —preguntó un tanto confuso. Él era argentino, pero hacía mucho que vivía en Barcelona. A Siria había entrado con su pasaporte español.

—Sí. Quieren que lo enviemos a la brevedad. Por esa razón, las autoridades sirias nos consultaron acerca de su estado; es decir, si se encuentra apto para soportar el traslado a Europa con el fin de que allí le realicen las operaciones que faltan.

—¿Qué quiere decir?

—Que a la consulta que formuló el gobierno sirio hemos respondido afirmativamente, pues usted se encuentra estable para ser trasladado a España, donde terminaría su tratamiento.

No terminaba de entender. ¿Lo enviarían a Barcelona aún convaleciente? No podía imaginarse en ningún aeropuerto.

—¿Cómo viajaré, si ni siquiera puedo moverme? —cuestionó señalando las sondas y los cables conectados a su cuerpo.

—Señor Sánchez, el traslado se hará en un avión militar. El presidente Bashar al Asad se ha encargado de poner a su disposición la mejor aeronave sanitaria.

—Supongo que debo estar de acuerdo.

—Son decisiones políticas que se toman por el bien y la paz de los Estados. Después de lo sucedido, usted debe ser devuelto a su país cuanto antes. Los médicos españoles seguirán adelante con su tratamiento —informó mientras habilitaba el ingreso de la enfermera, quien agregó calmantes en el suero.

Álvaro le preguntó al facultativo:

—¿Ellos ya lo saben? ¿Me esperan?

—Sí, hemos tenido charlas telefónicas con el plantel médico que lo recibirá en Barcelona. Su historial médico ya ha sido remitido. Usted se halla en buen estado para realizar el viaje.

—¿Cuándo seré enviado?

—Por la tarde vendrá un funcionario del gobierno y coordinará con usted ciertos detalles. A nosotros, como médicos, se nos encargó mantener esta conversación con el propósito de comunicarle que no juzgamos de riesgo su traslado.

—¿No hay otra posibilidad para mí, verdad?

El médico se preocupó. ¿Acaso estaba pasando algo extraño? Existía alguna razón política, un motivo velado, para que el paciente no quisiera regresar a su país. En Siria, la política marcaba el compás de las relaciones y todas las personas se movían con sigilo. Trató de ser lo más claro posible.

—El gobierno español solicitó, con carácter urgente, que lo traslademos a su país. Y como el vuelo entraña un riesgo muy bajo, debemos cumplir con el pedido.

—Sí, entiendo... —contestó Álvaro, que se sentía preso de la política. ¿Cuándo vería a Salma? Tenían mucho por hablar, mucho por solucionar. Pero se sintió agotado. Las fuerzas no le permitían enfrentar situaciones de esta clase. Ni de otra. Apenas si podía con su vida. Respirar le dolía.

—¿Acaso no quiere regresar? —preguntó el doctor sonriendo. Las personas que habían sufrido ese tipo de ataques a veces quedaban en estado de shock y vacilaban ante lo aparentemente normal.

Álvaro hubiera querido decirle que tenía otras prioridades, amén de que se sentía agotado y de que la estaba pasando muy mal, emocional y físicamente, pero se calló y se limitó a responder:

—Sí, claro.

Quería regresar y que lo operaran en Barcelona, aunque también quería quedarse. Salma confiaba en él, y juntos debían enfrentar lo que vendría.

255

Pero el sueño otra vez se adueñaba de él. Los líquidos que la enfermera había puesto en el suero comenzaban a hacer efecto. El convaleciente necesitaba seguir descansando. Por lo menos, hasta la tarde, cuando recibiera la visita de los agentes del presidente. Los doctores se marcharon y él entró en un sopor que lo condujo a un sueño profundo.

Afuera, en la puerta, dos hombres armados cuidaban su descanso. Si algo le pasaba al español −lo sabían muy bien−, ellos lo pagarían con la vida.

* * *

En la casa de la familia Al Kabani, una vez que llegaron del hospital, Salma fue directamente a su cuarto. Necesitaba estar sola y en paz.

Pero, a pesar de la familiaridad de las flores de lis en las paredes y acolchados que ella alguna vez había elegido, no encontró allí la tranquilidad que había pensado. Los objetos conocidos no le resultaban queridos. No le hallaba gracia a la normalidad.

Su vida, después de los largos días pasados en Duma, había quedado patas para arriba. Nada era igual. No se encontraba bien, se sentía extraña, deseaba ver a Álvaro y, aunque pareciera una locura, añoraba la vida que habían tenido juntos en la oficina que durante dos meses fue su hogar. Además, los recuerdos de los guardias lastimándola no la abandonaban; la imagen del hombre de barba larga sobre ella aparecía cuando menos la esperaba. Trataba de no pensar, pero los tormentos venían solos. El olor de la piel de ese hombre se le había metido en la nariz y no se le iba.

Se acostó sobre su cama y decidió serenarse. Al día siguiente trataría de ir al hospital para ver a Sánchez. Aunque le parecía imposible, suponía que la vida alguna vez volvería a los carriles normales.

* * *

Por la mañana, Salma se levantó tarde. Había pasado una mala noche. Tomó café y apenas probó algo del sustancioso desayuno que su madre —en un intento por alimentarla— le había hecho preparar con huevos, queso blanco, aceitunas negras, mermelada, *za'atar* y natilla. Pero no tenía hambre; el estómago se le había cerrado. Terminó enseguida y comenzó a prepararse para ir al hospital. En la cocina, su madre ya organizaba el almuerzo para que fuera nutritivo.

Salma no sabía si avisar o no sobre su plan. En otro momento, jamás hubiera informado qué destino le solicitaría al chofer. Pero como se trataba de una salida matinal de varias horas con el propósito de visitar el hospital, intuía que causaría cierto resquemor. Desde su regreso al hogar no sabía cómo moverse con su padre, pues ciertas reglas parecían haber cambiado. Alejado y distante, casi no le dirigía la palabra. Evidentemente, seguía enojado. Sólo en una ocasión osó preguntarle de qué manera había muerto Ibrahim; y ella, por miedo a quebrarse, como le pasaba cada vez que recordaba Duma, se lo había explicado con una sola frase: «El primer día, en un tiroteo». Nunca más mencionaron el tema.

Se vistió con camisa y pantalón suelto para que los vendajes no le molestaran. Sobre la ropa se colocó una túnica. Luego, con muletas, se dirigió al estudio de su padre. Le avisaría que saldría.

Abrió la puerta y lo encontró entre papeles, trabajando con la computadora.

—Padre, visitaré el hospital para saber cómo sigue el periodista.

Al Kabani levantó la vista con sorpresa. Algo en el tono de su hija no le gustó.

¿Para qué visitar a un hombre que sólo podría traerle malos recuerdos? Sánchez significaba rememorar los dos meses vividos en esa ciudad violenta donde —¡además!— había sido vejada por los milicianos. ¿Para qué? Salvo que él no le trajera malos recuerdos, sino buenos. Desde que Salma había regresado, se sentía perseguido, turbado, por escenas lacerantes. Mientras su hija estuvo desaparecida, sólo deseaba que regresara con vida. Pero desde su llegada, se torturaba recreando qué clase de vida había llevado durante ese tiempo. Trató de serenarse, necesitaba volver a vivir en paz. Tal vez Salma sólo trataba de ser amable con quien lo había sido con ella. Su hija no era el tipo de mujer que entablaría relaciones con extraños; y menos si se trataba de cristianos. Se tomó unos instantes para responderle.

Al fin le dijo:

—Salma, iremos juntos. No es necesario que te lleve el chofer, yo conduciré. También quiero despedirme de Sánchez —dijo y abandonó sus papeles.

En el hospital, mientras cuidaba de Salma, se había interesado por la evolución del periodista, pero no había podido verlo porque las visitas estaban vedadas. Desde un primer momento había querido agradecerle personalmente por haber salvado a su hija, pero su delicado estado de salud tras las operaciones se lo había impedido. Una sensación dual lo atacaba: sentía agradecimiento pero al mismo tiempo un gran disgusto por saber que ese hombre había vivido con Salma varios meses.

Tras la inesperada respuesta de su padre, Salma estuvo a punto de decir algo, pero decidió callar y aceptar la propuesta. Con tal de ver a Álvaro, no le importaba ir con su padre. Necesitaba saber que se encontraba bien. Las enfermeras le habían explicado que su estado evolucionaba correctamente, pero ella precisaba constatarlo con sus propios ojos. Claro que hubiera preferido presentarse sola para conversar en intimidad. Eso, con su padre al lado, sería imposible. Pero ya habría otras oportunidades. En todo caso, ella no iba a despedirse; al contrario, su visita sería la primera de las tantas que realizaría hasta su entera recuperación.

Un rato después, mientras se desplazaban en el vehículo rumbo a la clínica, padre e hija hablaban por primera vez. Porque hasta ese momento Abdallah sólo le había hecho comentarios al pasar, pero no le había dirigido la palabra ni la mirada. La intimidad del habitáculo del coche la llevó a decir:

—Lo siento, padre. Lamento haberlos preocupado y haberme marchado con un engaño.

Al Kabani suspiró fuerte, se tomó un minuto y respondió:

—Por suerte, la pesadilla terminó.

—Sí.

—El periodista logró traerte a casa y por eso quiero agradecerle. Él fue bueno contigo, ¿verdad?

—Muy bueno y amable. Me cuidó. Se encargaba de conseguir comida, lo que no era fácil.

—Ay, Salma… —suspiró Al Kabani al reparar en el tema de los alimentos. Su hija estaba muy delgada, pero se lo había atribuido a la traumática situación y no a la falta de comida. Nunca habían mencionado lo sucedido; pedir detalles implicaba abordar el tema del engaño que finalmente derivó en la violación. Aunque se había abstenido de formular preguntas sobre Duma, asumió que todavía no había llegado el momento. Así que simplemente agregó con la clara intención de dar por zanjado el tema—: Me alegra que el español te tratara bien y que fuera un buen hombre contigo.

—Sánchez es argentino —refutó Salma.

—Para el caso, da lo mismo. No es musulmán. Además, tiene pasaporte europeo, por algo el gobierno español ha exigido su pronta repatriación.

—¿Cómo? ¿A qué te refieres…?

—El mismísimo presidente de Siria ha puesto a disposición de Sánchez un avión para llevarlo cuanto antes a España.

—No estaba enterada…

—Ayer me lo comentaron. Parece que entre hoy y mañana lo trasladan. Por eso quise venir a despedirme. No creo que volvamos a verlo.

Salma oyó las palabras y se desmoronó emocionalmente. Venía tratando de ser fuerte, de enfrentar con entereza el abuso que había sufrido. El regreso había sido duro, pero siempre alentado por la ilusión de que Álvaro y ella…

«Se va —pensó—. Se va».

No había razón para que se quedara en Siria. Tal vez lo de ellos dos había sido una equivocación. Tal vez no hubo amor. Pero cuando meditó con coherencia, una idea vino clara a su mente: a Álvaro lo enviaban a Europa por cuestiones de política. Entre ellos había habido amor.

*　*　*

Para Salma, entrar al cuarto y encontrar a Álvaro en ese estado deplorable fue querer llorar y abrazarlo. Jamás sospechó que lo vería así. En su mente estaba latente la imagen del hombre fuerte que había vivido con ella en Duma. No se parecía en nada a este que luchaba contra la muerte. Lo contempló y deseó consolarlo, preguntarle cómo se sentía, contarle cómo estaba ella, hablar de sus cosas, de fotografía, confesarle que se había comido una lata de duraznos a escondidas… Pero con Al Kabani enfrente, mientras reprimía sus sentimientos y liberaba las palabras a cuentagotas, sólo dijo un par de frases de compromiso.

Que cómo estás, que estoy mejor. Que las operaciones han salido bien, pero aún faltan dos. Que usas muletas, que pronto las dejaré. Que estás delgada, que tú también. Que al fin logramos salir con vida de Duma, que gracias por sacarme de allí. Que te vas a España…

Álvaro asintió con la cabeza.

—¿Al fin ya sabe cuándo se marcha? —preguntó Al Kabani cortando la magia de las miradas entre Salma y Sánchez.

—Creo que me llevan mañana. Parece que no tengo opción, aunque todavía no está dicha la última palabra sobre la fecha —arriesgó Álvaro que, con la escasa lucidez que conservaba, entrevió que podía dar a entender que huía.

—Pero, ¿estás bien para viajar? —quiso saber Salma.

—No lo sé. Pero parece que, si me niego, seré el culpable de desatar la Tercera Guerra Mundial —dijo sonriendo—. España pretende que continúe allá mi tratamiento.

—Decisiones de los países —comentó Salma más para sí misma que para Álvaro. Ella empezaba a entender la política. ¡La política! En Siria siempre estaba de por medio ¡la política!

—Espero que tenga usted buen regreso a su patria. Y claro está: muchas gracias por haber cuidado a mi hija y por la gran ayuda que le brindó para que regresara viva.

—Salma es… una mujer maravillosa. Tiene una gran hija.

Ella sonrió y Al Kabani se quedó mudo. No terminaba de acertar si le había gustado o no el comentario.

Una enfermera ingresó al cuarto y les avisó que, por hoy, el enfermo ya había tenido suficiente charla. Salma no quería marcharse, temía quebrarse y largarse a llorar ahí mismo, en la habitación.

Su padre le preguntó a la mujer un detalle acerca del traslado del paciente. Álvaro aprovechó y en voz baja le dijo a Salma:

—Cuando llegues a tu casa, hazme una llamada al teléfono de la clínica. Me prometieron que ahora, que estoy mejor, me dejarán hablar. Tal vez hasta me den un celular.

Ella sonrió y respondió con un gesto. Nacía una pequeña esperanza. Se miraron a los ojos. Moría por besarlo.

La visita llegaba a su fin. Debían marcharse. Dos o tres saludos de cortesía, palabras de despedida y padre e hija abandonaron la habitación. Salma estaba deshecha.

El viaje de regreso en el auto fue en silencio, Abdallah y Salma no se hablaron. Cada uno iba inmerso en sus pensamientos. Al Kabani, sumergido en sus sospechas. Ella, deliberando qué le diría a Álvaro cuando hablaran por teléfono.

Cuando se quedó solo, Álvaro volvió a dormirse. Se sentía agotado y al límite de sus fuerzas. Pero transcurrida media hora, aún somnoliento, notó que al cuarto ingresaban un agente del gobierno y uno de los doctores. Entre los dos le comunicaron que partiría a España a última hora del día y que el plantel médico de Barcelona lo operaría de inmediato tras su arribo.

El funcionario se ubicó junto a Álvaro, encendió un grabador y reiteró preguntas sobre los sucesos de Duma. Cuando terminó el interrogatorio, el oficial sacó de su bolsillo un celular y se lo entregó al enfermo. «Para mantenernos comunicados», le dijo y marcó su número para probarlo. El timbre sobresaltó a Álvaro, que seguía sin acostumbrarse a los sonidos. La vida normal le resultaba agresiva.

Se preocuparon, le bajaron el volumen. El médico aceptó dejárselo, pero sugirió que realizara un uso moderado, que hablara poco, porque debía priorizar el descanso para afrontar el traslado y las futuras operaciones. Asimismo, el oficial le informó que Dana de Sánchez recibía un parte diario con su evolución y que, pese a su insistencia, decidieron postergar la comunicación hasta tanto los médicos lo consideraran apto para afrontar una conversación con su madre, quien, por cierto, ya contaba con el nuevo número y llamaría de un momento a otro.

El corazón de Álvaro aún no salía de la conmoción que significó reencontrarse con Salma... ¡Y ahora le avisaban que pronto escucharía la voz de su madre! Las emociones lo golpeaban.

Los hombres se despidieron y se retiraron.

Pocos minutos después, la luz del celular se prendió mostrando un número extraño. Atendió. La voz de Dana, emocionada; la suya, igual, en un hilo. Ella lo oyó y sólo alcanzó a decirle que estaba contenta de que estuviera vivo... Y no dijo más porque luego se largó a llorar. Álvaro intentó contenerse, pero se quebró. Lloraba como un niño. En ese llanto largo iba el miedo a morir, la separación de Salma, el terrible dolor físico que había sufrido, el rechazo a los quirófanos que empezaban a atormentarlo.

Su madre se rehízo y, para distraerlo, le contó menudencias, insignificancias diarias, le habló del tiempo caluroso, de la comida que estaba preparando... Álvaro le siguió el juego y le contó cuán abrigadas eran las frazadas blancas de polar del hospital, le describió qué profundo era el sueño que lo atacaba a menudo.

Avanzada la conversación, Dana le dio una noticia: ya estaba en Barcelona, que se había instalado en su departamento después de hacer escala en Córdoba, San Pablo, Madrid... Ya no se acordaba... «Tenías razón cuando me dijiste que la llave me serviría alguna vez», bromeó recordando ese día en que, pese a su negativa —«O te mudas o la cambias antes de que te visite»—, finalmente él la convenció de aceptarla por más ridículo que le pareciera.

Cuando su madre mencionó «Barcelona», Álvaro se relajó, se aflojó como si le quitaran un peso. Dana se encargaría de él como cuando era un niño y se golpeaba, o como cuando siendo un adolescente se había fracturado la pierna jugando al rugby. Porque lo cierto era que no daba más, no daba más de hacerse cargo de sí mismo, de soportar la cruz que le estaba tocando vivir.

Su cuerpo seguía lastimado y su mente aún no funcionaba con lucidez. Si tenía que decir la verdad: deseaba regresar al mundo occidental, abandonar este país en guerra. Sólo le preocupaba Salma. La amaba.

Habló con su madre durante quince minutos; luego, exhausto, se durmió con el celular en la mano.

* * *

Cuando llegó a su casa, Salma se encerró en su cuarto. Llamó al hospital y pidió hablar con Álvaro Sánchez. «Imposible, señorita», recibió como negativa. Ella se quejó, discutió y terminó explicándole a la jefa del sector, con quien pidió hablar, que el paciente le había asegurado que podría recibir llamadas y que, tal vez, dispondría de un celular. La mujer movió cielo y tierra hasta que finalmente consiguió ese número y se lo pasó a Salma.

Contenta por el resultado de su tesón, no tardó en llamar. Un intento, dos, tres, cinco… diez.

Sobre la frazada polar blanca destellaba el celular. Con luz y sin sonido, un número de Damasco insistía en contactarlo. Sin embargo, profundamente dormido, inducido por los sedantes, Álvaro ni se enteraba.

Salma persistió hasta que, enojada, abandonó la tarea. ¿Por qué no la atendía, si le había pedido expresamente que lo llama-

263

ra? ¿Qué estaba pasando? ¿Acaso había sufrido una descompensación y debían operarlo de urgencia? ¿O simplemente no deseaba atenderla? Exhausta y con la pierna dolorida, se tomó un calmante, se acostó y, llorando, se quedó dormida.

Cuando se despertó dos horas después, volvió a intentar comunicarse. Pero otra vez fue en vano, nadie la atendió. Preocupada por la salud de Álvaro, llamó al número del hospital y pidió información sobre el paciente. Con cierto recelo, la enfermera le ofreció información semiconfidencial: el helicóptero sanitario ya estaba rumbo al aeropuerto militar. Y, acorde a su profesión, intentó brindarle tranquilidad, pues le aseguró que el paciente se hallaba en perfectas condiciones para emprender el viaje.

Salma cortó y dio rienda suelta a un llanto largo y sin fin. Lloraba porque estaba enojada con Álvaro. Lloraba porque no había cumplido su promesa. Se sentía estafada y, al mismo tiempo, se reprochaba por enfadarse con él. Los sucesos que estaban viviendo —lo comprendía cabalmente— trascendían sus propias decisiones. Su interior rebosaba de rabia, reproches, angustia e impotencia. Pero un sentimiento prevalecía sobre los demás: el dolor… Un gran malestar de tanto extrañarlo la cercaba, la apabullaba. Más de dos meses juntos y ahora debía acostumbrarse a vivir sin él. Tendría que aprender a convivir con su ausencia porque nadie podía asegurarle que volverían a verse. Él había prometido mucho pero empezaba a creer que, tal vez, aunque quisiera, nunca podría cumplir su palabra. Porque para muestra bastaba ver lo que había pasado con la llamada. ¿O su llamado no le había parecido importante? Otra vez no sabía qué pensar ni cómo sentirse al respecto.

Casi caía la noche cuando la ambulancia que transportaba a Álvaro se detuvo junto al avión que lo llevaría de regreso a España. Los enfermeros bajaron con cuidado al paciente que iba acostado en la camilla. Las ruedas del lecho rodaron sobre la pista. Álvaro respiró profundo; sabía que eran sus últimos minutos en tierra siria. En ese país casi había perdido la vida. En esa tierra se había enamorado profundamente de una mujer. En ese lugar del mundo había aprendido a ser agradecido y tantas cosas más.

Después de más de dos meses intensos, se marchaba siendo otro hombre. El corazón le dio un vuelco. ¿Volvería? Esperaba que no le fallara la salud. ¿Cuándo podría regresar? ¿Cuándo vería a Salma? No tenía respuestas, pero no olvidaba su promesa. Si no moría, volvería por ella.

Salma no le había hablado. O tal vez sí, y él no había atendido el teléfono. Quién podía saberlo. De todas maneras, ese celular había quedado en el hospital con los guardias. Su vida era un caos. Y por ahora sólo tenía una meta: subsistir. Debía resistir para después emprender la empinada cuesta que tenía por delante. Miró el cielo azul oscuro del ocaso y se despidió de Siria.

NUNÚ

Damasco, Siria, 1966

Corrían los primeros días del mes de febrero del año 1966 y Nunú aún no sabía qué sucedería en la convulsionada Siria. La frase «Para bien o para mal, el destino de la patria termina marcando el de los que viven en ella» se haría carne en su propio aliento.

El mundo avanzaba y cada país –y persona– se movía con pasos que luego condicionaban el siguiente, como si fueran calculadas jugadas de ajedrez.

El plan de Leila –buscarle defectos al candidato de su hija– había resultado exitoso. Nunú se había presentado ante su padre con una larga lista de fallas que había confeccionado luego de observar y escuchar a Bâhir durante las charlas que mantuvieron cada vez que visitó la casa.

Con apoyo de su madre, Namira le había relatado a Khalil: «Bâhir es sucio; le he visto las uñas negras. Es malhumorado, casi no habla y no ha sido amable conmigo, ni con mamá. A pesar de que le sobra el dinero, es tacaño. Jamás trae regalos, ni comida para compartir cuando viene a cortejarme».

El último defecto terminó de convencer a Khalil y le permitió a su hija romper el compromiso. Si desde el principio Bâhir se mostraba avaro, su familia jamás aprobaría el alto monto que pensaba pedirle como *mahr*.

Además, según el relato de Namira, el compromiso –una institución destinada a que los novios se conocieran con el fin de averiguar si funcionarían como marido y mujer– no había sido satisfactorio.

El compromiso contenía tanta importancia que, en ciertas ocasiones, si la relación entre los futuros esposos iba bien, solía fijarse la fecha de la boda, lo que, además, habilitaba la consumación del acto sexual. Nada más lejano en el caso de Nunú y Bâhir, que se habían visitado durante muy poco tiempo y, antes de empezar, ya estaban terminando.

Claro que Khalil cedió porque Nunú, Leila y hasta a Rihanna le llenaron las orejas explicándole por qué Bâhir no les parecía el hombre indicado para Namira. Asediado, concluyó que la belleza de su hija le prodigaría otro buen candidato. Estaba en la mejor edad; acababa de cumplir dieciocho años.

Esa tarde, encerrado en la pequeña oficina de su fábrica de telas, Khalil se felicitaba a sí mismo por no haber abandonado la búsqueda de un novio para Namira. Su permanente estado de atención le había permitido encontrar un nuevo hombre. «El que busca, encuentra», dijo en voz alta mientras dejaba de lado los papeles que debía firmar para encender la radio, escuchar las noticias y distraerse del tema que ocupaba su mente: las tratativas con otra familia que disponía de un buen pasar y cuyo hijo —estaba seguro— no era ni tonto, ni sucio, ni tacaño. Por lo que había averiguado, lo describían como un joven de pocas pulgas y hasta algo violento, pero no se le conocían otros defectos. Además, anhelaba que el futuro esposo se sirviera de esa personalidad para controlar a su hija, quien, en los últimos tiempos, se había vuelto demasiado quisquillosa y rebelde. De hecho, cuando le contó sobre este nuevo posible compromiso, Namira lo objetó. Pero en esta oportunidad, Khalil no aceptaría sus excusas tan fácilmente. Sobre todo, tratándose de una buena familia que, en el primer encuentro, no esquivó el tema del *mahr* y ninguna de las cifras barajadas le pareció descabellada.

Sumergido en sus devaneos, Khalil subió el volumen de la radio de la oficina porque le interesaba la cuestión que abordaba el conductor, quien intentaba describir de qué manera se pondría en práctica la moción del Baaz aprobada recientemente en el Congreso acerca de cómo implementar en Siria una revolución socialista. Los delegados la habían votado creyendo que de esa manera acabaría la explotación laboral y el capitalismo. El periodista lo dijo bien claro: «El gobierno ha comunicado que la economía del país quedará sometida a la planificación del Estado y que el comercio exterior será nacionalizado. La iniciativa privada sólo será para los negocios minoristas, la construcción y el turismo».

Tras escuchar la última frase, se puso de pie y apagó la radio con rabia. Ni siquiera oyó el parte relacionado con los levantamientos militares en las principales ciudades porque la noticia significaba que, otra vez, perdía la posibilidad de exportar su producción, pues el comercio exterior lo canalizaría el Estado. En consecuencia, suponía que no lo elegirían justamente a él y que su producción sería intervenida por algún servil funcionario del gobierno.

Estaba harto. El Baaz, partido que había alcanzado el poder a través del golpe de 1963 y que había sostenido que respetaría la propiedad privada y la libertad en todos los sentidos, ahora proclamaba una revolución de tinte marxista-leninista. En verdad, y con tal de que le dejaran ganar dinero, a Khalil no le preocupaba quién condujera los destinos del país. Quería exportar, impulsar el crecimiento sostenido de la fábrica. Pero, ante los constantes impedimentos, sentía que había nacido en el país equivocado.

Indignado y desanimado, se sentó en la silla, apoyó los codos sobre el escritorio y se tomó la cabeza con las dos manos. Cabizbajo, rumió el alcance de lo que acababa de escuchar.

Empezaba a arrepentirse de haber citado a su hijo Anás para hablar sobre trabajo, justamente, en la fábrica. Su intención de entusiasmarlo con ocuparse juntos de los negocios había perdido encanto tras oír la mala noticia. Otra vez, la economía les daba la espalda a sus planes.

Pero, más allá de su propia evaluación acerca de las medidas del gobierno, había una realidad: iba siendo tiempo de mejorar la relación con Anás. Su hijo maduraba y poco a poco se convertía en hombre. Por lo tanto, creía oportuno acabar las rencillas que los distanciaban. Con el resto de la familia vivía en paz. Sus hijos crecían y gozaban de buena salud, incluido el niño que había tenido con Rihanna. Además, las dos mujeres mantenían una relación cordial. ¿Qué más podía pedirle a Alá?

* * *

A la mañana siguiente, Anás le contó a Omar que había recibido la noticia que tanto había aguardado: en dos semanas comenzaría con las labores en una secretaría del comité. Ambos sabían que no se trataba de un empleo importante, ni que ganaría mucho dinero, pero para Anás representaba una puerta que, por más pequeña que fuera, se abría justamente hacia donde él quería. Por su edad, descontaba que tendría tiempo suficiente para escalar posiciones. La emoción lo embargaba. Los dos hablaban del tema y reían felices.

—¡Al fin me ganaste! ¡Comenzarás a trabajar con sueldo en el partido antes que yo! —celebró Omar mientras palmeaba a su amigo.

—No digas eso, que me haces sentir mal. Tú rechazaste el trabajo porque la paga es poca.

—Sí, tranquilo, es verdad. Pero ya sabes cuál es la razón por la que necesito anteponer el dinero —recordó, en el instante en que le pareció distinguir que se acercaba al puesto la culpable de que su meta principal fuera la compra de un terreno.

Sí, Namira se aproximaba. Vestía túnica blanca y velo floreado en el pelo. Se preocupó. Ella no venía al mercado, salvo los sábados. Tendría que haber pasado algo serio. Estaba en lo cierto: tras un breve rodeo, la joven reveló que su padre tenía un nuevo candidato en la mira. Ambos quedaron perplejos. Ella ya no ocultaba lo que sentía delante de su hermano; tampoco Omar. Sabían que contaban con su apoyo. Namira terminó su exultante relato y Anás explotó:

—¡Tienes que ir ya mismo a hablar con mi padre! —le exigió a su amigo.

Omar descargó:

—¡Se lo vengo diciendo a tu hermana! —Luego, dirigiéndose a la chica exclamó—: ¡Namira, esta vez no podrás negarte a que hable con él!

Ella, compungida, asintió con la cabeza y señaló:

—Aunque todavía no tengas el terreno, ve a verlo. Ya no puedo seguir deshaciéndome de los candidatos que me propone. Si concreta una cita con el hombre que esta vez ha encontrado para mí, será demasiado tarde.

—Tiene que ser pronto —dijo Omar pensando en voz alta. Trataba de maquinar cuándo y dónde sería preferible abordarlo.

Anás comentó:

—Ve a verlo a la fábrica, será lo mejor. Estará allá esta tarde. Lo sé porque me ha citado allí, cuando cerremos el puesto.

El rostro de Omar se iluminó y respondió:

—Me parece bien, porque debe ser lo antes posible.

* * *

En ese momento, muy cerca del mercado, dentro de un departamento de un lujoso edificio, un hombre pronunció la misma frase.

—Me parece bien, porque debe ser lo antes posible.

La persona vestía uniforme y hablaba con fervor en medio de un grupo de militares. Explicaba la necesidad de tomar por la fuerza y cuanto antes el poder de ese mismo régimen al que él pertenecía. Planeaban un nuevo golpe dentro del mismo partido.

El gobierno encabezado por Al Hafiz y sostenido por los moderados Aflaq, Al Bitar y Al Razzaz, que componían el Comando Nacional, se tambaleaba ante el Comando Regional dirigido por Jadid, un destacado militar que culpaba a los aflaquistas por el fracaso de la República Árabe Unida y llevaba la voz cantante

270

entre los miembros del grupo que solía reunirse en ese departamento con el propósito de hacer caer el gobierno y alinear el país con las directivas del bloque soviético.

Los tradicionales que estaban en el poder siempre habían perseguido un socialismo moderado que respetara la cultura de los pueblos árabes. Pero con el tiempo, la tendencia a la que adherían Omar, su padre y Anás había ido perdiendo fuerza ante una corriente influenciada por el marxismo, que reclamaba la tan mentada revolución nacional.

Las voces resonaron en el departamento.

—El golpe al gobierno debe ser efectuado esta misma noche.

—Estoy de acuerdo, pero debemos actuar inteligentemente porque alguien encendió la alarma y están listos para defenderse —advirtió el hombre más viejo.

El más joven sonrió y señaló:

—Diseñamos una trampa sencilla: a la medianoche, informaremos que se desató una disputa con armas de fuego entre los oficiales apostados en algún destacamento lejano... Quizás en los Altos del Golán. Después de sofocarla durante las horas de la madrugada, cuando estén cansados y los integrantes del gobierno, confundidos, nosotros iniciaremos el golpe.

El grupo celebró el plan con gritos de júbilo.

—¡Brillante! —alabó el viejo, que deseaba cobrarse un antiguo pleito.

La disputa entre las dos jefaturas del Baaz había recrudecido desde noviembre, cuando el Comando Nacional prohibió los traslados y las expulsiones de los oficiales del Ejército. Fruto de la proscripción, miembros del Círculo Militar y del Comando Regional encontraron la excusa perfecta para rebelarse.

* * *

Esa tarde, Anás y Omar cerraron el puesto y se dirigieron a la fábrica de telas Al Kabani. El trecho era largo, pero la caminata se les hizo liviana. La charla amena siempre los entretenía;

especialmente hoy, que conversaban sobre las tareas que Anás realizaría en el comité.

Ambos habían aprendido a apreciarse y compartían la pasión política. Aunque la diferencia de años no era tan grande, Omar actuaba de manera protectora con Anás. Cuando llegaron a la fábrica, se detuvieron y, ante la fachada, Omar propuso:

—Entra, reúnete con tu padre. En cuanto te vea salir, ingresaré yo. Por favor, no le menciones que estoy aquí.

—Me parece bien —aceptó su amigo.

Anás no sabía muy bien para qué lo llamaba su padre, pues no se lo había anticipado, pero intuía que sobrevendría alguna reprimenda, como sucedía cada vez que se encontraban. Por esa razón, en los últimos meses trataba de cruzárselo lo menos posible. Durante años le había rogado que pasaran más tiempo juntos, pero ya no le interesaba.

Subió los escalones e ingresó a la factoría decidido a no contarle todavía acerca del empleo que había conseguido en el comité. Sopesó que se lo revelaría más cerca de la fecha, cuando fuera inevitable.

En pocos minutos, Anás puso al corriente a su padre acerca de la jornada en el puesto del zoco y le entregó la rendición de las ventas de los últimos días.

Khalil observó los papeles. La letra de su hijo era prolija, las cuentas estaban perfectas. Le tenía fe para lo que planeaba. Fue al grano.

—Anás, te pedí que vinieras porque he estado pensando que sería bueno que te involucraras en la fábrica. Deseo que no sólo te dediques al mercado sino que también trabajemos juntos. El imperio que intento construir algún día lo dirigirás tú, que eres mi primer hijo varón.

La explicación lo sorprendió. No sabía qué decir. Al fin alcanzó a articular:

—Padre, yo…

Detuvo la frase y, ante su silencio, Khalil continuó:

—Es una pena que no sea un buen momento, pero hay que seguir adelante a pesar de las malas noticias...

—¿Por qué? ¿Qué ha pasado? —preguntó. Temió por su madre o sus hermanos.

—Hoy he escuchado en la radio que las exportaciones las manejará el gobierno.

Anás respiró aliviado y le respondió:

—Sí, lo sé. Ha sido una de las mociones que realizó un sector del Baaz.

—Un desastre...

—No crea, padre, que es malo. El gobierno podrá manejar mejor el dinero y entonces...

—¡¿Qué dices, Anás?! ¡Hace rato que quiero exportar y no puedo! ¿Me lo haces a propósito?

—No, claro que no —repuso el muchacho y se llamó a silencio.

Anás no deseaba entablar peleas tontas. En otra época, lo hubiera enfrentado para llamar su atención. Pero ya no. Estaba en paz. Había logrado cubrir el vacío sufrido en la relación con su padre volcándose al trabajo y a la participación en el comité del Baaz. Hoy era feliz porque en ese lugar lo habían recibido con los brazos abiertos, lo apreciaban y lo valoraban. Allí se encontraba su círculo cercano de hombres, de referentes.

Khalil, entretenido con su vida junto a Rihanna, ni siquiera se había enterado de que había perdido su cariño. Antes, Anás hubiera dado cualquier cosa por mantener este tipo de conversaciones. Pero su padre se había demorado demasiado en volver a hacerlo partícipe de su existencia.

—Te llamé porque quiero que trabajes a mi lado. Que vengas aquí, que dividas tu tiempo entre el puesto y las máquinas de la fábrica.

—Ay, padre...

—¿Qué opinas?

Anás permaneció callado. No sabía cómo decirle que él no quería nada de su mundo. Si continuaba en el puesto era porque aún no había logrado meterse de lleno en la política.

—Habla de una vez: ¿vendrás o no?

Al fin confesó.

—No. Este trabajo no me interesa.

—¿Sólo quieres seguir en el puesto? ¿Realmente prefieres la venta en el zoco?

—No se trata de eso.

—Explícame. No te entiendo.

—No creo que siga mucho tiempo más trabajando en el puesto. Tengo otros intereses.

Para Khalil, las palabras de Anás fueron un cachetazo.

—¡¿Y se puede saber qué demonios te interesa?!

El muchacho se concentró unos instantes en la respuesta. No quería iniciar una trifulca. Pero fue más fuerte que él; se sentía orgulloso de sus gustos e intereses. La verdad empujó su lengua y respondió:

—La política.

Ya no le importaba quedar bien con su padre, no le importaba la relación. Se había soltado de Khalil por completo.

—¡Mierda! No puedes darme esa respuesta —protestó—. ¿Quieres hacerme rabiar?

—Es la verdad.

—¡No entiendo en qué culo piensas!

Khalil estaba enojado de verdad. Como buen musulmán, no acostumbraba a maldecir, pero acababa de despachar una palabrota por la que luego tendría que purificarse.

Anás respondió sincero y tranquilo.

—No soy la única opción. También cuenta con Abdallah y el niño de Rihanna.

—Tú eres el mayor. En algún momento debes entrar en razón.

—Si entrar en razón es trabajar en sus negocios, padre, prefiero la insensatez. Tengo otros planes.

—¿Qué planes, si se puede saber?

—Ya le dije: dedicarme de lleno a la política.

—¿Piensas que te abrirán las puertas tan fácilmente? Mira la vida del padre de Omar.

—Su situación es diferente; es maestro y tiene muchos hijos que mantener. Yo pienso empezar ahora, que soy joven.

—En este país mandan los poderosos, los militares. Jamás obtendrás nada de esa actividad, salvo problemas. Nunca ganarás dinero.

Las palabras de su padre lo desafiaron. Y, más que nunca, quiso demostrarle que había alcanzado esa meta.

—Claro que sí. Ya conseguí trabajo en el comité.

Khalil enmudeció. No esperaba esa respuesta.

—No te pagarán.

—Sí, lo harán. Tendré un sueldo.

Khalil pensó que la conversación tomaba un rumbo inesperado; usó un golpe bajo.

—Pero no puedes renegar de los negocios que con tanto sacrificio he mantenido para ti.

—Sí, puedo. Y lo haré —Anás fue tajante.

Ambos se observaron en silencio durante unos instantes, hasta que Khalil lo rompió.

—Entonces —dijo cortante—, desaparece de mi vista... Y de mi vida.

Intercambiaron otra mirada de fuego y Anás sentenció:

—Lo haré. No quiero, ni necesito nada de usted.

—¿Ah, no? Entonces vete también de mi casa, porque aún vives allí.

—¿Su casa? ¿Cuál? ¿La nuestra o la «otra»? Porque vive en dos —dijo con una sonrisa burlona.

—No me faltes el respeto.

—¡Me iré de la casa, no se preocupe! —exclamó Anás. Y sin esperar respuesta, se dirigió hacia la puerta de la oficina, la abrió con violencia y se marchó.

En la calle, concentrado en la terrible discusión que acababa de sostener, ni siquiera recordó que Omar estaba atento a su salida. Su amigo lo llamó por el nombre y luego le silbó. Pero el chico no lo oyó. Omar dudó entre perseguirlo para saber qué le había ocurrido o quedarse y entrar a la fábrica para cumplir con su cometido. Se decidió por lo segundo. No podía arriesgarse a perder la oportunidad de exponerle sus intenciones con Namira.

Por la reacción intempestiva de su amigo, asumió que había discutido con su padre porque, cada vez que se veían, el choque resultaba inevitable. Entonces, temió que no fuera el mejor momento para abordar un asunto tan espinoso como el del matrimonio. Pero comprendió que nunca lo sería. Además, no podía dilatar más esta conversación. Tomó coraje y cruzó la calle. Subió los escalones mientras se encomendaba a Alá.

CAPÍTULO 12

Las cosas no valen por el tiempo que duran,
sino por la huella que nos dejan.
PROVERBIO ÁRABE

Barcelona, España, 2014

Álvaro Sánchez se movió despacio en la cama del hospital. Si bien ya no sentía grandes dolores, al cambiar de posición lo acechaban los miedos de volver a padecerlos, como si fueran fantasmas. La intensidad había disminuido pero la memoria del cuerpo lo había vuelto precavido y le recordaba: «No te inclines para la derecha porque duele más. Mejor para la izquierda. Ten cuidado cuando mueves la pierna, que tironeas de la sonda» y etcétera, etcétera.

Acababa de despedir a Paloma, que lo había visitado por segunda vez desde su arribo a España. Ambas habían sido visitas cortas; él procuraba que así fueran, pues ya no le hallaba gracia a su compañía, y las abreviaba escudándose en su necesidad de descansar.

Habían pasado varios días desde la última operación y si bien aún no se encontraba en perfecto estado, sentía una notable mejoría. Esperaba el alta de un momento a otro. Hacía casi cuatro semanas que el avión sanitario lo había traído de Siria y al fin su vida empezaba a encarrilarse. Las actividades comunes y cotidianas de cualquier mortal –algo tan simple como comer– adoptaban cierto parecido a la normalidad. Las balas le habían perforado el estómago y el intestino, y una infección interna agravó su pronóstico. Si no se había muerto, bien podía atribuírselo a la pericia de los médicos españoles o a un milagro.

Durante todo ese tiempo lo había cuidado Dana, su madre,

a quien le estaría eternamente agradecido por haberse decidido a viajar para acompañarlo y asistirlo.

Con Salma no había vuelto a hablar. No hubiera podido aunque hubiese querido. Las largas semanas en el hospital y su precaria existencia no se lo habían permitido. Amén de que conseguir su número de teléfono hubiera sido un engorro en esos días en que sólo respirar resultaba un gran logro. Porque desde el momento en que llegó a Barcelona su vida se había convertido en un peregrinar de médicos, operaciones y tratamientos. Sumido en una nebulosa, sólo había intentado sobrevivir. Lo había conseguido, y estaba contento. Su madre, también. Descubría la felicidad de Dana, quien, sentada en el silloncito de la punta de la habitación, esa mañana le contaba a una joven enfermera nueva el caso de su hijo y sus progresos.

La muchacha le respondió:

—Pues, ¡enhorabuena! He oído decir al médico que le darán pronto el alta.

—La estamos esperando de un momento a otro —dijo Dana, a quien el cansancio comenzaba a notársele ahora que la mejoría de su hijo le permitía relajarse.

La enfermera colocó en la mesilla la sopa que acababan de traer y luego la arrimó frente a Álvaro, mientras le regalaba una sonrisa. Le gustaba ese hombre rubio y amable; lo encontraba guapo y, además, interesante, pues su estadía en el hospital se la debía a su atrevido intento por conseguir fotos de los horrores de una guerra. Los saludó encantadoramente a ambos y se marchó.

Dana, que entendió lo que acababa de pasar, dijo con picardía:

—Creo que ya es hora de ir a casa. Acá las asistentes han dejado de verte como un enfermo.

A Álvaro le costó entender el chiste. Recluido en su propio mundo, no se percató de la mirada de la enfermera. Pero la situación le mostraba que la vida continuaba y que él debía volver a la normalidad.

Dana siguió los movimientos de su hijo antes de llevarse la cuchara a la boca: contempló el plato, cerró los ojos e inclinó la cabeza durante unos instantes; luego, sorbió la sopa. Sorprendida, le preguntó:

—Desde que te han autorizado a comer, te veo hacer eso. ¿Lo aprendiste con los musulmanes?

—No, fue espontáneo. En Duma no era fácil conseguir comida. Nunca se sabía qué habría al día siguiente. Desde entonces, agradezco los alimentos que llegan a mi vida.

—Entiendo. ¿Pasaste hambre?

—Sí, a veces, pero no vas a creerlo…

Álvaro no terminó la frase.

—Dime, hijo…

—Creo que allá fui muy feliz.

Dana suspiró fuerte, la vida a veces era extraña. Habló con la sabiduría que dan los años.

—Me imagino que tiene que ver con la chica que nombras.

Desde que su hijo se sentía mejor, a menudo recordaba detalles de lo vivido en Duma y se atrevía a relatarle algunas experiencias. En esas charlas siempre aparecía el nombre de Salma.

—Así es. Ella fue importante.

Álvaro, casi recuperado, sentía que cada día los recuerdos afloraban más y más. La imagen de Salma se le formaba nítida en su retina.

—¿Fue o es? Hay una diferencia.

—La amé. Creo que aún la amo.

—Lo que dices es importante. ¿Por qué no le hablas?

—Desde ayer que estoy pensando en hablarle.

—Es una buena idea. Juntos atravesaron momentos difíciles y seguramente ella también querrá saber de ti —sugirió Dana, que podía entrever cuán profundo había sido el tiempo compartido.

—Tendría que conseguir su número de celular. He perdido hasta el del padre.

—Hijo, puedo pedirle a Wafaa que nos facilite el teléfono de la casa. Al fin y al cabo, mi vecina es tía de esa muchacha.

–Tienes razón. No lo había tenido en cuenta. No recordaba la relación –reconoció. Le resultaba tan lejano el hecho de que fuera su madre quien lo contactara con la familia Al Kabani que se turbó. Pero poco a poco las ideas coherentes volvían a su mente–. Consíguelo, por favor.

Dana tomó su celular y le escribió un mensaje a Wafaa. Tras un saludo cariñoso, le pidió el teléfono fijo de la casa de su hermano. Hacía bastante que las amigas no hablaban; sobre todo, porque Dana había pasado las últimas semanas viviendo por y para su hijo, pero Wafaa siempre enviaba mensajes de aliento para acompañar la recuperación.

Álvaro comenzó a planear la partida del hospital cuando su madre recibió la respuesta de Wafaa con la información solicitada: el teléfono fijo de la casa de Abdallah. Para matizar, le contó que por esos días la librería le demandaba tiempo. «Estoy ocupada pero entretenida con los servicios de novedades», le escribió.

–¿Quieres usar mi teléfono para hablarle a la chica? –propuso Dana.

Estaba convencida de que la recuperación completa de su hijo, tanto física como emocionalmente, se produciría cuando él cerrara el círculo que había dejado incompleto con la muchacha siria. Ambos se debían una conversación.

–Dámelo. Lo intentaré. Aunque no sé si podré comunicarme. Se trata de otro país.

Álvaro tomó el teléfono de su madre y con paciencia comenzó a marcar todos los números necesarios para el discado internacional. Terminó y enseguida sintió que del otro lado empezaba a sonar. La comunicación se había establecido, la campanilla del teléfono de la casa de Damasco estaba sonando. Oyó que levantaban el tubo y una voz femenina preguntó en inglés:

–*Hello! Who is this?*

Álvaro reconoció la voz de inmediato. ¡Era Mahalia, la empleada filipina! Se presentó con la convicción de que ella lo recordaría.

—Hello, Mahalia! I'm Mr Sánchez. I'm in Barcelona.

—Oh, Mr Sánchez! Thank god you are alive!

Álvaro no tuvo dudas de que ella estaba al tanto de su huida en medio de la balacera en Duma. Le decía que estaba contenta de saberlo vivo.

—Is Salma around? —preguntó Álvaro.

—She doesn't live here anymore.

Álvaro no pudo creer lo que oyó. ¿Cómo que Salma no vivía más con sus padres?

—Necesito hablar con ella —dijo en español. Pero al darse cuenta de que había cambiado de idioma, se lo repitió en inglés. La mujer le respondió con amabilidad; se notaba que quería ayudarlo.

—She's living with her aunt. Le pasaré el teléfono de la casa de Namira —terminó la frase en castellano con gran esfuerzo.

—Thank you very much! —Álvaro le agradeció de corazón. Mahalia le facilitaría la información para dar con Salma.

Con una seña, le indicó a su madre que le alcanzara papel y lápiz. Garabateó unos números y se despidió con cariño.

Se quedó pensativo por unos instantes. Le resultó muy extraño que Salma hubiera abandonado la casa paterna para mudarse con su tía Namira. Meditó sobre los profundos cambios que —no tenía dudas— estaría atravesando y los recuerdos de tantos momentos vividos juntos asaltaron su mente.

Compartió con Dana el resultado de la llamada pero no llegó a darle detalles porque en ese momento ingresó el médico. El hombre vestido de guardapolvo blanco lo revisó minuciosamente. Al terminar, le dijo con un mohín aprobatorio:

—Te encuentro perfecto, Álvaro. Ponte a hacer las maletas, hombre, porque mañana te marchas. Ya no necesitarás seguir aquí.

Después de su prolongada estadía en la clínica, los facultativos ya lo apreciaban como si fuera parte de la familia.

Dana, desde la esquina, sonreía; Álvaro, también. Ambos esperaban esas palabras desde hacía mucho tiempo.

—¿Me dará el alta definitiva? —consultó Álvaro.

—Claro. Sólo necesito que, tras abandonarnos, hagas caso de cada una de mis indicaciones. Te haré una lista de comidas y cuidados que deberás observar.

Un rato después, cuando el doctor se retiró de la habitación, Álvaro se recostó y se puso de costado mirando la pared. No quería hablar ni siquiera con su madre. Cavilaba en Salma, en cómo estaría. Recordaba muy bien la experiencia traumática por la que había pasado, no se olvidaba de cuánto la habían lastimado. Cuando traía a su memoria el episodio, aún sentía odio por esos hombres.

Recordó todos los detalles del rostro de Salma. Los ojos negros y grandes, su piel dorada, la boca de labios carnosos con ese lunarcito en el borde. Tuvo tantas ganas de verla que creyó volverse loco. Haber oído la voz de Mahalia lo había transportado a esa casa de Damasco, donde empezó todo, a ese país que le cambió la vida. Porque él nunca más sería el mismo. Estaba seguro.

* * *

Salma, sentada frente al espejo ubicado en el cuarto destinado para que durmiera durante su estancia en la casa de su tía Namira, le ordenó a la peluquera que procediera. La chica, que en alguna oportunidad la había peinado, dudó. Salma le pedía un corte tan drástico que sopesó nuevamente cómo llevarlo a cabo.

En Damasco, el pelo de una mujer constituía un bien privado muy preciado e importante para que lo cortara o lo peinara cualquiera. O se visitaba una peluquería, de esas que sólo atendían mujeres y cuyas ventanas se tapaban con gruesas cortinas para garantizar la intimidad, o se llamaba a una de esas *coiffeuse* exclusivas como la joven Aisha, que se había presentado en la residencia de Namira para realizar su trabajo.

—Lo quiero al hombro —repitió Salma.

Aisha, admirando ese cabello sano, renegrido y largo hasta la cintura, le dijo:

—Me da pena, señorita. ¿Está segura?

—La decisión está tomada. Por favor, comienza —ordenó Salma.

Qué podía saber Aisha sobre la razón que motivaba el corte. Se trataba de uno de los tantos secretos de todos los que llevaba encerrados en su interior. En el último tiempo se había acostumbrado a mantener conversaciones profundas sólo consigo misma. Nadie conocía su rica y retorcida vida interior. Miles de experiencias sin develar, cientos de reflexiones sin respuestas. Porque los episodios vividos en Duma —incluidas sus consecuencias— habían quedado silenciados para siempre.

—¿Le corto así o más?

—Más —dijo Salma mientras contemplaba cómo caía la mata de pelo al suelo.

Luego de varios minutos de labor, la mujer exclamó:

—¡Ya está! Si le corto más, no podrá peinarse.

Acababa de realizarle un carré cortísimo; tanto, que el cuello quedaba descubierto.

Aisha le ofreció dos o tres consejos sobre cómo manejar la nueva forma del pelo y luego recibió el pago por su tarea.

Tras despedir a la joven, el teléfono del cuarto de Salma comenzó a sonar. Atendió despreocupada, entre desanimada y displicente, mientras intentaba reconocerse en el espejo.

Era Mahalia.

Dejó de apreciar su nuevo aspecto y se sentó en el silloncito de su habitación. Cuando terminara de hablar con ella, evaluaría la tarea de Aisha. Lo que la empleada le estaba compartiendo era demasiado trascendente para interesarse por otra cosa.

Charló unos minutos con Mahalia y luego cortó. Pero ya no volvió a observar su reflejo en el espejo. El corte de pelo había perdido importancia. La noticia que acababa de recibir la había dejado trastornada.

Nerviosa, caminó por la habitación. Tenía bastantes preocupaciones como para que Mahalia le contara que Álvaro Sánchez había aparecido de la nada dignándose a preguntar por ella después de más de un mes de absoluto mutismo. En ese momento de su vida, los problemas parecían perseguirla. El tiempo vivido en la ciudad de Duma había partido su existencia en dos. Un antes y un después se marcaban claramente.

* * *

En el sanatorio sonó el celular de Dana. Pero para no molestar a su hijo, que parecía descansar acostado de lado mirando a la pared, salió al pasillo para atender la llamada. Su amiga Wafaa, que se disculpó por no llamar más a menudo —«Para no molestar», dijo—, se interesaba por la salud de Álvaro y por su estado de ánimo como madre, pues comprendía cuán difícil podía tornarse cuidar a un internado durante un mes.

Para distraerla, Wafaa le contó lo poco que sabía sobre su sobrina. «Si no lo llamo, Abdallah no se comunica. Y si lo llamo, mi hermano parece una piedra. Tengo que exprimirlo para que diga algo», se quejó Wafaa, quien, por otro lado, tampoco mantenía comunicación con Namira.

Dana y su amiga, con tanto en común, entablaron una larga conversación. Wafaa le dio consejos acerca de cómo relacionarse con los Al Kabani y le explicó sucintamente qué veían ellos con buenos ojos y qué no. Dana creyó que no necesitaba tantas recomendaciones dado que no establecería contacto con esa familia. Su hijo tenía pendiente la charla telefónica con la muchacha, pero… ¿para qué tantos reparos?

Dana y Wafaa, centradas en el hoy, conversaban con liviandad de las trivialidades del día: que habían llegado muchas novedades a la librería de La Rioja, que el trato de las enfermeras del hospital era muy solícito, que el tránsito de Barcelona estaba terrible. Ellas no imaginaban que el destino les reservaba la importante tarea de unir las piezas del puzle de la vida, ambas mujeres juntas deberían lograr darle forma a la figura completa y armoniosa de esa obra viva.

* * *

El mediodía que Álvaro recibió el alta médica fue muy movilizador. Después de un mes hospitalizado, regresar a su departamento y encontrarse con las cosas tal como las había dejado tres meses atrás, antes de marcharse a Siria, fue un cimbronazo. Duma y las experiencias acumuladas en ese país le demostraban que no había sido un sueño.

Respiraba un airecillo de cierta alegría al saber que había salvado su pellejo, pero también de cierta impotencia al reconocer que las cosas no habían salido como las había planeado. Descubrir sobre su cama el suéter negro que había desechado minutos antes de salir para el aeropuerto rumbo a Beirut lo retrotrajo en el tiempo. Le había parecido demasiado abrigado para el verano del Medio Oriente. Recordó el calor de Duma y un sentimiento de melancolía le llenó el cuerpo y el alma.

Su madre puso la pava eléctrica para tomar mate. Sería la primera vez en mucho, mucho tiempo que realizarían el ritual argentino. Álvaro caminó por el departamento y descubrió la maleta de Dana en el cuarto de invitados, un sucucho repleto de libros, fotos y archivos que carecían de lugar específico en la casa.

Le dio pena. Regresó a la cocina y le propuso:

—Te daré mi cama para que descanses.

—No, Álvaro, de ninguna manera.

—Que sí.

—Que no. Además, sólo me quedaré unos pocos días más. Debo regresar para atender mi casa.

—¿Qué tanto tienes que atender?

—Los perros, las plantas, las cuentas. ¡Hace un mes que no le pago al piletero! Ya no puedo seguir pidiendo favores.

Álvaro sonrió ante el pequeño mundo de su madre al que trataba con responsabilidad.

—Te entiendo.

—Me he ausentado mucho... pero valió la pena.

—Lo sé. Y te lo agradezco.

—Eres mi hijo y estoy feliz por tu recuperación —comentó y le entregó un mate.

Álvaro disfrutó de la normalidad que entrañaba tomar uno. Luego le preguntó:

—¿Cuándo planeas marcharte?

—En una semana. Pero he estado pensando en que deberías tomarte un descanso y volver a la Argentina conmigo para pasar una temporada.

Álvaro abrió los ojos y levantó las cejas, la idea lo seducía. Recordó que estando en Duma muchas veces se había prometido a sí mismo que, si salía con vida, sería una de las primeras cosas que haría. Le respondió a Dana:

—Podría ser... ¿Por qué no? Pero antes debo resolver unos asuntos pendientes —explicó mientras recordaba a Salma.

Tenía que verla. Aún se sentía extraño, no lograba acomodar las prioridades. Recordó que debía gestionar la continuidad de la licencia por enfermedad, comunicarse con la redacción, completar los trámites burocráticos... y avisar que no volvería por unos meses. Tanto tiempo alejado de su vida normal y ahora, que regresaba, que tenía los pies en Barcelona, parecía que no encajaba en esa existencia trivial. Era como haber bajado de un tren que le costaba abordar de nuevo. Confundido, no tenía claro por dónde empezar ni cuáles eran las prioridades. Resolvió darse un baño; luego, tranquilo, decidiría cómo se organizaría.

Ducharse bajo la regadera de su piso fue un lujo que encontró maravilloso. Logró relajarse, pero aun así las ideas no se le aclararon. Terminó y salió envuelto en una toalla. Abrió su placar para vestirse, pero, de tan delgado, no supo qué ropa ponerse. No todo le servía. Examinó sus camisas y eligió una: la Polo color celeste. Al abrochar los primeros botones experimentó una visión aterradora: el fotógrafo francés acribillado en Duma.

Esa muerte sin sentido, gratuita, lo había marcado. Y al palpar la camisa, evocó el cariño y la pasión con que Salma lo sacó del trance. Su ardor de aquella noche lo había salvado. Tenía presente los detalles, sus caricias; podía recordar su cuerpo menudo y cuanto había ocurrido durante esa velada. Tumbado en la cama, concluyó que no podía dejar las cosas como si nada hubiera ocurrido y continuar con su vida como si tal cosa. No era el mismo, nunca volvería a serlo. Había visto la muerte de cerca. Y había amado a Salma. La había amado. Sí.

De pie y desnudo, se miró en el espejo. Se acercó y reparó en su rostro. La barba rubia comenzaba a crecerle nuevamente; esta vez le tocaría a él afeitársela, no a una enfermera. Sus ojos verdes volvían a ser vivaces, llevaba el pelo bastante largo. Se pasó los dedos por el cabello claro y húmedo hacia atrás, pronto le alcanzaría para una coleta. Se observó en profundidad y se preguntó: «¿Qué clase de hombre soy?». La persona que se marchó a Siria ya no existía. Él era otro. Y sus intereses y prioridades nunca volverían a ser los mismos.

Lo reconoció y lo dijo en voz alta.

—Soy otro...

Evidentemente, estaba en medio de una crisis. Se calzó la camisa celeste, un jean y se dispuso a hablar con Salma. Necesitaba oír su voz. Hablar de lo que les había pasado. Tal vez, incluso, hasta recuperar a esa mujer siria que había sido la más importante de su vida. Claro: siempre que ella aún quisiera algo con él. Lo que habían tenido en Duma había sido demasiado importante, el fuego encendido en aquella oficina aún debía conservar una llama, no podía haber desaparecido.

Tomó el teléfono y marcó el número de Namira al Kabani.

Sonó y lo atendieron.

—*Aló...* —se escuchó del otro lado la voz femenina con el típico saludo sirio en el teléfono.

Álvaro dudó. Se quedó en silencio esperando a que la persona volviera a hablar. Antes de darse a conocer, quería estar seguro.

—*Aló...* —La voz insistió—. ¿*Aló...?*

Entonces, ya no tuvo dudas. Era ella. Estaba convencido.

—¿Salma…?

—Sí… —dijo una voz vacilante del otro lado.

—Soy yo… Álvaro —explicó en español.

Otra vez unos instantes de silencio.

—*Marhabaan, Sánchez…*

Él continuó:

—Hablé a tu casa y me dijeron que estabas con Namira.

Ella tardó en responder.

—Estoy aquí hace varios días, pero… ¿dónde estás tú?

—En Barcelona.

—Hum…

Otra vez el silencio se adueñaba de la línea telefónica. Esta vez fue Salma quien lo cortó.

—¿Te encuentras bien…?

—Sí, Salma. Casi recuperado por completo.

—Me alegro… —Su voz sonó distante. Enseguida arremetió—: Porque, para serte sincera —le reprochó—, ni siquiera sabía si estabas vivo. Nunca volviste a hablar…

—Hoy es mi primer día fuera del hospital. Al fin estoy en mi casa después de un mes de médicos, operaciones y rehabilitación.

—Estás bien de salud, entonces…

—Sí, sí… ¿qué otra cosa puedo decir? Fue duro, pero… ¿Y tu pierna, Salma?

Ella suspiró fuerte.

—Bien, sana por completo.

—¡Uf…, Salma! Finalmente logramos salir vivos de Duma. A veces, todavía me cuesta creerlo.

—A mí también me pasa.

Otra vez el mutismo se instalaba en ambos. Era difícil retomar una conversación normal después de todo lo que les había pasado y de lo que ellos habían tenido. ¿De qué conversar? ¿De cómo silbaban las balas cuando huyeron de Duma? ¿De la vida como pareja que tuvieron en ese lugar? ¿Hablar y poner sobre el tapete si aún se amaban? ¿O simplemente seguir conversando del presente como si las fuertes emociones del pasado no hubieran existido?

Álvaro intentó poner en palabras sus sentimientos. Habló con sinceridad:

—Apenas llegué al departamento pensé en ti, en lo que pasamos en Duma. Necesitaba hablarte, por eso te llamé. —Tras unos instantes de silencio, agregó—: Agradezco lo bueno que tuvimos y lamento mucho lo malo que pasó, me refiero a lo que tuviste que pasar...

Salma captó que se refería a la violación, pero hizo como que no lo entendió. Si aún no podía enfrentarla ni siquiera consigo misma, mucho menos hablaría del asunto con él, que había aparecido después de más de un mes de ausencia. Entonces, manifestó lo que pensaba desde que atendió el teléfono.

—Álvaro, creo que merecía que me hubieras hablado antes.

—No te quiero decir que fue imposible llamarte, pero atravesé instancias muy traumáticas. Me indujeron un coma farmacológico para evitar el dolor y perdí la conexión con la realidad.

—Ah... —musitó Salma y siguió en silencio.

La voz de Álvaro hacía tambalear su mundo sirio mientras se esforzaba por hablar el español en forma coherente. Conversar en esa lengua le producía un shock; no la hablaba desde Duma. El sonido de esas palabras le traía recuerdos de aquella ciudad, de lo bueno y de lo malo. Su universo de mujer musulmana daba vueltas, giraba vertiginosamente y de manera peligrosa. El sentimiento por Sánchez era fuerte, como los días que compartieron bajo el techo de la fábrica.

Álvaro también le dio vía libre a sus reproches.

—También podrías haber demostrado más interés de tu parte y haber insistido en hablarme.

—¿Llamarte? ¿A dónde? Ni siquiera sabía en qué parte de España estabas.

—Si hubieras querido, podrías haberlo averiguado.

—¿Qué sabes tú sobre lo que debí enfrentar cuando llegué a Damasco? Y peor aún: ¡lo que todavía enfrento! ¿Por qué crees que estoy en esta casa? ¿Porque me gusta? Realmente no tienes idea de lo que es mi vida.

—Pues yo también debí enfrentarme a varios… ¡muchísimos! inconvenientes. Y lo hice solo. Pero aquí estoy, hablándote. Si no hubiera venido mi madre a España…

—¿Fue tu madre? Me alegro. Pues si te hubieras quedado en Siria, yo te habría cuidado —Salma se defendió con la verdad.

Álvaro se enterneció ante la respuesta. Hubiera querido responderle que si él no hubiese estado herido, se habría hecho cargo de ella y de todo lo que tuvo que vivir, pero se calló. Sólo dijo:

—Quiero verte.

Decididamente era lo que deseaba hacer. Contemplar su rostro, conversar, contarse todo. Recordar y, tal vez, si fuera posible, planear juntos el futuro.

Salma tardó en responder.

—Pero estás en España y yo, en Siria.

—Puedo viajar.

—¿Volverías a Siria después de las desgracias que has pasado en este país?

—Iría por ti. No te exijo nada, sólo verte y conversar. Creo que nos los debemos.

—Aunque vinieras, no sería sencillo. Tendría que consultarlo con Namira, estoy a su cargo.

—¿Tú a cargo de Namira?

—Sí, es la hermana mayor de mi padre. Y él me ha dejado bajo su tutela.

Álvaro no podía creer que una mujer de la edad de Salma, sólo por el hecho de ser soltera, permaneciera bajo el dominio de su padre y que ese hombre tuviera la capacidad de decidir sobre la vida de ella como lo hacía a diario. Para peor, se le sumaba Namira, porque su tía también tenía poder de decisión.

—¡Ridículo! —explotó—. No me importa qué piensa ella, sólo me interesa lo que piensas tú.

—Pues ve haciéndote a la idea de que la opinión de mi tía cuenta.

—Salma, a mí sólo me importan tus decisiones. ¿Quieres o no que viaje?

La oyó suspirar fuerte de nuevo. Dentro de ella chocaban el enojo porque no había aparecido antes y la ternura por su insistencia. Al fin, respondió:

—Ven, Álvaro Sánchez, súbete a un avión, cruza el Mediterráneo y pon tu cabeza otra vez en la picota. Yo hablaré con Namira, estoy segura de que ella entenderá.

—Tomaré un vuelo el fin de semana. Avísale a tu tía que llegaré a su casa el sábado.

—Ni siquiera sabes la dirección.

—Dámela.

Ella lo hizo con voz temblorosa mientras se preguntaba «¿Qué estoy haciendo al permitirle que se presente?». Bastantes líos tenía en su vida para agregar otro. Pero no lo podía negar: quería ver a Álvaro. Y más problemas de los que tenía en ese momento ya no podían aparecer. Además, Álvaro tenía derecho a saber todo. Se imaginó contándole sus verdades y se estremeció.

Se despidieron rápidamente. No tenía sentido seguir conversando por teléfono. En dos días se verían y las palabras que ahora se dijeran podían hacer tambalear la reunión que habían pactado.

Salma salió de su cuarto y fue hasta la biblioteca, donde su tía ordenaba papeles. En el escritorio de esa sala pasaba varias horas del día dedicada a sus negocios inmobiliarios. Salma, incluso, solía ayudarle. A Namira le gustaba llevar a cabo la administración de las propiedades que había heredado de su esposo. En su tiempo, Namira había sido una mujer muy hermosa que, después de rechazar varios pretendientes, había tenido que aceptar convertirse —por imposición paterna— en la tercera esposa de un hombre mayor. Por espacio de diez años, mientras su marido vivió, debió convivir bajo el mismo techo junto con las dos primeras esposas. Hijos no había tenido. Cuando las tres mujeres enviudaron, Namira recibió el legado económico que le correspondía y se prometió que no reincidiría en el matrimonio. Desde entonces, se dedicó a criar a sus perros y a poner en práctica lo que realmente le gustaba: hacer negocios y disfrutar de su libertad. Para Salma, Namira era su tía querida porque cuando Malak o ella la necesitaron, siempre estuvo presente. Sobre todo, en su época de joven universitaria, cuando precisaba que alguien intercediera para obtener las autorizaciones que Abdallah le negaba.

Salma entró decidida a la biblioteca. Estaba segura de que su tía no se negaría a recibir la visita de Álvaro Sánchez, pero no se sentía preparada para contarle toda la verdad.

—Ay, Salma, me has asustado. Estaba tan metida en mi trabajo. Dime…

—Necesito conversar contigo sobre un asunto importante.

—Pues, ven, siéntate y habla de una vez.

Salma ocupó el otro sillón y meditó unos instantes. No se decidía por dónde empezar. Nadie conocía su historia, nadie sabía acabadamente lo que ella había vivido en Duma. Tampoco ninguna persona estaba al tanto de lo que atravesaba ahora. Tal vez fuera tiempo de desahogarse, de contarle a alguien de confianza una parte de lo sucedido. ¿Cómo reaccionaría Namira ante la verdad? ¿Se escandalizaría? ¿La entendería? ¿Se pondría del lado de su padre y aumentaría las prohibiciones? Desnudarse ante ella significaba correr un gran riesgo.

Dijo las primeras palabras:

—Ojalá me entiendas…

Luego pronunció dos frases que incluyeron palabras como «amor», «Duma», «hombre». Y ya no pudo parar. Porque su boca se transformó en una caudalosa catarata de confidencias. Aún no sabía si Namira la condenaría, pero Salma ya no podía detener su relato. Su mente atiborrada de recuerdos obligaba a su boca a ponerlos en palabras. La verdad exigía salir a luz y ella, por primera vez, se lo permitía. Porque contar su experiencia le permitía sentir un extraño regocijo. Era la prueba de que no lo había soñado, de que en verdad lo había vivido. Su confesión le producía un gran alivio que por momentos le sabía a libertad.

Salma relataba y la biblioteca escuchaba por primera vez la palabra «sexo» y también muchas otras que jamás antes se habían pronunciado en ese recinto. El pestañeo estupefacto de Namira marcaba el compás de la narración que, por momentos, se hamacaba en la dulzura de la miel y, por otros, en un sórdido dolor que no la dejaba respirar. Las vivencias de su sobrina alcanzaban el pico de lo sublime y descendían a los infiernos.

Para bien o para mal, la verdad quedaba expuesta. Se mostraba, se desplegaba. Danzaba ante ellas. Y a Namira la obligaba a tomar una postura. Su interior se debatía entre la resolución que tomaría Nunú, la chica que alguna vez fue, y la que decidiría Namira, la mujer en quien se había convertido con los años.

NUNÚ

Damasco, Siria, febrero de 1966

Para el padre de Nunú, ver a Omar entrar en su oficina fue un balde de agua fría. No lo esperaba; y menos, después de la discusión con su hijo. Se puso a la defensiva porque creyó que el muchacho, enterado de la pelea, venía a respaldar la postura de Anás. Al fin de cuentas, Omar había sido determinante en el creciente interés de su hijo por la política y la apatía por los negocios. En silencio, lo observó con detenimiento; su rostro le causaba aprensión.

—Dime, Omar, ¿a qué has venido? —preguntó desafiante.

Omar fue directo.

—Vine por su hija.

—¿Mi hija?

—Namira…

Omar pronunció el nombre y la boca se le llenó de miel. Y repleto de esa dulzura, ofreció explicaciones sinceras, tal como lo haría un cordero frente al lobo.

Ante cada palabra que el muchacho pronunciaba, Khalil se sulfuraba más y más. ¿A esta gente no le bastaba con haberle metido las ideas baazistas a su hijo hasta echarlo a perder por completo? Evidentemente, no. ¡Ahora también querían a su hija! ¿Y para qué? ¡Para someterla a la pobreza! Justamente a Namira, la más bella de sus niñas, la que, de proponérselo, conseguiría el marido que deseara.

Escuchaba las intenciones que Omar le exponía y más crecía su enojo. Cuando creyó que al fin había concluido, Khalil le preguntó:

—¿Mi hija tiene alguna opinión sobre lo que acabas de relatarme? ¿Sabe ella lo que me has contado?

Omar descubrió la trampa que escondían sus palabras. Si le decía que sí, significaba que él y Namira venían pergeñando una relación a escondidas, que habían estado mirándose y charlando, o algo peor. Si lo negaba, se quedaba sin el peso de la opinión de Nunú. Trató de responder inteligentemente.

—No estoy seguro de la opinión de Namira, pero presiento que ella me aceptaría como futuro esposo.

—¿Tienes casa para ofrecerle? —preguntó Khalil punzante, convencido de que además no dispondría ni de un céntimo para el *mahr*.

—No aún, pero estoy ahorrando para comprar una parcela de tierra donde construiré una vivienda.

—¿Ni siquiera tienes la tierra?

—No, señor, pero pronto lo lograré.

Khalil suspiró largo y ruidoso. Enseguida, le brindó un consuelo.

—Omar, te diré algo, y sólo porque soy bueno: si pretendes a mi hija Namira, ve y compra una casa. Luego, ven a verme. Desgraciadamente, antes no tienes derecho a ella.

Omar decidió sacar lo que consideraba su arma más poderosa.

—Yo quiero a Namira.

Pero Khalil era hábil.

—¿Cómo sabes que la quieres si ni siquiera la conoces bien?

Otra vez la trampa.

—Porque ella es buena.

—Y linda, ¿verdad?

—Sí.

—Pues entonces ella merece un buen marido. Y sólo aceptaré uno que no la haga pasar hambre. Consigue al menos una casa.

—Señor, yo le prometo que la conseguiré, pero le pido, por favor, que por un tiempo no acepte compromisos matrimoniales para Namira.

—No tengo que darte explicaciones de mis acciones. Como tú no me las has dado acerca de cómo convenciste a Anás de meterse en el partido. Acaba de decirme que seguirá su vida por los carriles de la política y no de los negocios. Sospecho que tú has influido en esa decisión.

—Señor, su hijo ha elegido por sí mismo. ¿Qué mejor que eso?

—¿Arruinas la vida de mi hijo y ahora quieres arruinar la de mi hija?

—No, señor…

—Mira, muchacho, retírate, que hoy ha sido un mal día. Y ya no quiero seguir hablando contigo de lo que no tiene sentido. Y si contigo no actúo peor, es en honor a la relación que alguna vez tuve con tu padre.

Omar esperaba expectante, aguardaba una última palabra que le diera esperanza, una que fuera generosa o benefactora. Pero de la boca de Khalil no salió ninguna.

Entonces, decidió retirarse. Dio media vuelta y se marchó.

* * *

Por la noche, en la ciudad de Damasco, los ánimos de muchos de sus ciudadanos se hallaban destemplados. La política irradiaba su influjo: algunos, expectantes, aguardaban el momento propicio para dar el golpe de Estado mientras otros, temerosos, rogaban que no se concretara. Pero también había personas preocupadas por dilemas íntimos, como Anás, que, sentado en un banco de la plaza Al Marjeh, al abrigo de un árbol, se preguntaba, temblando de frío, dónde pernoctaría.

Durante la tarde, después de la conversación con su padre, había caminado sin rumbo fijo hasta que decidió avisarle a Leila que se marcharía para siempre de su casa. Mientras hacía un atado con algo de ropa, le dio la noticia a su madre, que, con los ojos colmados de lágrimas, le suplicó que se quedara. Sus tres hermanos, anonadados, lo observaron partir, incluida Namira, a quien se le sumaba una preocupación extra: desconocía el resultado del encuentro entre Omar y su padre.

* * *

En la casa de la familia Salim, durante la cena, el desánimo pintaba el rostro de Omar, pero con siete niños y adolescentes alrededor que hablaban y comían, nadie se percataba de su pesadumbre. Por la mañana, más descansado y sin la presencia de su madre, le contaría lo sucedido a su padre, pues se trataba de cosas de hombres y él, tal vez, pudiera ayudarlo con Khalil. Al fin de cuentas, se conocían desde niños. Pero no se ilusionaba; sabía bien que las relaciones entre los sirios habían cambiado durante los últimos agitados años. Las posturas políticas habían separado a los habitantes que no opinaban igual. Si dentro de las familias los lazos se rompían por discusiones políticas, cuánto más se distanciaban amigos o conocidos.

En la Siria de 1966 convivían los ciudadanos que, como Khalil, odiaban la política; los que, como Omar, su padre y Anás, apoyaban la dictadura moderada que estaba en el poder en ese momento; y, por último, los neobaazistas, agrupados en el Comando Regional, que seguían un lineamiento de tendencia marxista-leninista.

Estos últimos, esa noche se hallaban reunidos como siempre en el departamento del centro de Damasco, donde organizaban la fase final del inminente golpe. Para comenzarlo, y como parte de una trampa, acababan de echar a rodar una noticia falsa: el Comando Nacional había sido notificado sobre un tiroteo desatado a causa de un desacuerdo entre los oficiales del Ejército apostados en los Altos del Golán, una zona caliente disputada con los vecinos de Israel.

A pesar de la hora, cuando Muhammad Umran, comandante en jefe del Ejército, y Al Hafiz, líder del Consejo Presidencial, fieles al Comando Nacional, se enteraron de la revuelta, esa noche se calzaron sus uniformes y se apresuraron a presentarse con sus hombres para solucionar el falso tiroteo en la estratégica zona alta, desde donde se divisa claramente Damasco.

Tras desplazarse unos doscientos kilómetros, estuvieron bregando varias horas. Recién a las tres de la mañana, cuando al fin parecía haberse calmado la demanda que los había tenido en vilo desde la medianoche, agotados, decidieron regresar a la capital para descansar.

En el momento exacto en que Al Hafiz entró a su casa convencido de que la disputa había terminado, Anás, aterido por el frío de la madrugada, decidió solicitar asilo en la casa de su amigo Omar por lo que quedaba de la noche. Estoico, cubrió el camino que lo separaba de la vivienda con la frente alta. No se arrepentía de haber tomado la decisión de marcharse. Además, su padre lo había echado.

Frente al pórtico de la morada de los Salim, Anás se sentó en el escalón de entrada. A pesar del frío y del cansancio, le ganaba la indecisión entre despertar y preocupar a la familia para descansar al reparo o pasar lo que quedaba de la noche a la intemperie. Pero como pronto amanecería, optó por dormitar un rato apoyando la cabeza contra la pared. Al despertar, miró el cielo y calculó que serían las cinco. Faltaba poco para que el día despuntara. Sólo debía aguantar unos minutos más.

* * *

En el departamento céntrico de la ciudad vieja, los oficiales del Comando Regional controlaron la hora en el reloj de la pared. Las agujas marcaban las cinco de la mañana. Informados debidamente por sus contactos, que les aseguraron que sus enemigos Al Hafiz y Umran ya descansaban después de dirimir el conflicto, ordenaron atacar con tanques las principales dependencias de Damasco y hasta la misma casa del presidente.

La trampa había surtido efecto. Los hombres del Comando Nacional, cansados y distraídos, no habían esperado una nueva ofensiva. En minutos, Jadid ordenó los tiroteos, los bombardeos y demás actos de violencia cuya finalidad consistía en tomar el poder central. De inmediato, ciertos lugares de la ciudad se conmocionaron. El golpe, un secreto mantenido a voces, esa madrugada se hacía realidad.

Los tanques avanzaban contra la casa de Al Hafiz, que, atrincherado, la defendía con tesón. No era para menos; allí residía su familia.

*   *   *

Un tremendo estruendo sobresaltó el sueño liviano de Anás, que seguía sentado en el pórtico de la casa de Omar. ¿Qué estaba pasando? Otro estallido lo puso de pie. En alguna parte, muy cerca de allí, se libraba una lucha. ¿Pero entre quiénes? ¿Acaso se trataba del tan mentado golpe para derrocar al gobierno que él apoyaba? En ese caso, él debía ayudar.

Distinguió gritos y tiros a pocos metros y vio caer bombas cerca de la plaza Al Marjeh, sede del Ministerio de Defensa, donde había pasado parte de la noche. Ahora, sí: golpeó la puerta de los Salim. Ante la gravedad de los sucesos, ya no le importó si despertaba a la familia. Las luces del interior de la casa se prendieron, como así también todas las de la cuadra. Algo grave sucedía en la ciudad. La puerta de la vivienda se abrió y los dueños oyeron su turbación.

Enseguida, un vecino, hombre del partido, les confirmó que se trataba de tanques enviados por los neobaazistas, que buscaban asaltar el poder.

Omar y su padre se alistaron y, junto al vecino y Anás, se dirigieron al comité, donde —aseguraban— había armas para repartir entre los hombres comprometidos con la causa, como ellos, que pertenecían a ese selecto grupo. Si tenían que pelear, pelearían. Las ideas se defendían a muerte.

Aún no había transcurrido media hora desde que escucharon la primera bomba cuando los cuatro hombres salieron por la puerta de la casa. La madre de Omar, con el hijo más pequeño en brazos, los despidió rogándoles que no arriesgaran la vida.

Ella pedía, pero no se le concedía, porque su hijo y su esposo, junto con Anás, acudían al comité por las armas. Las mujeres, como siempre, quedaban fuera de la guerra y de las decisiones importantes.

* * *

El ataque neobaazista del Comando Regional se desplegaba en forma rápida y contundente, pero en ciertas zonas la resistencia los obligaba a pelear con vehemencia porque los defensores del régimen atacado daban su vida por sus ideales.

Omar, su padre y Anás, con las armas en las manos, tuvieron que decidir si irían a pelear con el grupo que partía hacia la estación radiofónica —sitio estratégico— o con los que se marchaban a repeler el ataque que sufría la casa de Al Hafiz, que resistía con estoicismo el embate de los tanques. Por la cercanía, los tres se inclinaron por socorrer al presidente.

Los Salim manejaban bien las armas; Anás, no tanto, pero sabía usarla porque Khalil le había enseñado. En esos tiempos, no había hombre que no supiera empuñarla, pues en Siria arreciaban los pleitos políticos. Los tres lanzaron un par de disparos al aire para cerciorarse de que sus pistolas funcionaban y, al comprobarlo, partieron raudamente convocados por los estruendos del combate que se libraba en las inmediaciones.

Cuando el grupo del que formaban parte llegó a la casa de Al Hafiz, la sangre de los hombres que la defendían teñía el jardín y el patio. Pero aun así, los disparos no cesaban. Omar, su padre y Anás se integraron a la resistencia y, cuando abrieron fuego, pasaron a ser parte de la gran batahola. Los disparos zumbaban por el aire. Un tanque apuntaba hacia la residencia.

Los soldados que apoyaban a los neobaazistas, al mando de Jadid, dominaban la situación y, tras las bajas producidas, en breve ingresarían al interior de la vivienda para tomar el control definitivo. Pero el dueño de casa y sus hombres no se rendían y seguían dando batalla.

Anás detectó cómo un joven de barba larga que respondía al Comando Regional se acercaba a la puerta principal de la morada sin que nadie lo detuviera. Si lograba transponerla, Al Hafiz estaría acabado. Anás no lo pensó y le disparó. Pero no le dio. Volvió a gatillar, y tampoco acertó. Decidió aproximarse y caminó entre la balacera. Sabía que en esos pasos se jugaba la vida, pero bien valía la pena. Estaba en riesgo el destino de su líder político y los ideales que abrazaba. No dejaría que nadie le quitara el sueño de ser alguna vez parte de la dirigencia del partido al que en ese momento histórico le estaban arrebatando el poder. No permitiría que estos arribistas derrocaran a Al Hafiz. No podía perder el empleo en el comité. No, señor, el gobierno debía seguir en manos del ala racional del partido, y sus hombres debían ser salvados a toda costa. De ninguna manera él pasaría por la humillación de tener que escucharle a su padre la perorata de que se había equivocado.

Anás estaba muy cerca del soldado de barba larga que, con patadas, intentaba derribar la puerta de la residencia. Caminó entre las balas llevando como único estandarte las ideas de su partido y, cuando logró acomodarse, volvió a disparar. Una vez, dos, tres. Al tercer balazo, acertó. El joven de barba larga cayó al piso.

—¡Le di! ¡Le di! —gritó y giró para buscar a Omar.

Anás necesitaba compartir con alguien la hazaña que acababa de realizar, pero un dolor intenso en el costado derecho opacó el festejo. A su alrededor, reinaba el caos de humo y balas. En lugar de celebrar, pensó que debía seguir peleando. A punto de elegir otro objetivo, un nuevo ramalazo lo dobló. Se tocó las costillas, tanteó el área dolorida y sacó la mano con sangre. Miró mejor. Era mucha. Le manchaba la camisa por completo. Levantó la vista. ¿Qué hacer?

Omar venía en su auxilio. Su amigo, testigo de lo sucedido, corría hacia él. Apuró los pasos; quería tomarlo en sus brazos y ponerlo a salvo. Pero no llegó a tiempo; Anás se desplomó en el suelo. Cuando finalmente logró alejarlo de la balacera a la rastra, se arrodilló a su lado para valorar las heridas. Y previendo lo peor, comenzó a hablarle.

—Anás, por favor, no te vayas —pronunció las palabras en un hilo, mientras el silbido de los tiros acompañaba su voz. Y continuó—: Compañero, tienes que quedarte; aún debes ir a trabajar al comité.

Anás lo escuchó y abrió los ojos. Sonrió y asintió con la cabeza. Luego, cerró sus párpados. Omar llamó a su padre a los gritos. Necesitaba que viniera a ayudarlo, pero no lo encontró por ningún lado. En cambio, durante su breve pesquisa visual, descubrió que estaban completamente rodeados por los hombres de Jadid. La casa de Al Hafiz, finalmente, había sido tomada.

Gracias a la proeza de Anás, el joven atacante de barba larga no había logrado su cometido, pero los que llegaron a continuación consiguieron entrar al domicilio. Acabadas las municiones, el presidente tuvo que rendirse. Pero, en lugar de apaciguarse, sus gritos retumbaban en los patios y las galerías, pues pedía ayuda para su hija, que había sido herida y sangraba profusamente.

Los hombres que respondían al Comando Nacional, que hasta minutos atrás habían detentado el poder, empezaban a ser tomados prisioneros. Omar intentó escapar, pero el despliegue de enemigos le indicó que sería imposible. Definitivamente, la lucha en la residencia de Al Hafiz había acabado. Mientras tanto, dependencias oficiales y sedes gubernamentales comenzaban a obedecer a los golpistas. Se avecinaba un nuevo orden político.

En Alepo, Hama, Hóms, Latakia, Deir Ezzor y demás ciudades sirias, la violencia se prolongaba. En la capital, los médicos habían logrado salvar a la hija de Al Hafiz, pero no su vista; la chica había perdido un ojo. Y Anás, en la pelea, había dejado su vida. Su cuerpo, junto al de otros hombres, yacía sobre el asfalto ensangrentado.

CAPÍTULO 13

Luego de que has soltado la palabra,
esta te domina.
Pero mientras no la has soltado,
eres su dominador.
PROVERBIO ÁRABE

El avión de Álvaro aterrizó en el Líbano y de inmediato sintió que empezaba a ver una película que ya conocía.

El hombre que lo esperaba para llevarlo hasta Damasco le abrió la puerta del auto y, una vez en marcha, evitó abordar temas políticos que pudieran ponerlos en peligro. Al igual que meses atrás lo había hecho Mustafá, el chofer que lo llevó hasta la capital siria, este conductor intentó amenizar los cien kilómetros que separaban las dos ciudades alabando las bondades del clima y del paisaje. Pero esta vez Álvaro se desentendió y se calzó los auriculares para escuchar el álbum *Vorágine*, de Air Bag. En su bolso traía una copia en CD para regalársela a Salma y cumplir la promesa hecha en Duma.

Necesitaba sosiego porque había corrido bastante detrás de trámites que le permitieran ausentarse nuevamente de su casa, pagar cuentas, gestionar su licencia y mucho más.

Lo cierto es que para estar allí hasta había tenido que discutir con su madre. Si bien ella le había insistido para que hablara por teléfono con Salma, se mostró reticente a que regresara a Medio Oriente. «Una locura», dijo. Cuando él tomó la decisión de comprar el pasaje, a Dana le costó aceptar que su hijo quisiera volver a ese país donde había puesto seriamente en riesgo su vida.

«Será un viaje relámpago. Te lo prometo», le dijo Álvaro para que regresara tranquila a la Argentina. El día que la llevó al aeropuerto El Prat, su madre le pidió: «Tenme al tanto de tu llegada y salida de Siria. No me fío de la patria de mi padre; te ha hecho sufrir demasiado». No le respondió, aunque reflexionó que, si bien tenía razón, también en Siria había aprendido mucho; incluso, a amar de verdad. Porque ese, justamente, era el sentimiento que lo había impulsado a regresar.

El camino junto con el libanés resultó ágil. Álvaro sólo se quitó los auriculares cuando llegaron a la frontera y tuvieron que mostrar los documentos. Allí, el trámite fue expeditivo, igual que la primera vez que ingresó a Siria.

Terminaron la diligencia y las ruedas del vehículo avanzaron hacia Damasco. La distancia con esa ciudad se acortaba. Por momentos, Álvaro cerraba los ojos con la intención de dormitar, pero le resultaba imposible. Las imágenes de lo vivido en esa tierra volvían una y otra vez a su cabeza. Se le presentaba con claridad tanto lo bueno como lo malo. De su estancia en el hospital, bajo el efecto de los sedantes, no recordaba mucho. Pero del resto, sí, y con cada detalle vívido, más deseo tenía de reencontrarse con Salma. No sólo por la intriga de saber qué pasaría en su interior cuando la tuviera enfrente, sino porque ambos estaban unidos por la tremenda experiencia que atravesaron juntos. ¿Acaso sólo se trataba de eso, de haber quedado envueltos en una experiencia traumática? No, lo de ellos trascendía el horror. Lo de ellos había sido amor. ¿Los dos abrigaban el mismo sentimiento? ¿Ella sentiría amor por él? Con cada cuestionamiento daba rienda suelta a sus dudas.

Esos interrogantes obtendrían respuestas sólo cuando llegara a destino, por lo que decidió centrarse en el paisaje. Miró el horizonte y por primera vez intentó imaginarse cómo habría sido la vida de su abuelo en ese país, dónde habría vivido, en qué condiciones, si habría luchado contra el régimen o apoyado al gobierno... Apenas sabía lo elemental: se había marchado a la Argentina a los dieciocho años. Meditó en la existencia de cada ser humano, en los recodos de la vida, en cómo las decisiones marcaban el destino y en el increíble poder que ejercía el amor. Cada uno de esos temas atacó su mente.

Cuatro —¿cinco?— horas habían transcurrido cuando el conductor lo dejó en la puerta del hotel. Entre controles y trámites migratorios, la distancia, mínima, se había alargado en el tiempo.

Se hospedó en un hotel céntrico ubicado en una calle muy transitada, pero muy arbolada y rodeada de cafés. Desde la habitación o desde la mesa de un bar, si se aguzaba el oído, podía distinguirse el estrépito sordo de los disparos de morteros provenientes de algún suburbio controlado por los rebeldes. Siria seguía siendo un polvorín.

Ingresó, realizó el *chek-in*, dejó sus cosas en el cuarto y de inmediato regresó a la puerta para subirse a un taxi con rumbo a la dirección que Salma le había dado por teléfono.

Al llegar, Álvaro le solicitó al chofer que lo esperara. En una hora estaría de regreso. El hombre asintió.

Constató la numeración. Sí, allí vivía Namira al Kabani.

Ante sus ojos se erigía una bella edificación árabe. La casa se destacaba por contener un alto rectángulo de dos pisos totalmente recubierto de bloques de piedra gris. La enorme puerta de doble hoja de madera labrada tenía en la parte superior la curva ojival, típica de la arquitectura mora. La abertura estaba protegida bajo un pequeño techo que actuaba de hall de ingreso; en la parte alta, construido en concreto, sobresalía la imagen de un halcón, la misma ave que lucía el escudo de Siria. Las ventanas, altas y delgadas, repetían la silueta ojival. Las aberturas grandes tenían vidrios traslúcidos; las pequeñitas, vitrales con motivos orientales. Junto a los siete escalones de ingreso de mármol blanco había enclavado un buzón que remataba con la figura del halcón.

Impactado por la belleza de la construcción, golpeó. Enseguida lo atendió una empleada filipina. La mujer le pareció una copia de Mahalia: misma edad, mismos rasgos, idéntico hablar.

Luego apareció Namira. Llevaba un vestido blanco bordado en dorado que le llegaba hasta el piso y el pelo recogido en un rodete. A pesar de la edad, seguía siendo una mujer llamativa.

Lo saludó en inglés, le dio la bienvenida, y lo condujo al patio de la vivienda.

De camino, al pasar por la puerta de la cocina, apreció los hermosos ejemplares de mastín napolitano, sus dos amores. Por suerte, no se percataron de su presencia.

Álvaro, que se dejaba conducir por la anfitriona, ingresó a un hermoso espacio al aire libre rodeado —en sus cuatro lados— por una galería con columnas, arcos y cúpulas de estilo marcadamente árabe. Se trataba de un patio interno central al que daban todos los ambientes de la vivienda.

El piso y las paredes, revestidos de mármol blanco, alternaban con azulejos moros de distintos tonos terracotas que formaban maravillosos e intrincados dibujos geométricos. Álvaro adoró las plantas de enormes hojas verdes repartidas estratégicamente cual si fuera una selva. El sitio rezumaba frescura y exquisitez.

Enclavado en el centro, se destacaba un gran estanque de medio metro de alto con forma hexagonal, también azulejado, y con helechos en los bordes. Mientras admiraba los detalles, lo sorprendió una mujer sentada en una silla ubicada en la esquina del patio. Miró mejor y exclamó:

—¡Salma...!

Le había costado reconocerla. Caminó hacia ella y, cuando la tuvo enfrente, se detuvo estupefacto. Llevaba el cabello muy corto.

—*Marhabaan*, Álvaro —lo saludó con voz suave y le extendió la mano sin levantarse del asiento.

—*Marhabaan...* —respondió él aún pasmado. Se sintió extraño. Esa misma mano lo había acariciado tantas veces y ahora parecía la de una desconocida.

Namira estudió con detenimiento los movimientos y los gestos de ambos, y le ofrecieron indicios suficientes para comprender qué unía a la pareja.

Ellos intercambiaban las primeras palabras de reencuentro, cuando la empleada filipina acercó más sillas para que la tía y él se ubicaran junto a Salma.

Namira tomó la palabra y dirigió la conversación durante unos minutos con la gracia de quien mezcla los idiomas y los temas. Alternaba el inglés y el árabe para comentar que los días se hacían más fríos, que había sido un verdadero milagro que después de la odisea de Duma los dos hubieran terminado con vida, que el negocio inmobiliario desmejoraba a causa de la guerra, que… que… y que les serviría algo fresco.

Álvaro no escuchaba, sólo simulaba que lo hacía. Respondía con monosílabos e intentaba sin mucho éxito que sonaran coherentes. Su mirada clara iba concentrada en el rostro de Salma. Había algo en esos ojos que lo dejaban desarmado, algo en esa piel y en esa boca que con tanta pasión había besado que ahora lo llenaban de recuerdos. Ella también lo sondeaba en profundidad, como si el mundo que los rodeaba hubiera dejado de existir.

—Traeré algo fresco para beber —propuso Namira y, tras ponerse de pie, desapareció.

¡Al fin estaban solos! ¡Pero quién sabía por cuánto tiempo! Después de haber vivido juntos y en completa soledad durante tanto tiempo, ahora tenían que pedir permiso para conversar. La situación era un suplicio.

Álvaro intentó imprimirle una cuota de normalidad al encuentro y comentó:

—Me gusta cómo te queda el corte nuevo, tienes un rostro hermoso para llevarlo de esa forma, pero…

No se atrevió a terminar la frase.

—Pero ¿qué…?

—Creo que extrañaré tu pelo largo. ¿Puedo saber por qué te lo cortaste?

Salma se encogió de hombros y cambió de tema.

—Estás delgado.

—Tú, también. Deberías haber recuperado un poco de peso. ¿Estás bien?

Salma se encogió de hombros nuevamente. El gesto —la conocía lo suficiente— revelaba cierto malestar. Se animó a decírselo.

—No te veo bien.

Ella sólo levantó las cejas y se mordió el labio inferior para evitar que se le notaran las ganas de llorar.

—Quería verte, por eso vine —se sinceró. Salma merecía que se lo dijera abiertamente, en persona. Le daba pena su estado. Salma parecía encerrada en su propia burbuja. Álvaro insistió—: Necesitaba verte. ¿Me entiendes?

Al fin ella habló:

—¿Sabes, Álvaro…? Todo ha sido tremendo.

—Lo comprendo, pero tienes que valorar lo importante: salimos con vida.

—No sé qué hubiera sido mejor.

—No hables así.

Ella estaba a punto del llanto.

—¿Qué ha dicho tu padre?

—No se trata de lo que ha dicho… es más profundo que eso.

A Salma le caían las lágrimas y se las secaba con la mano.

—Explícame, por favor —pidió Álvaro y preguntó—: ¿Estás así por lo que te pasó en Duma? —No se atrevió a poner en palabras la agresión sexual sufrida y continuó la indagatoria con rodeos—: ¿Acaso tu padre te tiene encerrada? ¿O es por lo nuestro?

Salma lloraba y no respondía. A él se le partía el corazón.

Álvaro se puso de pie y acercó su silla. Se sentó a su lado y le tomó las manos.

Se observaron profundamente, se reconocieron. Allí estaban: juntos otra vez y en Siria. Los episodios experimentados en Duma los habían marcado a fuego; y Álvaro había sentido la exigencia de venir por Salma. Los ojos claros se metieron en los marrones. Álvaro le miraba el alma.

—¿Salma, cómo puedo ayudarte? —intentó consolarla. No podía verla así, acongojada.

Álvaro le tomó el rostro con las manos y, mientras la miraba, le acarició las mejillas con los dedos pulgares. La tenía tan cerca, que pudo sentir su aroma inconfundible, ese que en Duma lo había atribuido al jabón líquido marino, ese que lo enloquecía y que en

ese preciso instante le traía a su memoria los momentos comparti-
dos. Sin pensarlo, se acercó y la besó en la boca. Un beso pequeño.
Luego, con ternura, le dio unos suaves, cortos, en la frente.
Ella se dejó pero enseguida le pidió:

—No lo hagas…

—Tienes razón, está Namira.

—No es únicamente por eso… —expuso Salma, algo más calmada—. Vienes como si nada después de más de un mes y me
besas…

—Vine porque quería verte.

—Álvaro, mi vida está destruida.

—No vuelvas a decir eso.

—Es verdad. Mi existencia ha quedado partida en dos. No
tienes idea.

—Cuéntame para que pueda ayudarte —pidió Álvaro. Estaba
seguro de que el problema se relacionaba directamente con el
padre.

—No puedo hablar aquí.

—¿Y a dónde quieres que vayamos?

Con Salma a su lado, a Álvaro se le aclaraban las ideas: ella
seguía siendo importante para él. Era la misma Salma con la
que había convivido. La misma con quien había compartido los
higos, las latas de atún y de duraznos. La que una noche lo había
salvado del horror. La mujer espiritual que rezaba cinco veces
al día. La que le había ofrendado parte de su comida por pura
necesidad de compartir. Ella, un ser sensible y especial, había
sufrido demasiado. Con pelo corto y túnica seguía siendo Salma,
esa mujer que en Duma le había hecho reflexionar seriamente
sobre su vida, en abandonar —antes, jamás había barajado la
posibilidad— su existencia de trotamundos. Para bien o para mal,
se había enamorado. El sentimiento continuaba allí, intacto. El
entorno había cambiado y ahora los lastimaba. Pero el amor
seguía siendo el mismo.

La fuerza del sentimiento le otorgó el poder de saberse
invencible.

—Salma, yo te quiero. Y si quieres, podemos intentarlo.

Ella lo miró a los ojos y volvió a llorar.

—Álvaro, eso es imposible.

—¿Por qué?

—Ya te dije: no puedo hablar aquí.

Álvaro estaba a punto de explotar cuando llegó Namira junto a su empleada filipina. La mucama cargaba una mesita de pie y la tía, una bandeja con vasos repletos de té helado y un platillo con *hummus* de garbanzo y pan de pita.

Álvaro las ayudó y, aprovechando el movimiento, corrió su silla y se acomodó otra vez lejos de Salma. No quería traerle más problemas de los que ya parecía tener.

Estaba en Damasco con la familia Al Kabani y, como la primera vez, no terminaba de acertar cómo debía comportarse. No deseaba perjudicar a Salma. ¡Pero, por Dios, necesitaba hablar a solas con ella!

Namira, ya sentada, dirigía nuevamente la conversación y trataba de que Álvaro y su sobrina intervinieran. Participaba con preguntas de ocasión y les daba pie para realizar comentarios, pero Salma hablaba poco y Álvaro no estaba lúcido para seguirle el tren.

Después de cuarenta minutos en ese raro estado, en que la conversación no avanzaba por carriles coherentes, sino que se trababa y nadie probaba un bocado del pan ni del *hummus*, finalmente la empleada se presentó en el patio para comunicarle a Namira que estaba al teléfono el administrador de uno de sus edificios.

La anfitriona se puso de pie y se dirigió a Álvaro, quien se dio cuenta de que la mujer, con su mejor sonrisa y en tono amable, lo estaba despidiendo. Evidentemente, no quería o no podía dejarlo a solas con Salma. Y ella debía atender su llamada.

Antes de marcharse, Namira le preguntó a Salma:

—¿Dónde están las llaves de los departamentos y los contratos para el administrador?

—En el escritorio —respondió Salma como si estuviera en

otro mundo. No lograba concentrarse en nada que no fuera el rostro de Álvaro.

Namira, al ver el deplorable estado en que se hallaban su sobrina y el periodista, ejerció un último acto de benevolencia. Como saludo, le extendió la mano al visitante y, dirigiéndose a Salma, le habló en inglés:

—*Go with him* —dijo con la clara intención de que su velada autorización para acompañarlo hasta la puerta fuera comprendida por todos.

La mujer filipina inició el camino hacia la puerta de salida. Por detrás avanzaban Álvaro y Salma, mientras Namira, ya en la sala, atendía su llamado. Se la escuchaba discutir con su interlocutor sobre porcentajes.

La mucama abrió la puerta de calle. Luego, como muestra de respeto, se inclinó levemente ante Álvaro y se marchó. La pareja se quedó sola en el hall de ingreso. Pero ¿cuántos minutos podían permanecer allí? Álvaro no lo sabía, aunque estaba seguro de que no serían muchos.

Decidió ir al grano.

—Salma, quiero que sepas que mi amor por ti está intacto. Dime qué deseas que hagamos. ¿Que hable con tu padre?

—¡No!

Buscaba ser claro. Necesitaba que ella hablara. Tal vez Salma le había perdido el cariño y no deseaba nada con él. Si era así, precisaba saberlo.

—¿Ya no me quieres?

—Sí, te quiero.

Él contempló su rostro y le sonrió dulcemente.

—¿Es tu tía?

—No se trata de ella.

—Dime, Salma, de qué se trata entonces.

El chofer, que ya había regresado y aguardaba en la vereda de enfrente, al ver a su pasajero puso en marcha el auto y lo arrimó hacia la puerta. La privacidad se diluyó aún más.

Salma otra vez lloraba sin explicarle el motivo.

—¡Mierda! —explotó Álvaro—. ¡Dime qué está pasando! Te estoy diciendo que te quiero y que haré lo que sea para ayudarte.

—Ay, Sánchez...

—No sé si vamos a terminar juntos pero al menos tenemos que hablar. Y sería un buen comienzo que me cuentes qué está pasando.

Salma levantó la vista y Álvaro descubrió en su rostro que estaba dispuesta a hablar.

—Dime...

—No tienes idea. Sucede que la semana pasada... —esbozó y giró al oír los pasos de su tía.

La frase quedó trunca ante la proximidad de Namira.

—Lamento que por mi culpa la visita haya sido tan corta. Ha sido un gusto que nos visite, señor Sánchez —se disculpó la mujer, que se ubicó junto a su sobrina.

Con Salma a punto de contarle sus pesares, Álvaro no quería marcharse. Sin embargo, Namira no le ofrecía alternativa y lo obligaba a despedirse. Por un momento, asumió que la mujer lo invitaría a volver a la sala, pero no...

—Un placer haberlas visto... —comentó sin terminar la frase mientras meditaba cómo hacer para quedarse.

—Cuando regrese a Siria, pase a saludarnos. En esta casa siempre será bienvenido. Gracias a usted mi sobrina está viva —reconoció Namira con amabilidad.

Entonces, Álvaro lo recordó. Se había olvidado de traer el CD de música que había comprado especialmente para Salma. Por la emoción del reencuentro, lo había dejado sobre la cama del hotel.

—Aún me quedan un par de días aquí, en Damasco. ¿Le molestaría que regrese para dejarle a Salma un CD de música de mi país? Hoy me olvidé de cargarlo.

Namira levantó las cejas asombrada. No había esperado semejante propuesta. El periodista, en verdad, era obstinado. Ella no quería ser descortés ni poco hospitalaria. Ser sirio era sinónimo de buen recibimiento. Tanto interés por visitarla encendió la alarma, pero no pudo negarse.

—Claro, pase cuando guste.

—Vendré mañana a esta misma hora —anunció y bajó los escalones. No habría saludos con besos en la mejilla.

Aún no había llegado al taxi cuando se dio vuelta y, con los ojos prendados en Salma, le dijo:

—Espérame, que vendré…

Incrédula, Salma le sostenía la mirada transparente.

Para Namira, escuchar la manera en que dijo esa frase sirvió para confirmar su sospecha de que ese hombre seguía enamorado de su sobrina. Comprendió que lo de Duma no había sido un mero juego de dos personas que habían cedido a sus instintos, que su amor era genuino. Sin embargo, vislumbró la contrariedad de ese sentimiento: Álvaro Sánchez no podía aspirar a su sobrina. Ella era musulmana. La familia jamás aceptaría a un cristiano como esposo. La vida se complicaba. Aunque entendía que ni él ni Salma habían buscado la relación. El destino los había puesto a convivir en Duma por más de dos meses.

Comprendía los sucesos en toda su dimensión, pero estaba segura de que Abdallah nunca toleraría esa relación.

En la puerta de la casa de Namira los tres se dijeron las últimas palabras de despedida. Álvaro, con la esperanza de regresar al día siguiente, se subió más aliviado al taxi que lo aguardaba.

Mañana hablaría con Salma, le daría el ánimo necesario para enfrentar lo que les tocara, las vicisitudes que se les presentaran. Seguía enamorado, muy enamorado. Amaba a Salma. Los dos meses pasados con ella le habían despertado algo que nunca antes había conocido. Quizá la razón fuera que se había permitido abrirse a una mujer y compartir con ella tanta intimidad emocional. O, tal vez, le había llegado el turno de hacer el clic, de cambiar, de abandonar su obstinada soltería. En todo caso, en Duma, Salma le había cambiado la perspectiva sobre la vida. Y la quería. Estaba seguro. Hubiera deseado irse de allí con Salma de la mano para cenar juntos, para meterse en la cama del hotel y besarse a su antojo, pero se conformó con lo que había pasado. Por ahora, caminar juntos o intimar parecía imposible.

Lo importante había sucedido: se habían visto y ella le había dicho que lo quería. Seguían unidos por el mismo sentimiento que había nacido en Duma. Sin interesar el castigo que el padre le hubiera impuesto, ellos saldrían adelante.

Pero una idea vino a su mente y lo punzó. ¿Acaso el tormento de Salma tenía otro origen? Pero ¿cuál? «En esta cultura tan distinta… la causa puede estar en la cuestión más insospechada», reflexionó y, absolutamente preocupado, le pidió al taxista que detuviera el vehículo. Aún le quedaba un trecho hasta el hotel. Pagó el viaje completo y se bajó. Prefería caminar. Necesitaba airearse.

NUNÚ

Damasco, Siria, febrero de 1966

Esa noche, en la casa de Leila, los niños más pequeños estaban insoportables, peleaban entre sí y desobedecían a su madre, que durante el día no les había permitido salir a la calle para jugar con sus amigos. A causa de la violencia de esa jornada, nadie había abandonado la vivienda. Muy cerca de allí, las dos facciones del Baaz habían dirimido el encontronazo con una gran balacera e intercambio de bombas. Aunque el ambiente se había calmado, muchos lugares aún humeaban por las explosiones y los destrozos. La ciudad se serenaba pero reinaba el miedo.

Por eso, cuando Leila sintió que la puerta de la casa se abría, se sobresaltó.

Khalil entró. Wafaa y Abdallah lo recibieron con un abrazo.

—Recién he podido poner un pie en la calle. Estaba preocupado por ustedes. ¿Se encuentran todos bien? —preguntó el padre.

—Sí —respondió Leila.

Namira se acercó y también lo saludó.

—¡Este país va a volvernos locos! ¡No se puede creer! ¡Se enfrentaron dos bandos del mismo partido! —exclamó Khalil.

Wafaa dijo:

—Papá, Anás no está. Se fue y se llevó su ropa.

Khalil interrogó a su esposa con la mirada.

—Sí, se marchó ayer. Dijo que tú le habías pedido que abandonara la casa.

—¡Mierda, justo ahora! —se lamentó Khalil.

—Sí, justo ahora tenías que echarlo —le reprochó Leila con la certeza de que su hijo no le había mentido.

—No lo eché —intentó justificarse—. Fue una discusión y...

—Tienes que buscarlo —exigió. Si bien siempre prefería callarse para no contradecirlo, esta vez, como se trataba de su retoño, expresaría su parecer.

—Se merecería que no vaya tras él porque...

Leila lo interrumpió.

—Tienes que buscarlo —dijo con determinación.

—Lo haré —aceptó resignado.

Era la primera vez que Leila pedía y se le concedía. Pero requería para su hijo y no para sí misma.

—Veré si consigo noticias en la casa de los Salim. Me voy.

—Padre, lo acompaño —propuso Namira cuando escuchó el apellido.

Khalil le procuró a su hija una mirada terrible. Ella comprendió que no se lo permitiría y que, con su pedido, acababa de revelar su sentimiento por Omar.

—Nadie saldrá a la calle, excepto yo. Además, será mejor que vaya mañana temprano; ahora es muy tarde. En cuanto sepa algo de Anás, se los haré saber —dijo Khalil y partió.

* * *

A la mañana siguiente, muy temprano, Khalil se presentó en la casa de la familia Salim. En pocas palabras, la mujer le contó lo poco que sabía gracias a un emisario del partido: que su marido y Omar estaban presos. En cuanto a Anás, sólo pudo decirle que lo había visto por última vez al principio del golpe y que luego se había marchado rumbo al comité junto con los hombres de su familia y un vecino.

Khalil se preocupó. Evitó repetirle aquello que se comentaba en la calle, que los prisioneros eran torturados en sitios lúgubres, y comprendió que, si quería noticias de su hijo, las encontraría en la comisaría.

Se marchó refunfuñando consigo mismo. Atribulado, se reconoció como el único culpable de esa situación por la sencilla razón de que él había tomado al muchacho Salim para trabajar en el mercado. El resultado de esa mala decisión saltaba a la vista. Aunque admitió que Anás se había mostrado reticente a partir de su casamiento con Rihanna, a quien le dedicó el tiempo que le negó a su primera familia. Por suerte, el ridículo enamoramiento del principio ya se le había pasado. Rihanna y Leila eran iguales, mujeres al fin. Y él amaba a sus hijos sin diferencias. Los quería porque llevaban su sangre y no porque fueran de una u otra mujer.

Decidió abandonar esos pensamientos inconducentes; no podía divagar en tonterías. Debía presentarse en la comisaría para procurar la liberación de su hijo. Se apuró.

* * *

Una hora después, en el destacamento policial, Khalil fue atendido por un hombre con cara de pocos amigos que, de mala manera, abandonó los legajos que archivaba y le explicó con pocas palabras que aún no podían difundir la identidad de los apresados. Precisó: «Esa información es secreto de Estado» y le explicó que sólo podía mostrarle la lista de los trescientos fallecidos en acción, que incluía los nombres de los integrantes de ambos bandos.

El agente se la extendió, pero Khalil la rechazó. Allí no encontraría el de su hijo. No estaba muerto. En dos palabras, le relató que Anás no había participado en los tiroteos y que ni siquiera estaba seguro de que estuviera entre los prisioneros. El uniformado se encogió de hombros y lanzó las hojas mecanografiadas sobre el escritorio. Luego continuó con su archivo.

Khalil caminó rumbo a la salida, pero algo lo obligó a detenerse antes de marcharse definitivamente de la comisaría. Tras permanecer inmóvil en el pórtico durante unos instantes, pegó media vuelta y regresó. Alzó la lista con la convicción de que debía echarle un vistazo, al menos, por precaución.

Leyó dos nombres y enseguida interpretó que estaba ordenada alfabéticamente. Entonces, su vista avanzó con miedo por la letra «a».

ABAID, ZAYED

ABARA, NAHEL

ALALUF, JAD

AL KABANI, ANÁS

Leyó su propio apellido y le costó entender que no se trataba de sí mismo. Leyó el nombre «Anás» y el mundo se detuvo. Volvió a leer: «AL KABANI, ANÁS».

Era. Era. Era.

Levantó la vista. Tal vez se trataba de una equivocación.

—¡¿Esta lista es segura?! —le preguntó al agente en un grito.

—¡Claro! —contestó el hombre sin siquiera mirarlo—. Quizás haya que actualizarla, pero tómela por segura —agregó ensimismado con los legajos.

Khalil, sin soltar el papel, se sentó en una silla destartalada que se sostenía en pie por obra de la pared.

La voz del policía le llegó tal como si viniera del más allá.

—Si tiene algún cuerpo que reclamar, le advierto que…

Khalil no pudo escuchar el resto de la explicación; su mente se había quedado tildada en la palabra «cuerpo» y en la imagen de su hijo. Se había transportado al día en que le dieron la noticia del nacimiento de Anás, a esa mañana que, de tanta felicidad, no cabía en sí. Pudo recordar aquella emoción exultante, una sensación confortante que jamás repitió con ninguno de los siguientes hijos. Nunca la olvidaría.

—¿Me escucha? —preguntó el oficial.

Khalil no respondió, seguía sin oírlo porque su pensamiento ahora estaba concentrado en la imagen de Anás, en aquel rostro de niño sonriente, cuando su madre lo llevó al mercado por primera vez y él le obsequió un perfume caro.

Recuerdos y más recuerdos que no deseaba abandonar porque lograban entretenerlo en ese momento negro del que prefería evadirse. No quería enfrentar la realidad. No podía.

Aun a su pesar, no tuvo alternativa. La voz fuerte del policía lo volvió en sí.

—¿Tiene o no a alguien conocido en esa lista? —interrogó y, a continuación, se desplazó hacia el mostrador porque acababan de presentarse dos personas que necesitaban examinar la misma lista. Y él debía atenderlos.

Khalil levantó la vista hacia el uniformado y dijo las palabras que nunca hubiera querido pronunciar.

—Sí..., tengo a alguien conocido.

—Bien... Entonces, le daré las instrucciones sobre lo que tiene que hacer.

Una frase simple pero terrible, porque involucraba una serie de actos dolorosos que debería realizar de inmediato. Y todavía faltaba lo peor: contarle la noticia a Leila.

Se puso de pie listo para empezar el suplicio que tenía por delante. No iba a llorar; él era un hombre. No debía.

Pero una lágrima rebelde se le resbaló por la mejilla mientras en su mente maldijo a la política, al Baaz y a los Salim, que habían metido a su hijo en ese mundo de ideales y poder. Entonces, lo reconoció: él también tenía algo de culpa, pues había sido muy estúpido al dejar tan solo a Anás durante los años de formación. El reproche mordió su corazón y el dolor se multiplicó en su ser, atenazándolo en todos los sitios. Cayó de rodillas en la comisaría y se tapó la cara con las manos. Lloraba.

* * *

La noticia del fallecimiento de Anás fue un golpe letal e inesperado para la familia Al Kabani. Ninguno de sus integrantes había previsto que la muerte tocaría su puerta sin avisarles.

Leila había quedado destrozada. La presencia del cuerpo inerte de su hijo para cumplir con los ritos funerarios del Corán había dejado la tristeza marcada en las paredes de la casa para siempre. Por tratarse de un varón, lo habían lavado personas de su mismo sexo, limpiándole cada parte en el orden estipulado. Su padre y un primo se habían encargado de la tarea de asearlo cinco veces, tal como manda el libro sagrado, que exige un número impar. El último lavado lo habían hecho con perfume de jazmines, el aroma elegido por su madre. Luego, envolvieron al difunto en una tela blanca y, tras colocarlo en el ataúd, lo llevaron al cementerio de Damasco, donde lo enterraron de inmediato en la posición requerida: mirando a La Meca, pues, como sostiene el islam, «Enterrar al muerto, es honrarlo». En el transcurso de la ceremonia, sus seres queridos entonaron cantos rituales y rezaron el Corán para facilitarle a Anás el tránsito hacia el Altísimo.

Leila, durante los tres días que duró el velatorio, dio vueltas por la casa como una autómata. Trataba de tener bajo control los detalles, pero ni siquiera se daba cuenta de que resultaba ridículo pretender que la casa luciera impecable para recibir a las personas que, una a una, iban llegando con comida en señal de respeto y apoyo a los dolientes de la familia.

La vivienda comenzaba a llenarse de personas. Los parientes de Ghuta habían llegado tan pronto conocieron la noticia. Wafaa y Abdallah no comprendían la ausencia de su hermano Anás y le habían hecho preguntas al respecto a su madre. Ella se las había respondido con pocas palabras, mucho llanto y algunas caricias.

Khalil parecía tener una máscara en su rostro; no denotaba emoción, aunque sí lucía cansado. Rihanna, liberada de su pequeño, que había dejado al cuidado de su madre, ayudó a la familia durante los tres días.

Namira había dejado de lado sus aspiraciones románticas. La hecatombe sufrida por su familia la había anestesiado. Sobre Omar apenas sabía que permanecía preso, al igual que su padre. Ni siquiera conocía el alcance de la conversación de su amado con Khalil. Pero esos no eran tiempos de soñar con situaciones dichosas, sino más bien momentos de apretar los dientes, soportar y ayudar a sus padres. Pero ¡ay, cómo extrañaba a Omar! ¡Cómo deseaba compartir con él este dolor tan grande que le aprisionaba el pecho! ¡Y cómo se preocupaba cuando pensaba que él también podría haber encontrado la muerte! Ella lo amaba.

En la casa de Leila, a medida que los deudos llegaban a saludar, Namira los recibía y les servía comida o vasos repletos de té dulce. En plena tarea, mientras atendía a vecinos y familiares, ingresó la madre de Omar. En uno de sus brazos traía a su hijo más pequeño; en el otro, un paquete de *baklava* que ella misma, dejando de lado sus propios problemas, había logrado cocinar como obsequio. Ofreció sus condolencias a Leila y permaneció un rato a su lado. Namira la saludó y se quedó cerca, tratando de oír la conversación. Acomodando la comida sobre la mesa, alcanzó a escuchar que la mujer contaba que había podido visitar a su marido en la cárcel, que lo había encontrado muy golpeado y que en breve lo soltarían, pero que no sería fácil liberar a su hijo. El nuevo gobierno consideraba a los jóvenes del ala tradicional del Baaz potencialmente peligrosos. Leila, sumergida en su mundo de dolor, no parecía oírla, pero sí Namira.

Ojalá pudiera ayudarla. Pensó en acercarse a la mujer y en hablar con ella, pero con su padre a pocos metros no se animó. Sin embargo, cuando aún se encontraba juntando valor para abordarla, su madre le hizo una seña. Debían dirigirse hacia la mezquita para realizar los rezos. Se apresuró a tomar de la mano a sus hermanos porque a partir de ese momento y durante toda la ceremonia los niños serían su responsabilidad. Se lamentó; ya no tendría oportunidad de solidarizarse con la madre de Omar.

Namira no sabía que en un par de días, cuando intentaran volver a la rutina, sería su propia madre quien le pediría que fuera a la casa de la señora Salim para ofrecerle ayuda. Leila la juzgaba una mujer sufrida, sobrepasada de tareas domésticas, madre de muchos niños y, para peor, con el marido preso.

Ante la propuesta, Nunú, sorprendida y encantada, aceptaría. Desde ese momento, su existencia oscilaría de sorpresa en sorpresa y su vida tomaría rumbos impensados.

CAPÍTULO 14

Todas las noches me pregunto...
¿cómo es que algo tan oscuro
puede tener partes que brillen?
PROVERBIO ÁRABE

Álvaro esa tarde llegó a la casa de Namira con el CD en la mano. Jamás había pensado que gracias a Air Bag, su banda preferida, tendría una nueva oportunidad para hablar con Salma. Enseguida fue recibido con el protocolo propio de la casa.

Esta vez Namira lo guio a la sala. Con pies de plomo, Álvaro realizó un par de comentarios. No sabía cuánto conocía Namira sobre lo sucedido en Duma. Tampoco se fiaba de esa mujer que, aunque amable, se mostraba muy atenida a la tradición de su cultura. No parecía moderna, ni liberal. Y, para peor, se trataba de la hermana de Abdallah.

Por suerte, el ingreso de Salma, que otra vez lo saludó con la mano, cambió el aire. Vestía ropa occidental, jeans y camisola hippie. Aunque tenía el pelo corto, se las arreglaba para llevarlo recogido, como si de todas maneras le molestara. En el conjunto, destacaban sus aros grandes, orientales. Se notaba que se había arreglado para recibirlo. ¡Cómo le gustaba esa mujer! Le atraía su andar suave y sensual, su delicadeza etérea, natural, tan diferente a las chicas occidentales, quienes remarcaban sus líneas adrede, buscaban provocar con un escote desaforado o unas ropas llamativas y ceñidas. Salma no mostraba nada y él deseaba todo.

Pero en la mirada descubría que el rictus de dolor –presente ayer– hoy seguía marcando su rostro.

Salma se encargó de la ceremonia del té. Dispuso de la tetera de plata y la vajilla de loza antigua que presidían la mesa.

Álvaro seguía el movimiento de esas manos que ahora vertían el agua caliente en su taza y no podía creer que alguna vez, en un tiempo cercano, fueron suyas y que habían dibujado mil piruetas en su cuerpo de hombre.

Otra vez Namira dirigía la charla. Y fue inevitable que hablaran de música a raíz del presente que Álvaro le había obsequiado a Salma. Él describió el panorama del rock nacional argentino y la tía le contó que su cantante preferida era Feiruz. En cuanto a la música clásica, ambos coincidían en apreciar a Beethoven. Él no se olvidaba de que Salma le había contado que le gustaban varios intérpretes que cantaban en inglés. ¿Por esos días estaría escuchando música? Asumió que no, se la veía consternada. Más la contemplaba y más le urgía hablar a solas. ¿Namira los abandonaría un momento? ¿Tendría una chance?

La mujer, que pareció adivinar la necesidad de la pareja, se disculpó y se marchó a la cocina con la excusa de supervisar la elaboración de los canapés que serviría.

Álvaro no perdió tiempo.

—Salma, he venido a Damasco para que enfrentemos esto. Dime cómo quieres que actuemos. Y... conste que te estoy dejando elegir porque, si fuera por mí, ya mismo te tomo de la mano y te llevo ante tu padre para que hablemos los tres de una buena vez. Supongo que en este asunto es el mandamás.

—Sería una locura.

—Tenemos que hacerlo, enfrentar la situación.

Ella parecía atrapada, apresada en un laberinto.

—Pero no sabes todo.

—Entonces, cuéntame ya mismo. O te juro que me iré de aquí y no me verás nunca más. Hay una parte que te corresponde resolverla a ti. Yo no puedo.

—Deberíamos estar tranquilos y solos para poder hablar —dijo observando la puerta por donde había salido Namira.

Álvaro comprendió que no se sentía segura para explayarse.

—Pero, como te darás cuenta, Salma, eso por ahora no sucederá. Así que habla, por favor...

—Ay, Álvaro...

Ella suspiró largo, como tomando coraje, y sin desprenderse de la mirada verde, puso en palabras su secreto, ese que la atormentaba desde hacía unos días.

—Estoy embarazada.

Se quedaron petrificados. Ella, tratando de adivinar qué escondía el rostro de Álvaro ante su confesión. Él, intentando comprender el significado de la frase. Las palabras tardaron en entrar a su cerebro. Pero, cuando al fin lo lograron, distintas emociones lo golpearon: sorpresa, miedo y un atisbo de alegría. Embarazada. Un hijo. ¡Por eso Salma estaba así! ¿Lo sabía su padre? ¿Un hijo suyo? Un interrogante llevó a otro y terminó preguntándose si realmente sería suyo. Álvaro había visto en qué estado había llegado a la oficina el último día. Había sido violada. Ese niño bien podría ser de... La sorpresa del primer momento se volvió preocupación. Y el pequeño atisbo de alegría se perdió para dejar pasar la rabia, esa que lo carcomía cada vez que recordaba la situación.

Pasaron instantes, segundos... ¿Tal vez un minuto, dos? ¿Tres? Álvaro no hablaba; todavía albergaba la esperanza de que Salma completara la explicación asegurándole que el niño le pertenecía. Confundido, aguardaba otra palabra de ella. Pero no llegaba. Ni llegó.

Entonces entendió el porqué de la desesperación que la aturdía: no sabía de quién era el niño.

Estaba deshecha. Sus ojos marrones, irritados de tanto llorar, el rictus de padecimiento le cambiaba el semblante.

—Les traje unos sándwiches de pepino y queso blanco —Namira rompió el silencio sepulcral de la sala.

La frase sonó completamente fuera de contexto.

La mujer asumió que, si las cosas estaban mal antes de que se fuera a la cocina, ahora estaban mucho peor. Porque ni su sobrina ni el periodista le prestaron atención a su tentempié, ni siquiera se percataron de su presencia. Ella parecía no existir.

Salma y Álvaro se hallaban en un mundo propio de miradas y

cavilaciones y no reaccionaban. La situación se había vuelto más complicada de lo que Álvaro podría haber previsto cuando esa tarde había llegado con su CD. ¿Qué hacer ante la información que acababa de recibir? ¿Cómo debía actuar? ¿Qué esperaba Salma? ¿Sus anhelos coincidían con los suyos? En realidad, ni siquiera estaba seguro de cómo deseaba actuar.

Namira introdujo un tema de conversación para restablecer el equilibrio del ambiente, pero nada lograba interesar a la pareja. Hasta que a Álvaro le sonó el celular. No reconoció el número y desechó la llamada. Guardó el aparato, pero volvió a sonar.

—Atienda, por favor, puede ser algo importante. No se preocupe por nosotras —dijo Namira.

Álvaro, que aún seguía ensimismado con la noticia que le había dado Salma y no conseguía recuperar la lucidez, atendió. Al principio, no comprendió de qué se trataba. Un empleado del hotel donde se hospedaba le hablaba en inglés para avisarle que agentes del gobierno lo aguardaban en el *lobby*.

Se preocupó. ¿Qué ocurría? Primero, Salma, que le comunicaba su embarazo; ahora, el gobierno sirio, que requería su presencia para... No lo sabía ni podía imaginárselo.

—¿Está todo bien? —preguntó Salma, que había alcanzado a escuchar palabras sueltas de la conversación: «agentes», «gobierno». La política de su país podía complicar seriamente las cosas.

—Supongo que sí. Sólo que dos oficiales del gobierno fueron a buscarme al hotel.

—Ponte en contacto urgente. Por algo debe ser —sugirió Salma.

—Están en el *lobby*, esperándome.

—En tal caso, ya mismo lo acompañamos a la puerta —dijo Namira, que encontró la excusa perfecta para despedirlo. Sin el conocimiento o el consentimiento de su hermano, la visita del periodista la intranquilizaba. Sobre todo, porque Abdallah le había confiado a su hija en custodia.

En la puerta, sin dilaciones, lo despidieron. Salma, preocupada por el llamado, parecía haberse olvidado de su problema.

En el taxi, durante el camino al hotel, Álvaro no dejó de preguntarse qué ocurría, por qué lo requerían las autoridades sirias, qué error habría cometido. «¿Haber regresado?». Se inquietó; temía que se tratara de algún problema de índole legal. La guerra volvía precavida a Siria y él podía quedar atrapado en una confusa situación. Palpó el bolsillo donde guardaba su pasaporte español; seguía en su lugar. Ese documento le garantizaría ser tratado con respeto.

Cuando llegó al hotel, como no quería mantener ningún malentendido a raíz del idioma, se dirigió a la recepcionista que hablaba castellano fluido y le explicó:

—Por teléfono me avisaron que unas personas me esperan en el *lobby*.

Ella frunció el ceño sin entender.

—Gente del gobierno… —añadió él.

—Ah, sí, sí, perdón, no sabía que se trataba de usted. Estuvieron esperándolo hasta hace apenas un momento. Dijeron que le hablarían en cuanto llegara.

—¿Ellos a mí?

—Sí.

Álvaro subió en el ascensor preguntándose cómo era que esas personas estaban al tanto de que se encontraba en el hotel. Estaba confundido, había tenido demasiadas emociones en una tarde.

Dentro del cuarto, ajustó el aire acondicionado, se sacó los zapatos y de inmediato sonó el teléfono fijo. Atendió. Sí, el llamado provenía de una oficina de gobierno interesada en conocer por qué había regresado a Siria después de los recientes sucesos traumáticos atravesados en Duma. Le explicaron que habían intentado contactarlo para mantener «una conversación amena» pero como no lo habían hallado en el cuarto, habían decidido abordarlo en el hotel. Su caso les llamaba poderosamente la atención puesto que los periodistas secuestrados en Siria, una vez liberados, jamás regresaban. Y con mucho tacto, el agente le dio a entender que su actual visita era delicada. Si quedaba involucrado en un nuevo incidente, España y Siria reflotarían un conflicto diplomático innecesario. Por ese motivo, la persona al teléfono quiso conocer sus planes, tiempo de permanencia, cuáles serían sus movimientos y, ya sin disimulo, preguntó abiertamente cuál era la verdadera razón de su nuevo ingreso al país. Si bien en Migraciones había declarado «turismo», debían corroborarlo y saber qué ciudades visitaría.

Álvaro explicó que no se movería de Damasco porque había regresado por una sola razón: visitar a la chica siria que había resultado herida junto con él en Duma. El formulario de Migraciones no ofrecía la opción «amor».

Del otro lado de la línea se prolongó el silencio durante unos instantes. El motivo no pareció del agrado de los agentes y, sin consultarle, le comunicaron que contaría con un guardaespaldas. En vano intentó explicarles que no sería necesario, que no había vuelto por trabajo, que se había tomado una licencia, que... No les importó. Con impostada amabilidad, le ofrecieron asistencia durante los cuatro días que duraría su estadía en Damasco.

«¿Cuatro días? ¡Si yo no mencioné cuánto tiempo me quedaría!». Era evidente que la inteligencia siria hacía su trabajo. Colgó y se acercó a la ventana. Desde allí, a través del vidrio, distinguió un auto del gobierno. Los conocía muy bien: grandes, negros, omnipresentes... Abordo, arrellanados en las butacas, estaban sus vigilantes o guardaespaldas —según cómo se los viera—, pero prestos para seguirlo en cuanto pusiera un pie en la calle para informar sus movimientos. Quizá ya estuvieran allí mucho antes de que se lo comunicaran oficialmente.

Se fue a la cama y trató de descansar un poco. Pero los pensamientos lo mantenían alterado. Entre las sábanas, dio mil vueltas. La noche caía y él no sentía hambre ni sueño. El gobierno lo vigilaba. Y Salma... ¡por Dios, embarazada! ¿Qué haría? Las ideas lo enloquecerían. Decidió bajar al bar del hotel para tomar un trago.

Se acomodó en la barra, pero fue imposible distenderse. Al menos había gente, música y cierta sensación de normalidad. El jaleo de la jornada lo incitaba a beber algo fuerte. En Barcelona, después de la operación, no había vuelto a probar bebidas alcohólicas blancas. Pero la situación lo ameritaba. Se decantó por un whisky y, mientras esperaba a que se lo sirvieran, se dedicó a ojear los diarios que había sobre la barra. Eligió *El País* y *Le Monde*.

Tras un rápido vistazo de las portadas, se quedó con el diario parisino. En un pequeño recuadro de la tapa, se anticipaba el contenido de un artículo de la sección «Cultura» que le llamó la atención. El avance prometía una reseña sobre un fotógrafo y su arte. Cuando abrió la página interior, la imagen principal lo perturbó: el fotógrafo en cuestión, retratado en plena labor, con su cámara en mano, reclamaba la atención del lector. ¡Lo reconoció de inmediato! ¡El franchute con el que se había cruzado en Duma unos minutos antes de que cayera acribillado por los milicianos! La reseña, una especie de obituario, le rendía homenaje a ese hombre al que, recién esa semana, el gobierno había reconocido oficialmente muerto.

El artículo lo retrotrajo a las circunstancias de su asesinato, recordó el horror vivido. Lo frágil que se había sentido, el terror, la impotencia, su perturbación ante la atrocidad de los hechos y la ayuda de Salma para sacarlo del estado en el que había quedado atrapado. Ella lo había salvado. De repente, se sintió envuelto por los mismos sentimientos que había tenido esa noche. Primero, el desasosiego; luego, la contención de Salma. Se había sentido muy amado. No podría haber habido una mejor compañía que la de esa mujer en Duma. Se acordó también del día en que le cedió su porción de comida. Salma era su compañera. La mejor. La única. Y ahora estaba sufriendo por el embarazo. Quería estar junto a ella. Tenía que decírselo.

Entre el shock que le había producido enterarse de que esperaba un hijo, más la escasa privacidad para abordar el tema, más su intempestiva despedida a raíz del llamado del hotel no había encontrado el momento propicio para decirle qué opinaba. Ahora estaba más seguro que nunca: la apoyaría y estaría a su lado cualquiera fuese su decisión. Amaba a Salma y eso no se podía cambiar aunque el niño que llevara dentro no le perteneciera, aunque el padre de la criatura fuera uno de esos monstruos que la habían lastimado. Ella se merecía su amor y él se lo daría de una y mil formas. Apoyarla, sostenerla, cuidarla... Tenía que decírselo ya mismo, y no mañana. Su amor y su hombría se lo exigían.

Consultó la hora en su celular. Si se apuraba, llegaría a la casa de Namira cerca de las diez de la noche. No le interesaban los reparos ni los reproches que seguramente la mujer le enrostraría por importunarla a esas horas; tampoco le importaban las consecuencias de su visita. Era fundamental que le brindara su apoyo a Salma. El mundo bien podía caerse y romperse en mil pedazos que él se presentaría y se lo diría.

No la dejaría sola. Salma estaba mal y él quería velar por su recuperación. El tiempo que habían compartido en Duma la había convertido en su compañera. La sentía parte de su ser.

Tomó un trago de su whisky, el único, porque pagó y se puso de pie. Debía marcharse cuanto antes para no encontrarse con las mujeres durmiendo.

En la puerta del hotel tomó un taxi. Tras indicarle al conductor la dirección de la casa de Namira, de inmediato giró la cabeza para comprobar su sospecha: el auto del gobierno lo seguía.

Una vez que llegó a destino, le pidió al taxista que lo esperara, pues lo suyo sería rápido. En poco rato se hallaba tocando la puerta bajo el techo del hall que remataba con la figura del halcón. Todo lo que deseaba decirle a Salma debía ser dicho ya mismo, sin importar la hora. Por suerte, había llegado antes de las diez.

Insistió.

Las luces de la residencia se prendieron y la empleada filipina, aunque lo descubrió a través de la mirilla, preguntó por pura formalidad:

—¿Quién es?

Él, con la puerta en las narices, le dio las explicaciones en inglés lo más claras posibles:

—*I need to see Salma al Kabani.*

La empleada respondió que buscaría a las mujeres.

La puerta se abrió y apareció Salma. Llevaba el cabello recogido, vestía bata larga de satén color champagne y cara de sueño.

—¿Qué ha pasado, Álvaro? ¿Te encuentras bien?

—Sí, sí —afirmó contento de verla.

—¿Con la gente del gobierno no hubo problemas?

Siempre sobrevolaba el fantasma de las complicaciones.

—No, no —dijo Álvaro y, para no preocuparla, se ahorró la explicación de que estaban estacionados en la esquina.

—¿Y por qué estás aquí a esta hora? —preguntó Salma.

—Porque quiero decirte algo importante que no podía esperar hasta mañana.

Ella aguardaba estupefacta.

—Se trata del embarazo —empezó.

—Ay, Álvaro… Lo estuve pensando y no tiene solución.

—No me importa. Estaré a tu lado, incondicional. Te ayudaré.

Salma no se inmutó; sentía que él no entendía. En Siria, un embarazo fuera del matrimonio significaba una desgracia mayúscula, la peor, porque obligaba a la familia a tomar decisiones drásticas. Ante la deshonra, los propios familiares —sobre todo, los hermanos varones— podían convertirse en sus verdugos y la chica en cuestión podía aparecer muerta en cualquier descampado. Y no se trataba de un caso aislado, sino de un ajuste de cuentas bastante común. Tampoco resultaban extraños los casos de chicas que, al conocer su estado, decidían suicidarse como única salida. Los Al Kabani quizá fueran más civilizados, pero la afrenta no pasaría desapercibida y mancharía a todos los integrantes de la familia. No, este embarazo acarrearía consecuencias y Salma todavía no sabía cuáles.

Convencida de que la mente occidental de Álvaro no comprendía la magnitud del problema, le preguntó:

—¿A qué me ayudarás?

—A lo que sea que necesites de mí. ¿Entiendes? —preguntó tomándola de la mano y ofreciéndole la claridad de sus ojos.

—Sí —respondió enternecida.

Se quedaron unos instantes así, en silencio. Luego él habló:

—¿Lo sabe tu padre o tu tía?

—No, nadie. No puedo decirlo. Mi padre aún no asimila la mentira que desencadenó mi estadía en Duma contigo. Imagínate cuán duro sería para él enterarse de un embarazo.

Namira, al corriente de todo lo sucedido en Duma, permanecía ajena a esta noticia.

—Pues de todos modos se enterarán. No podrás ocultarlo por mucho tiempo.

—Creo saber lo que decidirá mi padre cuando se entere.

—¿Qué?

—Exigirá que el niño desaparezca antes de que se note... Eso querrá... ¡Y eso hará!

—La que debe decidir eres tú.

—Él lo resolverá a su manera, como mejor le parezca, y yo no podré objetar nada. Y la verdad... probablemente sea lo mejor.

Álvaro se enfrentó otra vez con la idea que lo perseguía: ¿y si era su hijo?

—¿Piensas que puede ser nuestro?

—Quisiera decirte que sí, pero ya sabes... esos días fueron un lío. Y después pasó... lo que pasó —remató omitiendo nombrar la violación.

Álvaro, que trataba de recordar, al fin señaló seguro:

—Al principio, no nos cuidábamos... pero después, sí.

—Por eso... —dijo Salma y de inmediato giró para mirar hacia atrás. Se escuchaban pasos. Probablemente se trataba de Namira.

—Necesitamos urgente hablar de esto. Dime dónde podemos conversar tranquilos —exigió.

—No podremos. Tengo prohibido salir de la casa de mi tía.

—Pues entonces habla con Namira, explícale lo que pasa, dile que por esa razón necesitamos mantener una conversación serena y no en la puerta de la casa. ¿Quieres que entre y hable con ella?

—¡No!

—¡Esto es ridículo! ¿Cómo arreglan las cosas en Siria si no pueden hablar?

—No entiendes nada…

—¡Claro que entiendo! Tendrás que plantearle el tema, contarle lo que te sucede. Y luego, una vez que sepa lo que ocurre, yo volveré aquí. Y tendremos una conversación coherente nosotros dos solos… ¡O los tres, tu tía incluida!

—No creo que ella sea tan moderna para aceptar esa charla. Sobre todo, porque está mi padre de por medio y aún no sabe nada.

—Pero dijiste que como hermana mayor tiene cierto poder en la familia.

Tenía que marcharse, regresar al hotel. Comprendía que ya no podía presionarla más; ahora debía dejarles espacio para que sobrina y tía hablaran sin su intromisión. Bajó los tres escalones que lo separaban de Salma. La miró y le dijo en voz queda:

—Salma, no te dejaré sola, pero tenemos que hablar. Cuéntale a Namira y pídele que autorice que yo venga aquí. Te hablaré esta noche. Y no te desmorones, recuerda que te quiero… Como espero que tú me quieras a mí —dijo las últimas palabras cuando distinguió que se aproximaba la bata color plata de Namira. Unos pasos más y ella llegaría a la puerta.

Se acercó y le dio un beso rápido en la boca. Salma lo aceptó con cariño. Claro que lo quería, lo amaba. Pero estaba aterrorizada. Por mucho menos de lo que ella había hecho, a las mujeres las encerraban de por vida. Se sentía mal por haber actuado en contra de las enseñanzas del Corán —en las que creía fervientemente— y por haber ofendido a sus padres —a quienes respetaba con devoción–. El amor romántico en ese momento le parecía una menudencia. Estaba segura de que esta historia no acabaría bien.

No creía que Álvaro pudiera torcer el destino, consideraba que estaba fuera de su alcance. Además, no se sentía completamente tranquila en sus manos. Había regresado, sí, pero había pasado demasiado tiempo sin comunicarse, sin dar señales. ¿Quién podía asegurarle que, si volvía a marcharse, no lo haría para siempre? Las ideas la trastornaban y no llegaba a ninguna conclusión. Tal vez fuera mejor contarle a su padre sobre los hechos del último día en Duma, así creería que el niño era fruto de la violación. Tal vez fuera mejor ocultar y olvidar para siempre lo que había tenido con Álvaro. Recordó los detalles que le había brindado a Namira y entendió que esa posibilidad sólo existiría con la complicidad de su tía. Además, si se inclinaba por esta versión, debería aferrarse con determinación, pues nunca más vería a Sánchez. Y ella –para qué engañarse– lo amaba.

Álvaro bajó el último escalón y pisó la vereda justo cuando Namira apareció en la puerta para escoltar a su sobrina. La mujer, sorprendida por la presencia del periodista, se convenció de que la situación se le estaba yendo de las manos. Aun así, al ver que el hombre se marchaba, levantó la mano para despedirse.

Álvaro se subió al taxi que lo aguardaba. Cuando cerró la puerta del auto, la de la hermosa construcción también se cerró y la casa de piedra se tragó a Salma. Sintió que la mansión la atrapaba y la encerraba. La imagen lo impactó tanto que se demoró en darle la orden al chofer, quien tuvo que preguntarle si regresaban al hotel. Sólo en ese instante reaccionó. Después de semejante encuentro casi no podía hablar.

Al principio, cuando había llegado a Damasco y Salma le había comentado que estaba mal, jamás se le había ocurrido que se trataba de un embarazo. El malestar podía tener muchos orígenes… Incluso, había osado reclamarle por su largo silencio sin noticias. Ahora, sin embargo, cada vez que pensaba en ella, en la situación, en las consecuencias, se sentía deshecho. Sentimientos encontrados se agolparon en su interior. ¡Un hijo! ¡Pero uno de quién sabe quién! Recordó el rostro del único de los milicianos que había alcanzado a distinguir en ese nefasto día y sintió náuseas; tantas que tuvo que bajar el vidrio de la ventanilla para recomponerse. Si esos hombres no hubieran atacado a Salma, quizás él ahora estaría festejando. Pero si profundizaba en esa idea se hundiría.

Se sentía confundido, pero una idea prevalecía: Salma lo necesitaba y él la acompañaría.

En verdad, Siria siempre parecía esperarlo para ponerle una nueva prueba por delante. Cada vez que pisaba la tierra de su abuelo, un nuevo desafío se desplegaba ante él, como si el país lo convocara para que aprendiera lección tras lección. Sin embargo, esta vez el reto lo superaba; no se sentía a la altura de las circunstancias.

Pensó en Salma y rogó reunir la fuerza necesaria para enfrentar honorablemente el trance. Ella lo merecía.

* * *

La puerta de la casa de piedra se cerró y Namira caminó junto a su sobrina rumbo a la biblioteca, el lugar ideal para mantener una charla privada y con carácter urgente sin la intromisión de las mucamas.

Salma, animada por la cuota de valor que le había inyectado el encuentro con Álvaro, no dilató el momento de la conversación. Temía que, si dejaba pasar las horas, luego no se animara.

Namira temblaba. ¿De qué necesitaba hablar su sobrina a esa hora de la noche? ¿Qué era tan urgente que no podía esperar hasta la mañana? Todavía recordaba la última terrible charla que ambas habían mantenido. El periodista había visitado su casa tres veces. La situación comenzaba a complicarse demasiado.

Ella misma había promovido que su sobrina se instalara en la casa para aliviar la rigidez que le imponía su hermano, quien había estado a punto de encerrarla. Todo había comenzado dos semanas atrás, cuando Malak había invitado a Beirut a sus padres y a su hermana porque deseaba compartir la alegría de un nuevo embarazo. Pero Abdallah se había negado a llevar a Salma porque de ningún modo la premiaría con ese viaje, pues más que distracciones, ella merecía un castigo por lo sucedido. Algún correctivo debía darle. Privarla del viaje para ver a Malak y compartir la alegría familiar no le parecía uno tan grande.

Cuando comunicó su decisión, en la residencia Al Kabani se desató una violenta discusión con Salma como protagonista. La chica no aceptaba sujetarse a la prohibición. Su padre, enojado ante el desafío a su autoridad, ordenó encerrarla justo cuando llegó Namira, quien, con el pretexto de que necesitaba contar con la ayuda de su sobrina para resolver asuntos relativos a la administración de sus propiedades, le pidió a Abdallah que le permitiera albergarla en su casa. La propuesta resultó doblemente buena: para Salma, porque la salvó del encierro y le permitió aprender detalles sobre las propiedades que administraba; y para su tía, porque el auxilio laboral recibido significó un alivio. Su hermano había aceptado a regañadientes; a su regreso de Beirut estudiaría las medidas que adoptaría.

Namira creía que, tras un tiempo de buena conducta, Abdallah se olvidaría del asunto y le permitiría a Salma llevar una vida de muchacha acorde a su edad.

Pero cada día aparecía un hilo nuevo que mostraba que la historia de Duma había sido más compleja de lo que habían creído al principio. Y cada vez que tiraba…

Las dos se sentaron en los sillones enormes de pana verde y quedaron frente a frente.

Namira todavía buscaba la posición adecuada para que su bata plateada no se arrugara, cuando Salma exclamó sin preámbulos:

—*Ana hamil…!* —su voz sonó firme.

La frase congeló el aire.

Dos palabras, tres segundos y el mundo de Namira estalló en mil pedazos. ¡Su sobrina no podía comunicarle semejante noticia y de manera tan abrupta y destemplada!

La mujer se incorporó y le rogó que le hablara despacio, que esta vez le contara toda la historia, sin rodeos porque ya no soportaría que le fuera contando fragmentos. Necesitaba conocerla completa. Saltaba a la vista que Álvaro Sánchez estaba enamorado de Salma, no había que ser adivina para entender el porqué de su repentina e insistente aparición. Pero ella le había contado que había sido violada. Entonces ¿de quién era el niño que su sobrina esperaba?

Salma retomó su relato sin interrupciones, reveló más detalles de lo sucedido en Duma y tuvo que admitir sus dudas sobre la paternidad. Al final, confesó el terror que sentía. Y la propuesta de Álvaro.

Namira oía y le dolía el alma. Esta vez no podría salvar a su sobrina. Su respetada posición de hermana mayor tenía límites. Y este asunto los había sobrepasado largamente. No podía ocultárselo a Abdallah.

Salma terminó su relato y aguardó la reacción de su tía. Namira caminó nerviosa por la biblioteca durante unos instantes. En cierta manera, la historia de su sobrina se parecía a la suya y a la de muchas mujeres árabes: la vida les presentaba escollos para los que carecían de poder de decisión. El relato le retrotrajo a la memoria los obstáculos que ella misma, siendo joven, había tenido que sortear; o peor: aceptar con mansedumbre. Quería ayudarla pero desconocía si contaba con poder suficiente para imponer su opinión. En su cultura, las elecciones vitales e importantes de una mujer —sobre todo, después de haberse equivocado, como había sucedido con Salma— quedaban en manos del jefe de familia, y de nadie más.

A Namira nadie debía explicarle cómo pensaban los hombres en Medio Oriente, incluido su hermano. El deshonor de Salma traería deshonor a toda la familia. Por lo tanto, sin importar las opiniones de Salma, Anisa o de ella misma, Abdallah impondría su decisión.

* * *

Cuando Álvaro llegó al hotel, entró a su cuarto y se tiró en la cama.

Meditaba sobre lo sucedido mientras comía un paquete de maníes que sacó del frigobar. Tenía hambre, pero, entre tantas emociones, se olvidaba de comer. Aun así, el cansancio lo venció y se quedó dormido con la ropa y los zapatos puestos.

Se despertó a las tres de la mañana y se quitó el calzado. Aprovechó y, medio dormido, echó una mirada por la ventana. El coche negro del gobierno seguía estacionado en el mismo lugar; evidentemente, lo vigilaban día y noche. Volvió a la cama y se durmió de nuevo. Estaba en paz. Le había dicho a Salma que estaría con ella pasara lo que pasara. Eligiera lo que eligiera.

* * *

Por la mañana, se despertó temprano y decidió darse una ducha para luego bajar a desayunar. Estaba muerto de hambre.

Mientras se bañaba, escuchó el teléfono. La llamada, tan insistente, lo obligó a salir de la ducha. Atendió descalzo y chorreando agua. Era Salma. Oír su voz siempre lo impactaba. Y esta vez se conmocionó aún más cuando oyó su propuesta: lo esperaba al mediodía para almorzar y conversar tranquilos. Namira, completamente al tanto de la situación, les daría la privacidad necesaria para que mantuvieran una charla adulta. Organizaron el horario del encuentro y luego hablaron acerca de cómo se sentían después del impacto de volver a verse. Escuchar un poco más tranquila a Salma en el teléfono lo reencontraba con la chica sosegada que había convivido con él en Duma.

Cortaron sin ganas, deseaban seguir conversando. Pero ella

no quería poner en peligro la reunión del mediodía abusando del permiso concedido.

Cuando Álvaro colgó, ya no tuvo deseos de bajar al restaurante y pidió que le subieran el desayuno al cuarto.

Se vistió pensando en Salma. La necesitaba. Nunca, en toda su vida, había experimentado nada semejante con una mujer. Los sentimientos que le despertaba iban más allá de lo racional. No importaba el tiempo que pasara, Salma siempre tendría ese extraño sitio de privilegio en su vida. Y al reconocerlo, supo que no podía perderla. No quería perderla.

Lo decidió: pelearía por Salma. Claro, siempre que ella también quisiera estar a su lado. ¿Y el embarazo? Apoyaría su decisión. La que fuera. Tenerlo o no. Aunque comenzaba a formarse su propia idea sobre qué hacer al respecto. Pero Salma necesitaba respeto para elegir libremente y él, por amor, se lo daría. La elección estaba en sus manos; él la acompañaría.

Asimismo, las dudas rondaron su cabeza: «¿Y yo? ¿Qué quiero hacer realmente?». Y como un dominó, surgió otra duda; otra que lo torturaba: «¿Este bebé es mi hijo?». Imposible de saberlo. Trataba de recordar cuántas veces habían hecho el amor sin recaudos. Al principio, muchas; luego, tomaron ciertas precauciones. Pero los recuerdos —confusos— no le aclararon su dilema.

Si ese hijo le pertenecía, sería un verdadero milagro. Aunque aferrarse a eso no parecía algo tan descabellado. En Duma habían vivido varios episodios extraños, como dar con un sótano repleto de comida cuando las provisiones escaseaban o continuar con vida luego de atravesar la valla asediados por una balacera.

Recordaba claramente la luz fuerte y brillante que vio el día que logró cargar el celular y salió vivo después de la masacre que ocurrió a su lado. Era la misma luz que esa mañana se había posado sobre el pelo de Salma mientras tenían sexo. Recordaba muy bien ese momento y el halo sobrenatural que rodeaba su cabeza mientras hacían el amor lenta y delicadamente, sin preocupaciones.

¿Y si la luz sobre Salma significaba que…? Pensó una, dos y tres veces. Entonces, a la cuarta, se asió fuerte a esa esperanza. Él quería una ilusión a la que aferrarse y allí la encontró. Porque cada vez que la luz se presentaba, sucedía algo prodigioso. Tal vez, aquella mañana en que la descubrió alrededor del pelo de Salma… ¡ella estaba concibiendo una vida!

El pensamiento le trajo paz y alegría. Y lo abrazó con fuerza. Si ella resolvía tener la criatura, contaría con su absoluto apoyo. Esa luz sólo podía significar algo bueno. Se dejó llevar por el optimismo y por primera vez —de manera ingenua y pura— soñó con un futuro con Salma y el pequeño. Vislumbraba imágenes tal como si se tratara de una película, mientras una sonrisa se le colaba en el rostro. El mero recuerdo de esa luz lo animaba, lo ponía contento.

Álvaro, aunque no lo sabía, acababa de atravesar un escollo, el primero de una larga lista. Porque todavía debía enfrentar a Al Kabani y lidiar con su ortodoxia. La voluntad de Salma colisionaría con los deseos paternos.

Además, su condición de occidental sería otra piedra en el zapato de Al Kabani. Sánchez no podría radicarse en Siria y trabajar libremente como fotógrafo. Salma, por su lado, no contaría con el permiso paterno —ni gubernamental— para abandonar su país. A raíz de la guerra, las trabas para emigrar se habían incrementado. El efecto de la luz aún le duraba y le impedía vislumbrar el cúmulo de contrariedades que debían vencer.

Sumido en su pequeño momento de paz, el llamado a la puerta lo sobresaltó. Le traían el desayuno.

A unos kilómetros del hotel, en la casa de Namira, la cabeza de Salma al Kabani parecía a punto de estallar. Asediada por un torbellino de especulaciones, dudaba. ¿Qué decisión debía adoptar? ¿Intentar perseguir un sueño, una quimera? ¿O mantener los pies sobre la tierra? ¿Estaba dispuesta a enfrentar a sus padres? El permiso que había conseguido de su tía para encontrarse con Álvaro apenas constituía una nimiedad si querían seguir juntos. Él —al fin de cuentas, un verdadero extranjero en su tierra— podía creer ingenuamente que ciertas cosas estaban a su alcance, que un diálogo civilizado encauzaría la cuestión... Pero ella conocía muy bien su cultura.

Temía embarcarse en perseguir un sueño que nunca alcanzaría y que la dejaría sin posibilidad alguna de volver a tener una existencia normal. Si lo que pergeñaban salía mal, su vida podía quedar reducida a un confinamiento eterno. Si lo analizaba fríamente —asumió que su padre respaldaría esa opción—, le convenía desprenderse del niño y desvincularse para siempre de Álvaro.

Si pretendía reanudar una vida parecida a la que tenía antes de colarse en el auto de Ibrahim, el niño y Álvaro debían desaparecer.

Si elegía a Álvaro —con o sin el niño—, se arriesgaría a que su existencia se transformase en una pesadilla. Y a la postre, quizá, ni siquiera terminarían juntos.

Por lo pronto, Namira había accedido a que ellos se encontraran a solas. Aún gozaba de la libertad necesaria para llevar adelante esa conversación de cuyo resultado dependía si se ajustaría a las normas propias de una chica musulmana o le declararía la guerra a todo lo que conocía.

Aterrorizada, dudaba. ¿Cedería al mandato paterno y a la presión social? ¿O asumiría las consecuencias de elegir algo distinto?

A metros de Salma, muy cerca, Namira luchaba con sus propios pensamientos. Los recuerdos disparados a causa de la charla reciente tenían el mismo sabor que probaba Salma. La palabra «decidir» volvía al tapete de su vida.

«Elegir», «decidir», vocablos prohibidos para muchas mujeres, hoy, otra vez, retumbaban en su cabeza con una connotación traumática, como en su juventud. Porque Namira, si bien ahora podía ayudar a Salma, no estaba segura de querer hacerlo. Para ello, debería romper la coraza que tanto le había costado construir. Con el lento discurrir de los años, había logrado adecuarse a las reglas sociales y vivir tranquila. Había construido un búnker en el que nadie podía entrar; nadie podía lastimarla ni molestarla. Tomar partido en la situación de Salma significaba abrir la puerta de su fortaleza y, tal vez, perder su atalaya.

NUNÚ

Damasco, Siria, 1966

La joven Namira, esa tarde, le pidió a la empleada nueva que trabajaba en el puesto que bajasen juntas las sedas que colgaban de la pared. Necesitaba cortar un trozo para el cliente que le pedía la de color dorado.

Un pequeño esfuerzo y entre las dos lograron ponerla sobre el mostrador. Apreció el brillo de la tela y recordó el día que Anás le había sugerido que confeccionara un vestido del mismo color porque le sentaba a su rostro. Se le encogió el corazón.

Tanto había deseado trabajar en el mercado y ahora el puesto no le gustaba, la entristecía. Cada detalle del negocio le traía a la memoria la viva imagen de su hermano. Llevaba dos semanas atendiendo el local por pedido expreso de su padre, y no había día que, estando allí, no llorara la pérdida del muchacho. Para consolarse, imaginaba que Anás aparecería en cualquier momento para arrancarle una tierna sonrisa o provocar una pelea banal con tal de hacerla rabiar.

La chica que la ayudaba acomodó la resma para que la tela fuera cortada. Namira tomó la afilada tijera para realizar la tarea. Dos movimientos, uno mal hecho, y el dedo comenzó a sangrarle; se había cortado. ¡Y por segunda vez en el día! Un error imperdonable para una tendera avezada como ella. Pero estos deslices sucedían porque estaba nerviosa. Claro, cómo no estarlo, si se trataba de una jornada especial. El día anterior, y como ocurría desde que Leila le pidió que ayudara a la madre de Omar, Namira había visitado la casa de la familia de los Salim para realizar pequeños mandados como comprar el pan y las verduras. Pese a que había sido un pedido ocasional, continuaba haciéndolo por gusto. Ese día, mientras recibía los tomates, la mujer le había contado que estaba feliz porque en pocas horas liberarían de la cárcel a su hijo. Nunú, ante la novedad, tuvo que contenerse para no llorar.

Y si calculaba bien, en este momento Omar ya era un hombre libre. Lo pensó y otra vez se emocionó. Sabía que su hermano había muerto heroicamente en brazos de Omar, quien trató de ayudarlo hasta el último instante, aun a riesgo de perder su propia vida. Y eso intensificaba su amor.

Namira planeaba pasar por la casa de los Salim con el pretexto de brindar su colaboración. Tal vez, con suerte, lo cruzaría. Namira no conocía, ni tenía cómo saber, que la charla entre Omar y su padre había terminado mal. Pero no se olvidaba de que el día que regresaron del entierro de Anás, Khalil se había sentado en la sala muy ensimismado hasta que, de repente, al tiempo que maldecía el momento en que había empleado a Omar Salim, golpeó la mesa con el puño. La descarga fue tan violenta que provocó una fisura en la madera. Seguidamente, blasfemó contra el partido y contra los políticos.

Ante la escena, Namira concluyó que, más allá del resultado de la dichosa charla, Omar no tenía posibilidad alguna de ser aceptado como candidato matrimonial.

Con el dedo vendado, Namira observó la hora en el reloj de la entrada del mercado. La jornada laboral ya casi llegaba a su fin. Como siempre, tras cubrir el trecho a pie, ayudaría a su madre con la cena. Desde que Anás había fallecido, Khalil los visitaba muy poco porque la casa de Leila le recordaba su pérdida. En cambio, junto a Rihanna y su otro hijo pequeño, la pena pasaba desapercibida. Además, atiborrado de actividades, en la fábrica lograba evadirse.

La empleada ordenó las telas porque en pocos minutos cerrarían el puesto. Por su parte, en plena actividad de arqueo de caja, Namira notó que un hombre se acercaba al mostrador. «El último cliente», pensó y, desganada, se aproximó para atenderlo.

Abrió grande los ojos. No podía creerlo. No y no.

Era él. ¡Había vuelto a la tienda! Pero, por su extrema delgadez y la barba crecida, parecía otra persona, alguien bastante mayor.

—¡Omar! —exclamó sorprendida y contenta.

—Namira…

—¡Al fin te han liberado!

—Sí, esta mañana. ¿Cómo estás?

—Bien, como se puede —repuso encogiendo los hombros. Luego, agregó con pesadumbre—: Ya sabes lo de Anás… —nombró a su hermano y se le hizo un nudo en la garganta.

—Lo siento mucho, Namira —Omar se unió al dolor con un largo silencio. Él también tenía deseos de llorar.

Namira cambió de tema. No podían quebrarse y montar una escena en el mercado.

—No te reconocí. Estás muy delgado. ¿Te encuentras bien?

Las marcas que poblaban el rostro de Omar mostraban que había recibido golpes, pero ya empezaban a cicatrizar. Sus ojos, igual de oscuros y profundos, desnudaban su alma.

—Estoy bien —respondió él y añadió—: Lo de Anás fue muy doloroso.

—Lo sé.

A punto de quebrarse, Namira otra vez escapó del tema.

—¿Fueron muy duros los días en la prisión?

—Sí —dijo lacónico, pero, como comprendió su intención, le contó detalles de la experiencia carcelaria. Su relato captaba la atención de Nunú.

El tiempo se detuvo en el puesto.

—¿Me puedo marchar? —La voz de la empleada los sacó del mundo en el que estaban inmersos desde hacía unos minutos—. Es la hora de salida. Ya acomodé la mercadería.

Namira tardó unos segundos en entender. Las vivencias del cautiverio la habían transportado a un lugar tenebroso.

—Sí, sí, gracias, vete. Yo me encargo de cerrar el toldo.

La chica se marchó y Omar ayudó a Namira a ordenar detalles pendientes. Mientras descolgaban las últimas telas, como lo había hecho tantas veces, él buscó quedar atrapado entre los pliegues de las sedas, justo en el sitio donde se habían besado en otras oportunidades. Cuando consiguió que las telas los enlazaran, le dijo:

—Nuestro lugar…

—Sí, nuestro mundo mágico de colores.

—En el infierno donde estuve parecía imposible que existiera un rincón tan bello.

—Son sólo telas.

—Pero tú estás envuelta en ellas. Y eso lo hace maravilloso. Te he extrañado, Namira al Kabani.

—Yo, también, Omar Salim.

Él se acercó y la besó. Y cuando unieron sus labios supieron que aún se amaban, que lo que sentían seguía allí, indemne, intacto.

Un beso pequeño, un pacto de amor.

Se separaron.

—Te acompañaré hasta tu casa y en el camino te contaré cómo fue la charla que tuve con tu padre.

—No sé nada —reconoció—, ni siquiera la ha mencionado y no me he atrevido a preguntarle. Aunque puedo imaginar su parecer por la forma en que ha actuado conmigo en el último tiempo.

Para Namira, reencontrarse con Omar había significado una conmoción. Frente a él, se olvidaba del mundo.

Cerraron el puesto y se marcharon caminando. Por vez primera tomaban el riesgo de que los vieran juntos en la calle. Pero la vida en el último tiempo se les había trastocado tanto que se les alteraba hasta el orden de valores. Claro que Omar, mientras atravesaban el patio de la mezquita de los Omeyas, iba a su lado —pero muy separado— y, por respeto, se negaba a mirarla.

La preocupación de Namira aumentaba a medida que Omar le relataba el resultado del encuentro con su padre, aunque los sucesos reales no distaban de los que había imaginado. Sólo que a la lista de impedimentos había que añadirle la muerte de su hermano, que había profundizado la distancia entre Khalil y la familia Salim. Lo puso al tanto de la reacción paterna.

—Me imaginaba que tu padre me culparía. Pero estoy tranquilo, porque Anás eligió cómo quería vivir y también cómo morir. Nadie lo obligó.

—Lo sé —reconoció ella mientras avanzaban por la calle en dirección a la puerta del Este.

—Respecto a lo nuestro, no te preocupes. Mañana regresaré y hablaremos sobre una idea que estoy planeando. Algunas cosas han cambiado.

—¿Qué ha cambiado? —preguntó sorprendida.

No le parecía que la situación hubiera variado demasiado.

—El hombre que me interrogó en prisión llegó a decirme que, si no me iba del país, me matarían.

—Es terrible…

—Sí. Por eso, en mi familia consideramos la posibilidad de marcharnos de Siria. Todos los que adheríamos al gobierno derrocado ahora corremos peligro.

—¿Te irías…? ¿Y nosotros?

Namira se detuvo. Como estaban cerca de su casa y se trataba de una pregunta importante, quiso que Omar le respondiera con claridad.

—Mañana hablaremos tranquilos. Ahora será mejor que te deje para que nadie te vea conmigo.

Ella asintió y se despidieron.

Concluyó que la situación había cambiado, sí: pero para peor. No sabía cómo harían para estar juntos. Sin embargo, estaba contenta. Omar estaba vivo y había regresado por ella.

Caminó meditabunda los últimos cien metros que la separaban de su casa. Ingresó. Wafaa y Abdallah jugaban en el hall. Los saludó y enseguida escuchó que le hablaban.

—Namira, ¿todo está bien? —preguntó Khalil—. ¿Hoy cerraste más tarde el puesto?

—Oh, padre, sí —respondió sorprendida—. Hoy hubo muchos clientes —comentó e intercambiaron pormenores sobre el negocio.

Luego, lo oyó hablar con Leila; su madre le pedía que reparara el techo de la casa. Después de varias semanas de ausencia, Khalil había regresado con la idea de quedarse un tiempo con ellos y su esposa aprovechaba para pedirle ciertas soluciones impostergables. Los niños, que no habían pasado un día completo con su padre desde el funeral, festejaban la visita mostrándole sus cuadernos y llamando su atención.

Namira, como cada noche, colaboró con la preparación de la cena.

Por esos días, la vida hogareña se teñía de falsa normalidad. Leila lloraba a escondidas y Khalil ocupaba sus horas repasando los hechos que desencadenaron la muerte de Anás y cómo podría haber evitado la desgracia.

Hacía una lista con cada una de las situaciones transcurridas que debería haber erradicado para cambiar el triste desenlace.

Una vez que la comida estuvo lista, Nunú ni la probó; adujo un malestar. La ebullición que le produjo el reencuentro con Omar y la incertidumbre sobre su destino tomaron el control de su joven corazón y de su estómago. Un capítulo emocionante y peligroso se abría en el libro de su vida.

CAPÍTULO 15

Sólo una luz fuerte y brillante
te mostrará la realidad tal cual es.
PROVERBIO ÁRABE

Frente a la enorme puerta de la casa de Namira, Álvaro sintió que el halcón del techo del hall de ingreso comenzaba a serle familiar.

Antes de golpear, se acomodó la camisa blanca que llevaba puesta fuera del jean. Todavía tenía el pelo mojado de la ducha que se había dado en el hotel; llevaba puesto perfume. Agradeció haber cargado uno en la valija antes de salir de Barcelona. Se notaba nervioso como un adolescente que visita por primera vez a su novia. No le preocupaba Salma; ella lo había visto de una y mil maneras en Duma, pero la familia Al Kabani... lo examinaría, lo inspeccionaría. Por momentos, hasta pensaba que en la casa también se encontraría con Abdallah. Estaba preparado para lo que fuera.

Nervioso, tocó el timbre. En horas se decidiría su futuro.

La empleada filipina le abrió la puerta y lo condujo al patio, pero esta vez lo ubicó en una de las esquinas, junto a la galería, y le indicó que se sentara en el banco largo, de concreto, repleto de almohadones de seda amarilla. Álvaro acató y aguardó unos minutos hasta que Salma se acercó. Vestía una túnica larga hasta la rodilla color verde agua con botones de plata; debajo, un pantalón de jean. Llevaba los ojos muy maquillados; el cabello corto y recogido dejaba al descubierto su rostro, que exaltaba más que nunca sus rasgos exóticos. Cortés, Álvaro se puso de pie y la saludó con un beso.

Salma se mostró aplomada; había desterrado de su semblante el aspecto inestable y frágil de las jornadas previas. Su seguridad

349

se anclaba en la confianza y el respeto brindados por su tía, quien había accedido a este cónclave entre ella y Álvaro. La tranquilidad con la que podrían explayarse, sin que nadie los interrumpiera ni los oyera, le había quitado una gran cuota de tensión. Salma recobraba la serenidad y cierta prestancia propia de su personalidad. Se sentó en el banco a su lado.

–¿Y Namira? –preguntó Álvaro.

–Mi tía no estará con nosotros. Ha salido de la casa para resolver asuntos personales y realizar trámites. Tampoco nos molestarán las mucamas. Ha dado la orden de que nos dejen conversar tranquilos sin interrupciones.

Namira no temía dejarlos solos. A las hijas mujeres se las cuidaba para que no ocurriera lo que a Salma ya le había pasado. No había tesoro que cuidar. Sólo había que hacer bien las cosas para que Abdallah no se la agarrara con ella, que momentáneamente ejercía la custodia de su sobrina. El embarazo de Salma venía de Duma y no del tiempo que había pasado en su casa.

–Entonces, Salma, ¿te ha ido bien con tu tía, verdad?

–«Bien» es una manera de decir… Casi le da un ataque cuando le conté… Tú sabes, lo del…

–Sí, sí.

Ninguno de los dos se atrevía a ponerle al asunto el título de «embarazo»; mucho menos, a usar la palabra «bebé». Los eufemismos y los sobreentendidos no eran un buen comienzo. Aun así, a Álvaro le agradaba descubrir una Salma sosegada. No le gustaba verla sufrir. Pero deberían aprovechar la posibilidad de hablar tranquilos y con libertad. Abordó, entonces, lo trascendental.

–Salma, antes de que me des tu parecer, quiero decirte algo sin lo cual lo demás no tiene sentido.

–Dime… –pidió con urgencia.

–Te amo. Y estoy dispuesto a tomar los riesgos necesarios para que estemos juntos –dijo con absoluto arrojo para dejar bien en claro que su compañía no se ceñía a la decisión respecto al embarazo. Él deseaba una relación con futuro.

En silencio, aguardó la reacción de Salma, que seguía impasible.

—¿Tú también me amas? —indagó expectante.

Salma pestañeó un par de veces, se fregó una mano con la otra y, bajando la vista, manifestó:

—Esto es tan difícil...

—¿Me amas? —insistió.

El silencio se hizo eterno.

—Sí, te amo —reconoció al fin.

Le había costado decirlo. Sabía cuánto significaba esa declaración. A continuación, sobrevendrían terremotos, tempestades y las plagas de Egipto.

Álvaro se acercó y, tomándole el rostro con las manos, la besó. Primero, tiernamente; luego, con pasión. Largo. Sus bocas se reconocían y él la reencontraba como mujer.

Al separarse apenas unos centímetros, le preguntó:

—¿Lo sientes, Salma? ¿Sientes lo que tenemos? Créeme que esto no se logra fácilmente, ni con cualquiera. He tenido muchas mujeres pero esto no lo he sentido por ninguna. Mi corazón y mi cuerpo te pertenecen.

—Álvaro... —suspiró quebrada. El beso le había hecho bajar la guardia y volvía a estar en sus manos, como en Duma. Pero no estaba segura de que fuera eso lo que quería. En su cabeza rondaban las palabras «muchas mujeres». Su pasado, su historia le generaban miedo, incertidumbre y lo alejaban; sin embargo, al mismo tiempo deseaba que ese hombre rubio se quedara con ella para que nunca más volviera a buscar los brazos de otras mujeres.

Ajeno a las complicadas elucubraciones de Salma, continuó hablando.

—¿Quieres saber la verdad? Sí, podría vivir sin ti. No me moriría, y tarde o temprano saldría adelante porque amo demasiado la vida; sobre todo, después de lo que pasamos. Supongo que para soportarlo me atiborraría de trabajo hasta olvidar la pena. Pero esto que sentimos es un milagro que no podemos dejar escapar. Vale la pena arriesgarnos por lo que nos une.

—No sé, Álvaro. A veces analizo los hechos en exceso y siento que me vuelvo loca.

—¿En qué piensas?

Quería que hablara, necesitaba entenderla.

—Me pregunto si amarse alcanza para lograr estar juntos. Tenemos muchos frentes abiertos y todos exigen una dura pelea. Piensa en el embarazo. Debo hablar con mis padres al respecto.

—Ese niño que llevas dentro es nuestro —afirmó categórico.

—¿Cómo estás seguro?

—Porque sé qué día lo concebimos.

—¿Cuándo? ¡Cómo puedes saber eso!

—¿Recuerdas el día que mataron al francés, el día que me salvé por poco? Un rato antes había visto una luz sobrenatural fuerte y brillante... En Duma la vi un par de veces más... cuando estuve cerca del peligro.

—Hum, sí, algo me acuerdo...

—Creo que nunca te lo dije, pero esa mañana había visto la misma luz sobre tu pelo mientras hacíamos el amor. Te envolvía... La recuerdo muy bien. Estoy seguro: tu embarazo tiene que haber sido ese día.

Tras el relato de ciertos detalles, Salma recordó la experiencia. Sí, sí, se la había mencionado, pero en ese momento ella no le había prestado suficiente atención.

Salma percibía la absoluta seguridad con la que Álvaro se explayaba, pero ¿era real? ¿Su convencimiento provenía de una especie de sugestión y de un íntimo deseo de que esa criatura fuera de ellos?

—Mi padre no querrá que tenga al niño. Y si me deja, cosa que dudo, será para que luego lo entregue a otra familia.

—No lo creo.

—Realmente no tienes idea de la cantidad de recién nacidos que se dejan abandonados en las mezquitas de Siria para que otras familias los tomen en adopción.

—Si sospechas que actuará así, entonces no le cuentes lo que te sucedió en Duma. Sólo dile que estás embarazada de mí. Me ofrezco a hablar con Al Kabani, a interceder y explicarle...

—¡Para mi padre no habrá diferencia entre que sea tuyo o de los milicianos que me violaron! ¡Intentará que no lo tenga! Y si logro parirlo... ¡me obligará a entregarlo!

Salma temía declararle la guerra a su padre y a las costumbres que él encarnaba. Podía imaginarse gestando al niño, amándolo en su vientre y que, una vez nacido, la obligaran a regalarlo para acatar la voluntad que él le impusiera... O peor, porque Álvaro no había cumplido con su promesa de acompañarla.

—Yo hablaré con Al Kabani.

—No creo que sea lo mejor. Tú lo ves fácil, crees que el problema tiene solución, que una charla entre dos adultos, café de por medio, como en las películas, arreglará el entuerto... ¡Pero no sabes contra lo que te estás enfrentando! Mi mundo es diferente al tuyo. Mi padre no concibe otras alternativas que no sean las de uso y costumbre en mi país. ¡Las tradiciones musulmanas son inquebrantables! Y entérate de una vez: aquí los deslices sexuales son actos impuros que se pagan con multas, cárcel o la vida. ¿Concubinato? ¡Dos años de prisión para ambos! ¿Homosexualidad? Para el gobierno, ¡no existe, no la reconoce!, es una práctica occidental... Y el Corán directamente lo llama «crimen».

¡Dios, en qué mundo vivía Salma! No podía creer lo que escuchaba. Mientras fue huésped de los Al Kabani sintió que Abdallah, su esposa y su hija componían una familia igual a la suya. Sin embargo, los entretejidos del universo musulmán los volvía diferentes. Duros, difíciles e inamovibles. No se daría por vencido.

—Yo hablaré con él —insistió—. Sólo necesito saber una cosa.

—¿Qué?

—¿Quieres o no quieres estar conmigo?

Salma le dirigió una mirada penetrante. Su respuesta decidiría su destino. Álvaro insistió:

—¿Quieres o no quieres que intentemos estar juntos, amarnos y tener al niño?

—No sé…

La respuesta le dolió, lo ofendió. Álvaro permaneció inmóvil. Le estaba ofreciendo todo, su vida entera, ¡y ella dudaba! Tal vez se había equivocado con Salma.

Pero el problema era de otra índole. Aunque se esforzara, Álvaro jamás podría entender el terror que la envolvía. Decirle que sí a su propuesta significaba entrar en un túnel sin saber qué había del otro lado. Desobedecer y desafiar las reglas la colocaba en un mundo desconocido pero que intuía oscuro, muy oscuro.

Ajeno al futuro negro que Salma presagiaba, Álvaro le hizo saber cuán ofendido se encontraba por esa respuesta tan insulsa.

—Entonces… ¡no sé qué estoy haciendo aquí! —exclamó y se puso de pie.

Sin esperar a que nadie lo acompañara a la salida, caminó hacia la puerta. Dio unos pasos, cruzó el umbral y enseguida sintió cómo el sol del mediodía le daba en la cara. Bajó los escalones, pisó la vereda y se marchó. Tenía un nudo en la garganta, deseaba llorar. Había hecho lo que correspondía, lo que le dictaba su corazón. Había puesto lo mejor de sí, había soñado con un gran amor, uno que desafiara al mundo y rompiera barreras. Y ella lo había rechazado, había menospreciado lo que le entregaba.

En la sala, sentada en el sofá, Salma seguía petrificada y con la mirada perdida. Aún pensaba en las palabras de Álvaro. Pero el tiempo pasaba y los segundos volaban, diez, veinte, treinta, cuarenta…

Al minuto y medio reaccionó. Algo dentro de ella la hincó, la espoleó. La hizo poner de pie. Algo muy poderoso la dominó y la llevó a actuar. Salió a la calle corriendo. En la vereda miró hacia las dos esquinas y en una descubrió la figura de Álvaro. Se hallaba a cien metros de ella, en la bocacalle. Lo llamó, pero no la escuchó.

Sánchez iba inmerso en su propio drama. Había tomado un avión desde Europa para regresar al país donde casi había perdido la vida con el propósito de proponerle una vida juntos a la única mujer que había amado, y ella lo había rechazado. Quería volver al hotel y adelantar el vuelo de regreso a Barcelona.

Salma avanzó en dirección a Álvaro, que le hizo una seña a un taxi. El coche se detuvo. Ella se apuró. ¡Él no podía marcharse! Ella no sabía en qué hotel estaba hospedado, tampoco el número de su celular. Tenía que decirle que lo amaba y que aceptaba su propuesta de llevar adelante una vida juntos. Acababa de tomar la decisión: se arriesgaría por amor. Ese hombre la amaba de verdad y ella no iba a rechazarlo. No.

Él podía ser el padre del hijo que crecía dentro suyo. Y, lo más importante: si no lo era, la quería tanto que, de todos modos, estaba dispuesto a hacerse cargo de ese niño. No era común esa clase de amor. En Duma, ella lo había dado todo por amor, aun a riesgo de su propia vida, a riesgo de su libertad y del cariño de su familia; también de su honor. Pero no se había equivocado porque Álvaro le pagaba con la misma y excelsa moneda. En Duma, por amor, ella había traspasado sus límites, pero él ahora le respondía.

—¡Álvaro! —gritó cuando lo vio abrir la puerta del taxi.

Pero no la oyó; los separaban varios metros y su voz no era tan potente. Su figura se perdió en el interior del vehículo. No, no y no. Cerró la puerta. No, eso no podía pasar. El coche arrancaba. No, no podía permitir que se fuera.

El coche se puso en movimiento. Desesperada, llamó a otro taxi y se subió sin pensar en nada, salvo en alcanzar a Álvaro. Ni siquiera recordaba que no llevaba dinero encima.

—Siga a ese coche, por favor —pidió Salma al conductor.

A partir de ese momento y durante algunos minutos, los movimientos de ambos vehículos fueron idénticos. Porque el taxi de Álvaro doblaba en la avenida y el de Salma hacía lo mismo; uno frenaba por el semáforo y el otro, también. Arrancaba el primero, reanudaba el segundo.

Unos minutos de repeticiones, de curvas y avances, y Álvaro se detuvo frente al hotel donde se hospedaba. Salma hizo lo mismo: se bajó del vehículo.

—Espéreme, por favor —le pidió al conductor. Luego, llamó a Álvaro.

Esta vez él la oyó y giró. Vio la túnica color verde agua, el rostro armonioso y llamativo de Salma; entonces, entendió: lo había seguido.

—Tenemos que hablar —propuso Salma.

Álvaro la contemplaba sorprendido. ¿Qué significaba la presencia de Salma? ¿Para qué?

—Ya hablamos…

—Álvaro…, sí, quiero.

—¿Qué quieres?

—Quiero que estemos juntos. Que intentemos que esto salga bien. Acepto que hables con mi padre. Y… tal vez, hasta que tengamos al niño.

Por primera vez llamaba al embarazo de esa manera.

Álvaro seguía impasible, aunque sus ojos mostraban cierto brillo.

—Quiero una vida juntos…

—¿Estás segura? —preguntó. Cansado de los devaneos, ya no quería avances y retrocesos. Realmente se trataba de la última oportunidad.

—Sí, lo estoy. Cuando vi que subías al taxi y me di cuenta de que ni siquiera tenía tu celular, pensé que nunca más volveríamos a vernos… Entonces sentí que el mundo se derrumbaba y que no me importaba nada. Que por estar contigo enfrentaría las consecuencias.

Sánchez hurgó en el interior de sus ojos. Buscó y buscó durante unos instantes y encontró lo que deseaba: certeza en sus palabras, convicción en su decisión, amor por él.

—Ay, Salma, ven aquí… —dijo e intentó abrazarla.

—¡No puedes! ¡Hay gente!

Ese tipo de demostraciones en público —recordó— no estaban permitidas. Con tantas reglas se volvería loco.

—Dios mío, necesito abrazarte. Besarte —dijo Álvaro.

—¿Quieres que regresemos a la casa de Namira? —propuso ella.

—No, Salma. Quiero tenerte conmigo en tranquilidad. Necesito unas horas contigo en paz. Despacha el taxi.

—Ni siquiera le he pagado. ¿Qué hacemos? No traje dinero.

—Pagaré tu taxi, lo despediré y subirás conmigo a mi cuarto. Quiero darte un beso bien dado, necesito abrazarte. ¿No deseas lo mismo?

—Sí.

—Pues entonces vendrás conmigo. Y yo te cuidaré por unas horas. Además, tenemos que organizar cuáles serán nuestros próximos pasos.

—Debo avisarle a Namira que salí para que no se preocupe. Creo que ni siquiera cerré la puerta de calle.

—Haz una llamada desde la habitación.

La miró buscando la señal afirmativa. Álvaro entendía que le estaba pidiendo mucho, pero tendría que ser de esa forma o no sería de ninguna, pues no dispondrían de otra chance. Ella debía soltarse de los miedos, de los usos y costumbres que la sujetaban desde niña. Y ese era el momento.

Deseaba abrazarla, decirle que todo estaría bien, que la cuidaría, quería brindarle protección, pero allí, en la calle, no podía. La situación lo trastornaba. Necesitaba llevarla a un lugar seguro, donde ella pudiera pensar y actuar como la Salma que había conocido en Duma.

—Espérame —dijo. Le pagó al taxista, que seguía con atención la escena de la pareja y lo despachó. Luego, junto a ella, le propuso—: Ven, entremos, por favor.

Un nuevo desafío se presentaba ante Salma: ingresar a un hotel. Eso, tampoco estaba permitido. Ella, e incluso el hotel, podían sufrir serios problemas si traspasaba las puertas. Pero esta vez se dejó guiar por Álvaro. Como cuando estaba en Duma.

Ingresaron al *lobby*, pero lejos de lo que Saima había calculado, a nadie pareció llamarle la atención su figura junto a Álvaro. Atestado, el bar congregaba a varias personas que charlaban y bebían café, leían los diarios o controlaban sus celulares. El ambiente era cosmopolita y despreocupado.

Álvaro notó que Salma se tensaba.

—Quédate tranquila, todo estará bien. Sólo sígueme.

Desecharon el ascensor y subieron por las escaleras, más solitarias. Ella lo seguía.

—Son cuatro pisos. ¿Estás dispuesta a...? —preguntó Álvaro antes de subir el primer escalón.

El interrogante contenía una connotación más profunda. No sólo le preguntaba por el esfuerzo que le demandaría el ascenso, sino que iba más allá. No deseaba forzarla, quería que eligiera libremente. Salma aún podía arrepentirse.

—Sí, estoy dispuesta —respondió. Había captado la doble intención de su pregunta—. Avanza, que te sigo.

Ambos habían entendido los mensajes que enviaron en las frases.

Salma subía los peldaños junto a Álvaro y pensaba que nada podría detenerla. Una correntada irrefrenable la arrastraba.

La emoción los embargaba. Ella, por amor, ponía en peligro su mundo de mujer musulmana; su libertad, su futuro... ¡hasta su propia vida!

El corazón les latía con violencia no sólo por el esfuerzo de los cuatro pisos sino también porque con cada escalón decidían su futuro.

Cuando llegaron a la puerta de su cuarto, Álvaro se apuró a abrir. No quería que nadie viera a Salma; sobre todo para evitarle más angustia.

Entraron. Y una vez que cerraron, el mundo real desapareció tras la puerta. Sólo existía ese cuarto, ellos dos y su amor. Nada más. Sin moverse, sin avanzar un paso, Álvaro le dijo:

—Salma, amor mío..., comprendo cuán grande e importante es el riesgo que tomas.

—Estoy segura de mi decisión.

Por amor, elegía el camino más difícil. Le rogó a Alá no equivocarse y lo invocó con todo su corazón para que el final de la guerra que emprenderían los encontrara felices.

—Salma, sé que no será fácil, pero siempre contarás conmigo.

—Lo sé.

La suerte estaba echada. Las palabras que acababan de pronunciar marcarían su destino.

Se besaron, un beso corto. Luego se miraron a los ojos. En el interior de Salma, entre la emoción y la preocupación, se colaba un hilo de enardecimiento. Su cuerpo pedía por el de Álvaro. Lo amaba. La piel de ambos exigía sellar con intimidad la resolución que acababan de tomar.

Álvaro le acarició el pelo, el rostro y volvió a besarla, una y otra vez. La encerró con sus brazos contra la puerta. La tenía contra sí, la apretaba con fuerza. Salma, con la espalda apoyada contra el pórtico, lo sentía entero, todo. Conocía muy bien cómo reaccionaba ese cuerpo de hombre tan querido. Al fin se tenían uno al otro sin obstáculos y sin que nadie los juzgara. Eran simplemente un hombre y una mujer que se querían. No había nacionalidades distintas, costumbres diferentes, ni regla alguna.

Se besaban con locura cuando Álvaro se detuvo y la alzó. La tomó en sus brazos y la llevó a la cama. Allí, le besó el cuello y fue desprendiéndole uno a uno los botones de plata. Salma, con los ojos cerrados, sumergida en su mundo de placer, lo dejaba hacer. Él le fue quitando la ropa y, cuando al fin llegó a su piel, buscó sus senos y se los besó. ¡Cuánto había extrañado esa piel y ese aroma! Ella gimió de placer. Álvaro se detuvo para quitarse la ropa, se sacó con apuro la camisa y luego los pantalones. Los dejó tirados en el piso y volvió a Salma dispuesto a amarla. Quería hacerle el amor, se hallaba listo. Hizo un movimiento y, cuando quiso subirse sobre su cuerpo, la sintió tensarse. Esta vez ella tenía los ojos abiertos clavados en el techo. La acarició como sabía que a ella le gustaba, buscando con sus dedos sus partes íntimas, pero seguía inerte. Algo había pasado.

—¿Qué sucede, Salma?

Por una de las mejillas de su rostro corría una lágrima. Entonces, comprendió. Se acordó. La pasión de los juegos previos lo había borrado; ambos se habían olvidado completamente. Pero allí seguía latente: la última vez que Salma había estado desnuda y con un hombre había sido el día de la violación. La última vez que ella había tenido un hombre dentro, en su interior, no había sido Álvaro. Nunca lo habían podido hablar, no habían tenido oportunidad. Y por primera vez desde que habían regresado de Duma estaban solos. Quizá fuera el momento de abordarlo.

Al entender la gravedad del abatimiento, Álvaro creyó volverse loco.

—Salma, Salma, amor mío…

Abandonó la idea de treparse y se tendió a su lado. Sin dejar de mirarla, con su dedo índice acariciaba su rostro. Se lo pasaba con suavidad por la frente, por las cejas, por los labios; ella se fue calmando.

—¿Sabes por qué me corté el pelo? —le dijo Salma de repente.

Álvaro negó con la cabeza.

—Porque sentía que todo mi cabello olía al miliciano que me… el primero. Sentía que se me había pegado ese olor nauseabundo. Me lo lavaba una y otra vez y no lograba quitármelo. Hasta que decidí cortármelo.

Álvaro se quedó sin palabras.

—Fue horrible… terrible. Me lastimaron, pero no sólo la piel, sino el alma.

—No, no, amor… —articuló Álvaro.

Las palabras de Salma punzaban no sólo su corazón sino hasta su cuerpo. No sabía qué hacer ni qué decir para confortarla.

—Lamento tanto no haber estado cuando pasó. Te pido perdón porque no estuve allí. Yo te juro que… que los hubiera matado con mis propias manos —dijo con la más absoluta pesadumbre de saberse ausente en un momento trágico.

Culpable. La misma sensación lo asaltaba cuando solía recriminarse por no haber pasado a recoger temprano a su padre el día del accidente. Pero esa culpa se le había quitado estando en Duma. Se acordó de cuántos interrogantes y autocondenas había podido resolver en Duma y abrazó la esperanza de que Salma pudiera cicatrizar las heridas. Se lo dijo:

—Lo resolveremos.

—Lo sé. Pero necesitaba contarte —se sinceró y agregó—: Ven...

Con un interrogante grabado en la frente, no atinaba a reaccionar. Salma insistió:

—Sí, ven aquí. Ámame ahora —pidió Salma decidida.

—Podemos esperar...

—No quiero esperar, no voy a permitir que esos hombres arruinen mi vida.

—Dime lo que tú quieres, y lo haré.

—Si tengo que decirte la verdad, me da miedo tener sexo. Pero es tan grande el amor que te tengo, que deseo estar unida a ti de todas formas. ¿Me entiendes?

—Creo que sí.

—Te amo tanto, Álvaro, que necesito esta intimidad... Tu abrazo me salva de las tinieblas. Tu amor me quita el miedo. Ven, Sánchez...

Álvaro miró el cuerpo desnudo de Salma. Necesitaba inspirarse. Las palabras habían adormecido el deseo. Pero la amaba y quería ayudarla a superar el trance, a espantar los malos recuerdos. Su mirada de hombre se detuvo en algunos detalles de su cuerpo que siempre lo habían excitado. La punta empinada de sus senos, su pubis tierno y candoroso, el ombligo y la boca. ¡Ay, esa boca! Amaba esos labios rojos y carnosos con forma de corazón. La besó y en pocos minutos estuvieron listos para empezar el vaivén que los llevaría a otra realidad. Se movió con extrema delicadeza y por unos instantes sostuvo con las manos el peso de su cuerpo para treparse con sumo cuidado.

—Mírame, Álvaro. No dejes de mirarme, por favor. Penétrame mirándome.

Él obedeció. Se subió sobre Salma y acomodó su sexo dentro de ella. Empujó muy, muy suave, mientras sus ojos verdes se metían dentro de los marrones. Siguió adelante; temía lastimarla, se movía despacio.

—Mírame —pidió Salma— que, si te veo, el mundo se detiene y todo sale bien.

Entonces, Álvaro empujó de nuevo. Y de nuevo. Empujó y

pudo sentirlo: él se metía dentro de Salma a través de sus ojos, por su bajo vientre y por cada poro de su piel. Se fundían y se hacían uno. Disfrutaba de ella como un loco. Y Salma también gozaba porque los gemidos que conocía muy bien se lo confirmaban. El sonido suave de la voz de Salma se unía a los suspiros, que se repetían una y otra vez.

No había lágrimas, ni dolor, sólo placer para los dos. En esa danza suave, de sacudidas dóciles, y sin movimientos violentos, Salma empezaba a sanar.

Un rato después, cuando la quietud regresó, en el cuarto se escuchó con claridad:

—Te amo, Salma al Kabani.

Él había aprendido a decirlo como ella, con nombre y apellido, como Salma le había explicado que debía pronunciarse, como el día en que le expuso que los nombres eran sagrados porque representaban la individualidad y la esencia únicas de las personas. «El nombre completo eres tú. Y lo importante que tengas para decir —le había comentado en aquella oportunidad— debe ir unido al nombre».

—Yo también te amo, Álvaro Sánchez.

Tras varios minutos de silencio, se oyeron sus voces. Esta vez, la calma en la que estaban inmersos les dictaba las frases del futuro que planeaban juntos.

—¿Te das cuenta, Salma, de que nos tendríamos que mudar a Europa? ¿Estarías dispuesta?

—Si hoy estoy aquí, cómo no voy a estar dispuesta a lo que sigue. Entiendo muy bien de qué estás hablando, sé que no tenemos otra opción —dijo convencida sobre cuál sería el lugar apropiado para vivir si querían estar juntos.

Si deseaban un futuro, tendrían que construirlo en Europa. Aun así, no sería fácil. Con Siria envuelta en una guerra que no parecía tener fin cercano, sería complicado abandonar el país. Además, Salma jamás contaría con el apoyo de sus padres para emigrar. Y si por algún motivo al fin lograban salir, estaría obligada a renunciar a su familia, pues su padre no le dejaría pasar semejante acto de rebeldía. Nunca más vería a su madre, hermana, amigas y tía. Jamás volvería a pasear por Damasco, la ciudad que tanto amaba y en la que se había criado. Perdería para siempre su tierra y su familia. Se trataba de un verdadero destierro. Salma lo entendía y le dolía. Y por eso, justamente, le había costado mucho decidirse.

Álvaro no lo sabía, pero la mujer siria era especialmente reacia a emigrar. La crianza que recibía la amarraba muy fuerte a su tierra y a su parentela.

—Mañana hablaré con tus padres —anunció decidido Álvaro.

—Ellos no están. Vuelven pasado mañana. Se encuentran en Beirut visitando a mi hermana. Ella espera un hijo.

—¡Un hijo!

—Sí, como yo… sólo que el suyo es un embarazo feliz.

—El tuyo también lo será. Ya te he dicho que el niño que llevas dentro es nuestro. Y si no lo fuera, y aun así quisieras tenerlo, te acompañaré durante los meses de gestación. ¿Has decidido al respecto?

—Sí, deseo que nazca. No sé bien por qué, pero algo me dice que este niño debe nacer. Quiero tenerlo porque siento que la vida me ha dado mucho conociéndote, que hasta me apoyas en esta especie de cruzada. Daré a luz al niño para devolverle al universo un poco de lo mucho que me ha dado.

—Ya sabes que estaré a tu lado para lo que sea.

—Lo sé. Tenemos que organizarnos. ¿Hasta cuándo te quedas en Damasco?

—Mi vuelo de regreso es pasado mañana pero antes de irme hablaré con tus padres. Debemos empezar cuanto antes con los trámites para que puedas salir de Siria.

—Esas gestiones se realizan en las oficinas de la administración del Estado, por lo menos antes era así. Estoy casi segura de que llevarán bastante tiempo —vaticinó Salma.

—Me imaginaba. Tendré que irme y tú tendrás que salir de Siria después, cuando tus papeles estén listos. Pienso que deberías hablar con tu tía. Quizás ella nos ayude.

—¡Namira! —exclamó Salma al recordarla—. Desaparecí de la casa sin avisar y me olvidé de llamarla.

—Háblale ahora.

En un santiamén, Salma, aún desnuda, se puso de pie. Fue hasta el teléfono, levantó el tubo y en un árabe muy cerrado pidió a la recepcionista que la comunicara con un número de Damasco. Enseguida, la campanilla del teléfono de la casa de piedra gris sonaba una y otra vez. Pero nadie atendía.

Sentado en el borde de la cama, Álvaro observaba ese cuerpo menudo tan querido; toda ella le resultaba muy querida. Por momentos, temía que parte del plan saliera mal, pues enfrentarían situaciones difíciles, complejas; muchas, incluso, de extrema tensión cultural. Pero el amor que se profesaban los ayudaría a superar los escollos, a sobreponerse, sin importar de qué tamaño fueran las montañas que se les interpusieran.

—No responde —dijo Salma contrariada.

—Insiste.

—Es lo que hago, pero nada.

—Háblale al celular.

—No traje el mío… Ya sabes cómo salí. Y no sé su número de memoria —comentó mientras siguió intentándolo hasta que, resignada, desistió.

—Mi tía se preocupará. Debo irme…

—Por favor, no te vayas aún —pidió Álvaro, que sintió que la perdería otra vez. No soportaba esa idea.

—No puedo quedarme, debo avisarle que estoy bien. Namira es buena conmigo, no sería justo que la preocupara. Tampoco puedo involucrarla en un problema. Imagínate que, si no aparezco pronto, no sé, se vería obligada a llamar a mi padre o dar parte de mi ausencia a las autoridades.

—¡Dios mío! Ve, entonces.

Ella empezó a vestirse.

—¿Has evaluado que Namira puede rehusarse a ayudarnos?

—Creo que, si conozco a mi tía, no se negará. Pero debo ser clara con ella y decirle la verdad.

La inminente despedida los abatía a ambos, pero para Salma la preocupación era más fuerte que la pena.

—¿Volverás hoy? ¿Cuándo nos veremos? —preguntó Álvaro.

—Pronto, no te preocupes. Ahora, acompáñame, no quiero bajar sola al *lobby*.

Se vistieron y bajaron como dos huéspedes. A nadie pareció llamarle la atención la chica de jean y túnica clara y el hombre rubio. Enseguida se hallaban en la calle junto a la puerta del hotel.

—Debo irme —insistió Salma—. No es bueno estar aquí contigo. Alguien podría reconocerme —supuso, perseguida por los fantasmas que solían acecharla.

Álvaro se contuvo para no tomarle la mano, ni estamparle un beso en la mejilla como despedida. ¡Ni eso podía!

—Cuando llegues a tu casa, háblame, por favor, así me quedo tranquilo. ¿Volverás, verdad?

—Sí.

Tras la afirmación rotunda, Salma caminó hacia el taxi bajo la mirada dolorida de Álvaro. Cuando se subió, el vehículo desapareció en la esquina.

De regreso al hotel, Álvaro tomó el ascensor y se encerró en su cuarto. El perfume de Salma, que aún persistía en el ambiente, agigantó la sensación de soledad, que se le volvió insostenible. Tuvo que sobreponerse para no llorar. Se colocó los auriculares y se concentró en la música de Air Bag. No soportaba el dolor. Jamás había pensado enamorarse de esa manera, tan intensamente. Siempre había creído que no había nacido para eso. Y ahora, allí estaba, como un adolescente, deseando que Salma llegara pronto para que le hablara por teléfono cuanto antes. ¿Vendría de nuevo? ¿Y si le fallaba?

NUNÚ

Damasco, Siria, 1966

Esa mañana, todavía faltaba una hora para cerrar el puesto y Namira ya se hallaba nerviosa ante la inminencia del reencuentro con Omar. Como llegaría en cualquier momento, le propuso a su ayudante que, si deseaba, podía marcharse antes. La chica aceptó enseguida. Mientras la despedía, él apareció. A pesar del cambio de fisonomía, en esta ocasión Namira lo reconoció.

Una vez dentro del puesto, charlaron. A los ojos de cualquiera, parecía una conversación corriente entre la tendera y un cliente. Pero las palabras de Omar no eran las de un comprador.

—Namira, he hablado con mis padres y contamos con su apoyo para nuestro casamiento.

—¡Alá los bendiga, qué lindos son!

—Mi madre te quiere. Dice que la has ayudado durante las últimas semanas; y mi padre te lo agradece. Los dos están de nuestro lado, si decidimos concretar el matrimonio.

—Es un aliciente, pero no será posible una boda. Mis padres no me apoyarán.

—Sí, podemos casarnos; sólo que tendríamos que hacerlo sin su consentimiento.

—¿Sabes lo que eso significa, verdad? —preguntó mirándolo a los ojos.

—Lo sé. Pero no tenemos otra alternativa.

Ambos sabían a qué atenerse: Namira sería desterrada para siempre de su familia, nunca más podría volver a verlos y su vida correría peligro. En venganza, los hombres de su sangre podían eliminarla. Conocían casos semejantes; la desobediencia de las directivas paternas sobre un candidato había causado la desaparición de las muchachas rebeldes. Una boda malavenida podía conducirla por un camino triste y riesgoso hacia el ostracismo.

—No sé —dudó Namira—, preferiría esperar. Tal vez mi padre cambie de opinión.

—Nunca cambiará. ¿Acaso no lo conoces?

—Tienes razón...

—Además, una vez que seas mi esposa, yo me encargaría de cuidarte hasta con mi propia vida. Ya sabes que pasarías a ser parte de mi familia y todos los Salim te defenderían.

—Ay, Omar, si realmente nos decidiéramos, no entiendo cómo podríamos llevar a cabo semejante plan.

—No sería fácil, pero ya eres mayor de edad.

—¿Cómo lo haríamos? —preguntó preocupada por la parte práctica.

—Junto con mis padres, dos testigos y el *sheij*, nos encontraríamos en un punto de la ciudad y luego partiríamos hacia Qasr al Adl, donde nos casaríamos.

—Entiendo que del Palacio de Justicia saldríamos siendo marido y mujer... pero después de eso, ¿cómo continuaría nuestra vida? —preguntó Namira, que no se imaginaba viviendo en Damasco y cruzándose con su padre en el mercado u otro sitio de la ciudad. Su vida correría peligro.

—Nos mudaríamos al Líbano.

—¡Al Líbano!

—Te dije que mi familia está haciendo las conexiones para instalarse en ese país. No podemos quedarnos en Siria, el gobierno nos tiene en la mira. Ahora mismo no sé si alguien está vigilándome —dijo Omar mirando con sigilo sobre el hombro.

—*Ewlí aalena!* —exclamó ella tapándose la boca.

Él había visto gente extraña apostada en la puerta de su casa.

—Namira, debo irme de Siria. Mi vida corre peligro aquí. Me lo advirtieron de mala manera y desobedecer puede costarme la vida.

—No quiero que te pase nada. ¿Sabes que te amo, verdad?

—Yo también te amo.

Por primera vez ponían en palabras la profundidad de sus sentimientos.

—¿Y cuándo llevaríamos adelante este plan que me propones? —preguntó ella, que comenzaba a aceptar la idea.

—Pronto. Muy pronto. Los días corren en mi contra —pronosticó y buscó respuestas en sus ojos—: ¿Lo harías? ¿Te casarías de esa manera?

—Sí, sólo que habría que ver cuándo. Me asusta...

—Mañana regresaré al puesto y volveremos a hablar. Ahora, ven conmigo a nuestro lugar. Quiero darte un beso.

Ella sonrió y él la siguió. Y sumergidos en el universo de sedas coloridas, él le robó un beso con la certeza compartida de que esa intimidad podía costarles muy cara.

Pero un simple beso tenía poder. Los convertía en invencibles.

Un beso. Y a Namira no le parecía tan descabellado el plan de casarse con Omar en contra de la voluntad de sus padres.

Un beso. Y la vida se volvía bella.

Un beso. Y se agigantaba su deseo de hablar con Khalil y Leila.

En medio del encanto, la rutina los volvió en sí. Los ruidos del mercado le indicaban a Namira que el día laboral tocaba su fin. Los tenderos bajaban los toldos. Ella debía imitarlos.

—Vete, es tarde. Debo cerrar —le pidió Namira.

—Te acompaño.

—No, hoy no. Mi padre estará en casa toda la semana y no quiero correr riesgos.

—Te ayudaré con los toldos.

—Está bien, gracias.

Namira lo observaba actuar: él cuidaba los detalles, la relevaba de las tareas más duras, evitaba que hiciera fuerza. Era un buen hombre.

* * *

Durante la cena, sentada a la mesa, la familia de Leila y Khalil trataba de seguir con normalidad su existencia. Sin embargo, en ciertos momentos del día, como las comidas, la ausencia de Anás provocaba una profunda congoja, aun en los niños.

Cada uno enfrentaba la pérdida a su manera y luchaba para poder conjurarla. Porque cuando la muerte se llevaba a una persona querida, también se robaba trozos de la vida de los que continuaban vivos y habían amado al difunto. A veces, esos pedazos eran tan grandes que los sobrevivientes se quedaban —casi— sin una vida. Se luchaba con todo lo que se tenía a mano para que la parca no les arrebatara demasiado. Porque se corría el peligro de quedarse con tan poco que ya no alcanzaría para una vida completa. La existencia que se había tenido con el muerto se desvanecía, los recuerdos perdían una porción de realidad porque el amigo, el pariente —el cómplice necesario para su construcción— ya no estaba.

La muerte provocaba el sufrimiento con sus múltiples caras. Claro que para paliarla había remedios y Namira tenía en su poder uno de los más potentes: el amor. Si bien extrañaba a su hermano, a diferencia de los demás, esa noche su cabeza no giraba en torno de Anás, sino de las palabras que Omar le había dicho más temprano.

Khalil luchaba contra la tristeza a su manera: gestaba planes laborales y familiares. Tras la aparición de nuevos compradores, había iniciado la ampliación y remodelación de la fábrica, pues necesitaba incorporar maquinaria más moderna para satisfacer la creciente demanda. En tanto, mientras reiniciaba las tratativas con el pretendiente de Namira, supo que había novedades en el vientre de Rihanna. El futuro hijo le inyectaba ilusiones. Comunicó la noticia.

—Rihanna está embarazada.

Leila, anticipándose al resto, contestó lo que correspondía a la situación.

—Un hijo siempre es una bendición.

El segundo niño ya no le dolía como el primero. Soportaba otras aflicciones más fuertes.

—Me alegro, papá —comentó Namira sin mucho entusiasmo.

Wafaa y Abdallah reían, estaban contentos. No conocían los celos; se habían criado junto con la otra familia y querían al niño de Rihanna.

—La fábrica está funcionando muy bien y debemos seguir adelante con la vida. Por esa razón, también quiero que Namira conozca al hombre que le he buscado para marido. A raíz de la desgracia que hemos vivido, el asunto había quedado pendiente, pero ahora...

El rostro de su hija se desfiguró. Su padre insistía con la misma idea. Creía que Khalil se había olvidado y que no la molestaría.

Se animó a expresarse.

—Padre, preferiría que abandone esa búsqueda por un tiempo.

—Estás en edad casadera. No podemos seguir aplazándolo.

Namira comió un bocado de *tabule* en silencio. Khalil continuó:

—Esta semana lo traeré a casa junto con sus padres. Es Alí, el hijo de los Kattan.

—¿Alí Kattan? —preguntó Leila sorprendida. Recordaba muy bien uno de los comentarios que había escuchado: «Es un muchacho violento».

—Ya sé, mujer, lo que estás por objetar. Pero es bueno, sólo tiene fama de ser un joven de mal carácter.

—Padre, yo no quiero casarme con ese hombre.

—¿Por qué? Ni siquiera lo conoces.

Namira, cansada de ser tan cuidadosa, explotó:

—¡Porque estoy enamorada de Omar Salim! ¡Y quiero casarme con él! Sé que Omar habló con usted.

Leila escuchó, cerró los ojos y suspiró fuerte. Sabía lo que se avecinaba después de esas palabras. Venía sospechando el interés de su hija. Pero se había quedado callada esperando a que el entusiasmo de Namira se desvaneciera, pero eso no había sucedido.

Khalil exclamó:

—¡Por mil demonios! Sí, él habló conmigo y le dije que no se te acercara.

—Salim quiere que nos casemos.

—¿Cómo lo sabes? ¿Acaso te has estado viendo con él? —cuestionó su padre.

—Ayer pasó por el mercado y lo vi.

—¿Acaso no sabes, niña tonta, que los Salim provocaron la muerte de tu hermano?

—Ellos no tuvieron nada que ver.

—Claro que sí. Lo llevaron por el mal camino. Y ahora tú, muy campante, quieres unir tu sangre a la de ellos. Eso es de mala hija, es despreciar a tu familia.

—Padre, no es cierto.

—No quiero volver a hablar del tema. Esta semana conocerás al candidato que busqué.

Namira no se dio por vencida.

—A pesar de su negativa, yo podría casarme de todos modos e irme para siempre de esta casa. Pero no deseo que ocurra así... ¡ansío su bendición, padre!

—Pues para transformarte en una Salim nunca la tendrás.

Namira permaneció callada. Su padre la miró a los ojos y le dijo con tono dolorido:

—¿Realmente estarías dispuesta a humillarnos de esa manera?

Namira no le respondió.

Decididamente, la cena se había arruinado. Ya nadie comía. Hasta Wafaa y Abdallah se habían quedado mudos. Los ojos de Leila estaban llenos de lágrimas. Un nuevo dolor se sumaba a los antiguos. Un nuevo miedo venía a engrosar su larga lista, esa que nadie conocía, y que sólo nombraba cuando derramaba su alma ante Alá.

* * *

En la oscuridad, acostada en la cama, Namira no podía dormir. Miraba las estrellas pensando en Omar. Tal vez, él estuviera apreciando el mismo firmamento. Llorar, ya había llorado bastante más temprano, cuando llegó a su habitación. Muy cerca, Wafaa dormía con el sueño profundo de los que todavía son niños y carecen de preocupaciones. Namira vio cómo la luna se ocultaba detrás de una nube y sintió que se abría la puerta del cuarto. Por la forma de moverse de la persona, adivinó que se trataba de su madre, que avanzó unos pasos y se acostó a su lado.

–Qué bella está la noche estrellada, ¿verdad? –le dijo a su hija.

–Sí...

–Miras la bóveda celeste y seguramente piensas en Omar creyendo que, tal vez, está haciendo lo mismo...

–Sí, ¿cómo lo sabes?

–Las mujeres somos todas iguales... Además, los años me han hecho sabia.

–Quisiera ser sabia como tú para tomar las mejores decisiones.

–Tienes que tener en cuenta tres cosas, hija: primero, no trates de luchar contra los hombres, pues saldrás muy lastimada. Segundo, deja que la fruta madura caiga por su propio peso. Y por último, nunca olvides que la familia es lo más importante.

–Ustedes siempre serán importantes para mí.

–Mira, hija... –Leila hizo silencio. Daba vueltas para soltar la frase. Al fin lo dijo–: Anás ya no está, y si tú eliges rebelarte y marcharte casada a nuestras espaldas, sólo me quedarán Wafaa y Abdallah.

–No te entiendo.

Leila volvió a hablar. Esta vez, extrajo las palabras de las semillas venenosas que habían germinado en su interior durante años de negaciones, de miedo y de decepción, y exhibió esos ingredientes que en su corazón le habían hecho espacio al egoísmo.

–Lo que quiero decir, Namira, es que Rihanna pronto tendrá otro niño y que, como es muy joven, sospecho que se embarazará nuevamente. Nunca temí que nuestra familia corriera peligro. Antes yo tenía cuatro hijos y era la primera esposa, pero ahora...

—¿Ahora qué? —preguntó. No terminaba de entender.

—Rihanna pasará a tener demasiada influencia sobre tu padre y quién sabe cómo nos afectará a nosotros, pues estaremos en sus manos. Pero si tú te quedas y no cometes esa locura que planteaste en la mesa, seguiremos siendo fuertes. Continuaremos siendo la familia grande, la primera, la importante. Con sólo dos niños no puedo gozar de ese papel.

Namira al fin lo entendió.

—Madre, eso significa renunciar a mi vida. Ni siquiera me interesa conocer a ese hombre que mi padre traerá… ¡y que encima tiene mal talante!

—Tal vez podría interceder para que desista de ese candidato. Tú, mientras tanto, seguirías atendiendo el puesto que tanto te gusta.

—Eso terminaría el día que él logre casarme con otro hombre que elija.

Leila volvió a sacar pensamientos de las malas hierbas que habían crecido en su interior —esta vez— como fruto del dolor sufrido y de la resignación, su fiel compañera.

—Bueno, quizá no sea tan malo casarte con Alí.

—Yo amo a Omar —protestó.

—Tienes que aprender a subsistir en el mundo de los hombres, Nunú —dijo nombrándola con su viejo apodo, como ya nadie debía hacerlo. Quería que su hija se sintiera como la pequeña que aún debía obedecerle.

—¿Y eso significa renunciar al hombre que amo?

—Como mujer, lo único que amarás verdaderamente será tu familia. Ella nunca te desencantará. Es lo único que debes cuidar.

Namira pedía elegir, pero se le negaba. Como mujer, no le estaba permitido.

«Elegir», «escoger», «seleccionar». «Optar», «adoptar», «pronunciarse»…

«Decidir».

Palabras ajenas a su género. Por lo menos, en ese tiempo y lugar. Ni siquiera su madre, quien más la amaba en la vida, se lo permitía. En el diccionario de Leila esas palabras no existían. Ella no podía ayudarle a su hija, no contaba con las herramientas. Había pasado demasiados años aceptando semillas malas que habían germinado y crecido hasta alcanzar proporciones siderales. Ahora, con la misma maleza que la atrapaba, ella trataba de atar también a su hija. Porque así había sido siempre y así continuaría siendo. Ella no era nadie para cambiar lo inmutable.

Namira volvió a mirar por la ventana. La luna había salido del escondite de la nube y ahora llenaba de claridad el cuarto. Sin embargo, sentía que estaba en la más absoluta oscuridad.

CAPÍTULO 16

Si tiene solución,
¿por qué te preocupas?
Y si no la tiene,
¿por qué te preocupas?
<small>PROVERBIO ÁRABE</small>

Cuando Salma se bajó de un taxi en la puerta de la residencia de Namira, el sol de la tarde mostraba a su tía de pie en los escalones de la entrada. Regresaba de la casa de una vecina. Con una excusa cualquiera se había acercado para preguntarle si había visto a su sobrina.

—¡Salma, creí que te había pasado algo! Cuando descubrí que habías dejado la puerta de la casa abierta pensé... ¡lo peor! Pero luego imaginé que te habías marchado tras el periodista.

—Imaginaste bien, tía.

—Me preocupé.

—Lo lamento. No fue mi intención, tía, pero como tuvimos un desacuerdo, Sánchez se fue enojado y yo lo seguí...

—Ay, niña, las mujeres musulmanas no arreglamos así las cosas. Por favor, contrólate, no actúes impulsivamente.

—Pero ya te expliqué cómo se dieron los hechos. Yo no los busqué. Y tú bien lo sabes, tía, porque te lo he contado todo.

—¡Sí! ¡Y nadie puede olvidar, Salma, en qué lío te metiste cuando te escapaste a Duma por unas fotos!

—Pero ya está hecho.

—¿Qué harás ahora?

—Lo amo, tía. Y él también me ama. Quiere que tengamos al niño. Desea llevarme con él a Europa.

—*¡Bismillah!* ¡Qué locura! ¿Unirte a un hombre cristiano?

Quieres matar de angustia a tus padres. ¡Salma, trata de no complicar más tu historia!

—No encuentro otra manera de estar con él.

—Pero tu padre no te lo permitirá.

—Probablemente. Pero creo que no me someteré. Además, si me ayudas, tal vez sea más fácil.

—¿Tienes una somera idea del problema en que podría meterme si te ayudara? ¿Lo sabes, verdad?

—Sí, pero no puedo pensar en nada que no sea en estar con Sánchez. Estoy enamorada.

—¿Y él qué dice sobre la criatura?

—Que estará conmigo, lo tenga o no. Que respetará mi decisión.

—¿Y qué quieres hacer?

—Creo que quiero tenerlo.

—¿Estás segura de que ese también es su deseo?

—Sí, me lo dijo con claridad y yo le creo. Cree que ese niño es nuestro. Está convencido. Dice que vio una luz sobre mi cabeza el día que lo concebimos.

Asombrada, Namira oyó la historia hasta que reaccionó:

—¡Bah, bah...! Visiones de jóvenes, que ven lo que quieren ver.

—Él no es tan joven. Es un hombre.

—Pues, para mí, ambos son jóvenes —señaló Namira.

Aunque debía reconocer que a su sobrina no le faltaba razón, el periodista rubio contaba varios años más que Salma. Tal vez eso le diera una ventaja y realmente lograra el control de lo que querían hacer.

—Sé precavida, Salma. No creas todo lo que prometen los hombres, ya sea uno de los nuestros o un occidental.

—Me ha dicho que quiere hablar con mis padres cuando regresen de Beirut.

—¡Eso recién será pasado mañana!

—Así es y Sánchez tiene vuelo ese mismo día pero a la noche.

Namira descubrió en su sobrina la tozudez de los que aman. No importaba lo que, como adulta, le dijera, los argumentos que esgrimiera, los inconvenientes que le presentara... ¡Salma no cambiaría de opinión! La tomó de la mano y le dijo:

—Mira, Salma, debo atender un asunto urgente en uno de los edificios y volveré antes de que anochezca, pero mientras tanto te pediré que hagas algo.

—Dime...

—Tómate este rato para reflexionar tranquila y sopesar muy bien qué quieres para tu vida. Porque una vez que te embarques en esta guerra que estás dispuesta a desatar ya no podrás volver atrás. Y aunque yo quisiera, no podré ayudarte lo suficiente. Mi poder de hermana mayor tiene límites.

Se dieron un abrazo y Namira se marchó. En la puerta, dentro del coche, la aguardaba su chofer. Cuando subió, estuvo a punto de llorar. Los ojos de Salma —oh, esa mirada intensa, valiente y arrojada— y sus palabras la transportaron a otras épocas. Ella conocía ese sentimiento, alguna vez su corazón lo había experimentado. La situación le recordaba su propia historia y la retrotraía a aquellos días en que estuvo al borde de dejar Damasco y abandonar a su familia por Omar Salim. Nunca revolvía su pasado, siempre lejano y nebuloso. Y estaba bien que así fuera porque adentrarse en esas épocas le causaba desazón. Con lo que le había tocado vivir, había hecho lo que había podido. No quería preguntarse qué hubiese ocurrido si en su juventud hubiera tomado decisiones diferentes de las que tomó.

Salma obedeció a Namira y se sentó en la sala a meditar sobre las resoluciones que barajaba. Media hora más tarde, nada había cambiado en su interior.

Decidió hablar al hotel. Marcó el número y enseguida la voz de Álvaro la puso contenta.

—¿Cómo te fue? —preguntó inquieto.

—Namira no se enojó. Tampoco se ha puesto en contra, aunque no sé si me apoyará. ¿Tú estás bien?

—Sí, pero te extraño demasiado.

—Damasco es maravillosa, sal a dar una vuelta.

–Esta ciudad sin ti es demasiado lúgubre para mí. Ven conmigo, te necesito.

–Álvaro, me aterroriza volver a ese hotel. Temo que alguien me reconozca. Pero dame tiempo para que me organice y programaré para que nos reunamos.

Hablaron un rato más sobre ciertos detalles prácticos, como qué pasos debían cumplir para conseguir que ella pudiera salir del país cuanto antes. Y sobre cómo Álvaro abordaría a Abdallah.

–¿Salma, cuándo vendrás? –preguntó antes de despedirse.

–Te hablaré más tarde y te diré cómo haremos. Seguramente nos veremos mañana.

–Quiero que escuches la canción «Cae el sol» que está en el CD que te llevé. Es lo que siento en este momento.

–Claro, la escucharé –aceptó. Entre tanto ajetreo, se había olvidado por completo del regalo.

Salma cortó y de inmediato fue a su cuarto. Sobre su mesa de luz halló el disco. Deseaba escucharlo, necesitaba un poco de serenidad. Desde que Sánchez había regresado a Damasco, las horas habían tomado un cariz muy intenso. Le vendría bien un momento de calma. Y además, le interesaba comprender qué decía la letra de la canción que le había recomendado.

Colocó el CD en el equipo que su tía tenía en la sala, un aparatejo de alta fidelidad muy costoso que Abdallah le había traído de regalo el día que, gracias a un contacto de Namira, había logrado cerrar un acuerdo millonario con los españoles. Salma lo recordaba muy bien porque había actuado como traductora durante la reunión decisiva en la que se concretó el trato. Aquel día, su padre le había obsequiado un anillo de oro, uno de los varios que siempre llevaba en las manos. Al recordarlo, se apenó por el deterioro de la relación de cariño que tenía con su padre.

Apretó PLAY y la canción en español inundó la sala. Las palabras penetraron en su cerebro.

La verdad es que no ha sido fácil
La verdad es que no ha sido fácil para los dos...

Sigo aquí esperando por ti
Yo quiero ir a algún lugar en donde pueda despertar
Yo quiero sonreír y que no tengas que mentir
¿No ves que estoy aquí dejando toda mi verdad?
No queda nadie en la ciudad
pero por vos me quedo acá...

Las frases la quebraron, la emocionaron, se trataba de lo que Álvaro debía estar sintiendo en ese momento. Contenían un ruego, una invitación, un llamado desesperado. Parecía escrita especialmente para ellos, para contar lo que estaban viviendo en esos días.

Se sintió mal por negarse a visitar el hotel. Tal vez, debería ir con él y dejar que de una buena vez se cayera el cielo. Escuchó la canción una vez más y por poco lloró.

Se quedó sentada en el sillón con el corazón deshecho. ¿Qué hacía todavía allí, en la casa de Namira, negándose a la compañía de Sánchez? Lo pensó una y otra vez. Y siempre llegó a la misma conclusión: después de todo lo que habían tenido que pasar en Duma, después del hambre, las heridas, los peligros... ¡merecían estar juntos! La canción había sido la llave para abrir la puerta de la libertad, para elegir.

Elegir, optar, pronunciarse. «Puedo hacerlo», se repetía a sí misma. Era su derecho.

Se puso de pie y se dirigió a la biblioteca de la casa, el reducto donde ella y su tía pasaban varias horas del día trabajando. Una vez allí, buscó en el cajón del escritorio, entre varios manojos, dos llaveros con tréboles de plástico verde. Así identificaban a los departamentos céntricos amoblados que alquilaban a turistas.

Si iba a estar con Álvaro, si estaba dispuesta a correr el riesgo de pasar la noche con él, prefería que fuera en una zona donde nadie la conociera. Pero primero debía hablar con su tía. Una pregunta se coló entre sus pensamientos y le generó preocupación: «¿Y si Namira se enoja y me prohíbe salir de la casa?». No le importó: saldría de todos modos.

A pesar de que Namira podía molestarse, le pareció justo contarle que pasaría la noche con Álvaro, pues no tenía derecho a inquietarla. Resolvió mantenerla al margen de las llaves para no comprometerla ni convertirla en su cómplice porque, en el hipotético caso de que su padre se enterara, consideraría que había contado con la anuencia de Namira y la metería en graves problemas.

Salma fue a su cuarto y eligió dos o tres ropas necesarias. El pijama blanco, ropa interior, una camisa limpia; también algunos cosméticos y jabón. Los guardó en una cartera grande y se sentó en la sala a esperar que llegara Namira, pues no se marcharía sin avisarle de su partida.

Mientras tanto, volvió a escuchar la canción de Álvaro. Más la oía y más se convencía de que estaba tomando la decisión correcta. Las palabras que escuchaba le daban la fuerza necesaria para afrontar el próximo paso. Llena de valentía, tomó papel y lápiz y escribió unas líneas para Álvaro. Puso en dos frases lo que sentía en ese momento. Cuando se reencontraran, se lo daría. Se quedó quieta disfrutando de la música y del ocaso. Por la ventana entraban los últimos rayos de sol y la claridad se desvanecía. «A esta hora, Damasco es maravillosa», pensó.

Unos minutos más tarde, escuchó la puerta de calle y bajó la música. Enseguida apareció Namira.

−¿Qué haces aquí, Salma, casi a oscuras? Deberíamos prender las luces, está empezando a caer la noche y ya no se ve nada.

Salma se puso de pie y encendió la luz.

−Tía, me voy.

−¿A dónde?

−Con Sánchez.

−¿Ahora…?

−Pasaré la noche con él.

−Es una locura.

−No puedo dejarlo solo. Ha venido a Damasco por mí. Además, quiero estar con él… Quién sabe cuándo podremos volver a vernos.

—No deja de ser una locura.

—Tía, estoy embarazada. ¿Qué más puede pasarme si me voy con él?

—En eso, tienes razón. Lo peor ya te ha ocurrido.

—No sólo me ha pasado... ¡y de la peor manera! Porque ni siquiera sé si Álvaro es el padre. Pero te aseguro que es un buen hombre que, por amor, quiere que formemos una familia. No puedo negarme a compartir tiempo con él.

—Aun así, hay algo que no está bien... Aunque no sé exactamente qué es.

—Tal vez, tía, no haya nada de malo en estar con quien uno ama. Pero nos inculcaron tantas veces lo contrario que terminamos creyéndolo. Estoy segura de que amar no tiene nada de malo.

—Salma, ese hombre no es musulmán y no tiene tus creencias. Quizás allí radique el problema...

—Tu padre no te dejó estar con quien amabas porque tenía distintas ideas políticas; sin embargo, era musulmán. ¿Acaso siempre van a elegir por nosotras?

Namira se estremeció. Que su sobrina le hablara de su propia historia fue un golpe bajo.

—Lo mío, Salma, pasó hace mucho.

—Y lo mío, ahora. Por eso creo que alguna vez tiene que cambiar esto de las imposiciones sólo para nosotras.

Los preceptos religiosos establecían que un hombre musulmán podía casarse con una mujer cristiana o judía. Pero una mujer musulmana no tenía permitido contraer matrimonio con un judío o un cristiano.

—Nada cambiará, querida niña. Yo sólo temo por ti. Deseo preservarte, que no salgas lastimada. Este mundo es de los hombres y ellos mandan. No trates de hacerle frente porque puedes salir muy herida.

Pronunció la última frase y se escuchó repitiendo las palabras que su madre le había dicho para mitigar la rebeldía que crecía en su interior cuando era joven. La misma sentencia que alguna vez Leila había oído de boca de su propia madre porque así había pasado de generación en generación, de mujer a mujer. Se impresionó. ¿En qué momento había comenzado a pensar como su madre?

—Me voy, tía…

—Supongo que, aunque te diga la perorata más elocuente, no podré detenerte.

—Así es, me iré igual.

—Salvo que cierre con llave todas las puertas y te lo prohíba —dijo Namira.

—¿Lo harías?

—Claro que no. Estoy segura de que te escaparías, niña tonta —deslizó con un tono cariñoso que aflojó a Salma.

—Tienes razón, tía, nada me hará cambiar de opinión. Me voy con Sánchez… Y si por esa razón mañana se acaba el mundo, pues ¡que se acabe!

Con una mueca de resignación y preocupación, Namira se convenció de que nada detendría a su sobrina.

En pocos minutos, Salma salió de la casa vestida de manera completamente occidental: pantalones negros y camisa blanca. Así —asumió— llamaría menos la atención. Afuera la esperaba el taxi que había solicitado por teléfono. Antes de irse, le avisó a su tía que regresaría a última hora del día siguiente.

Se despidieron con un beso en cada mejilla.

Ya dentro del vehículo, le mandó un mensaje a Álvaro: «Estoy camino al hotel. Pasaremos la noche juntos. Baja. Te espero en la puerta».

Álvaro le respondió al instante que estaría listo en diez minutos. Salma le avisó al conductor que se detendrían en una tienda; necesitaba realizar unas compras pequeñas. Para instalarse en un departamento, debía llevar algunas provisiones elementales, pues no contarían con la cocina del hotel.

«Volveré a convivir con Sánchez, como en Duma», pensó. Y al recordarlo, el corazón le dio un brinco de alegría.

Álvaro se sentía igual. Cuando cayó en la cuenta de que

nuevamente dormiría bajo el mismo techo con Salma, la felicidad lo embargó.

Media hora después, el taxi aparcó frente al hotel. Cuando Álvaro subió, divisó el auto negro del gobierno, que se puso en marcha de inmediato, listo para seguirlo. Para no preocuparla, jamás se lo había mencionado. ¿Para qué? La veía feliz y no deseaba afligirla por un asunto de índole política.

* * *

Con la llave de los tréboles verdes, Salma abrió la puerta del departamento y prendió las luces. Ambos le dieron una mirada rápida que les bastó para comprender que estarían muy bien. Se trataba de un sitio donde podrían estar tranquilos, un hogar para ellos, quienes sólo soñaban con estar juntos.

El departamento estaba conformado por un gran ambiente: un *loft* con una cama grande de acolchado azul, un sillón de cuero del mismo color ubicado frente a un enorme televisor y una mesa con sillas de distintos tonos. Todos los detalles eran ultramodernos. Además, se encontraba próximo al hotel.

Mientras Salma acomodaba sobre la mesada los comestibles que había comprado, Álvaro se sentó en el sillón azul y se dedicó a leer el escrito que había recibido en el taxi, tras preguntarle, aún sorprendido, cómo había tomado la decisión de pasar juntos la noche.

«Pasaremos la noche y el día —había respondido Salma en el auto—. Ese papel es mi declaración de amor. Y lo que allí escribí son las razones por las que he venido a ti».

Sentado, Álvaro lo leyó con detenimiento: «Vengo a ti como tierra sedienta que necesita agua para ser fructífera, como planta que precisa el sol porque, si no, muere. Vengo como el mar va hacia la playa, porque siempre será así, y nada lo cambiará».

El texto era como Salma, poético, profundo. Conciso pero fuerte.

Nunca dejaba de impactarlo su rica vida interior y espiritual.

O, tal vez, Álvaro la percibía así, y ella apenas había garabateado unas simples palabras de amor. Como fuere, para él eran
importantes, maravillosas, poderosas.

—¿Quieres comer algo de lo que traje? Tengo un *maqluba*
delicioso para calentar en el microondas.

Álvaro sonrió divertido y dijo:

—Ni siquiera sé muy bien qué es esa comida…

—Es un revuelto a base de arroz, carne de cordero, berenjenas, champiñones, tomates, coliflor y almendras, condimentado
con canela, clavo de olor, pimienta negra y azafrán. ¿Qué tal?

—Suena bien, pero antes de comer te quiero a ti. Ven, Salma.
Tu escrito es muy hermoso.

—Así, de esa forma, es como yo te quiero —explicó mientras
se acercaba y se sentaba en el sillón.

—Salma, te prometo que te pagaré con la misma clase de amor.

Se miraron de manera profunda durante unos instantes y
luego comenzaron a besarse. En pocos minutos, después de
arrancarse la ropa, el sillón azul conocía el sexo con amor y
la piel redimida de Salma comenzaba a liberarse de los malos
recuerdos de la agresión.

Por primera vez sentía que su pelo otra vez era bello y que
olía bien. Porque ellos hacían el amor con locura, ya no sólo
tiernamente, sino rudamente, como los hombres y las mujeres
que se dejan gobernar tranquilos por los instintos, confiando
plenamente en los brazos que los sujetan.

Esa noche, Salma descubría el remedio milagroso para sus
heridas: el sentimiento de los que aman, de los que reciben y
dan amor.

El *maqluba* recién sería probado durante las primeras horas
de la madrugada, cuando, cansados y muertos de hambre, regresaran a este mundo y recordaran que existe la comida. Porque
para ellos la noche pasaría lenta, deliciosa, perfumada, repleta
de ternezas y sensaciones fuertes.

* * *

Cuando el reloj de pared del departamento marcó las doce del mediodía, ellos desayunaban café y pan de pita con queso blanco. Encerrados en el *loft*, no sabían —ni les interesaba saber— qué hora era.

—Salma, tienes que empezar cuanto antes los trámites para poder viajar a Europa.

—Mañana a primera hora iré a la delegación. He escuchado que no permiten salir tan fácilmente como antes. Pero el problema, sobre todo, se da con los hombres.

—Supongo que se lo debemos a la guerra. Sé que antes podían viajar sin pasaporte al Líbano o a Turquía, pero ahora necesitan visa.

—Sí, sí... Sucede que no quieren que los hombres en edad de pelear se vayan de Siria. Los que tienen entre dieciocho y cuarenta y seis años deben cumplir con el Estado y alistarse para pelear en la guerra. Sólo están eximidos los estudiantes, pero ya verás: pronto aprobarán una ley que también los obligará a combatir en el frente.

—La guerra, siempre la guerra. Me apena la gente de tu país.

—A mí, también, ¡por supuesto! ¿Sabes...? Al principio, algunos se escapaban. Pero desde que cerraron las fronteras, ¡eso se acabó! Imagínate que Damasco no tiene vuelos internacionales y cruzar las fronteras terrestres resulta imposible sin un permiso. Tengo un amigo que huyó.

—¿Cómo lo hizo?

—Una tarde recibió la llamada que temen todos los hombres sirios. Le comunicaban que debía alistarse en el Ejército. A las cinco de la mañana escapó rumbo al Líbano. En esa época no había controles, por lo que en menos de una hora cruzó la frontera. Nunca más regresó y así se salvó de ir a pelear.

—¿Con las mujeres ocurre lo mismo? Te pregunto porque tenemos que gestionar tu trámite.

—Hasta hace algún tiempo no eran estrictos pero ahora han descubierto que las mujeres se marchan porque escapan tras sus hombres. Entonces también nos han puesto trabas. Y en mi caso, bueno, ya sabes que no tendré apoyo de mi padre para pedir el permiso de salida.

—La burocracia de cualquier país resulta complicada. España, Siria, Argentina… Nada nuevo, pero espero que aquí no se nos complique demasiado.

—Y si mi trámite se demora, como podemos anticipar sin esfuerzo, tendrás que venir de nuevo para que podamos vernos.

—Lo haría encantado con tal de verte. Pero no creo que al gobierno sirio le guste que regrese. Probablemente no me den la visa. Ya te conté sobre la llamada telefónica —recordó Álvaro sin detallarle sobre el auto que lo vigilaba y que en este preciso momento estaba estacionado frente al edificio.

—Mañana temprano empezaré con mis papeles para salir de Siria.

—Haz el trámite y luego iremos juntos a hablar con tus padres.

—Sí, eso pensaba. ¿A qué hora sale tu auto para el aeropuerto del Líbano?

—Saldré de madrugada, a las cuatro, para llegar a tiempo a mi vuelo.

—Entonces contamos con tiempo suficiente para resolver nuestros asuntos. Tenemos toda la tarde.

—Sí —confirmó Sánchez y luego se atrevió a mencionar el tema que le dolía—: ¿A qué hora nos iremos hoy de aquí?

—No nos iremos. He decidido quedarme también esta noche. Mañana por la mañana nos marcharemos. Tú, al hotel, y yo, a mis trámites. Por la tarde nos veremos en la casa de mis padres.

—¿Namira no se enojará?

—Ahora mismo le hablaré para avisarle. Sólo seguirá preocupada.

El rostro de Álvaro se inquietó. Cada movimiento debía salir bien para que ellos pudieran terminar juntos. Tenía que reconocer que Namira jugaba un papel importante.

Salma, tratando de evadir los temas preocupantes, soñó con el futuro y preguntó:

—Cuéntame, Álvaro, ¿viviremos en Barcelona?

—Sí, ¿dónde más? Allí, hasta ahora y vaya a saber por cuánto tiempo más, tengo mi trabajo —respondió jocoso por su larga ausencia, sin pensar que la vida a veces tendía trampas y los planes no salían como uno deseaba.

—¿Iremos alguna vez a Argentina? Me gustaría conocer tu país.

A Barcelona y otras ciudades de España las conocía muy bien, pero nunca había cruzado el Atlántico.

—Claro. Visitaremos a mi madre, que, sin dudas, querrá conocerte —propuso Álvaro y recordó que entre tantas idas y venidas no le había enviado ni un mensaje a Dana.

Charlaron un rato más y, cuando terminaron el café, Álvaro le escribió a su madre y Salma llamó a su tía desde el celular.

Namira escuchó el plan de su sobrina y no dijo nada. Ella ya había dicho todo lo que tenía para decir. No valía la pena seguir hablando. La mente de Salma estaba tomada por una droga realmente muy potente: el amor. Su cerebro se hallaba inundado de dopamina, adrenalina y norepinefrina, las sustancias que generaban los cerebros de los enamorados. Se trataba de un cóctel peligroso porque la primera producía euforia y valentía; las otras provocaban que su corazón latiera con fuerza y el sueño se escabullera. Esos fluidos gobernaban su sentido común. Decididamente, había perdido a su sobrina.

—Salma, por favor —le pidió—, regresa a casa antes de que tu padre vuelva de Beirut, que si llega y no te encuentra tal vez me meta en problemas legales.

—Así lo haré, tía. No te preocupes. Mañana por la mañana estaré en tu casa.

Cuando cortaron, de pie junto al teléfono de la sala de su casa, Namira se quedó meditabunda. Estaba segura de que se avecinaban problemas. Cuando Abdallah regresara a la ciudad, probablemente la situación con Salma se volvería más tirante aún y ella quedaría entre la espada y la pared; además, le exigirían que adoptara una posición.

Namira intuía que su sobrina veía en ella a una aliada. Porque los planes de la joven no serían fáciles de llevar adelante sin ayuda. Pero ella, gracias a sus años, contaba con la claridad propia de los sobrevivientes, que le había permitido convertirse en una mujer poderosa y respetada. Y no estaba dispuesta a abandonar su estatus por prestar socorros que le complicarían la existencia. Para vida difícil, le bastaba la que había tenido. No quería más. Salma le daba pena, pero era consciente de que a veces, por salvar a un ahogado, uno mismo podía terminar flotando en la superficie. Su sobrina, demasiado inexperta quizás, aún no entendía cómo funcionaba la vida. Salma pedía, pero nadie le concedería lo que reclamaba.

Entonces, al reflexionar desde este punto de vista, cayó en la cuenta de que ella —esta mujer que había sido aquella Nunú que tantos reveses había recibido— ahora le negaba y no le concedía. Su sobrina pedía y se le negaba como alguna vez, muchos años atrás, le había ocurrido en su propia vida.

Con el tiempo, Namira se había ido incorporando al coro de los que decían que no; su voz también se oponía a las mujeres que se atrevían a pedir. La idea de su propia metamorfosis la traspasó por entero y le hizo doler. Pero el malestar sólo duró unos minutos; enseguida se sobrepuso y se endureció nuevamente. Sabía muy bien que en su mundo sólo las fuertes sobrevivían.

* * *

Las paredes del departamento del sillón azul escuchaban charlas variadísimas. Salma y Álvaro se contaban anécdotas e historias que aún tenían pendientes. Revivieron la huida final en el Kia mientras las balas les silbaban al lado. Recordaron cómo habían sido los primeros días después de Duma. Las operaciones y los tratamientos por los que había tenido que pasar Álvaro. La discusión que se había desatado en casa de la familia Al Kabani cuando le prohibieron visitar a su hermana.

Álvaro la escuchaba y no podía creerlo.

Conversaban acerca de cómo el destino los había unido a través de la madre de Álvaro, que se había hecho amiga de Wafaa, una tía desconocida para Salma que vivía en La Rioja. Entre los Al Kabani no se la nombraba mucho, pues en la familia nadie la apreciaba lo suficiente ni se interesaba por su vida. Salma conocía vagamente acerca de un conflicto que la mujer había tenido con Namira. Sin embargo, si no fuera por la amistad entre Wafaa y Dana, Álvaro no hubiera visitado la casa de Abdallah y ellos dos jamás se habrían conocido.

También hablaban acerca de cómo se desarrollaba la guerra en Siria. A Salma le parecía que no había cambio alguno, la contienda continuaba sin solución. El dinero sirio, la lira, cada vez valía menos. Algunos alimentos seguían faltando, así como varios elementos que solían importarse.

Al final, entre ellos siempre aparecía el tema inevitable: Duma y los recuerdos que conservaban de la larga estadía en esa ciudad que los había agredido y cobijado a la vez. Duma les producía un sabor agridulce. Para bien o para mal, los había marcado. Para sus vidas, representaba un hito; había un antes y un después.

Ambos sonreían con cariño al recordar los platos y los vasos de plástico amarillos. Los duraznos engullidos con los dedos directamente de la lata a Salma le seguían pareciendo de lo más delicioso que había comido en su vida. Y la cama hecha de cortinas guardaba los recuerdos de las mejores noches de ambos.

Ansioso por imaginarse cómo seguiría el conflicto en la zona bélica, Álvaro encadenó varias preguntas.

—¿Qué noticias tienes sobre Duma? ¿Quedará algo en pie todavía?

—Las noticias dicen que los grupos rebeldes siguen luchando. Pienso que la ciudad debe verse igual o peor que cuando estábamos nosotros.

—¿Y nuestro hogar en la oficina, seguirá solitario? ¿O alguien vivirá allí?

Al oír la referencia a la fábrica, Salma revivió la imagen de los milicianos que la atacaron. Tuvo que espantarlos. Luchó con fuerza y lo logró; no dejaría que le amargaran los buenos recuerdos que conservaba. Los apartó a un lado como se hace con la basura. Y entonces, por unos instantes, pudo recordar detalles y supo cuán dichosa había sido en ese cuarto.

—¡Ay, Álvaro! No vas a creerlo, pero a pesar de todas las carencias que tuvimos fui muy feliz en ese lugar.

—Te creo porque yo también lo fui. No teníamos nada, pero teníamos todo lo que necesitábamos.

Salma confirmó con la cabeza y él continuó:

—Aprendí que no se necesita tanto para ser feliz. Por eso decidí hacer un cambio de vida.

—Lo único que lo arruinaba era la violencia reinante —dijo Salma.

—Pero ya no volveremos a sufrirla. Vendrás conmigo a Barcelona.

Se abrazaron. Las vivencias compartidas los habían unido para siempre.

Salma le pidió:

—Ayúdame a correr el sillón.

Pretendía adelantarlo porque deseaba observar la ciudad por el ventanal del departamento. El paño enorme de cristal ofrecía una bella panorámica con el atardecer de fondo.

Lo acomodaron y se tendieron abrazados dispuestos a disfrutar de la caída del sol. El día llegaba a su fin, pero no les importaba, eran ricos: tenían por delante, juntos, una noche entera más. Con su celular, Salma tomó un par de fotos: una de ellos dos sonriendo, cabeza con cabeza y con la luz dorada sobre sus rostros. Él, rubio; ella, muy morena. Álvaro buscó su iPhone e intentó una *selfie* con la ciudad de fondo.

El momento de paz y el encanto del paisaje enseguida los hipnotizó y se olvidaron de los teléfonos. El perfil de los edificios bañados de sol, las palmeras y alguna construcción antigua que mostraba su punta elevada lograban que la milenaria Damasco luciera en todo su esplendor. Abrazados, vivían un momento único. Eran felices, estaban juntos, otra noche dormirían en la misma cama. No había peligros acechándolos. Se amaban. Tenían planes.

Estuvieron así unos minutos hasta que Álvaro suspiró fuerte; luego, se separó un poco de Salma, quitó su brazo sobre el que ella tenía apoyada la cabeza y se la acomodó sobre la almohada. Entonces, hizo un movimiento inesperado. Algo que emocionó a Salma. Se inclinó y la besó justo debajo del ombligo. Le dio uno, dos, tres besos suaves.

A continuación, levantó la cabeza y dijo:

—No son para ti. Son para él... o ella.

Era la primera vez que alguien lo tenía en cuenta. Que le ponía sexo. Que hablaba de su existencia en forma de persona. Un nuevo ser que había sido concebido bajo la violencia de la guerra y del que, por su culpa, no tenían certeza sobre su ADN. Pero allí estaba, inocente, ajeno a las maldades de los hombres, recibiendo la primera muestra de cariño. Y dada por Álvaro.

Salma no dijo nada.

Álvaro volvió a su posición anterior y otra vez se fundieron en un abrazo para apreciar los últimos minutos del ocaso.

Ella aún no amaba al niño, pero no se había atrevido a contarle a Álvaro cómo se sentía al respecto. El gesto de momentos antes había desatado en su interior una ola de ternura por la criatura; tal vez, el principio del amor. Como fuera, había una verdad: él le había demostrado cariño antes que ella. Se sintió privilegiada de compartir la vida con semejante hombre. Su boca explotó con lo que tenía en el corazón.

—Te amo, Álvaro.

—Y yo a ti, Salma. Y crco que recién, hace sólo un momento, empecé a amar al niño.

Salma se movió inquieta sobre el sillón, lloraba, le rodaban dos lágrimas por las mejillas. Se las secó con la mano. Álvaro, sumergido en la vista de la ciudad y en sus propias cavilaciones, no se percató.

Los minutos pasaron y la noche cayó e inundó el ambiente. Se miraron bajo la penumbra y la imagen que se metió en sus retinas les recordó las noches en Duma. Con la suave intensidad de la luz que entraba por la ventana sus rostros lucían como en aquellos días. Ambos sabían que estaban recordando lo mismo. Pero no dijeron nada, no era necesario, interpretaban muy bien qué ocurría en la mente del otro. El interior de cada uno dio gracias por la vida. Habían estado en el horror y se habían salvado. Era un milagro. Se habían conocido y ahí estaban los dos queriendo lo mismo: lograr un futuro, juntos. Eso también era un milagro. Tenían tantos por agradecer que estaban dispuestos a considerar la vida de ese niño que crecía en el vientre de Salma como otro prodigio más.

* * *

Abdallah abrió la puerta del departamento de la familia Al Kabani y exclamó:

—¡Al fin en casa! Creo que fue acertado regresar hoy en vez de mañana.

—Si tú lo dices… Por mí, me hubiera quedado un día más.

—Ya sabes que el proyecto de poner en funcionamiento una nueva fábrica en Damasco necesita mis horas.

A Abdallah le había costado dar por perdida su sede en Duma pero finalmente debió resignarse. Con el deseo intacto de volver a producir, había alquilado un gran salón en Damasco donde instalaría las máquinas con las que confeccionaría sus preciadas telas. Se trataba de un plan costoso y ambicioso que requería de una gran inversión de dinero y de horas de trabajo. Pero ¿qué otra cosa podía hacer? Si no se metía de lleno en ese proyecto no había posibilidad alguna de retornar al mercado de telas.

—Telefonearé a Namira para comprobar si Salma se encuentra bien —dijo Abdallah.

—No molestes a tu hermana. Es tarde… Probablemente esté durmiendo. Háblale cuando sea de día.

—Mañana me reuniré con un fabricante de máquinas y saldré de casa muy temprano. Me gustaría saber sobre Salma.

—Quédate tranquilo, ella la cuida bien. Creo que aplicas mucha mano dura sobre nuestra hija.

—Esa chica necesitaba un buen escarmiento.

—Es grande para eso.

—Es mujer.

—Como sea, te repito que me pareció exagerado que no la dejaras viajar para reunirse con su hermana. Llevan tiempo sin verse y esta era una gran oportunidad para reencontrarse y compartir la dicha por el futuro niño.

—Mira, Anisa, dedícate a lo tuyo, que yo me dedicaré a lo mío, que mal no lo hago —retrucó Abdallah.

A su mujer no le quedó muy claro si se refería al trabajo o a la educación de sus hijas. Porque, si hablaba sobre la última cuestión, a la luz de los problemas que mantenía con Salma, tan bien no le iba.

Abdallah reconocía que Salma era una buena chica, pero la prohibición de viajar a Beirut serviría para sentar un precedente acerca de que los malos actos siempre acarrean consecuencias. Pretendía que ella lo recordara. Sin embargo, venía pensando que, tras la negativa de sumarla al viaje, daría por terminado el capítulo de represalias reincorporándola pronto al trabajo de oficina en la nueva fábrica. Duma, por más traumático que fuera, formaba parte del pasado y lo mejor sería volver a la normalidad cuanto antes. Debía contarle sobre sus planes; aún no lo había hecho. Le parecía que lo mejor sería recuperar poco a poco la normalidad familiar y laboral.

La voz de Anisa lo volvió a la realidad.

—¡Deja ya de perseguir a Salma y dedícate a disfrutar del título de abuelo...! ¡Con tres nietos estarás en condiciones de alardear de tu condición de *gedo* con todas las letras!

—Al menos, nuestra hija Malak me da satisfacciones.

—¡Qué dices! ¿Acaso Salma no te las ha dado y con creces? Ella ha sido tu mejor ayudante en la fábrica.

Su mujer tenía razón. Tal vez por eso, justamente, el episodio de Duma le doliera tanto. Salma siempre había sido su hija preferida. Y si él no había tomado nunca una segunda esposa bien podía atribuírselo a las niñas. No hubiera tolerado vivir en otra casa.

Sí, Anisa estaba en lo cierto: ya iba siendo tiempo de sepultar el error de Salma y perdonarla de una buena vez.

Decidió darse un baño y acostarse a dormir. Era tarde y al día siguiente debía afrontar mucho trabajo y tomar decisiones importantes. Estaba cansado; sentía el peso de los años. Siempre había pensado que Salma, como su primogénita, sería la primera en hacerlo abuelo. Pero a ella no había pretendiente que le viniera bien.

La culpa de su prolongada soltería le pertenecía completamente a él, que, como padre, no había actuado con la frialdad necesaria para elegir por su cuenta un marido para Salma. En algún momento, la tradición de que la elección del novio recayera sobre los padres le había parecido antigua. Pero en el caso de Salma, tal como estaba planteada ahora la situación, quizá fuera necesaria su intervención.

Después de ducharse, repasó los hombres conocidos y aptos para su hija. No halló ninguno suficientemente bueno como para convertirlo en su esposo. Cuando se acostó, quiso comentarle su idea a Anisa, pero ya dormía.

Acomodó la cabeza sobre su almohada y de inmediato esta se puso en funcionamiento con las complejas maquinarias que compraría al día siguiente. Pero antes de que el sueño lo venciera, no dejó de examinar a todas las familias de buena posición con hijos varones. Dos nombres −pocos, al fin y al cabo− surgieron de su pesquisa mental. Tal vez a uno podía interesarle la propuesta que empezaba a maquinar.

Barrio La Quebrada, La Rioja, Argentina

En la cocina de la casa del barrio La Quebrada, mientras tomaban mate, Dana de Sánchez y su amiga Wafaa conversaban animadamente a raíz de las recientes noticias.

—¡No puedo creer lo que me estás contando...! ¿Tu hijo y mi sobrina se han enamorado?

—Están juntos en este momento. Hace un rato me llegó un mensaje. Están poniéndose de acuerdo para hablar con tu hermano.

—¡Ah, bueno...! Entonces es serio.

—Parece que sí.

—Tu hijo no sabe a lo que se está enfrentando... —deslizó Wafaa más para sí misma que para su amiga. Llevaba la mirada perdida mientras meditaba en su Damasco natal.

—No me hagas asustar, que ya bastante preocupada estoy. Imagínate que Álvaro ha regresado a Siria después de todo lo que ha padecido allí.

—Perdón, Dana, pero a veces recuerdo las penurias que pasé en Siria y... asumo que no será un trámite nada fácil.

—Tienes que contarme esa parte de tu vida, no la conozco.

—Será que fueron tiempos dolorosos y por eso no los menciono a menudo. Pero sí: algún día tendré que relatarte esa parte de mi historia.

—Por lo general, me cuentas de la librería que fundaste junto a tu marido Rafi y de cuánto sufriste cuando se enfermó, aunque sé muy poco acerca de tu llegada a la Argentina, de tus familiares...

—Tienes razón. Quizás este sea el momento. ¿Estás preparada para mi relato?

—Claro...

—Yo era sólo una jovencita y mi hermana mayor, Namira...

Wafaa desempolvaba las páginas de un viejo capítulo en la vida de la familia Al Kabani. Abría esa historia sólo para su amiga. Si fuera por ella, ese episodio seguiría arrumbado en el mismo estante, juntando tierra. Sin embargo, su historia quizá le sirviera a Dana para aconsejar a ese hijo que, para su sorpresa, se había enamorado de su sobrina casi por su culpa, al haberse atrevido a ponerlo en contacto con su hermano Abdallah.

Reflexionó sobre cómo se fueron estableciendo las conexiones y se sintió un poco culpable. Wafaa sabía bien cuán difíciles podían tornarse las relaciones en las que se involucraban amores mixtos.

La boca de Wafaa se abrió y describió con detalles el comedor de la casa en la que se había criado. Allí, sentados alrededor de la mesa, estaban Leila, Khalil, Namira y ella; Abdallah jugaba un poco más allá.

NUNÚ

Damasco, Siria, 1966

Namira llegó al mercado unos minutos más tarde de lo habitual. Después de la mala noche, había logrado conciliar el sueño, pero se quedó dormida. Cuando despertó, salió tan apurada que se calzó lo primero que encontró. Se alisó la falda de la túnica verde que llevaba puesta, se acomodó el velo que le hacía juego y comenzó a abrir el puesto.

Mientras levantaba el toldo, vio aparecer a Omar. Jamás había pensado que vendría a esa hora y supuso que algo malo habría pasado. Tembló.

—¡Omar! ¿Qué haces aquí tan temprano?

—Tengo noticias.

—¿Qué pasó?

—Nada malo, salvo que los planes se han adelantado. Mis padres han decidido viajar mañana al Líbano.

—¿Viajar para quedarse a vivir definitivamente?

—Sí, para instalarnos en Beirut.

—¿Tú también?

—Sí.

La decepción pintó el rostro de Namira. Él se marchaba.

—¿A qué hora te irás?

—No lo sé con certeza. Pero será en cuanto resolvamos una cuestión importante.

—¿Entonces ya no debemos seguir pensando en la boda?

—¡Al contrario! Tendrá que ser antes de lo planeado. Mañana, muy temprano, te esperaré frente a la mezquita de los Omeyas. Estarán conmigo mis padres, dos testigos y el *sheij*.

—¡El *sheij*! —repitió sorprendida al reparar en que se trataba del mandamás, del anciano, del religioso, del hombre que autoriza a las personas para que firmen el libro del casamiento donde se registran las uniones.

—Sí, claro. Te esperaremos allí para partir directo a Qasr al Adl, donde nos casaremos. De ese modo, podrás viajar conmigo al Líbano.

—¿Tan pronto? ¿¡Casarnos!? ¿¡Irnos a otro país!?

—Es nuestra única opción. Estaré esperándote a las ocho de la mañana.

—¿Qué debo traer? —preguntó Namira, que entendía que, una vez que saliera de su casa para casarse con Omar a espaldas de su familia, ya no podría volver nunca más a su hogar. Ante el hecho consumado, lo más acertado sería largarse inmediatamente de Siria porque no sabía cómo podían reaccionar sus padres. Sólo alguien de su credo podía entender cuán terrible era a los ojos de una familia musulmana lo que ella estaba por realizar. Pero no sería la primera ni la última.

—Trae tus documentos. No cargues ropa ni nada que llame la atención de tus padres. Sal de la casa como haces cada día cuando vienes al mercado.

La mirada de Namira se perdió en el infinito y su mente quedó tildada en múltiples pensamientos. Por varias razones, el desarraigo conllevaba consecuencias nefastas para una mujer siria. Evocó los rostros de su madre, de sus hermanos... y hasta el de su padre... No volvería a verlos nunca más. Sus pupilas recorrieron el paisaje que observaba cada día cuando se dirigía al mercado o regresaba a su barrio, ubicado a pasos de la puerta del Este: el palacio Nassan y más adelante el de Azm, la iglesia jacobita de San Jorge, los zocos vecinos como el de Al Bzourieh y sus baños públicos, la mezquita de los Omeyas y su patio, las ruinas del templo de Júpiter... Tendría que cambiar de lugar, de personas. De vida.

Ante la indecisión que exhibía Namira, Omar le indicó:

—Ven...

Ella lo siguió y se ubicaron al abrigo de las sedas buscando la intimidad acostumbrada. Pero en esta ocasión no hubo beso, sino que, mirándola a los ojos, Omar le habló en un hilo de voz.

—Mañana estaré esperándote… —susurró. Y con más energía, completó—: No te preocupes por tu seguridad porque cuando te conviertas en mi esposa, serás una Salim y nadie podrá lastimarte. ¿Entiendes?

—Sí.

—¿Vendrás?

Ella asintió con la cabeza.

Él agregó:

—Es tu oportunidad de elegir.

La frase caló hondo en el interior de Namira. Había dado en el punto.

Luego, Omar la besó en la boca y le explicó que debía marcharse. Al día siguiente partirían hacia el Líbano. Y seguramente, para siempre.

—Te veré mañana. Aún debo realizar varios trámites, incluido buscar al *sheij* para nuestro matrimonio —precisó Omar.

Al oír esa palabra, Namira sintió cómo su corazón daba un nuevo vuelco. Y cuando Omar se marchó, entró en un estado de alteración tan grande que le provocó una serie de percances: se cortó el dedo otra vez, cobró y dio mal el vuelto en dos ventas y el velo del pelo se le enredó en el mostrador y se le rasgó. Preocupada, al último accidente le atribuyó un mal presagio.

* * *

Namira se metió en su cuarto y se colocó el camisón como cada noche. Supo que no se trataba de una más, sino de la última que dormiría en su casa. Estaba segura de que no pegaría un ojo, así como tampoco había probado bocado durante la cena familiar. Había pasado la velada cambiando de lugar el plato y el vaso, tratando de mordisquear algo de comida para disimular su ansiedad. Su interior bullía de nervios, pues en las próximas horas decidiría el futuro de sus próximos años. Deseaba casarse con Omar, sí, pero, según su padre, esa elección no le pertenecía más que a él. «Eres demasiado joven para elegir bien», declaró la última vez que discutieron.

Miró la luna. Su fiel y discreta confidente se mostraba enmarcada por el hermoso cielo sirio, ese que pronto dejaría de apreciar. La pena se agigantaba ante la partida inminente. Si al menos su madre la apoyara, se sentiría mejor. Si alguien le asegurara que no estaba mal ir tras su destino, ella se marcharía contenta. Esa noche necesitaba que aprobaran lo que haría, que la convencieran de que elegir no era un pecado. Que decidir constituía un derecho propio de todos los seres humanos.

Pero ese apoyo no existía. Porque pensó y pensó, y no lo encontró en ninguna parte. Ni en personas, ni en palabras que alguna vez hubiera escuchado. Finalmente, después de varias horas sin hallar ese aliento, se durmió.

Namira había pedido, pero no se le había concedido.

* * *

Por la mañana, Namira se levantó, se vistió con la túnica negra más común que encontró y en el cabello se colocó el velo floreado. Luego, escondió los documentos entre sus prendas. No deseaba llamar la atención.

Ese día, el puesto del mercado no se abriría, pero nadie lo sabía, excepto ella.

Desayunó algo rápido, como de costumbre, sólo que en esta ocasión sus ojos iban cargados de lágrimas. Sin embargo, nadie en su familia pareció notarlo. La rutina matinal no sufría alteraciones. Su padre también se marchaba para dar inicio a su labor en la fábrica.

Nada parecía salirse de contexto. Sólo Leila, en algún momento del desayuno, la contempló de una forma extraña, profunda, inquisidora y, al mismo tiempo, lastimosa. Llevaba en sus ojos dolor y acusación. ¿Acaso su madre se había dado cuenta de su plan? Como fuera, debía marcharse cuanto antes. Tenía que irse de la vivienda de inmediato.

Saludó y traspuso la puerta de su casa como si emprendiera una huida furtiva, convencida de que –¡al fin!– se sentiría libre. Pero grande fue su decepción al comprobar que en la calle no percibía ni un atisbo de esa libertad soñada. Algo –un sentimiento vedado– le impedía disfrutarla.

Namira no sabía que el veneno de las semillas que otros habían plantado en su jardín interior ahora se hallaba diseminado por todo su ser. Habían germinado con fuerza y, tras enraizarse, ahora la ahogaban tal como asfixiaban a su madre y a cada mujer allegada. Porque cada frase o acontecimiento que había visto, oído, palpado de primera mano y vivido de cerca había dejado su marca y en ese momento se hacía presente.

Sus propios pensamientos la oprimían: elegir no estaba bien, se trataba de un pecado. Su vida no le pertenecía, sino a los otros. La libertad era mala y destructiva. Si definitivamente emprendía la fuga –como ocurría desde el instante en que se levantó esa mañana–, no merecía ser feliz.

Tomó otro camino, uno diferente al habitual. Al avanzar por Al Nawfara, no se percató de que esa sencilla elección era un indicio del miedo que buscaba paralizarla. Porque mientras caminaba no sentía ni la plenitud ni la libertad soñadas; al contrario: marchaba llena de miedo y dolor.

Caminaba y pedía que, al menos una persona, no la juzgara.

Caminaba y suplicaba por una palabra que aprobara su decisión, pero no la escuchaba.

Caminaba y recordaba el día en que su madre la había llevado al mercado por primera vez, ese lugar que ya nunca vería.

Inmersa en sus cavilaciones, desembocó en la mezquita, pero no en el lugar donde Omar la aguardaba, pues había realizado un rodeo extra, por el lado de la calle de la tumba de Saladino. A cierta distancia, lo divisó; también a sus padres y, junto a ellos, al *sheij* y a dos personas más; asumió que serían los testigos.

Entonces, Namira detuvo su marcha, se apoyó contra el

muro de una casa ubicada en la esquina y desde allí se dispuso a observar la escena sin que la descubrieran.

Durante unos instantes, reparó en el grupo, compuesto tal como Omar se lo había anticipado.

Miedo, nervios, desasosiego. Pero no alegría, felicidad o libertad.

No se sentía preparada para dar el paso. No le habían enseñado cómo hacerlo. En su vida, nadie le había explicado.

Namira permaneció muy quieta, acechando al hombre que amaba y a la comitiva que había traído. Quería avanzar hacia él, pero sus pies de plomo no se lo permitían. El pavor la había atado al piso. Omar, de vez en cuando, echaba una mirada nerviosa en dirección hacia Al Kabakbieh, la calle por la que ella debería haber aparecido si no hubiera cambiado su recorrido habitual.

La frase que otrora Namira había oído, hoy repiqueteaba en su cabeza: «El mundo es de los hombres. Y si lo desafías, puedes salir muy lastimada».

Nunú llevaba diez minutos de lucha interior cuando miró por última vez en dirección a las personas que la esperaban. Dio media vuelta y volvió sobre sus pasos. Se iba, se marchaba. Ella no se casaría con Omar de esa manera. No podía; su valentía no le alcanzaba. Le dolía, pero no podía. Casarse con él sería morir, desaparecer del mundo que ella conocía de niña, dejar de existir de un día para el otro. No imaginó, sin embargo, que rechazar a Omar traería consigo una muerte lenta, dolorosa.

Caminó, caminó y caminó. Se alejó del lugar llorando desconsoladamente, pero su decisión ya había sido tomada. Avanzó sin rumbo fijo durante media hora hasta que lo decidió: iría a la fábrica. Quería hablar con su padre.

Tardó un buen rato en llegar. Cubrió el trecho apesadumbrada y resignada. Cuando estuvo frente a la puerta, se acomodó el velo y se secó los restos de lágrimas que aún mojaban su rostro. Entró decidida. Fue directo a la oficina.

—¡Namira...! ¿Qué sucede? ¿Qué haces aquí? ¿No has abierto el puesto?

—El puesto hoy no se abrirá, padre.

—¡¿Qué dices?! ¿Qué ha sucedido?

—Quiero que sepas que hoy Omar Salim me aguardaba para casarnos.

—¿Qué locura es esa?

—Lo que escuchas, padre. E íbamos a mudarnos al Líbano, junto con su familia, que apoyaba nuestra unión. Pero le he fallado. Lo he dejado esperando frente a la mezquita... También a sus padres y al *sheij*. En este momento, deben estar buscándome en el mercado.

Khalil, anonadado, advertía su turbación. Al fin le dijo:

—Has hecho muy bien, Namira al Kabani.

—No sé si es lo correcto o no, padre. Pero debes saber que, si bien he respetado tu voluntad de no unir mi sangre a la de los Salim, no deseo casarme con ese candidato que quieres traer a casa.

Khalil, que nada tenía de tonto y conocía sus límites, no quería correr el riesgo de que su hija se arrepintiera y fuera tras Omar.

—Está bien —dijo secamente.

—Te aviso porque no quiero que me molestes con hombres desconocidos durante un largo tiempo.

—¿Cuánto tiempo necesitas? Porque algún día deberás casarte.

—No sé. Un par de años, tal vez... Mientras tanto, trabajaré en el zoco.

Si su padre se lo negaba, moriría de pena. Permanecer encerrada en su casa, sin nada que hacer, sabiendo que rechazó a Omar, resultaría un tormento demasiado grande. Necesitaba ocuparse del puesto.

—Pues, hazlo. Me viene muy bien. Quédate en el «Pase, Señora» hasta que te cases.

Otra vez el casamiento.

—Por ahora, no me atosigues con la idea de un *nikah*. Te lo pido en honor al gran sacrificio que estoy realizando. Yo... —dijo al borde de las lágrimas— amo a Omar.

—Ya se te pasará. Alá te ayudará.

Namira no le respondió, aunque pensó: «Nunca se me pasará, estoy segura».

—¿Abrirás el puesto hoy? —preguntó Khalil.

¿Era posible que su padre no entendiera el tenor de su renuncia? ¡Qué podía importarle a ella el puesto en ese momento! Como su padre permanecía indiferente frente al dolor que la aquejaba, que le partía el alma, Namira pensó que debía explicarse mejor, pero al cabo de unos instantes, tras sopesarlo, desistió; jamás la entendería. Khalil nunca tendría que pasar por algo semejante ni en el más remoto de los mundos. Vivían en dos universos diferentes: ella, en uno pequeño y mezquino; él, en uno grande y generoso. Como hombre, no podía sentir empatía.

Le respondió con firmeza.

—Hoy no abriré el puesto. Adiós, padre.

—Adiós —respondió Khalil un tanto perplejo.

Ella caminó hasta la puerta y se marchó.

Ya en la calle, caminó sin rumbo por la ciudad durante varias horas. Se dedicó simplemente a peregrinar sin sentido mientras lloraba. Omar se iba y desaparecía de su vida.

Namira no deseaba volver a su casa, no quería ver a nadie. Arrastraba los pies; sobre su espalda cargaba una tonelada de agobio. ¿Por qué la agobiaba esta tremebunda sensación física?

Una negrura pesada se adueñaba de su cuerpo. Las mismas semillas que habían ahogado a su madre durante años ahora se enraizaban en su vida. Los brotes crecían en su interior y formaban una maraña espesa y oscura que no dejaba lugar para la libertad.

La libertad, ese primer peldaño en la escalera que lleva a la felicidad.

¿Alguna vez dejaría de sentirse así? Sospechaba que esa pesadumbre había llegado a su existencia para quedarse.

Ojalá la vida le regalara la ocasión de poder quitarse ese peso de encima.

Ojalá. Ojalá.

Lo deseó con tanta fuerza que el universo la escuchó. Y los clics del destino hicieron sus movimientos en Siria y también en un continente muy alejado de Oriente. Porque en ese momento las piezas del puzle se acomodaron para darle una oportunidad. Una que tardaría muchos años en presentarse y que vendría en un envoltorio muy distinto al que ella esperaba.

CAPÍTULO 17

El hombre es enemigo de lo que ignora.
PROVERBIO ÁRABE

Esa mañana, la última en el departamento, Álvaro fue el primero en despertarse. Habían cenado temprano y se habían vuelto a acomodar en el sillón de cuero azul. Ahí, charlando, se habían quedado dormidos. Ahora la luz del alba que entraba por la ventana, más las preocupaciones, lo habían despabilado. Esa noche partía a España, no sabía cuándo volvería a ver a Salma y en pocas horas hablaría con Al Kabani. Daba por descontado que su antiguo anfitrión, el hombre que lo había albergado en su casa, esta vez no lo recibiría con los brazos abiertos. Al menos, abrigaba la esperanza de que la charla se desarrollara por carriles civilizados.

Con Salma habían acordado que le dirían que el niño les pertenecía, que lo habían concebido en Duma. No mencionarían la agresión que había sufrido. De ese modo —suponían—, tendrían más posibilidades de que respetara su decisión de estar juntos.

Salma, que lo sentía moverse, se dio vuelta hacia su lado.

—¿También estás despierta? —preguntó cuando notó que ella abría los ojos.

—Sí. ¿Sucede algo?

—Pienso demasiado —le contestó Álvaro.

—¿Qué piensas?

—Que no quiero irme. Temo que pase demasiado tiempo hasta que volvamos a vernos. Este país está en guerra, es un polvorín. Y me preocupa.

—Ven aquí, Sánchez, abrázame. Deja de pensar, ya tendrás tiempo de hacerlo cuando estés arriba del avión.

Se imaginó sentado en la butaca, despegando, alejándose de Medio Oriente. Y no le gustó.

¡Dios mío, quería quedarse para siempre con esta mujer! Un nuevo fantasma llegó para mortificarlo. ¿Y si estaba viviendo las últimas horas junto a Salma y después nunca más la vería? ¿Y si esta era la última vez que se despertaban juntos? Nuevamente lo torturaba la misma horrible sensación de despedida que lo había invadido durante la última noche en Duma. Parecía una pesadilla. Cerró con fuerza los ojos, quería huir, alejarse de los pesares. Sintió la mano de Salma recorriendo su cuerpo y trató de concentrarse en esa sensación agradable. Sólo quería sentirla y olvidarse del resto.

Se quedó así, muy quieto, tratando de no pensar, hasta que, inclinándose un poco, la besó intempestivamente, casi con violencia, buscando olvidar sus temores. Ella le respondió quitándose el pijama blanco.

Álvaro metió el rostro en el cuello de Salma y aspiró ese aroma que lo narcotizaba y ya adoraba. Quiso quedarse allí para siempre. Pero no pudo porque ella lo empujó suavemente y, cuando lo tuvo boca arriba, se trepó sobre él y se acomodó para dar y recibir placer.

Con Álvaro en su interior, se movió mansamente con meneos que no alcanzaron a calmar la destemplanza en la que Álvaro se hallaba sumergido. Porque en medio del placer, fogonazos de realidad lo volvían a herir con *la última vez*.

El placer y el dolor se adueñaron de él, que, tendido y entregado, buscaba liberarse del padecimiento.

Placer y dolor. Salma subía. Disfrute y tormento. Salma bajaba. Delicia y ramalazo. Salma subía. Ella se colocó en el sitio exacto para volver a bajar cuando un nuevo dardo cargado de *última vez* hirió a Álvaro mortalmente.

Él, saturado de diversas y encontradas sensaciones, no dio más. Se irguió apenas unos centímetros y con un movimiento certero colocó a Salma bajo su dominio. Entonces pudo moverse con el ritmo y la violencia que le exigía su cuerpo para olvidarse de todo. Arremetió con fuerza en su interior varias veces hasta que logró olvidar sus suplicios. Álvaro era pura piel y nada de pensamientos. Salma, sumida en su propio goce, también se olvidaba del mundo.

* * *

Un rato después ambos desayunaban un café bebido. Ninguno quería los panecillos ni el yogur que había comprado Salma para ese momento. No les pasaba bocado. ¿Cómo tener deseos de comer si debían separarse y dejar ese departamento donde habían sido felices de nuevo?

Las preguntas se agolparon en la cabeza de Álvaro: «¿Se puede amar sin estar juntos? ¿Se puede amar cuando uno está por marcharse a otro país, cuando desconozco si volveremos a vernos? ¿Se puede amar después de haber pasado juntos apenas unos setenta días en Duma y dos en Damasco? ¿Se puede amar cuando se abrazan creencias y costumbres tan distintas y el mundo entero se planta en nuestra contra?».

«Sí, se puede», se respondió con el corazón en carne viva.

Salma, a su lado, encadenaba cuestionamientos similares pero trataba de mantener centrada su mente en organizar los próximos pasos que debía dar sin desmoronarse. Si la fuerza centrífuga la atraía hacia lúgubres planteamientos, podía llegar a quebrarse. A Álvaro le tocaba irse; a ella, quedarse. Y la tristeza por la partida y la soledad la atiborraba de nefastas incertidumbres.

Una hora después, de la puerta del edificio partieron dos taxis. Salma instruyó al chofer para que la llevara directo a la delegación de gobierno, pues iniciaría cuanto antes los trámites.

Álvaro, rumbo a su hotel, era perseguido por el infatigable coche negro. Dentro del taxi, Sánchez, al fin, luego de horas sin prestarle atención al aparato, leyó los mensajes de su celular. Tenía varios; en uno, su madre, desde la Argentina, le preguntaba si se encontraba bien. Escribió una respuesta que —sabía— detonaría el mundo de Dana, pero él era así: a todo o nada. «Aquí la situación está difícil pero Salma está embarazada y eso nos da fuerzas».

Él había tomado una decisión: su corazón estaba con Salma y no escondería a la criatura que venía en camino, sino que la mostraría al mundo entero. Por eso compartió primero la noticia con los de su sangre, su madre.

* * *

Hacia el mediodía, después de hablar con Namira, Salma se marchó al departamento de sus padres. Con su tía había sido clara: ese día Sánchez y ella hablarían con Abdallah y Anisa.

Al oír su explicación, Namira la abrazó y le deseó suerte. Sólo eso, suerte. De su parte, evidentemente, no lograría más que una mera declaración de buenas intenciones. Saltaba a la vista que su tía no se comprometería con su causa. En cierta manera, la entendía, aunque hubiera preferido su apoyo.

En las dependencias de gobierno no le había ido bien. Le explicaron que, según la legislación vigente, no podría salir de Siria sin visa turística, la que sólo otorgaban las delegaciones diplomáticas de los diferentes países.

Destemplada, le había contado por teléfono las novedades a Álvaro, quien se preocupó por el mal pronóstico. Aunque evitó mencionar el desasosiego que le causaba, Salma se dio cuenta por el tono de su voz. Se había contenido para no alarmarla, pero ella tenía claro que ese revés burocrático significaba empezar con el pie izquierdo.

Cuando Salma llegó a su casa y abrió la puerta le llamó la atención escuchar la voz de su padre, pues a esa hora solía atender sus asuntos en la oficina céntrica. Contuvo la respiración; en la cocina conversaba con Anisa sobre las máquinas que acababa de encargar a un fabricante.

Se acercó con sigilo y se detuvo en el marco de la puerta. Pero Mahalia la descubrió.

—¡Señorita, ya está de regreso!

Abdallah y su esposa se sobresaltaron. Anisa se puso de pie y la recibió con un abrazo. El padre la saludó de buen modo y le explicó:

—Salma, justo estaba por hablar con Namira para pedirle que me pasara contigo. Quería hablarte.

Los movimientos delataron su nerviosismo. «¿Acaso ya se enteró de que llevo dos noches durmiendo con Álvaro Sánchez?». No tuvo tiempo de responderse, su padre continuó la frase.

—Quería contarte que, finalmente, tomé la decisión de confeccionar las telas en Damasco. Por eso, hoy concretaré la compra de varias máquinas nuevas, las necesarias para retomar la producción. Las instalaré en el salón que alquilé el mes pasado.

—Qué alegría, papá —exclamó Salma, que sabía cuán importante era para su padre poner nuevamente en funcionamiento su negocio.

—Además, quería pedirte que, por favor, regreses al trabajo. Necesito tu ayuda. Se nota tu ausencia.

Salma se sorprendió y, en cierta manera, también se alegró. Eso significaba que su padre la valoraba, que le restituía parte de la confianza perdida y que su enojo había mermado. Aunque no serviría de mucho porque pronto se disgustaría de nuevo.

—Como quiera, padre… —respondió lo indispensable y con el mismo tono distante que había adoptado desde el malestar que había generado su huida a Duma.

—Me gustaría que esta tarde me acompañes a la reunión en la que concertaré la compra de las máquinas.

—¿Esta tarde…?

—Sí, debo entregar los cheques para el pago.

Salma se preocupó. El auto que llevaría a Álvaro al Líbano partiría de madrugada; no había otra posibilidad que hablar con su padre ese día, esa tarde. Como habitualmente trabajaba desde la mañana hasta las cinco, había descontado que podrían abordarlo cuando retornara a la casa. Pero hoy la rutina había cambiado. Tal vez deberían adelantar los planes.

La voz de su padre la trajo de regreso a la cocina.

—Salma, me alegra que hayas regresado. Y que volvamos a trabajar juntos.

La voz de Abdallah tenía un tono benévolo.

Salma le sonrió. ¿Qué podía decirle? Cualquier comentario sería una mentira. No había planes posibles para ella en Damasco, ni en el trabajo de su padre ni en ningún otro sitio.

Anisa, contenta por el trato cordial que su marido le dispensaba a Salma, se incorporó a la charla.

—Hija, tu hermana te mandó muchos saludos. ¡Otra vez serás tía! ¡Y tu padre, nuevamente *gedo*! ¿No es una maravillosa noticia?

—Malak, que es la menor, tendrá otro hijo —comentó Abdallah escrutando a Salma—. Me parece que vienes atrasada...

Las palabras fueron una daga. No soportaba más quedarse callada, no contarles era mentirles, y ella odiaba las mentiras. Siempre había sostenido que, sin importar cuán dolorosa fuera, la verdad debía ser dicha. Desde pequeña había enfrentado las penitencias más terribles porque no toleraba los engaños. El libro sagrado las condenaba.

Las palabras de su padre la torturaban, pues —para peor— parecía más conciliador que nunca. Dio la media vuelta y se dirigió rumbo a su cuarto. Necesitaba pensar. Organizarse. Avisarle a Álvaro. ¿O no? Ya no sabía qué hacer. La situación la mareaba y le generaba dudas.

—¿Ya te vas, hija? ¿No quieres almorzar con nosotros? Mahalia tiene la comida caliente. La *muhammara* para la carne está recién hecha.

—Gracias, madre, no tengo apetito —respondió Salma desde el pasillo.

Su padre, al notar que se marchaba, exclamó:

—¡Salma...!

—¿Sí...? —respondió volviendo sobre sus pasos.

—Puedes visitar a tu hermana cuando quieras... —suspiró y agregó, con el pesar del viaje reciente—: Y cuando puedas...

porque, además de hacer Migraciones, tanto a la ida como a la vuelta de Beirut, en el camino nos detuvieron varias veces.

A Salma se le llenaron los ojos de lágrimas. Sus decisiones tambaleaban.

—Gracias —dijo y se marchó de la cocina.

En su cuarto, se tendió sobre la cama boca arriba y mirando el techo reflexionó: «¿Y si me pongo en manos de mi padre y dejo que él decida por mí?».

Elegir, qué gran responsabilidad. ¿Acaso le huía a la elección? ¿O no quería pagar su precio? Tal vez, después de tantos años de sometimiento, de negársele la posibilidad de decidir, se había acostumbrado mansamente a aceptar los designios que le imponían otros.

Lo pensó bien. Sí, deseaba elegir. Pero le dolía hacer sufrir a sus padres. En su interior se libraba una gran lucha.

Abdallah estaba siendo bondadoso. Pero no le parecía justo renunciar al amor de su vida por ese repentino cambio de actitud que quién podía saber cuánto le duraría. Estaba convencida de que tenía derecho a amar a la persona que quisiera. Además, esperaba un hijo. Y Álvaro era el padre.

Su propio pensamiento la sorprendió: por primera vez lo había considerado como su verdadero progenitor.

Tomó el celular sin estar segura de nada, su corazón seguía indeciso. Ni siquiera sabía si llamaría o no a Sánchez. Tocó los íconos como una autómata, sin pensar, casi sin darse cuenta. De repente, ante su vista apareció la foto que había tomado la tarde anterior cuando miraban la puesta de sol. Había una imagen de la ciudad y otra de ambos, distendidos. Y entonces se vio radiante, feliz y, a su lado, al artífice de esa felicidad. Lo supo con certeza: debía elegir a Álvaro una y mil veces. Tomó coraje y le habló. Enseguida escuchó su voz del otro lado.

—Hola, Salma, ¿todo bien?

—Sí, todo en orden, pero mi padre no estará a la tarde. Así que, si quieres abordarlo antes de viajar, tienes que venir ya mismo a mi casa.

—¿Ahora?

—Dentro de las próximas dos horas.

Silencio. Él se había preparado para hablar con Al Kabani, pero este cambio repentino... Sus pensamientos se acomodaron de inmediato.

—No te preocupes, en una hora estaré allí.

—Gracias —murmuró.

—Te amo —le recordó.

—Yo también te amo —Salma repitió las palabras mágicas.

Álvaro era así: auténtico, incondicional. Y por eso se merecía todo lo que ella estaba dispuesta a hacer por ese inmenso amor que le profesaba.

Cuando cortó, Salma decidió darse una ducha. Luego se puso un jean y una camisa de seda color turquesa que había comprado en Zara. Se maquilló pensando que se trataba de un momento importante. Luego, bajó a la sala.

Sus padres, de sobremesa en el comedor, charlaban animadamente mientras tomaban un café acompañado por un trocito de *baklava*. Pero cuando ella llegó se llamaron a silencio con disimulo. Salma desconocía que en ese momento Abdallah enteraba a Anisa de sus elucubraciones nocturnas acerca de con quién podían casarla. E incluso había ido más allá: mañana contactaría a las familias de los dos candidatos. Si los elegidos confirmaban su interés en una boda, entonces anoticiaría a Salma. En esta ocasión no correría el riesgo de recibir una negativa por adelantado; mucho menos, entablar una discusión cuando todavía no había nada seguro.

Salma se sentó frente a sus padres y le pidió a Mahalia que le trajera un café bien dulce con un pedazo de postre. Necesitaba azúcar; requería fuerzas para enfrentar el próximo lance.

Abdallah le contó detalles acerca de las máquinas, de la fecha de entrega y, muy importante, de los plazos de pago. Mientras lo escuchaba, bebió su café y comió el *baklava*. Con el último bocado, sonó el timbre y se le hizo un nudo en el estómago.

Mahalia atendió y pronto regresó a la sala con la noticia.

—Es el señor Álvaro Sánchez —anunció.

A Abdallah le costó entender.

—¿Quién...?

—Sánchez, el periodista español.

¿Qué hacía este hombre de visita en su casa? ¿Qué hacía en Siria? ¿Acaso se hallaba en problemas?

—Hágalo pasar —le ordenó a Mahalia.

Álvaro, recién bañado, perfumado y muy bien vestido, ingresó al comedor y saludó a los tres con parsimonia. Llevaba puesto pantalón de vestir —el único que había traído y uno de los pocos que tenía en su ropero, pues sólo usaba jeans—, camisa blanca y saco de traje azul oscuro. Había elegido su ropa con esmero porque la situación requería cierta formalidad.

Salma lo halló guapo. Pero sólo fue un pensamiento reflejo porque ella, por los nervios, ni se dio cuenta de que lo encontraba atractivo.

—¡Qué sorpresa tenerlo nuevamente en mi casa! ¿Está usted bien? —preguntó Abdallah, que no disimulaba el desconcierto que le provocaba su visita sin previo aviso.

—Sí, gracias, perfectamente.

—¿Necesita ayuda con algo? Dígame y haré lo que esté a mi alcance.

—Oh, no, por favor, mi estadía en Siria está en orden —respondió Álvaro, que entendió que el hombre lo creía en problemas.

—Entonces me alegro de que haya pasado a saludarnos. ¿Está trabajando en una producción fotográfica aquí, en Damasco? —indagó Abdallah.

—La verdad, señor Al Kabani, no.

Abdallah caviló sobre cuál sería el verdadero motivo de su estancia en la ciudad, si por trabajo no venía. Una idea terrible vino a su mente pero la desechó. No podía ser. Remiró a Salma y la descubrió en estado de shock. Volvió a preocuparse.

—Se lo ve muy repuesto, señor Sánchez. Me comentó *my husband* que la última vez que se vieron estaba usted muy mal —recordó Anisa mezclando el inglés con el español.

—Sí, por esos días enfrentaba una situación límite —comentó Álvaro asumiendo que, tal vez, esta también lo era.

—¿Su relación con el gobierno sirio quedó resuelta, verdad? —deslizó Al Kabani de manera perspicaz para sonsacarle si debía prever algún tipo de complicación.

—Sí —respondió omitiendo mencionar el detalle del auto negro que lo seguía día y noche desde su llegada a Siria.

—Le haré traer un café con *baklava* —propuso Anisa poniéndose de pie.

—No es necesario, señora. Por favor, quédese. Lo que vengo a decir también tiene que oírlo usted —terminó la frase y le dio una mirada a Salma.

Los padres captaron el cruce de ojos con su hija, que se movieron inquietos. En el juego que proponía Álvaro Sánchez, a ellos les faltaba una pieza. Pero ¿cuál? ¿Qué estaba sucediendo?

—Me está usted preocupando, Sánchez. Por favor, hable de una vez… —pidió Abdallah perdiendo la paciencia.

Álvaro inspiró con fuerza y empezó a decir lo que había ensayado en su mente durante las primeras horas de la jornada.

—El tiempo que compartimos con Salma en Duma fue muy intenso. Durante casi tres meses vivimos toda clase de peligros… desde bombardeos y balaceras hasta la falta de comida. Pasábamos juntos todo el día y nos aferrábamos el uno al otro porque era lo único que teníamos…

La sola mención de Duma perturbó a Abdallah. En ese lugar habían pasado cosas que nunca tendrían que haber ocurrido. Y todas por culpa de la desobediencia de Salma.

—¿A dónde quiere llegar? —inquirió el padre.

—A explicar que no buscamos esa situación pero la vida nos llevó a estar juntos. Y yo me enamoré de Salma.

Anisa y Abdallah dejaron de mirar fijamente a Álvaro para observar a su hija.

—Y yo, de él —Salma completó enseguida.

Por unos instantes, un frío glacial recorrió el ambiente de la sala.

—Queremos decirles que estamos enamorados. Nos amamos y hemos decidido estar juntos.

A Anisa, que no manejaba con fluidez el español, se le habían escapado varias palabras, pero entendía perfectamente el planteo que este señor venido de lejos realizaba en su comedor... Suficiente para horrorizarse.

Otros segundos y Abdallah estalló:

—¡¿Qué locura es esta?!

—Señor Al Kabani, no soy un muchachito, no voy a jugar con los sentimientos de Salma. Estoy dispuesto a casarme con ella, si es necesario —se apuró a decir Álvaro.

La propuesta que acababa de lanzar era su carta fuerte en la conversación. Y supuso que frenaría el enojo. Por lo menos, así funcionaba en el mundo occidental.

Pero la explosión que sobrevino le descubrió que no había logrado el cometido que perseguía, sino más bien lo contrario.

—¿Casar...? ¿Con mi hija? ¡Salma no se va a casar con usted!

Álvaro admitió que, tal vez, había ido demasiado rápido. Trató de acomodar lo dicho.

—Sólo es una idea, podemos empezar por tener una relación.

—Su propuesta es de lo más ridícula. Salma es mi mano derecha en la empresa, quiere trabajar y no está pensando en una boda.

—Preguntémosle a ella... —propuso Álvaro, contrariado e impaciente. La forma en que Al Kabani manejaba las cosas no entraba en su mente occidental. ¡Salma tenía veintiséis años!

—Ella no está aquí para opinar. En todo caso, cuando contraiga matrimonio, lo hará con alguien más adecuado que usted. Justamente, por estos días estoy en la búsqueda de un hombre para ella —terminó reconociendo sus intenciones.

La frase sorprendió a Salma, que protestó:

—No pienso casarme con nadie que yo no elija.

—Ya hablaremos este tema nosotros como familia —concluyó Abdallah.

—Mire, Al Kabani, no quiero entrometerme en su vida pero

creo que debería ser más abierto, escuchar a su hija y tener en cuenta sus sentimientos. Nosotros no hemos hecho nada malo. Salvo querernos.

—¡Nunca deberían haber llegado a quererse! Y eso ha sucedido como consecuencia de una desobediencia de Salma.

—Pero el amor no es malo —dijo Álvaro.

—Usted no será un muchacho pero es bastante ingenuo. En un matrimonio pesan muchas cosas más que el amor. Una mujer musulmana no puede estar junto a un cristiano. Hay unas maneras de vivir y de pensar que son incompatibles. No terminaría bien. Además de la vergüenza que provocaría en nuestra familia.

—No tiene por qué ser así.

—Como usted bien sabe, después vendrían los hijos... ¿y cuál sería la educación que recibirían?

—De eso, justamente, quería hablarle... —dijo Sánchez.

Salma, al escucharlo, abrió los ojos y le hizo un gesto doble. Se puso el dedo índice sobre los labios para que se llamara a silencio, y luego se señaló a sí misma. Álvaro, que creyó entender que le decía que se callara porque luego ella hablaría, levantó las cejas en señal de «¿Estás segura?». La respuesta llegó con un movimiento afirmativo de la cabeza.

El cambio de plan lo puso nervioso pero confió en Salma, que conocía a sus padres mejor que nadie. Por lo pronto, debía aceptar que, hasta ahora, la charla que intentaba dirigir iba mal, muy mal.

—¿De qué más quería hablar? —inquirió Abdallah.

—Hemos planeado estar juntos... por lo que Salma debería radicarse en Europa.

—¡No sea ridículo, Sánchez! Ninguna mujer siria, y menos mi hija, debería vivir en esa tierra de perdición. Las que van, bueno, ya sabemos cómo terminan.

Uno de los mejores amigos de Al Kabani había enviado a sus hijas a Francia para que estudiaran sus posgrados en una universidad parisina y las chicas habían terminado occidentalizadas, viviendo una vida completamente liberal y licenciosa: dejaron de usar el velo, bebían alcohol, tenían novios cristianos y quién sabe qué más. Él no deseaba eso para Salma. Se había sacrificado demasiado en su fábrica para alcanzar la posición que gozaba y que le ayudaría a su hija a conseguir un hombre musulmán adecuado, miembro de una familia empresaria como la suya, tal como había sucedido con Malak.

—Padre, en esta charla se está decidiendo mi futuro y a mí no me han dejado hablar. Tengo derecho.

—Creo que ya dijiste demasiado.

—No. Falta lo más importante: yo elijo a Álvaro. Quiero estar con él y mudarme a Europa.

Salma pedía.

—Por ahora nadie irá a ninguna parte.

Salma pedía, pero se le negaba.

Al Kabani agregó:

—Y le ruego, señor Sánchez, que vayamos terminando esta reunión. Porque tengo cosas más importantes que hacer durante esta tarde.

Anisa, que hasta el momento no había abierto la boca, al fin articuló:

—Creo que debemos calmarnos. Probablemente, Salma esté un poco confundida. Ya hablaremos con ella cuando estemos más tranquilos.

—¡Claro que no estoy confundida! ¡Sé lo que quiero! —replicó.

—No avanzaremos con la conversación porque ella no decidirá —señaló Abdallah.

—¿Y entonces quién decidirá? —preguntó Álvaro mientras se ponía de pie. Esa frase no tenía sentido. Se trataba de la vida de Salma y a ella, exclusivamente, le concernía tomar las riendas de su vida.

—Su madre y yo decidiremos. Despreocúpese, señor Sánchez, es lo que corresponde. Somos sus padres y sabemos qué es lo mejor para Salma.

Anisa lo miró atónita. Por primera vez su marido la participaba en una decisión trascendente. Escaseaban las ocasiones en las que su voz resultara importante.

Al Kabani se levantó del sillón. Quería que ese hombre se fuera ya mismo de su casa. Se arrepentía una y mil veces de haberle abierto las puertas y de haberlo ayudado cuando meses atrás lo recibió. Todo, además, por culpa de Wafaa. Tenía que haberse dado cuenta de que nada bueno podía venir de parte de esa hermana.

Abdallah se acercó a Álvaro. Sus cabezas quedaron a sólo centímetros y, sosteniéndole la mirada, que ardía de ira, lo interrogó:

—¿Usted quién se cree que es para presentarse en mi casa con el propósito de cambiar las formas que hemos practicado por miles de años? ¿Quién le dio permiso para criticar en mi propio hogar la manera en que educamos a nuestros hijos? Esto se ha hecho así y así seguirá haciéndose. Somos la civilización más antigua de la tierra y aquí permanecemos en pie, firmes.

—¿Pues no se le ha ocurrido que tal vez va siendo tiempo de modernizarse? Todo cambia, señor Al Kabani.

—No se trata de modernidad. En Medio Oriente respetamos a nuestros ancestros y sus enseñanzas. No como ustedes, que internan a sus ancianos para liberarse de la carga y ni siquiera los escuchan.

—No siempre es así, ni en todos los casos. Claro que los respetamos. Debería preguntarle a mi madre si la respeto o no.

—Occidente no respeta ni honra nada, porque cuando llega el día en que algo o alguien les parece vetusto, lo desechan, lo cambian por algo más moderno. Ya sea costumbre, esposa o lo que crean que se puso viejo. Lo arrojan a la basura.

—Ustedes también buscan nuevas esposas en segundos matrimonios —insinuó Álvaro verdaderamente enojado tras oírlo sugerir que él no respetaba a su madre.

—Nos volvemos a casar pero no desechamos a las primeras esposas, como es habitual en Occidente. Para nosotros, y entiéndalo de una vez, siguen siendo igual de importantes. Si mi pueblo actúa de esa manera, y lo repite siglo tras siglo, por algo será. Malo no debe ser.

—Como sea, Al Kabani, Salma vendrá conmigo a Europa y en poco tiempo será mi esposa —vaticinó Álvaro con claras marcas de cansancio.

—Eso sucederá sobre mi cadáver.

Álvaro fue hacia la puerta de salida. Salma lo siguió. Él no pensaba esperar a que apareciera Mahalia para abrirle. Quería irse ya mismo de esa casa de la prehistoria. Sólo le apenaba dejarla allí a Salma.

Mahalia apareció justo cuando Álvaro se metía en el ascensor con Salma. Apenas cerraron la puerta y pulsaron el botón de la planta baja, se escuchó la voz de su padre que llegaba a través del hueco del ascensor.

—¡Salma, ven aquí!

—Déjeme en paz, padre —gritó desde el habitáculo.

Ella despediría a Sánchez y nada la detendría. Ni siquiera el enojo de Al Kabani.

Bajaron en silencio, ensimismados; en sus oídos aún resonaban las duras frases que habían intercambiado.

—Salió todo mal —concluyó Álvaro.

—Yo no esperaba otra cosa, pero me siento liberada. Al menos, saben sobre lo nuestro. Ahora debemos seguir adelante con el plan de viajar a Barcelona.

Álvaro la escudriñó. Salma no parecía tan afectada por el resultado adverso de la charla. Esa película de imágenes atroces que acababa de vivir, ella ya la había visto en otra oportunidad. Y ahora no le causaba el mismo impacto que a él.

—¿No estás mal...? —preguntó Álvaro.

—Sí, lo estoy, sólo que sabía con anticipación qué diría mi padre. Estoy acostumbrada a este tipo de razonamientos. Pero para mí, y creo que me entenderás, fue muy importante porque finalmente me animé a decirles que no aceptaría su imposición.

A veces, a Álvaro le costaba entender, pero ya sabía a qué atenerse. Ese universo se regía por normas muy diferentes a las suyas.

—¿Por qué no me dejaste decirles lo del embarazo?

—Porque yo se lo contaré. Creo que sabré conseguir el efecto que buscamos.

Álvaro permaneció callado. Estaba confundido; una vez más andaba a tientas.

Cuando abandonaron el palier, ya en la calle, Álvaro divisó el auto negro estacionado en la esquina, pero no le importó; conmocionado, minimizó la presencia de los espías.

Ella le propuso:

—Ven…

La siguió y cruzaron la calle hasta la pintoresca placita de estilo oriental que había apreciado la primera vez que estuvo frente a la entrada del edificio. Se sentaron en el borde de la fuente de piedra negra.

—¿Qué harás ahora? —preguntó Álvaro.

—Entraré de nuevo a casa y resistiré. Aguantaré. Y mañana seguiré con los trámites para poder verte pronto en Barcelona.

Álvaro empezaba a darse cuenta de que había llegado el momento de la despedida. No podría quedarse allí mucho más. Temía que Al Kabani bajara y montara un escándalo o llamara a las autoridades.

En un rapto de confusión, una idea lo sobrevoló y lo llenó de terror. La puso en palabras.

—¿Tu padre te golpea?

—¡No, nunca lo ha hecho! Yo he sido una buena hija, jamás ha necesitado recurrir a los golpes.

—¡Dios mío, Salma, no puedes decir eso!

—¿Qué cosa?

—Un padre nunca debe recurrir a los golpes, ni en los peores casos.

—Lo sé, quédate tranquilo —pidió Salma, que lo notaba alterado. La conversación con su padre le había sentado fatal. Luego lo alentó—: Todo estará bien, Sánchez. En breve estaré contigo en Barcelona. Lo lograremos.

Él la supo segura, calmada.

—¿De verdad lo crees? —titubeó Álvaro mientras se acercaba a Salma porque quería mirarla a los ojos cuando le respondiera.

—Sí, lo creo. Te lo prometo.

Salma era una mujer fuerte. En este momento su entereza sobrepasaba la de Álvaro, quien traslucía las secuelas del choque con las estructuras de Al Kabani. Estaba seguro de que el hombre estaba equivocado, pero no sabía cómo demostrarle su error.

Ella miró a su alrededor y comprobó que no había nadie cerca. La plaza, vacía; el guardia de su edificio, sumergido en los mensajes de su celular; el auto negro, estacionado demasiado lejos. Entonces se acercó a Álvaro y le dio un beso en la boca. Uno corto, pero lleno de sentimientos. Se trataba del último hasta que se reencontraran en Barcelona.

—No, Salma, es peligroso —advirtió de inmediato cuando recordó que no debían besarse en público.

Las costumbres sirias también lo atrapaban a él.

—Nadie nos ve, y quería darte un beso de despedida.

Álvaro comprendió; tenía razón: ya no habría más besos. Ni abrazos, ni ternezas. En pocas horas salía su auto rumbo al Líbano, donde tomaría el vuelo. Acumuló dolores: dejaba a Salma embarazada en un país en guerra, con un padre que decidía por ella. Se le partió el alma y los ojos se le llenaron de lágrimas. Quería tomarla de la mano y llevarla con él a donde fuera que decidieran vivir, pero sabía que, cuando ella mostrara su documento, no pasaría de la frontera de Siria. Mucho menos podría abordar un avión. Atados a la burocracia, tropezarían con dificultades hasta concluir el trámite.

—Estaremos bien… —afirmó ella tratando de creer lo que decía.

—Dios mío, ¿cuándo nos veremos de nuevo…? —se preguntó Álvaro en voz alta.

—Antes de un mes estaré en Barcelona.

—¿Cómo lo sabes?

—Porque un trámite como el mío no puede demorar más tiempo. Y, sobre todo, porque he conocido lo que es decidir y ya no podré vivir sin eso.

—Ah, pensé que me dirías que no podías vivir sin mí.

—Eres mi amor. Y conocerte fue lo mejor que me pasó. Poder elegirte me ha hecho cambiar y ahora quiero elegir todo en mi vida. Ya no deseo que otros lo hagan por mí.

—Te entiendo, y así es como debe ser.

—¿Sabes...? Te elegiría una y mil veces. Te amo, Álvaro Sánchez.

—Yo también te amo, Salma al Kabani. Te veré en Barcelona.

Ella se puso de pie. El minuto final había llegado. Lo miró profundo y dijo la frase que Sánchez memorizaría y a la que se aferraría por mucho tiempo.

—Espérame. Te prometo que iré por ti. Iremos... —aseveró deslizando su mano en la panza, justo debajo del ombligo.

Por primera vez Salma incorporaba en sus planes a ese puñado de células nuevas que llevaba en su interior. Las integraba a su vida y las corporizaba como persona, como ser. La sensación de expresarlo fue extraordinaria.

La nueva percepción la tomó desprevenida: ahora que Álvaro se iba, ella sentía que lo único que le quedaba de él era esa criatura. La incertidumbre acerca del origen se había esfumado. ¿Por qué dejarse envolver por la duda si él no la tenía? Dio la vuelta y caminó rumbo a su edificio. Cruzó la calle bajo la mirada atenta de Álvaro, que no se despegaba de su figura. Podía sentir los ojos verdes sobre sus pasos, pero no quiso volverse para mirarlo. Temía que, si lo hacía, ya no le dieran las fuerzas para regresar a su casa. Podía quebrarse y querer quedarse allí, con él, en esa plaza y para siempre. En la ciudad no había otro lugar para ellos. La realidad mostraba que Álvaro no podía ofrecerle un hogar en Siria. Empezaba a pensar como madre.

Entró en el departamento llorando a mares, pero decidida.

Mahalia le indicó con una seña que sus padres se hallaban en la cocina a puertas cerradas. La empleada percibía que algo terrible acontecía en la casa. No eran comunes esos encierros en el reducto donde ella cocinaba, ni las discusiones con extraños como la que habían mantenido minutos atrás. Además, conocía a la hija de los Al Kabani desde su adolescencia, y la quería. No le gustaba verla llorar.

Salma se secó los ojos con la mano, esperó dos minutos apoyada en la pared del pasillo buscando recomponerse y luego abrió la puerta de la cocina. Sus padres giraron sobresaltados. Los sorprendió de pie, apoyados en la mesada, tomando un segundo café; seguramente comentaban lo sucedido.

Hubo un instante de silencio hasta que su padre exclamó con sorna:

—¡Qué escenita hemos tenido que soportar!

—Debemos calmarnos —Anisa repitió una vez más la frase que parecía la favorita de la tarde.

—¿Calmarnos? ¡No! Es Salma quien debe acabar con tanta niñada. Nada tan descabellado como enamorarse de un extranjero, un cristiano, ¡un periodista español alejado de nuestras costumbres!

—Es argentino, padre, ya se lo he explicado.

—Como sea. Él se vuelve a Europa y nunca más lo verás.

—No es así. Yo iré a Barcelona.

—No irás a ninguna parte.

—Sí, iré.

Al Kabani intentó por última vez que su hija entrara en razón.

—¿Alguna vez te has puesto a pensar que son más las cosas que te separan de ese hombre que las que te unen? Tienen distinta crianza y costumbres, diferente religión. Llevan clases de vida opuestas. Un sentimiento, aunque sea el amor, es nada al lado de lo que acabo de nombrarte.

—A Sánchez me une lo más importante.

—¿Y qué es tan importante? ¡¿Haberte acostado con él?!

—Estoy esperando un hijo suyo.

Él y Anisa se quedaron estupefactos. ¿Acaso se trataba de una broma de mal gusto o de una ocurrencia para ponerlos a prueba?

—¡¿Qué dices...?! —exclamó su madre.

—Que estoy embarazada.

Terminó la frase y a Anisa se le cayó la taza de las manos. Su padre, que casi se desploma, tuvo que sentarse en la silla, luego apoyó los codos en la mesa y se tomó la cabeza entre las manos. Se quedó quieto y silencioso.

Salma sabía bien cuán profundo habían calado las palabras que acababa de decir. Ella y su vientre personificaban la desgracia que recaía sobre la familia entera. Se trataba del deshonor para todos los que portaban el apellido Al Kabani, aun para su hermana Malak —aunque ya estuviera casada— y, por extensión, también para sus hijos.

Se atrevió a hablar nuevamente.

—Por eso quiero irme a Europa con Sánchez.

—¿Y vas a confiar en un extraño para que se haga cargo de esta situación? ¿En un occidental, en un hombre que no es musulmán, en un enemigo de Alá? —gritó a viva voz Al Kabani y pegó con el puño sobre la mesa.

—No es cualquier hombre. Lo conozco bien.

—¡Casi tres meses juntos y ya crees que lo conoces! ¿No te has puesto a pensar que tal vez en poco tiempo él te desechará? Además, dime cómo es posible que Sánchez esté tan seguro de que el niño es su hijo. ¡¿Cómo?!

—¡Ay, Abdallah, qué pregunta es esa! ¡Claro que lo sabe! —dijo Anisa.

—¡No, mujer! No es tan fácil —replicó. Luego, mirando a su hija, agregó—: Tú sabes, Salma, que fuiste violada.

Las palabras de su padre fueron un ramalazo. Sintió que se le oprimía el pecho. Fantasmas y vergüenzas que parecían desterrados volvieron con sólo oír la frase.

Ella, gracias a Álvaro y a las fuertes emociones vividas durante la semana, había logrado apartar ese recuerdo hasta conseguir que ya no la perturbara. Durante los últimos días, la infeliz reminiscencia casi no había vuelto a aflorar. Hasta parecía haber superado las dudas acerca del origen de la criatura. Pero ahora su propio padre venía a recordárselo.

La mención fue una bofetada. ¿Cómo sabía lo del vejamen sufrido? La mente de Salma se enredaba en teorías inútiles. ¿Acaso su padre tenía contacto con los hombres que le habían hecho daño?

Anisa se desfiguró.

—¿Qué dices, Abdallah?

El hombre no le respondió, ni siquiera miró a su esposa. Absorto, siguió hablándole a Salma.

—El día que llegaste herida al hospital, el médico me explicó lo que vio en tu cuerpo. Dijo que tenías las marcas de una agresión sexual. Por un momento, incluso, llegué a pensar que el culpable había sido el periodista.

—¡No! ¡Fueron los milicianos! —gritó Salma. Y con voz queda añadió—: Con Álvaro estuve antes.

—*Bismillah!* —vociferó Anisa y se tapó la boca.

Su padre cerró fuerte los ojos. No podía soportar las imágenes que aturdían su mente. Su hija había estado con muchos hombres. Se sintió mal; tanto que deseó desaparecer de este mundo. Pero al fin logró articular una pregunta más.

—Te repito: ¿cómo sabes que ese hijo es del español?

—Lo sé y punto. Y aunque no estuviera segura, Sánchez me ha dicho que me quiere y que se hará cargo del niño, si eso es lo que te preocupa.

—Salma, ¿cuánto puede durar una relación en la que existe la duda acerca de la identidad del hijo que esperan? ¿Cuánto? ¡Por favor, no seas idealista!

—Padre, ya lo he decidido —dijo con miedo y valentía al mismo tiempo.

—Pretender una relación con todas esas contrariedades es ridículo por donde lo veas. ¡Fracasarás! Y cuando eso pase —vaticinó—, ya no tendrás salvación. Mudarte a Europa para casarte con un cristiano sin saber si el hijo es suyo… ¡Por Alá! Te puedo asegurar que terminará mal.

—Tengo un plan y lo voy a seguir. Creo que sé qué es lo mejor para mi vida.

—¿Ah, sí...? ¿Como lo sabías cuando te fuiste a Duma con una mentira? No, Salma, no tienes idea de lo que es mejor para ti.

—Tal vez me equivoque, pero me iré. Es mi derecho, tengo veintiséis años.

Abdallah la examinó durante un largo rato. La conversación no los llevaba a ninguna parte. Su hija no estaba dispuesta a obedecerlo. Por lo menos, no por las buenas.

—Salma, retírate.

—Padre, puedo asegurarle que...

—Retírate de mi presencia, por favor. Necesito estar solo para procesar lo que acabas de contar.

Salma escuchó el tono que empleó su padre y decidió que lo mejor sería acatar su pedido. Salió de la cocina, subió las escaleras y se encerró en su cuarto.

Una vez que marido y mujer estuvieron solos, Anisa estalló.

—¿Por qué no me habías contado lo de...? Lo que le hicieron a Salma. ¡Lo sabías desde el primer día en el hospital!

Abatido, y consternado por el reproche, Abdallah le dijo la verdad:

—Porque era tan vergonzoso... tan ruin, tan deshonroso, que no podía hablar del asunto.

—Ay, Abdallah... —suspiró Anisa y se acercó para abrazarlo y compartir juntos el dolor.

Pero su marido, al ver que se aproximaba, le suplicó:

—Por favor, esposa, te pido que me dejes solo.

Él debía ser fuerte, duro. Su padre, Khalil, lo había educado para pensar y sentir de esa forma. Y Khalil, a su vez, por el suyo. Y así, generación tras generación. Era esclavo de las enseñanzas transmitidas por los hombres de la familia.

Anisa obedeció, se detuvo y cambió de rumbo. Enfiló hacia la puerta. Pero antes de salir, apoyada en el marco, le dijo:

—Le encontraremos solución, Abdallah.

—No la hallaremos porque no la hay. La vida de Salma se arruinó para siempre el día que se escapó a Duma.

Anisa, negando amargamente con la cabeza, se marchó.

Abdallah, sabiéndose solo en la cocina, lloró.

Lloró por los sueños rotos. Lloró porque la felicidad completa siempre parecía esquivarlo. Lloró de rabia, por la guerra. Porque si no se hubiera desatado esa maldita contienda que se libraba en su país, lo de su hija jamás habría sucedido. Y, sobre todo, lloró por el futuro de Salma, pues su primer hijo no nacería. Ese niño estaba maldito sin importar quién fuese el padre. Si le pertenecía al occidental, era fruto del pecado, de un acto impuro; si le pertenecía a uno de los milicianos, de una acción violenta. La criatura no debía nacer. Estaba decidido. No le importaba qué pensara Salma, pues —no tenía dudas— sería lo mejor para su vida. Amaba profundamente a su hija y a su familia.

Entonces, un destello de culpabilidad penetró en su cerebro y le susurró al oído: «¿Mejor para quién? ¿Para Salma? ¿Para la familia? ¿O para ti y tus miedos, prejuicios y vergüenzas?».

No quiso responderse para no ablandarse. Necesitaba actuar, y pronto. La situación se lo exigía. Salma debía deshacerse del embarazo. Y la obligaría más allá de los traumas que le provocara, aunque luego tuviera que encerrarla por un tiempo para que se tranquilizara. Entonces, tal vez, cuando su hija recobrara la calma, él podría buscarle un marido. Un buen hombre árabe elegido con sumo cuidado.

Asimismo, concluyó que, mientras tanto, a él y a su familia sólo les esperaban episodios dolorosos.

En su cuarto, Salma trataba de no llorar; debía ser fuerte para afrontar los hechos y cumplir con la promesa que le había hecho a Sánchez. No podía fallarle, pero aún tenía por delante varios obstáculos que sortear. Al día siguiente regresaría a la delegación para que le explicaran cómo obtener una visa.

Para preservar el nexo con Álvaro, guardó su celular en un sitio seguro. También buscó los papeles que podría necesitar y los escondió bajo el colchón de su cama. No podía permitir que nadie se los quitara. Tampoco su pasaporte, su salvoconducto, sin el cual no podría realizar ningún trámite. Decidió que lo guardaría entre sus ropas; a partir de ese momento, por las dudas, siempre lo llevaría encima.

Antes de ocultarlo, hojeó las páginas interiores y se detuvo en su foto. Luego lo cerró y, mientras lo apreciaba, se preguntó si esa libreta de color azul con el halcón dorado del escudo en la portada podría llevarla junto al hombre que amaba.

«Ojalá que sí», se respondió.

No tenía más armas que ese pedazo de papel y el amor.

* * *

Unas horas después, Álvaro se hallaba sentado en la sala de embarque del Aeropuerto Internacional Rafic Hariri de Beirut, Líbano. El entorno le mostraba las típicas tiendas con ropas de marcas y perfumes. A pesar de ser considerado el segundo mejor aeropuerto de Medio Oriente, tras el de Dubái, nada le interesaba, ni siquiera los negocios de tecnología. Estaba cansado. Torturado por los pensamientos, había pasado una de las peores noches de su vida.

Antes de que lo recogiera el vehículo que lo trasladó al Líbano, había hablado con Salma. En ese último diálogo telefónico se habían repetido cuánto se amaban y repasaron por enésima vez su plan. Pero esas palabras, lejos de tranquilizarlo, lo habían alterado hasta desvelarlo por completo.

Finalmente, a las cuatro de la madrugada partió en el coche contratado bajo la prudente escolta de los hombres del gobierno, que lo siguieron en el auto negro hasta la frontera. A punto de cruzarla, Álvaro le pidió al chofer que se detuviera y se bajó del auto con el propósito de despedirse de sus espías, quienes, al tenerlo al lado, no supieron cómo tratarlo. Al fin, terminaron saludándolo de manera solícita. Entonces, subido al auto de alquiler, avanzó los metros que lo separaban de la valla de control y cruzó a territorio libanés. Así, Siria, el auto negro y Salma quedaron atrás.

Ahora, acomodado en la sala de embarque, saturado de recuerdos, sentía que los hechos recientes habían ocurrido en un tiempo lejano. Pero una realidad lo torturaba: regresaba a Europa mientras Salma se quedaba en Medio Oriente. Otra vez se separaban y nadie podía predecir cuánto tiempo tendría que transcurrir para volver a verse.

Álvaro se pasó la mano por su pelo rubio, como hacía cada vez que estaba angustiado y no hallaba solución a los problemas. No tenía otra alternativa que seguir adelante, encomendarse a la Providencia y confiar en que el amor que se juraban resultara más fuerte que la distancia.

Escuchó por el altavoz el llamado para abordar el avión que lo llevaría a España y el corazón se le partió, como cada vez que se marchaba de Medio Oriente. Salma lo había unido de manera inexorable a esa tierra. Se iba y sentía que un pedazo de su cuerpo y de su alma se quedaba en la patria de sus ancestros. Difícil de explicar, pero así lo percibía: doloroso, fuerte y visceral.

Se puso de pie y caminó como un autómata, los pies le pesaban. Deseaba que la próxima vez que estuviera en ese aeropuerto fuera menos traumática, que fuera un momento feliz, y no uno triste, como en esta ocasión.

¿Hallarían la felicidad él y Salma? No tenía la respuesta, aunque sí albergaba esperanzas. Rogó por que la vida le diera la oportunidad de demostrarle cuánto la amaba. Porque la quería tanto que había empezado a ilusionarse con el niño que llevaba en su vientre. Tenía deseos de llorar.

La azafata le extendió la mano para exigirle los documentos y Álvaro se contuvo. Le mostró el pasaporte junto al pasaje que lo regresaba a Barcelona, avanzó unos pasos y la manga del avión se lo tragó.

La vida continuaba. Para él, en soledad, sin Salma. Entonces, sentado en su butaca junto a la ventanilla, justo cuando la nave despegaba, los ojos se le humedecieron.

NUNÚ

Damasco, Siria, 1978

Wafaa terminó su desayuno y lavó su taza apurada; debía ir a trabajar. Se despidió de Abdallah con un pellizco y su hermano le devolvió uno igual. Luego le dio un beso a su madre y otro a Khalil, quien no solía estar en la casa en ese horario. Con el pasar de los años, su padre había perdido la costumbre de dormir junto a Leila y sólo se quedaba en contadas ocasiones. La última vez, probablemente, había sido tres meses atrás. Él había hecho de su residencia con Rihanna su domicilio principal y la vida parecía transcurrir en completa paz para todos.

Esa mañana, como siempre, Namira se había marchado temprano rumbo al mercado, pues seguía a cargo del puesto, al que hacía rendir con creces gracias a una habilidad única para sacarle grandes ganancias. Su padre no se explicaba cómo un simple negocio del zoco, ubicado en el sector del «Pase, Señora», y con tan escasa superficie podía producir beneficios similares a los de su fábrica. Nunú no sólo contaba con centenares de fieles clientes, sino que también se las ingeniaba para vender al mayoreo.

Abdallah trabajaba con Khalil. Y Wafaa, a sus diecinueve años, en búsqueda de nuevos horizontes, había aceptado un empleo en la librería Al Baian, ubicada en pleno centro de Damasco. Al principio, Khalil se había opuesto y la reclamaba a su lado, en la empresa, pero, haciendo gala de su terquedad, había logrado su propósito. A diferencia de Namira, más apegada a los mandatos paternos, Wafaa disfrutaba de una vida más libre. Claro que dentro de ciertos límites; es decir, mientras nadie la controlara, hacía lo que se le antojaba. Con astucia, precavida, se cuidaba de no generar altercados con su familia. Los libros que leía le mostraban que existía un mundo más allá del que ella frecuentaba en Damasco, y quería conocerlo. Le apasionaba leer y devoraba sin distinción las novelas, los libros de poesía, de historia y cualquier escrito que cayese en sus manos. Consideraba que, más o menos interesantes, todo ejemplar siempre tenía algo para enseñarle. Muchas veces, en momentos de inspiración, hasta se animaba a garabatear algunos poemas. Su lema se sintetizaba en «Disfruta de cada momento». La vida merecía ser vivida aun en medio de las prohibiciones que, como mujer, la limitaban.

Wafaa se acomodó su *hiyab* floreado mientras esperaba el autobús; esa línea la dejaba en la esquina de Al Baian. Lo abordó preocupada por la hora; se le había hecho tarde.

Cuando se bajó del bus, caminó apurada. Antes de empezar con la atención al público, solía visitar el depósito de la librería, que estaba en la misma cuadra, para dejarles el listado de los libros que debían reponer durante la mañana. Ingresó al almacén y el hombre mayor, vestido con guardapolvo oscuro, le recibió la nota de pedido. Después de intercambiar precisiones y despedirse, el encargado recordó que había llegado un encargo personal.

—No se vaya, señorita, tengo lo que usted solicitó —dijo y le extendió un ejemplar de tapa dura.

—¡Ah, gracias! —respondió entusiasmada mientras lo tomaba en sus manos. Hacía más de un mes que esperaba ese libro. Lo sopesó y enfiló hacia la salida.

Enseguida, una vez en el local de la librería, Wafaa se colocó la túnica gris de vendedora. Rafi, el otro empleado, la recibió con un saludo cordial.

—Se me hizo tarde. Mi padre estaba en casa y desayuné con él —se disculpó.

—No te preocupes, son sólo unos minutos.

—¿Dijeron algo? —preguntó Wafaa mirando de reojo hacia las oficinas donde trabajaba el matrimonio mayor, dueño de la librería.

—Les dije que estabas demorada en el depósito porque había mucho por pedir.

—Gracias por cubrirme. Por tu actitud, te prestaré mi ejemplar de *El filósofo autodidacta* que recién me entregaron en el almacén.

—¡Al fin llegó!

—Sí. Llévatelo, lo lees y luego me lo devuelves —le propuso e intentó que se lo recibiera.

Rafi se lo merecía. Habitualmente tenía buenas acciones hacia ella y llevaba tiempo deseando leer ese libro.

—No, de ninguna manera.

—Que sí —lo contradijo y lo colocó sobre el mostrador.

Rafi, siempre amable y bondadoso, tenía condescendencia hacia ella, pero también con todos los que lo rodeaban. A Wafaa le agradaba su buen carácter y su alma piadosa. Era un verdadero musulmán, practicante de los ritos del islam y, sobre todo, como él mismo decía, cuidadoso de su corazón. En síntesis, un verdadero hacedor de buenas obras con quien compartía el gusto por la literatura. Ambos, además, desde la infancia seguían con veneración la carrera de Zakariyya Tamer y ahora leían entre líneas sus sátiras políticas. A Wafaa —lo tenía claro desde el día que lo conoció en el trabajo— le agradaba Rafi, pero él, metido en su mundo de pensamientos profundos y espirituales, no parecía darse cuenta de que entre ellos podía existir otra clase de vínculo. Lector de temas existenciales, su compañero solía meditar sobre por qué el hombre habitaba el universo, y estaba empeñado en descubrir cuál era su propio propósito en este mundo. Tan interesado estaba en esa indagación personal que se había consagrado a la ardua tarea de escribir un libro acerca del tema. Rafi, una extraña mezcla de mente brillante y buen corazón, era un hombre al que no le importaba el dinero y que solía decir abiertamente que desearía salir de Medio Oriente para conocer mejor el mundo, la diversidad cultural y los distintos seres humanos que habitaban el planeta.

Wafaa, al principio, había intentado enamorarlo pero, al no tener éxito en su empresa, se había dado por vencida y seguía adelante tranquila con su existencia. Ella no rogaría amor a ningún hombre. Le gustaba vivir la vida alegremente, juntarse con sus amigas, leer; soñaba con, algún día, poder escribir. Se sentía agradecida de que su padre aún no le hubiera buscado un marido.

Esa mañana, los dos jóvenes atendieron a los primeros clientes y, en cuanto tuvieron un tiempo libre, mientras acomodaban unos estantes, Rafi le comentó:

−Estuve leyendo *Los versos de Khan* y me sorprendieron.

−A mí, también.

−Me quedó una duda, Wafaa: ¿piensas que el autor habla del amor a la vida o del que siente por una mujer?

−¡Claro que habla de una mujer! El amor romántico existe, no todo es existencialismo −respondió Wafaa.

−Pero entonces, por lo que afirma, no están casados... −repuso Rafi abriendo los ojos. Como musulmán, no concebía el amor fuera del matrimonio.

−Sólo son versos, no enseñanzas. No todos escriben acerca de lo que está bien −dijo y recordó la frase del filósofo ciego que había escrito sobre las locuras del amor: «Hay dos clases de personas en el mundo: los que tienen una mente y no la religión; y los que tienen religión, pero no la mente». Aunque de Abul Ala al Ma'arri le interesaba más su planteo sobre lo repentinamente controversial en que un hombre puede convertirse si no le importan la sociedad en la que vive ni las leyes implantadas por los superiores. ¡Y lo había escrito mil años atrás!

A veces, ella se preguntaba cómo Rafi subsistía en este mundo cruel. Más ingenuo lo veía y más atracción sentía. Además, lo admiraba, pues contaba con una increíble versatilidad para exponer sus propias ideas filosóficas, algo poco común entre los hombres que ella conocía. Claro que no había muchos a su alrededor, salvo su padre y su hermano, a quienes sólo les interesaban los negocios y el dinero.

* * *

Khalil salió de la casa de su primera esposa lamentándose por no disponer allí de mucha ropa. Hubiera querido elegir una túnica acorde para la importante reunión que celebraría esa mañana, pero sus prendas más finas se hallaban en el hogar que compartía con Rihanna.

Sin planearlo, se había quedado a dormir con Leila. Ella se había puesto mayor, pero aún sabía cómo hacerlo sentir en paz. Rihanna, tal vez por su juventud, era más exigente y demandante. Él, a su manera, había aprendido a quererlas a ambas.

Se subió a su coche y enseguida estuvo en la zona de edificios altos, el corazón financiero de Damasco. Allí se reuniría con el viejo y multimillonario Hazim. El hombre se dedicaba a los negocios de las más variadas especies; donde había grandes sumas de dinero, su mano estaba presente. Hazim tenía cientos de propiedades, prestaba dinero, negociaba lingotes de oro y otras mercancías no tan santas. Aunque nadie podía probarlo, se rumoreaba que vendía armas a los opositores del gobierno de Al Asad.

El día anterior, Khalil había recibido una llamada de Hazim; pedía verlo. Y ahora, mientras iba a su encuentro, lo carcomía la ansiedad. No sabía bien qué clase de negocio le propondría, pero, cualquiera fuera, descontaba que sería jugoso porque no había nada que Hazim tocara que no produjera gordas ganancias. «Una pena que haya acumulado tanta fortuna y que ningún hijo pueda disfrutarla», pensó Khalil cuando recordó que el hombre, pese a su edad —setenta, seguro—, no tenía heredero. En algunos círculos, por pura envidia, abundaban los chistes al respecto. Gozaba de dos esposas y ninguna había estado embarazada. Por lo tanto, razonó: «El problema lo tiene el viejo, no las mujeres». Aunque, para Khalil, lo realmente importante pasaba por el convite para hacer negocios juntos.

Media hora después, sentados sobre la gruesa y cara alfombra oriental, apoyados entre las almohadas de seda, los dos hombres conversaban amigablemente. Khalil se sentía honrado; no lo había atendido en la oficina del escritorio de caoba y sillón de cuero, sino en la sala de reuniones a la que entraban unos pocos privilegiados, esa que, decorada a la vieja usanza, ahora ambos disfrutaban. Allí, apoyada en la pared, había una mesita baja con papeles, bolígrafos y dos teléfonos; todo, al alcance de la mano. «Sin dudas, aquí se cierran tratos millonarios», especuló Khalil mientras admiraba las lapiceras de oro macizo.

Tendidos en la alfombra, apoyados sobre las almohadas con fundas de seda, bebían té de menta y charlaban. Khalil observaba los contrastes del viejo, que vestía túnica y turbante negros y llevaba la barba muy blanca y larga. Lo encontraba tremendamente parecido al ayatolá Ruhollah Jomeini, ese líder iraní cuya foto comenzaba a ocupar espacio en las portadas de los diarios.

La voz de Hazim sonó en la habitación.

—Como le decía, medité en la importante decisión que tengo por delante y se me vino a la mente usted, Khalil al Kabani. Creo que podrá ayudarme.

—Es un honor que haya pensado en mí.

—Me habrá guiado Alá.

—¡Que así sea! Lo escucho...

—Supongo que debe estar al tanto de que, a pesar de mis setenta y dos años, aún no tengo hijos... Y eso que tengo dos esposas desde hace varios años.

Khalil no atinaba a responder. Claro que lo sabía, pero no podía revelárselo.

El hombre, ante el silencio, continuó:

—Motivado por el deseo de tener un heredero he decidido tomar una nueva esposa. Será mi último intento. Es muy triste no tener descendencia a la cual legarle mi herencia y mi apellido. No sé si me va entendiendo...

—No mucho.

—Lo que quiero decir es que —y ya no dio rodeos— pensé en sus hijas para tomar una esposa. Sé que tiene dos. ¿Estoy en lo correcto?

—Sí.

—¿Qué opina?

—Estoy sorprendido... No esperaba semejante propuesta —respondió Khalil mientras, para sus adentros, pensaba en Namira y en lo bien que llevaba adelante el puesto del mercado. Tampoco se olvidaba del pedido que le había formulado el día que renunció a Omar Salim: no deseaba contraer matrimonio con un hombre impuesto o que no fuera de su agrado. Estaba seguro de que no aceptaría a Hazim. Como padre, podía actuar en contra de la voluntad de su hija, pero lamentaría perder semejante capacidad para llevar adelante el puesto. Además, como era una chica mayor —veintiocho años pesaban—, él ya se había resignado a que se quedara soltera. Por otro lado, si pensaba en Wafaa, le daba lástima que, siendo tan joven, terminara casada con este hombre tan mayor. Frente a la encrucijada, no sabía qué decirle. Fue sincero—: Tendría que pensarlo, debería hablar con ellas.

—Le advierto que quiero una de las dos chicas. Le confieso que solicité una investigación exhaustiva sobre su familia antes de convocarlo a esta conversación y sé muy bien cómo las cría.

Khalil sonrió orgulloso.

—Su madre y yo nos hemos esmerado mucho. Ellas han sido educadas en el Corán y con todos los cuidados.

—Lo sé. Por eso estaría dispuesto a ser muy generoso con el *mahr*. ¿Cuánto quiere? Ponga un precio.

Khalil volvió a sorprenderse.

—No lo tengo en mente. Como le dije, deseo hablar con ellas.

Hazim escuchó la última frase y de la mesita tomó un papel y una de las lapiceras de oro. Anotó un número y, mientras se lo pasaba, le dijo:

—Sería la dote. Mitad adelantada y mitad luego del casamiento.

Khalil lo tomó y lo leyó. Levantó las cejas. Jamás había supuesto que semejante número estaba dentro de lo posible. La cifra tenía muchos ceros. No sabía de nadie que hubiera pedido algo así por una dote.

—Pero esto es mucho dinero —reparó con el papel en la mano.

—Ya le dije que quiero una de sus hijas, son mujeres musulmanas bien criadas. Dicen que son bonitas, y que su madre fue muy fértil. ¿Qué más puedo pedir? Pienso invertir fuerte en este último intento por concebir un hijo.

—¿Ha pensado cuál de las dos prefiere?

—Supongo que la más joven.

—Wafaa tiene diecinueve.

—Perfecto.

Hazim había escuchado que una era especialmente hermosa. Ojalá fuera esa, porque él debía elegir la más joven.

—Mañana tendré noticias.

—Venga a verme aquí mismo. En este momento, el tema es mi prioridad. Quisiera realizar la boda cuanto antes.

—¿Qué fecha tiene en mente? —preguntó Khalil con la certeza de que organizar un casamiento de esa magnitud insumiría mucho tiempo y esfuerzo.

—Dos semanas, tres, como máximo.

—Eso es muy pronto.

—A mi edad, cada día cuenta. ¿Qué quiere que espere, Al Kabani? ¿Un mes más para organizar una fiesta con mayor esplendor? No me interesa. Sólo deseo un hijo.

—Lo entiendo.

Adelantaron algunos detalles sobre la posible unión y, convencido de que Khalil era un hombre muy trabajador y capaz, Hazim prometió participarlo en ciertos negocios florecientes. Al fin de cuentas, el trato sería conveniente para ambos.

* * *

Esa noche, mientras Leila y sus hijos cenaban, Khalil los alteró con su llegada. Temprano, había desayunado con ellos y nadie lo esperaba de vuelta por la casa. Realmente algo estaba pasando y no sabían qué.

Solícita, sin preguntar nada, Leila rápidamente agregó un plato en la mesa y le sirvió el *tabule* fresco, recién preparado y condimentado.

Khalil pensaba exponer la novedad cuando finalizaran la cena, pero le resultó imposible contenerse y se anticipó. La primera frase que lanzó contenía las palabras «casamiento», «propuesta», «Hazim».

Leila y Abdallah escucharon atentos, pero las dos hijas se pusieron en alerta. Para una musulmana, lo mejor era enamorarse y poder programar el casamiento con el elegido. Sin embargo, ¿cómo enamorarse de un hombre, si las mujeres no tenían vida social con ellos? En la mayoría de los casos, el padre terminaba decidiendo, pues así le resultaba más cómodo encontrar un yerno a su medida y de su agrado.

Khalil continuó explicando y Namira respiró aliviada. Wafaa, por su parte, lo oyó y se quedó petrificada; se le hizo un nudo en el estómago y no probó un bocado más. Lo temido había llegado y de la peor forma. Ella, que amaba la libertad, que disfrutaba de su trabajo y que sólo deseaba leer libros y escribir poesías, pasaría a engrosar la lista de las mujeres casadas con hombres indeseados, que no estimaban. ¡Sería la tercera esposa de un musulmán de setenta y dos años! «Un millonario», aclaró su padre en defensa del hombre ante las quejas de Wafaa. «Vivirás como una reina», insistió. Ella, llorando, le respondió que no quería lujos, sino otra clase de vida. Pero, sentada a la mesa, comprendió que no importaban los ríos de lágrimas que derramara; la boda se haría en unos pocos días porque, para peor, el novio estaba apurado.

CAPÍTULO 18

No digas todo lo que sabes,
no hagas todo lo que puedes,
no creas todo lo que oyes.
Porque el que dice todo lo que sabe,
el que hace todo lo que puede,
el que cree todo lo que oye...
muchas veces dice lo que no le conviene,
hace lo que no debe y juzga lo que no ve.

PROVERBIO ÁRABE

Salma se levantó, rezó mirando a La Meca, desayunó y volvió a su cuarto. Llevaba cuatro días encerrada en su habitación. Ella misma se había autoacuartelado en su aposento antes de que su padre se lo impusiera.

Sus dos únicas salidas al exterior fueron para seguir peleando en la delegación por el trámite que le permitiera salir del país. Para evitar enojos, había realizado sus incursiones cuando Abdallah se encontraba en el trabajo. Anisa ni se había percatado. Claro que Mahalia tenía mucho que ver, pues, como estaba de su lado, la ayudaba para que pareciera que seguía encerrada en el cuarto. No había tenido necesidad de pedírselo abiertamente –jamás la hubiera comprometido–, pero bastaron un par de miradas para que comenzara a hacer la vista gorda ante ciertos movimientos. La mujer actuaba sin ningún cargo de culpa porque consideraba que no se la había contratado para acusar a nadie. Su patrón jamás le había pedido que hiciera algo de esa naturaleza.

Pero por más que Salma insistía con el trámite, la gestión no avanzaba. La guerra había alterado todo, imponía nuevas exigencias y ya no se podía abandonar el país sólo con el pasaporte. Ahora, esa pequeña facilidad era impensada. Para viajar a España o a cualquier otro país se necesitaba visa. Salma se había presentado en la Embajada española para solicitar visado de turista, pero le informaron que, como el gobierno español había retirado a su cónsul, la sede diplomática funcionaba únicamente con personal sirio, que no podía resolver ningún trámite importante ni expedir ninguna clase de documento, incluyendo las visas.

Al día siguiente, Salma intentó en la Embajada francesa, pero allí se dio con que François Hollande no sólo había retirado a su funcionario, sino que al mes había cerrado la sede diplomática.

Bajo un creciente estado de desesperación, Salma descubrió que Bélgica, Canadá, Alemania, Japón e Italia, entre otros países, también habían cerrado sus delegaciones. Algunas, como la Suiza, habían sido mudadas temporalmente al Líbano y había que desplazarse al país vecino ante cualquier diligencia.

Esa mañana continuaría su recorrido por el barrio de las embajadas, pero empezaba a perder la esperanza de conseguir una que le otorgara la visa para salir de Siria. Si su suerte no cambiaba, debería contárselo a Álvaro, quien, pese a las breves charlas telefónicas, desconocía de su peregrinaje infructuoso. Y si bien no le había contado para no preocuparlo, ya era hora de ponerlo al corriente porque él, quizá, podría ayudarla desde España.

* * *

Álvaro se despertó y, como ocurría desde que había llegado de Siria, sus primeros pensamientos estuvieron destinados a Salma: «¿Cómo estará? ¿Su padre seguirá hostigándola? ¿Habrá avanzado con el trámite?».

Miró el teléfono. Tenía un mensaje de ella. Como en Damasco había una hora menos que en Barcelona, solía ser la primera en saludar. Lo leyó; proponía que hablaran pasado el mediodía. Debía atenerse a sus instrucciones y contactarse a la hora señalada. Aunque los ánimos de Abdallah parecían haberse calmado, Álvaro no se fiaba.

Se levantó, bebió un café y decidió visitar la redacción del diario donde había trabajado durante los últimos años. Tenía deseos de ver a sus compañeros y caminar por las oficinas de *El Periódico de Catalunya*. Su jefe llevaba un tiempo insistiéndole para que regresara, le pedía una fecha; sobre todo, después del éxito alcanzado con la publicación sobre su experiencia en Duma. Dosificada en entregas diarias durante una semana, había arrasado en ventas. cnn y otras cadenas internacionales habían levantado la información y su historia y sus fotos se habían replicado en varios continentes.

Álvaro había escrito sus crónicas de Duma con un tono ameno y contundente. Valiéndose del material que había garabateado en su libreta durante los días transcurridos en la oficina de la fábrica Al Kabani, había contado en primera persona lo vivido durante el tiempo que permaneció en una ciudad en guerra. Las fotografías, esas que casi le costaron la vida, habían acompañado sus elocuentes relatos del horror. Por desgracia, las fotos de Salma se habían perdido; pero ella, que era lo más importante, se había salvado.

Si bien Álvaro había disfrutado de la recepción de sus artículos, ya nada era lo mismo. Por tal razón, ese mismo día le comunicaría a Torrens que no volvería al trabajo durante un semestre. Quería tomarse esos meses para estar pendiente de la llegada de Salma a España y, quizá, visitar juntos la Argentina. Luego, retomaría su vida laboral, pero con otra perspectiva. Porque había decidido abandonar para siempre la vorágine en la que vivía antes de conocer el infierno de Duma. Su existencia había cambiado y sus prioridades, también. A pesar de que *El Periódico de Catalunya* lo había tentado con una fuerte suma de dinero, no se dejaría convencer y volvería al ruedo en la fecha prevista. Necesitaba ese tiempo para él y Salma. Se lo merecían.

* * *

Vestido de jean y remera, informal, como de costumbre, Álvaro llegó a la redacción del diario y en pocos minutos estuvo en la oficina de su jefe, Tomás Torrens, que lo recibió con afecto personal y profesional. Con el hombre, que contaba con edad suficiente para ser el padre de Sánchez, se dispensaban una admiración mutua tras muchos años de trabajo compartido. Además, durante su desaparición en Siria, el catalán había hecho verdaderas peripecias para que Álvaro regresara con vida.

—Eres tan famoso, joder, que ni la fuerte suma que logré que te ofrezca el CEO te convence.

—No, Tom, no se trata de eso...

—Lo sé, lo sé, ya me lo explicaste. Pero como tu jefe, al menos, debo insistir. La pura verdad es que te entiendo, aunque me encantaría que volvieras cuanto antes. Ve, coge tu cámara y haz tus crónicas desde el Caribe, coño, pero vuelve.

—No te preocupes, regresaré.

—Y, dime: ¿cómo te fue en Damasco? ¿Pudiste ver a la muchacha siria?

—Sí, estuvimos juntos un par de días. Fue un tiempo decisivo para nosotros. Ahora estoy tratando de que se instale en España.

—¡Hostia! ¡A cada capillita le llega su fiestecita! Porque tú con las mujeres eras un Don Juan. ¡No te atabas a ninguna! —comentó risueño.

—Tienes razón. Pero creo que la mía será en una mezquita... ¡Porque mira en qué lugar la fui a encontrar! No podría haber sido más complicado.

—La vida siempre nos sorprende.

—¡Uf...! Jamás pensé que sería tan difícil que abandone Siria. Antes de la guerra, ella y su familia viajaban mucho. Sin embargo, ahora le niegan el permiso.

—Un país en guerra, con un régimen férreo... Pinta muy complicado... Pero se me ocurre una idea: ¿por qué no escribes un artículo acerca de los sirios que tratan de emigrar a causa de la guerra? Y de cuánto les cuesta salir, de los riesgos que corren, de los refugiados en países vecinos, de las organizaciones de...

–Hay mucho material sobre eso –lo interrumpió.

–Pero ninguno escrito por ti. Y en este momento, tus fotos y tus crónicas son un *boom*.

–Hum… Quizá lo haga, aunque más no sea para mantenerme entretenido mientras llega Salma. Te juro que la espera es insoportable.

–Realmente deseo que tu chica pueda venir pronto. Te daré el teléfono de alguien de Cancillería que puede ayudarte –propuso mientras revolvía el cajón de su escritorio. Cuando encontró la tarjeta, se la extendió.

–Te lo agradezco mucho, Tom –dijo Álvaro con el celular en la mano, listo para mostrarle una foto–. Ella es Salma al Kabani.

Torrens la observó unos instantes.

–¡Hombre, es una preciosura! ¿Te llevas bien con el padre? Porque en esa cultura, macho, es un detalle muy importante.

–¡No me lo nombres!

–Entre los musulmanes, los hombres mandan de verdad, no como aquí, que nos creemos los putos amos y las chavalas nos llevan de las narices –dijo y volvió a reír. Luego añadió–: Hablando de mujeres, Paloma estuvo preguntándome por ti. Me parece que aún la tienes a tu merced.

–No lo creo. Sólo somos buenos amigos. Me visitó cuando estuve enfermo. Pronto pasaré a saludarla.

Los dos hombres charlaron unos minutos más y luego se despidieron. Álvaro se encaminó rumbo a la sección donde solía estar Paloma. Por los pasillos se cruzó con Pablito, que no dudó en pedirle que regresara pronto.

–Lo haré. No se te ocurra reemplazarme –dijo divertido.

–¡Jamás! Eres irreemplazable, tío –contestó Pablito en el mismo tono.

–Hum…

–Si no me crees, pregúntale a Paloma –dijo señalando a la chica que se acercaba sonriendo.

–¡Hola, guapo! ¡Parece que al fin has decidido regresar al yugo, como el resto de los mortales! –exclamó y su nuevo *look* con el cabello ondeado teñido de rojo furioso llamó la atención de los hombres.

—Pues aún no volveré a la esclavitud. Acabo de decirle a Torrens que me tomaré un par de meses más.

Pablito saludó y siguió con lo suyo. Paloma y Álvaro —supuso— tal vez querían hablar a solas. Al fin de cuentas, habían sido pareja hasta que él desapareció en Siria.

—¿Meses? —repitió sorprendida—. ¡Te pegó fuerte lo de Duma!

—Sí. Me hizo ver la vida de otra manera.

—Cuando quieras verla del color que la veo yo, majo, nos tomamos una copa juntos. ¿Qué digo una? ¡Dos o tres...! Ya sabes que el tono borravino es mi preferido —insinuó parrandera.

—Sigues loca y divertida como siempre.

—Así es, Alvi... Y dada al vino y a la buena comida. Ya sabes qué excelente cocinera soy, por si no lo recuerdas.

—Imposible olvidar tus paellas.

—Espero que no sea lo único que recuerdes de mí —deseó, clavándole una mirada subyugante.

—Claro que no.

—Entonces, ven una noche a casa, que te prepararé paella, y recordaremos juntos los buenos tiempos. Y te aseguro que olvidarás los momentos infames que pasaste en Siria.

—No todo fue malo.

—Como sea, Alvi, ven a comer esta semana. ¿Quieres el viernes?

Paloma, siempre extrovertida, resuelta, simpática, lo empujaba a regresar a su antigua vida. Pero él no podía, no le interesaba. Una parte suya había quedado del otro lado del Mediterráneo. Para que lo entendiera, estuvo a punto de contarle su historia con Salma, pero desistió. No quería tanta intimidad. Se decidió por ser cortés en la respuesta.

—Gracias. Te hablo y te aviso.

Pero él sabía muy bien que no le avisaría. No deseaba estar con otra mujer que no fuera Salma. Es más: cuando se despidió y alcanzó la puerta, buscó de inmediato su celular. La conversación con Paloma le había demostrado cuánto extrañaba a Salma. Había recordado de manera inequívoca lo que había tenido con una y cuán diferente había sido su relación con la otra.

Consultó su reloj deseando que ya fuera la hora de hablar con Salma. Necesitaba escuchar su voz. En ese momento, ninguna mujer –excepto ella– lograría llenarlo. Ninguna. La proximidad con Paloma le había dado la certeza. Estaba demasiado enamorado.

Antes de salir del edificio, le escribió un mensaje y Salma le dio el okey. Se sentó en uno de los cómodos sillones de la recepción del diario y allí, tapándose un oído con el dedo, mantuvieron una breve conversación.

Que cómo estas. Extrañándote. Que cómo van los trámites. Van mal, no me dejarán salir. La única alternativa parece ser intentar en el Líbano, pero no sé si podré desplazarme. Que buscaremos otra solución. ¿Cuál? Mi jefe acaba de darme un contacto que tal vez pueda ayudarnos. Que quiero llorar. Que no, Salma. Tranquila, todo saldrá bien. ¿Y tu padre? No me ha molestado. ¿Y el embarazo? Que va bien, ni me entero, salvo por unas pocas náuseas. Que te amo y te extraño. Que yo, también. Te quiero ver, Álvaro, te quiero oler. Necesito abrazarte.

Del otro lado de la línea, Salma lloraba y, al escucharla, a Álvaro se le partía el alma. Pero no podía quebrarse; debía darle fuerzas.

Álvaro le habló sobre menudencias y así la distrajo. Le contó de su visita al diario, de la charla con su jefe, del artículo que pensaba escribir mientras la esperaba. Claro, no nombró a Paloma.

Hablaron un poco más y cortaron.

Álvaro quedó deshecho. Sentado en el sofá bordó del periódico, no sabía qué hacer, por dónde empezar. Estaba a punto de llamar al número que le había pasado Torrens cuando sonó el timbre de su celular. Su madre lo llamaba.

La atendió e hizo catarsis con ella contándole todas las trabas que Salma estaba enfrentando para salir de su país a causa de la guerra. Dana le dio ánimos pero sin comprender demasiado ni poder ayudarlo, salvo decirle que lo pondría en sus oraciones. Su hijo hablaba con la desesperación de los enamorados. Y sabía que esperaba un niño con la muchacha siria. Si bien la noticia fue un shock, ahora sólo le quedaba desear que la pareja pudiera reencontrarse, rogar para que lograran estar juntos y así criar a su primer nieto.

Barrio La Quebrada, La Rioja, Argentina

Dana, sentada en la cama, cortó la llamada con su hijo. Y empezó el día preocupada. Con cinco horas de diferencia, aún era temprano en la Argentina, pero ya no podría dormir de nuevo. Había escuchado a Álvaro realmente desesperado.

Se levantó y se recogió el pelo. Fue a la cocina para calentar agua y tomar los primeros mates de la mañana. Luego se sentó en la galería del patio y, contemplando su parque verde que tanto amaba, comenzó su mateada. El verano en el barrio La Quebrada de La Rioja era maravilloso.

Llevaba un buen rato allí cuando escuchó que tocaban el timbre.

Por la hora, calculó que podía ser Wafaa. Amigas y vecinas, su vínculo se había intensificado a raíz de la relación entre Salma y Álvaro y no había mañana que no compartieran unos mates. Claro que Dana, por discreción, no le había revelado la novedad del embarazo; creía que se trataba de un asunto demasiado privado, proveniente de una situación delicada. Al percibir la preocupación de su hijo por el arribo de la chica a Barcelona, no quiso atosigarlo preguntándole si pensaba contar o no. Lo mejor sería que, una vez que Salma se instalara en España, la pareja comunicara la noticia a quien quisiera.

Dana, desde la cocina, espió por la ventana que daba a la calle y confirmó que se trataba de Wafaa; enseguida la hizo pasar. Se saludaron con cariño, la invitó a la galería y allí, ubicadas en los sillones de mimbre, conversaron animadamente.

—Ayer no vine porque estuvo el jardinero en casa —explicó Wafaa, que últimamente se las arreglaba para pasar al menos diez minutos por la casa de Dana.

—Vi que hiciste podar los árboles.

—Sí, habían crecido demasiado. ¿Y...? ¿Sabes alguna noticia nueva de Álvaro?

—Me contó que siguen insistiendo para que tu sobrina pueda viajar a Barcelona.

—Te digo la verdad... —Wafaa movió la cabeza negativamente y exclamó—: ¡Me apena! Parece que se quieren, pero la relación es imposible.

—¿Por qué estás tan segura? No hables así... —recriminó Dana, que aún acusaba la preocupación por el reciente llamado de su hijo.

—Tanto mi hermano como el gobierno sirio no lo permitirán.

—Pero ellos necesitan estar juntos.

—Todos los enamorados lo necesitan, pero Siria está en guerra. Y los Al Kabani no son fáciles para estas cosas, siempre han sido muuuy tradicionales.

—Mi hijo tiene contactos que lo ayudarán. Además, tu hermano, tarde o temprano, deberá entender, porque ellos...

Dana no terminó la frase. Casi se le había escapado lo del embarazo.

—Ellos ¿qué? —exclamó inquisidora Wafaa.

—Necesitan estar juntos. Ya te dije: son una pareja consolidada.

—¡Pero si apenas se conocen...! —lanzó Wafaa.

—A veces, una pareja se consolida por otras razones. No sólo por el tiempo que llevan juntos. Los unen otras cosas.

Wafaa descubrió que su amiga tenía la vista perdida en la piscina y se animó a preguntarle:

—¿Acaso ellos...?

Wafaa estaba al tanto de que la pareja había pasado casi tres meses viviendo juntos en Duma. No era una idea descabellada la que acababa de ocurrírsele.

Pero Dana no la escuchó.

—Amiga, dime la verdad —insistió Wafaa mientras se ponía de pie para devolverle el mate. Luego añadió—: La razón por la que estás tan preocupada tiene que ver con que Salma está... ¿Ella está...?

—Sí —Dana respondió rotunda.

A pesar de la confirmación, Wafaa no podía creerlo.

—¿De veras que Salma está embarazada?

—Sí.

—¿Pero estás segura?

—¡Sí, me lo contó mi propio hijo hace unos días!

—¡Ay, por las faldas de Mahoma! ¿Qué hará mi pobre sobrina cuando mi hermano se entere?

—Él ya lo sabe y sigue negándose a que su hija esté con Álvaro.

—Nunca la dejarán salir de Siria. Nunca —aseguró triste y pesimista.

—Y la madre de esa chica, ¿no opina? —preguntó Dana, quien suponía que, ante un caso semejante, ese parecer sería relevante. Pero nunca se la nombraba.

—Su opinión no tendrá peso. Además, Anisa es bastante especial. Por lo que sé, está cómoda dejando los temas decisivos en manos de su marido.

—¿Y si hablas con tu hermano?

—Puedo intentarlo, pero estoy segura de que no servirá de mucho.

—Háblale. Tal vez logres algo.

—¿Ahora?

—¡Para qué esperar!

—No sé...

—Háblale desde aquí y saquémonos la duda —propuso Dana y le extendió el teléfono inalámbrico.

—Espera, que iré a buscar el número a mi casa —dijo Wafaa decidida. Luego añadió—: Tienes razón: no ganamos nada con dilatar la llamada. Además, no tengo nada que perder, mi relación con él y Namira es mínima.

—¿Será buen horario? —preguntó Dana, que empezaba a arrepentirse de haber presionado a su amiga. Si Wafaa iba a llamarlo, no podía fallar por un detalle como la hora.

—Es mediodía, debe estar almorzando en su casa.

Wafaa cruzó la calle y de inmediato regresó con el número. Aguardó el tono y marcó uno a uno los dígitos hasta que Dana la escuchó hablar en árabe y entendió que había dado con su hermano. Captaba retazos de la conversación. Su amiga preguntó por Salma y luego de un largo silencio expuso que conocía muy bien a la familia Sánchez, que la madre de Álvaro era hija de un sirio emigrado a la Argentina. Sin embargo, Dana no sabía que del otro lado, durante esos largos silencios, Abdallah había respondido con frases como «Sólo los cobardes se fueron del país» o «Tú, Wafaa, tienes gran parte de la culpa de lo que está pasando».

La mujer no se daba por vencida e insistía, pero sus razones chocaban contra la pared de la religión, de la vida libertina de Occidente y de todos los defectos que, según Al Kabani, impedían la relación entre su hija y ese nazarí. Y etcétera, etcétera.

Wafaa intentó abordar otra línea argumental, pero se dio cuenta de que estaba hablando sola; su hermano le había cortado. La llamada había durado apenas cinco minutos.

—¿Te fue mal, verdad?

—Sí. ¿Estás segura del embarazo?

—Mi hijo me lo confirmó.

—Te creo. Cuando intenté darle pie a Abdallah para que me contara, se puso nervioso.

—Espero que no hayamos hecho mal en entrometernos. O de empeorar las cosas —comentó Dana.

—No te preocupes, la llamada no cambiará la situación ni para bien ni para mal.

—No se me ocurre de qué otra forma podemos ayudar.

—Déjame pensar un poco. Pero antes dame un mate para pasar el mal trago de hablar con mi hermano. Abdallah es tremendo, jamás me perdonará que me haya ido cuando era joven. Ni siquiera me trata como hermana —se lamentó Wafaa.

—Tranquilízate, no debes amargarte por algo tan lejano. Te agradezco que hicieras el intento —reconoció Dana, que se culpaba por haberla sometido a esa charla.

—No te apenes, estoy acostumbrada. Él siempre actúa así.

Damasco, Siria

A muchos kilómetros del verano de La Rioja, más precisamente en el invierno de Siria, dentro del piso de la familia Al Kabani, el dueño de casa vociferaba indignado.

Abdallah, que había vuelto para almorzar, no sólo se había dado con que Salma no estaba en la casa, sino que había recibido una llamada de su hermana, esa que alguna vez, muchos años atrás, había negado a su familia. Wafaa lo había hablado nada menos que para inquirirlo y cuestionar sus resoluciones. Había tenido la pretensión de querer convencerlo de qué decisión debía tomar respecto a su hija. Pero lo peor: parecía estar al tanto del embarazo. No se había atrevido a nombrarlo, pero le había insinuado que lo sabía. Abdallah pensaba que, si no actuaba rápidamente, la noticia del deshonor de Salma correría como reguero de pólvora.

A causa de la llamada de Wafaa, Anisa debió aguardar para servir la comida. Pero una vez que Abdallah terminó de hablar, manifestó que ya no tenía deseos de almorzar. Seguía en la sala, de pie junto al teléfono, cuando oyó a su esposa.

—Ven y come algo…

—No tengo hambre. Escuchar a Wafaa preguntándome sobre qué le pasa a Salma y ponderar a Sánchez y su familia me quitó el apetito.

—La llamada fue corta.

—¡Le corté el teléfono, mujer! ¡Porque mira que hay que tener tupé de hablarme así después de lo que ella hizo!

451

–No seas tan duro. Eso pasó hace más de treinta años.

–No soy duro, tú eres demasiado blanda. ¿Cómo es posible que Salma no esté en casa y tú ni siquiera lo sepas?

–Supuse que estaba en su cuarto. Suele pasar las mañanas encerrada allí.

–Tienes que cuidarla más –dijo y desapareció del comedor.

Abdallah subió a la planta alta para dirigirse a la pequeña oficina del *penthouse*. Se abstuvo de husmear en el cuarto de Salma, siguió de largo e ingresó a la pequeña oficina. Le puso llave a la puerta y revisó su billetera. Cuando halló la tarjeta, marcó el número y atendió una voz de mujer.

–¿Doctora Alabi?

–Sí, dígame...

–Mi nombre es Abdallah al Kabani –se presentó–. Un amigo me dio su número. Necesito de sus servicios.

–Explíqueme de qué se trata...

Él puso en palabras la solución, que no era otra cosa que su decisión sobre lo que debía acontecer en el cuerpo de Salma. La mujer lo escuchó atentamente y prometió ayudarlo. Después de explicarle que se trataba de una prestación carísima, penada por la *sharia* con hasta dos años de prisión, convinieron veladamente los «honorarios».

Abdallah dijo que sí a todo y colgó.

Por un rato, sentado en el sillón de cuero que se hallaba frente al coqueto escritorio de caoba, permaneció meditativo. Había llegado a la casa para almorzar, pero entre la llamada de Wafaa, la ausencia de Salma y lo que acababa de pergeñar se le había arruinado el día. No quería que su hija cursara el embarazo, pero tampoco le causaba placer tener que deshacerse de la criatura. Era sangre de su sangre, pero no había ninguna otra manera de salir indemne de la deshonra que impregnaba la situación. A él le tocaba velar por el apellido y el futuro de Salma. Estaba seguro de que, con los años, su hija se lo agradecería. La normalidad regresaría a sus vidas y se encargaría de borrar los malos recuerdos.

Amargado, inmerso en sus pensamientos, el ruido de la puerta del ascensor lo sacó de su ensimismamiento. Se incorporó, salió de su encierro y bajó a la sala convencido de que Salma había llegado de la calle.

Cuando lo confirmó, explotó:

—¿Se puede saber dónde estabas?

—Salí a hacer trámites.

—¿Qué clase de trámites?

—Ya sabe que quiero ir a Barcelona.

—¿Pero acaso no entiendes que no irás? ¿Por qué insistes?

—Tengo veintiséis años y puedo decidir.

—Pues parece que no estás capacitada. Porque hasta ahora lo que vienes resolviendo sólo nos trae problemas a ti y a toda la familia.

—No discutiré con usted —dijo Salma y subió rumbo a su cuarto.

Sabía que no le convenía entrar en una disputa inútil, en una guerra en la que ella tenía mucho por perder. Se arrepintió de haberle revelado la verdad, que había estado ocupándose del visado. Pero estaba cansada de sentir sometimiento, de no poder contar. La relación con Álvaro le había dado nuevos aires de valentía. Además, percibía que su opinión tenía valor y que su elección debía ser respetada.

Había pasado muchos años de su vida en una quietud familiar, en una convivencia pacífica. De hecho, nunca habían tenido grandes problemas porque ella jamás había pedido ni elegido algo diferente de lo que su padre le quería dar. Salma nunca había necesitado hacer uso de la libertad de decidir. Pero ahora era diferente; en este momento resultaba imprescindible que respetaran su decisión. Le costaba ser fuerte y fiel a su resolución, a las elecciones y decisiones que había tomado. No era cómodo, ni lindo atravesar lo que ahora le tocaba. Defender sus determinaciones se tornaba difícil. Pero era lo que deseaba. Y pensaba pelear por atenerse a sus convicciones.

Se sentó a los pies de la cama y leyó el mensaje que acababa de entrar al celular. Sánchez le contaba que Wafaa había intentado hablar con Abdallah. El rostro de Salma se iluminó; tal vez, esa tía desconocida pudiera interceder; sin embargo, no era muy querida en la familia. Al menos, se había tomado la molestia de llamar desde la Argentina para ablandar a su hermano. Y eso significaba mucho. Mientras le respondía a Álvaro, su padre ingresó de improviso al cuarto.

—¿Salma, qué haces? —preguntó. Pero al verla con el celular en la mano, se imaginó el resto y señaló—: Tienes que dejar de perseguir esa quimera porque lo único que lograrás será causarte más daño del que ya te has provocado.

—No persigo una fantasía, padre, sino un sueño que puedo hacer realidad.

—*Bismillah!* ¡Puedes ser muy testaruda cuando quieres! Pero ¿sabes…? Yo te ayudaré.

—¿A qué se refiere, padre? —Salma no se fiaba de las últimas palabras de Abdallah.

—Empezaré a ayudarte quitándote este teléfono —dijo y con un movimiento rápido se lo sacó de las manos.

—¡No puede hacer eso! ¡Es mi celular! —protestó Salma desesperada tratando de recuperarlo.

Pero su padre, mucho más fuerte, no se lo permitió y concluyó el tironeo cuando logró meterse el aparato en el bolsillo del pantalón. Salma, desolada, acababa de perder el único puente con Álvaro.

—Ahora me voy y te advierto que te quedarás encerrada con llave en tu habitación porque ya no me fío de ti.

—No tiene derecho.

—Claro que lo tengo, para eso soy tu padre.

—Pero soy mayor de edad.

—No lo pareces, haces una niñada detrás de la otra. Ya no puedo respetarte ni confiar en ti como cuando trabajabas conmigo. Te di todo, Salma, hasta compartí contigo el mando de mi empresa. ¡Y mira qué bajo has caído!

Abdallah sacó la llave de la puerta del cuarto y la puso del lado de afuera. Salma intentó acercarse pero él la previno.

–No te acerques, Salma. Te advierto que las cosas pueden ponerse peor.

Ella, por primera vez en su vida, tuvo temor de su padre. Jamás antes había tenido ese sentimiento. Se trataba de algo nuevo para ella. Se quedó petrificada. Abdallah no parecía el mismo hombre que durante años la había criado. Las circunstancias lo habían puesto contra las cuerdas y habían hecho aflorar un costado que hasta él mismo desconocía. Lo controlaban sus miedos y su cultura.

Al Kabani temía que la situación lastimara a su familia. Tanto él como Salma caminaban peligrosamente por el límite. Irascibles, con los sentimientos a flor de piel, ambos estaban dispuestos a defender a ultranza lo que creían y habían elegido.

Ya en el pasillo, del lado de afuera, a punto de cerrar la puerta, Abdallah volvió a abrirla sólo unos centímetros y anunció:

–Prepárate, Salma, que esta tarde recibirás una visita.

Atónita, con un mermado estado de lucidez, supuso que su padre regresaría con un candidato para concertar un matrimonio.

–¡No quiero visitas! –estalló.

–Pues la recibirás. Así que espérala.

–No quiero ningún hombre para casarme.

–¡Nadie está hablando de boda! Tenemos cosas más urgentes que solucionar. Del matrimonio, hija, nos encargaremos después.

Tras la última frase, Abdallah cerró con llave y se marchó.

Una vez que salió del shock de saberse encerrada y sin celular, Salma, que no había comprendido a qué se refería su padre cuando le anunció una «visita», aclaró su mente y se llenó de pavor. ¡No podía ser capaz de semejante cosa! No. Aunque, tal vez, sí.

Se tumbó en la cama y lloró amargamente. ¿Cómo se comunicaría con Álvaro? ¿Qué sucedería con su vida? ¿Y con la criatura que llevaba dentro? Le habló al niño con voz suave tocándose la panza. Era su compañía en esos momentos difíciles.

–Estaremos bien, bebé. Estaremos bien…

Se lo decía al bebé pero también a sí misma. Necesitaba darse fuerza de alguna manera. Álvaro ya no podría proporcionársela. Estaban incomunicados y no contaba con certezas sobre cuándo podrían contactarse nuevamente.

NUNÚ

Damasco, Siria, 1978

Wafaa se bajó del autobús y caminó los metros que la separaban de la librería. Se sentía rara. El día anterior, y por primera vez en un año, había faltado al trabajo.

Desde que su padre la había incluido en los planes matrimoniales del viejo Hazim, su cuerpo se había alterado por completo. Estaba enferma del estómago, comía poco y nada, y llevaba dos noches sin dormir. Quería librarse del destino que planeaban imponerle, pero no podía, no sabía cómo.

Entró al local con la intención de explicarles a los dueños que no iría más. De lejos, vio a Rafi. ¡Cómo extrañaría las mañanas de trabajo y de charla con él! ¡Pensar que alguna vez soñó que podrían terminar juntos!

Rafi la divisó y se le iluminó el rostro. La saludó con la mano en alto y una sonrisa, como siempre. Wafaa le devolvió el gesto e ingresó a la oficina para hablar con los dueños.

En pocas palabras les explicó que renunciaba porque se casaba. El hombre y la mujer, tras reponerse de la sorpresa, la felicitaron. «Alá te ha bendecido con un marido», le dijeron. Tuvo que contenerse para no llorar. Cómo decirles que, a sus diecinueve años, no toleraba la idea de besar a un viejo; de sólo imaginarlo, le quitaba la ilusión de vivir. Y ni hablar si proyectaba qué clase de vida llevaría de ahí en adelante. Encerrada, sin roce con gente, sin la librería, sin Rafi... Y, quizá, sin libros. Porque no sabía qué clase de hombre sería su marido. Había esposos muy autoritarios y que sólo las querían como figuritas, sobre todo en el caso de los millonarios, condición de la que

457

alardeaba Hazim. Se podía imaginar viviendo con las otras dos esposas, todos en la misma casa, y se descorazonaba.

Cuando terminó la charla con el matrimonio, salió de la oficina y se colocó la túnica gris que la identificaba como vendedora. Trabajaría un par de días más, para terminar el mes, y luego ya no iría. Tenía una boda que organizar.

Rafi se le acercó.

—¿Te encuentras bien? Ayer faltaste...

—Sí, sólo un poco descompuesta del estómago.

—Te haré un té.

—No hace falta. Sólo necesito distraerme un poco y se me pasará.

Rafi pensó con qué entretenerla y, tras buscar unas hojas en su morral, le dijo:

—Traje unas páginas de mi material nuevo y quiero que me des tu opinión. Toma, llévatelo, lo lees tranquila y luego me dices qué te pareció.

Ella lo recibió desganada.

—¿Qué pasa, Wafaa? —preguntó Rafi, que la conocía bien y había supuesto que se alegraría.

—Mi padre ha aceptado una propuesta de matrimonio para mí —largó de repente.

Rafi levantó las cejas y quedó perplejo. Luego del desconcierto, articuló:

—Hum... ¿Quién es?

—No creo que lo conozcas. Se trata de un hombre de mucho dinero. Alguien imposible de rechazar.

—¿Lo conoces, Wafaa?

Su estado de infelicidad revelaba que no le agradaba.

—No, pero es muy mayor, seré su tercera esposa.

—Es mala noticia, ¿verdad?

Para una mujer, la primera boda contaba con ciertas ventajas: ser la primera esposa entrañaba la posibilidad —y el sueño— de que el marido no sumara otras nupcias.

—Muy mala, Rafi, porque esta boda terminará con todo lo

bueno que hay en mi vida. No puedo creer que ya no vendré a la librería –dijo al borde de las lágrimas. Le dolía, y mucho. Se trataba de un ataque a su libertad. En ese lugar, no se sentía una mujer con una vida llena de prohibiciones, sino simplemente una persona que asesoraba a los clientes sobre libros.

–Pues… si quieres saber, yo también dejaré la librería.

Logró sorprenderla.

–¡¿Por qué harás semejante cosa?!

Él, que podía quedarse, se quería marchar. No lo entendía. Si alguien amaba los libros, era Rafi.

–Me ha salido una oportunidad y me iré a América.

–¡¿A América?! ¡Eso es muy lejos!

–Sí, viajaré a un país ubicado en la punta del continente. Se llama Argentina.

Wafaa nunca había oído nombrar ese país; apenas si ubicaba en el mapa el continente americano.

–¿De dónde sacaste esa idea? No me habías contado nada.

–Claro que sí. Te conté que hace un tiempo que estoy planeando un viaje a tierras lejanas para conocer otras culturas y estudiar a las personas de distintas creencias.

–Pero ¿por qué ese país? ¿Qué tiene de particular? –cuestionó con la firme convicción de que nunca más se verían.

–Se dio. Un amigo de mi familia emigró a la Argentina hace varios años y ahora nos mandó a preguntar a mí y a mis hermanos si estábamos interesados en el proyecto de fundar una librería.

–¡Una librería!

Sonaba maravilloso.

–Por supuesto, tratándose de ese rubro… soy el más indicado. ¡Así que acordé con mis hermanos que viajaré yo!

Para Wafaa sonaba maravilloso: un viaje, fundar un negocio, estar todo el día entre libros, en otra tierra. Anheló la libertad de Rafi. Si ese hombre no hubiera sido tan bondadoso, lo habría envidiado con todo su corazón. Por esa razón, sólo lo hizo durante una milésima de segundo. Él no merecía su destrato.

—¿Cuándo te vas? —preguntó Wafaa.

—Muy pronto. Seguramente, cuanto tú te estés casando, yo partiré.

—¿Estás contento?

—Sí, es una gran chance y pienso aprovecharla, se trata de una tierra lejana y joven. Sus costumbres son diferentes a las nuestras, viven de una manera liberal. Quiero conocer gente distinta y escribir al respecto.

Wafaa deseó con todas sus fuerzas conocer ese lugar, esa tierra donde nadie podría obligarla a nada, donde abrirían una librería, donde estaría Rafi. Su anhelo fue tan potente que tiñó sus pensamientos y le generó nuevos impulsos. Algunos, muy temerarios y osados. Bajo el influjo de esas fuertes y atrevidas ideas, se animó a proponer:

—Rafi, llévame contigo.

—¿Qué dices?

—Que me lleves a América.

—Pero te casarás pronto.

—Porque me obligan, no porque yo quiera.

—No podría llevarte ni aunque quisiera, no eres mi esposa.

Su estricta religiosidad comandaba su vida entera.

Ella caviló por unos instantes antes de hablar y, al fin, se decidió:

—Llévame como tu esposa.

—Wafaa…, eso no es posible.

—Entonces llévame como tu esclava. ¡Pero llévame!

—¡No estás en tu juicio! Nadie debe ser esclavo. Alá nos hizo libres.

—Yo no lo soy. Debo casarme con quien no quiero.

—Pero sí quieres casarte conmigo.

—Es diferente. No lo haría obligada. Te lo estoy pidiendo.

Rafi la observó con detenimiento y a su mente vinieron todas las mañanas y tardes agradables que habían pasado allí, ese año, trabajando juntos, se acordó de las conversaciones profundas sobre literatura y del interés con el que ella había leído y comentado sus escritos. Jamás se había atrevido a mirarla como mujer. Y si alguna vez había rondado algún pensamiento obsceno, lo había espantado a fuerza de oraciones. En verdad, Wafaa merecía todo su respeto. Y si bien la muchacha no encarnaba la perfección de la belleza, tenía sus encantos. Algunos, como su buen humor y optimismo, los había conocido muy bien por compartir el trabajo a diario.

Le daba pena que la casaran con alguien que ella no quería; le parecía mal que, con apenas diecinueve años, la entregaran en matrimonio a un hombre tan mayor, casi anciano, pero entendía que el dinero tentaba a muchos.

«No es el caso de Wafaa», descifró con claridad, pues ella pretendía rehuir de las comodidades. La admiró por su actitud. Meditó sobre su pedido. Y miles de pensamientos más se agregaron a este último. Casi todos eran buenos. Se apilaron uno sobre otro y juntos formaron la palabra «futuro».

Su boca habló llena de ese porvenir que empezaba a imaginar.

—¿De veras te casarías conmigo y me acompañarías a América?

—Sí.

—Yo deseo formar una familia con una buena mujer musulmana. Sin importar dónde viva, quiero continuar con nuestras costumbres sunitas.

—Yo, también.

Un cliente abrió la puerta y Rafi anunció:

—Continuaremos la conversación en la hora del almuerzo.

La semilla había sido plantada, pero escaseaba el tiempo para que germinara. Había que esperar el primer brote.

* * *

Una semana después de la primera reunión celebrada entre Khalil y Hazim, las rutinas y las costumbres de la casa de Leila se hallaban alteradas. Se comía a cualquier hora y se dormía poco. Preparar una boda en tan poco tiempo no resultaba nada fácil y requería de muchos sacrificios.

De acuerdo al plan, los novios, Leila y Khalil, junto con tres testigos, esa semana visitarían al *sheij* para formalizar el contrato nupcial que firmarían el padre de la novia y el futuro marido, papel a través del cual Wafaa se convertiría en la mujer de Hazim. Ese día, luego del solemne acto, volverían a la casa paterna, donde realizarían un almuerzo íntimo. Transcurrida una semana y de acuerdo a las costumbres, las mujeres tendrían su fiesta propia. Finalmente, el gran festejo de casamiento –organizado por una empresa de eventos– se llevaría a cabo en un hotel de lujo con cientos de invitados.

Leila se sentía satisfecha. Con la ayuda de Alá, los preparativos avanzaban sin contratiempos. El patio de la casa, gracias a la labor de una cuadrilla de jardineros, estaba ganando prestancia y realzando su belleza natural porque allí, bajo la pérgola, almorzarían después de firmar el contrato. Invitarían al *sheij* y a unas pocas personas más. Por tal motivo, la cocina de Leila rebosaba de productos comestibles con los que elaboraría la comida de esa jornada especial. Ella había insistido en preparar con sus propias manos los platos típicos que se servirían durante ese almuerzo.

Sobre la cama de Wafaa descansaba el *qaftan* que luciría en la fiesta de las mujeres y la *henna* con que les pintarían las manos a la novia y allegadas. Leila se había esforzado por conseguir la de mejor calidad disponible en el mercado porque, si bien se trataba de un rito decorativo, los tatuajes contenían un simbolismo mágico, pues le ofrecían *barakah* a la novia para lograr el favor de su esposo. Sobre la mesa de luz, también había un cofre con joyas carísimas –un collar, un brazalete y aretes de oro con diamantes– que había enviado Hazim como regalo para su futura esposa. Y sobre una cómoda, dos enormes cajas de cosméticos procedentes de París.

La habitación deslumbraría a cualquiera que se asomara. El vestuario, los regalos y las joyas eran objetos valiosos. Para Wafaa, sin embargo, lo realmente importante estaba dentro de un bolso que había escondido en la parte alta del placar del cuarto. Dentro había una muda de ropa, sus documentos y varios papeles que le permitirían salir del país.

Más allá de las buenas intenciones de Rafi, Wafaa se había negado a que intercediera frente a Khalil. Conocía a su padre, sabía su respuesta y podía intuir, incluso, la represalia. Partirían en silencio, sin avisarle a nadie. La retirada la harían a su manera. El día de su boda, cuando fueran a buscarla para llevarla ante el *sheij*, estaría rumbo al Líbano, donde se casaría con Rafi. Y esa noche, en un avión de Air France, volarían a París y continuarían viaje con destino a Buenos Aires. De esa forma, los Al Kabani estarían a tiempo de suspender la fiesta grande, aunque estaba segura de que la amargura y la desazón los carcomerían. La peor parte se la llevaría su padre, quien se vería obligado a devolver la suma de dinero recibida por dote. Podía imaginarse su indignación. Por eso había preferido moverse con sigilo; hacerlo entrar en razón, como quería Rafi, era imposible. Si intentaba librarse del compromiso con Hazim, su padre no la escucharía, sino que impondría su voluntad y ella terminaría casándose con el anciano. Por tal motivo, huiría. No encontraba ninguna alternativa sensata. Tenía claro que perdería para siempre a su familia y a su tierra. Pero estaba dispuesta a pagar el precio caro –carísimo– que implicaba su decisión. Siempre había soñado con llevar adelante hazañas del tamaño de los personajes de los libros que leía... Y su proeza sería tan o más novelesca. El plan de casarse a escondidas con Rafi le causaba una enorme emoción porque, además de radicarse en otra tierra para empezar una nueva vida, ¡fundarían una librería!

Esa tarde, cuando Wafaa regresó del trabajo y entró a su cuarto, tragó saliva al toparse con el ajuar que delataba una boda inminente... que no se realizaría. Por momentos, la conciencia le molestaba. Sacó el bolso que escondía en la parte alta del ropero para agregar un libro que deseaba llevar al viaje. También guardó una foto de la familia luego de envolverla con papel blanco y una cintita morada. Se trataba de la única donde salían todos, hasta su fallecido hermano Anás. Al cerrar la puerta del mueble, luego de esconder el bolso, Namira entró al cuarto.

—¡Me asustaste! —exclamó Wafaa, que estuvo a punto de ser descubierta.

—Quería preguntarte si necesitas que te ayude en algo. Digo, para la boda...

—No, nada.

Namira la miró con pena. A pesar de que Wafaa no hablaba ni se quejaba, estaba segura de su enorme descontento.

—Lo lamento... —se sinceró Namira.

—No te preocupes, sobreviviré —contestó con parquedad la novia.

—No lo dudo, eres fuerte —reconoció la hermana mayor y la abrazó.

Entonces, al sentirse en brazos de Namira, Wafaa dudó entre confesar sus intenciones o mantenerse hermética. Quizá fuera buena idea contarle la verdad. Al fin le dijo:

—Sabes, Namira, el día que...

Pero la puerta se abrió y apareció Leila.

—¡Vamos, Wafaa! Deja de dar vueltas, que nos está esperando la modista para que te pruebes el vestido de novia. ¿Te crees que porque el *qaftan* ya está listo no restan cosas por hacer? No, hija, no es así.

Wafaa puso mala cara.

—Estoy cansada, recién regreso del trabajo. ¿No puede ir Namira por mí? Nuestros cuerpos son iguales y ella acaba de ofrecerme su ayuda. Que se lo pruebe y le dé el visto bueno.

—¿Qué ridiculez es esa? Deja de decir pavadas y vámonos ya mismo —apuró su madre.

—Aunque quisiera —dijo Namira riendo—, no podría... Tu vestido no me entraría, ya sabes que tengo más curvas que tú —completó para recordar la vieja rivalidad entre hermanas, que solían disputarse quién tenía los senos más grandes.

—Claro que no. Te quedaría perfecto —repuso Wafaa mientras

se ponía de pie. Luego agregó—: Pero no te preocupes, iré yo; esta tarea es personal y me toca afrontarla a mí.

—Te quedan pocas cosas por hacer, hermana —dijo Nunú para animarla.

—Sí, gracias a Alá. Creo que es la última.

Wafaa y su madre se marcharon mientras Namira, sentada en el borde de la cama, agradecía por no haber sido la elegida.

CAPÍTULO 19

Quien quiere hacer algo,
encuentra el medio.
Quien no quiere hacer algo,
encuentra una excusa.
Proverbio árabe

Damasco, Siria

Esa tarde, Salma, después de haber llorado encerrada en su cuarto tendida en la cama durante varias horas, se incorporó y se sentó. Le había parecido escuchar ruidos provenientes de la puerta del ascensor de la planta alta; no solían utilizarlo. Después de la discusión con su padre, y sin celular, se sentía perdida. La visita prometida la mantenía confundida, expectante y le causaba miedo. Temiendo que hubiera llegado, aguzó su oído y se secó las lágrimas.

Los ruidos se transformaron en pasos y voces. Su padre hablaba con alguien de sexo femenino y ambos se acercaban por el pasillo. Se tensionó y, apurada y descalza, se puso de pie junto al lecho.

La llave giró en la cerradura y la puerta se abrió. Su padre le presentó a su acompañante, una mujer de unos cuarenta años, vestida al estilo tradicional, con túnica e *hiyab* en la cabeza.

—Salma, te dejaré con la doctora Alabi, que conversará contigo —dijo Al Kabani y se retiró.

Salma, asombrada y sin terminar de entender qué sucedía, se preguntó por qué su padre había metido a esa persona desconocida dentro de su habitación.

La mujer ingresó pero no avanzó. Se quedó de pie contra la puerta. Parecía que no quería invadir el espacio de Salma, debía ser cuidadosa para no atemorizarla. Habló con voz muy suave.

—Tu padre me ha contado tu situación. Soy médica y estoy aquí para ayudarte. Pero tienes que permitírmelo.

—Yo no necesito ningún médico.

—No sería bueno que me obligaras a ponerte sedantes para poder trabajar tranquila. Sé que estás embarazada y el niño no debe nacer.

—Yo quiero que nazca y el padre, también.

—¿Tiene padre?

—Sí, un periodista esp... argentino.

—Ah...

El padre de la chica le había dicho otra cosa. Pero para el caso daba lo mismo que fuera un hijo fruto de una violación o de un hombre occidental que se había esfumado. Ambas situaciones eran muy malas.

—Yo te ayudaré —insistió la mujer.

—No necesito que me ayude. Pronto viajaré a Barcelona.

—¿A Europa? ¡Pero si las fronteras están prácticamente cerradas! —exclamó—. No creo que lo logres, salvo que tu padre intervenga. Y él no lo hará.

—¿Usted puede ayudarme? —preguntó Salma. La mujer parecía bondadosa y con deseos de auxiliarla.

—Sólo puedo colaborar en un sentido: a deshacerte de la criatura. Tu padre me ha contratado para eso. Mañana volveré para montar aquí, en tu cuarto, un quirófano.

—¡No! —chilló—. ¡No quiero eso!

La doctora suspiró fuerte. No se trataba del primer caso que le tocaba enfrentar de una madre aferrada a su criatura, pero la resistencia complicaría el procedimiento. Trató de aconsejarla.

—Piénsalo, Salma, mañana regresaré con los implementos y con otra persona, más fornida, que te sujetará hasta que logre dormirte. Luego, quedarás a mi merced y realizaré la operación.

—No estoy de acuerdo, no deseo que vuelva. ¡No quiero que me toque!

—Quédate tranquila, será muy simple y nada peligroso. Tendré a mi disposición una ambulancia por si necesitamos trasladarte a un hospital. Hoy sólo vine a charlar contigo.

—No quiero.

—Te dejaré unas pastillas. Son simples tranquilizantes, los que toma todo el mundo —minimizó—. Tómate uno hoy. Y otro mañana, cuando te levantes —explicó porque descontaba que el fármaco la pondría dócil y colaborativa.

La mujer, que desde su ingreso a la habitación había mantenido la espalda pegada a la puerta y no se había movido, dio la media vuelta para marcharse. A punto de salir, dijo:

—Piensa, Salma: si tu padre así lo decidió, esto se hará. Y para ti, te lo aseguro, lo mejor será que no reniegues, sino que cooperes. O sufrirás el doble.

—¡Compréndame! ¡No quiero!

La mujer siguió adelante con su monólogo como si no la hubiera oído.

—Sería muy traumático para ti que yo deba usar la fuerza de un hombre extraño para poder trabajar en tu cuerpo. Los enfermeros suelen ser muy duros cuando los pacientes se resisten.

Salma la escuchó y se le erizó la piel. Un hombre extraño usando la fuerza en su cuerpo. De inmediato, los recuerdos de Duma la asaltaron y la hirieron mortalmente.

La mujer se fue, pero ella continuaba preguntándose: «¿Hasta cuándo me perseguirá esta pesadilla? ¿Hasta cuándo?». Temía que las fuerzas no le alcanzaran.

Barrio La Quebrada, La Rioja, Argentina

Wafaa abandonó el cómodo sofá del living de su casa y, con el diario que acababa de leer en la mano, partió apurada a la casa de Dana.

Cruzó la calle corriendo con una mezcla de emoción y deseo por compartir la novedad. Ingresó a la casa de su amiga sin llamar, fruto de la creciente confianza. Si el niño de Salma y Álvaro nacía, ¡ellas serían familia!

—Recién te vas y ya estás de nuevo por acá —comentó risueña Dana. La visita diaria de cada mañana había acabado hacía apenas una hora.

—Llegué a casa, me puse a leer el diario y encontré esto —explicó mientras le extendía el periódico y le señalaba el artículo en cuestión.

—¿Una nota?

—Sí, información útil para intentar ayudar a Salma y Álvaro.

—¿Qué dice?

—Explica que el gobierno argentino ha abierto las puertas para el pueblo sirio. Recibirá a los ciudadanos sirios que huyen de la guerra.

—¿Por qué crees que nos servirá, si el problema se reduce a un asunto familiar? A tu sobrina no la deja salir de Siria... ¡el padre!

—No puede salir porque no tiene visa y en este momento ningún país la emite. Pero Argentina se la otorgaría siempre y cuando un familiar directo la mande a llamar desde aquí.

Dana meditó la explicación y exclamó:

—¡Y tú eres ese pariente!

—Exacto. Le darían visa.

—¿Estás segura de que podrías gestionar la petición?

—Claro, soy su tía, hermana de su padre.

—Ay, Wafaa, ojalá podamos hacerlo.

—Pongamos ya manos a la obra. Y avísale a Álvaro, porque creo que la solución viene por este lado.

—Lo llamaré para que le cuente a Salma.

—Según explica la nota, yo debería escribir una carta pidiendo un... —buscó la palabra exacta en el texto— «llamamiento» por Salma y adjuntar el árbol genealógico con todos los documentos que acrediten mi parentesco.

—¿Los tienes?

—Y si me falta algo, seguramente podré conseguirlo.

—Sería un milagro que lo lográramos.

—Sí, porque lo nuestro sólo sería un paso, un paso importante, claro. Luego, por su parte, Salma debería presentarse en la Embajada argentina con esta documentación.

—Parece difícil, pero tengo fe.

—Yo, también…

Dana tomó su celular y le envió un mensaje a Álvaro para contarle la buena nueva. Desde Barcelona, le respondió de inmediato: «Ya mismo averiguo los detalles del procedimiento».

* * *

En la casa de la familia Al Kabani había transcurrido una hora desde que la médica se había retirado, cuando se abrió nuevamente la puerta del cuarto de Salma y apareció Anisa con una bandeja repleta de comestibles: un té de hierbabuena, pan de pita, *hummus* y queso crema. Sabía que su hija no comía nada desde el desayuno.

Anisa la miró, le sonrió y le dio un beso en la frente. Le dejó la comida y se marchó sigilosa y sin decir palabra.

Salma se percató de que la puerta había quedado sin llave. ¿Su madre lo había hecho a propósito? ¿O sólo fue casualidad? Lo que fuera, decidió aprovecharlo.

Salió del cuarto y en puntillas fue hasta la coqueta oficina de la planta alta. Allí, sobre el escritorio, había un teléfono fijo. Hablar al celular de Álvaro era imposible porque no sabía de memoria el número. Pero sí podía buscar en internet el teléfono de *El Periódico de Catalunya*. Álvaro había estado allí mismo ese día. Y alguna persona le proporcionaría su celular o, al menos, le recibiría un mensaje.

Googleó el número en la *notebook* y habló.

En la redacción del diario, sin importar la hora, la actividad frenética no cesaba. Enseguida, desde la recepción, pasaron el llamado a una sección, y de esa, a otra, en la que conocían a Álvaro Sánchez. Pablito atendió y le pidió que aguardara, que intentaría averiguar si aún permanecía en las oficinas. A Salma, el corazón le dio un brinco, no había pensado que existiera esa remota posibilidad. Tal vez, incluso, hasta podía hablar con él. Esperó atenta y ansiosa. Hasta que distinguió que el hombre hablaba a media voz con otra persona. Aguzó el oído y entendió una frase.

—Paloma... ¿qué se sabe de Sánchez? Alguien pregunta por él.

Salma escuchó ese nombre y en su interior se encendió una luz de alarma, se puso a la defensiva. Recordaba muy bien que Paloma era el nombre de la compañera de trabajo de Álvaro, la mujer con quien había tenido una relación. Paloma, la que prendía velas en sus encuentros, la que...

Salma oyó la voz femenina responderle a Pablito:

—Alvi ya se fue y no sé cuándo volverá. Pero quedé en cenar con él esta semana. Si quieres, le paso el mensaje.

Salma sintió la frase como un ramalazo.

—Señorita, una compañera de trabajo lo verá esta semana —le explicó Pablo a la mujer que hablaba en un español extraño—. ¿Quiere dejarle algún mensaje?

—No —respondió molesta—, pero ¿podría pasarme el número de su celular?

Del otro lado, en Barcelona, se hizo silencio.

—Hum... ¿Usted es periodista? ¿Lo conoce?

—Sí, claro que lo conozco. Soy su... pareja.

Lo dijo. Moría por decirlo, por dejarlo claro y asentado en el mundo de Sánchez.

—Hum... —carraspeó Pablito, que no le creyó. ¿Cómo hacerlo, si la mujer que se presentaba como su pareja no tenía su número? Había algo extraño en la situación. Además, se trataba de Sánchez, a quien jamás se le había conocido novia formal. Su fama de mujeriego lo acompañaba. El acento raro de la chica le demostraba que ni siquiera se trataba de una mujer española. Pablito dudó—: Disculpe, no tengo autorización para...

No terminó la frase. Indignada, Salma le cortó y volvió a su cuarto. Allí, llorosa, enojada, se preguntó qué hacía sufriendo por Álvaro. Ella había escuchado claramente: Sánchez cenaría con Paloma. Tal vez, se había equivocado al apostar por una vida junto a ese hombre, al tomar la decisión de seguir adelante hasta las últimas consecuencias. Él estaba lejos y ella, ahí, sola, enfrentando monstruos. Pensó: «Sola, sola, sola». Y la palabra la llenó de miedo. ¿Qué le esperaba al día siguiente cuando regresara la doctora? Recordó la frase que la mujer pronunció: «Sería muy traumático para ti que yo deba usar la fuerza de un hombre extraño para poder trabajar en tu cuerpo. Es lo que hará un enfermero si tú no cooperas».

La médica vendría con el hombre que lidiaría con su cuerpo. ¿Qué le esperaba ese día? ¿Qué le aguardaría vivir en los siguientes? Esas jornadas serían aterradoras. ¿Cuál sería su futuro? En su interior, el miedo crecía más y más. Entonces, llena de temor, reparó en las pastillas que le había dejado la médica y, extendiendo la mano, tomó el blíster y procedió según las indicaciones. Se puso una en la boca. Necesitaba quitarse la angustia de alguna manera. Ese remedio la tranquilizaría, la ayudaría a dormir, le permitiría olvidarse de quién era ella. Porque eso era exactamente lo que deseaba: olvidarse de todo. Hasta de su nombre y apellido. Olvidarse de que estaba embarazada y de que alguna vez había conocido a Álvaro Sánchez, el hombre que había aceptado cenar con la tal Paloma. Las fuerzas se le habían acabado. Se trataba del principio de la capitulación, la misma que promovía su padre. Tomó la pastilla.

Barcelona, España

Álvaro Sánchez, a pesar de haber constatado la veracidad de la noticia brindada por su madre y de entrever que realmente existía la posibilidad de «llamar» a Salma desde la Argentina, porque con la carta del familiar se le otorgaba la visa, no estaba contento, sino preocupado. Le había enviado mensajes con insistencia, incluso había llamado a Salma varias veces, pero la vocecita repetía «El móvil con el que desea comunicarse se encuentra apagado o fuera de servicio».

Caminó angustiado por el living. Le sobraban razones para estarlo: Siria estaba en guerra; la mujer que amaba, embarazada; Al Kabani se oponía a todo lo que estuviera asociado al apellido Sánchez.

Dio vueltas por su departamento como león enjaulado hasta que, harto de autolimitarse, decidió que hablaría a la casa de Salma. Él no había hecho nada malo, salvo quererla. No le importaba lo que pensaran los demás, sólo necesitaba asegurarse de que ella se encontrara bien. Tal vez tenía suerte y lo atendía Mahalia o la misma Salma.

Optimista, marcó el número sin imaginar que la empleada tenía órdenes estrictas de que, en el caso de que llamara el señor Sánchez, debía derivarlo a Al Kabani. Y si él no se encontraba, debía cortar sin ninguna explicación.

Álvaro escuchó que le respondían del otro lado:

—*Mister* Sánchez...

—*Hello, Mahalia...!* —alcanzó a decir y enseguida oyó la voz de Al Kabani.

—Sánchez, le agradecería que no hable más a mi casa. De lo contrario, lo denunciaré ante las autoridades sirias. Estoy seguro de que atenderán mi pedido porque usted sólo ha traído problemas a mi país.

—No es así.

—Diga lo que quiera, pero si insiste y lo denuncio, ya verá que tendrá que obedecerle al gobierno sirio.

—No tiene derecho a amenazarme. Sólo quiero hablar con Salma.

—Ella no hablará con usted, no desea hacerlo.

—Quiero saber cómo está.

—Salma se encuentra perfectamente, superando el trance de la maldición que supuso haberlo conocido.

—Páseme con ella y que me lo diga en la cara.

—Ya se lo dije: Salma no hablará más con usted. Adiós.

Al Kabani cortó y le pidió a Mahalia que, si Sánchez volvía a llamar, cortara automáticamente la comunicación.

Anisa tuvo deseos de decirle que estaba en desacuerdo con las instrucciones, pero no se atrevió.

Álvaro, contrariado, no lo dudó ni un segundo: buscó el papel que guardaba en su billetera que contenía el número de la casa de Namira y la llamó. ¡Al diablo con el retrógrado de Al Kabani! Intentaría hablar con su hermana.

Cuando la mujer lo atendió, en inglés, le explicó los pormenores y le pidió noticias de Salma, pero no tenía ninguna. Y agregó que, desde que su sobrina se había marchado a su casa, ella se había apartado del tema porque la complejidad de los hechos la sobrepasaban; además, estaba de por medio su hermano. Con tacto, Namira trató de describirle las diferencias culturales que los separaban, pero esa cháchara lo enardeció y perdió la paciencia.

—¡A la mierda con las costumbres! Le ruego, Namira, que interceda por su sobrina. Por favor, averigüe si se encuentra bien. Necesito noticias... O tendré que volver a Siria.

Su interlocutor hablaba con tanta desesperación y decisión que Namira contestó que lo intentaría. Parecía amar mucho a Salma.

—Hábleme mañana a esta misma hora —indicó ella.

Álvaro cortó desesperanzado. Si no obtenía novedades, viajaría a Siria. Al día siguiente, intentaría tramitar nuevamente una visa de periodista para ingresar al país. Decidió darse un baño y acostarse. Los días sin Salma eran duros, pero cuánto más cuando no podían comunicarse.

Namira, a pesar de estar sumergida en la bañera rebosante de burbujas, había atendido el teléfono creyendo que, por la hora, podía tratarse de una llamada de emergencia. Con su sobrina en mente, decidió que al día siguiente la visitaría en la casa de su hermano. Intuía que, para Salma, las cosas irían muy mal. Ella conocía muy bien a Abdallah, sabía de los miedos que aquejaban a los hombres de su cultura y cómo se comportaban ante ellos. Se preguntó: «¿Qué puedo hacer?». Y, sincera, se respondió: «Nada».

Algo de la historia de su sobrina le abría viejas heridas; por esa razón, trataba de no inmiscuirse. Le traía antiguas y dolorosas imágenes que no quería recordar nunca más.

NUNÚ

Damasco, Siria, 1978

La mañana de la boda, Wafaa se despertó de madrugada, casi no había pegado los ojos por miedo a quedarse dormida. Con la primera claridad del día, se levantó de puntillas. Tenía que marcharse sin que nadie la escuchara. Se cercioró de que la nota que había escrito para sus padres quedara a la vista. Temía que se perdiera entre tantas prendas y cajas. Decidió colocarla sobre los zapatos nuevos que debía usar ese día. En algún momento, con la boda desbaratada, alguien los sacaría de allí para guardarlos y descubriría su misiva.

Se vistió con la ropa que había dejado aparte la noche anterior para evitar ruidos innecesarios. Lo hizo suavemente y con mucho cuidado; no deseaba despertar a Namira, que dormía en la otra punta del cuarto. Luego se calzó los zapatos bajos y el *hiyab*. Buscó el bolso y fue rumbo a la puerta, la abrió muy despacio y salió.

Caminó en busca de un taxi. Debía encontrarse con Rafi, que ya la esperaba. En la calle no sintió nostalgia alguna; los nervios y la emoción por su partida la sobrepasaban. Casi sentía alegría; sólo le aguaba la buena sensación el saber que pronto extrañaría a su familia. Aun así, avanzó decidida. Su plan estaba saliendo bien.

* * *

Dos horas más tarde, cuando Wafaa y Rafi viajaban rumbo al Líbano, Namira abrió los ojos y notó la cama vacía de su hermana. Le pareció extraño; ella siempre era la primera en levantarse para abrir el puesto del mercado. Se lo atribuyó a la ansiedad propia del día que debía sufrir Wafaa, pues en unas horas se firmaría el acuerdo con el *sheij*.

Namira se levantó; no imaginaba que empezaba el peor día de su vida.

Todavía en camisón, ingresó a la cocina, donde ya desayunaban su madre y su padre. Abdallah dormía. Khalil había amanecido allí para, desde su casa, salir todos juntos a ver al *sheij*.

—¿Y tu hermana? ¿Sigue durmiendo? —preguntó Leila.

—Wafaa no está en la cama —dijo Namira mientras se servía café.

—¿Cómo que no está?

—No está —insistió Namira con signos de preocupación. Suponía que sus padres sabían dónde estaba.

Leila se levantó de la silla de un salto y fue a la habitación de sus hijas.

Tras comprobar la cama vacía de Wafaa, revisó el ropero en procura de algún faltante de prendas, pero no lo halló. Parecía estar en orden. Buscó otro indicio a su alrededor.

Hasta que, entre los zapatos nuevos de color claro que la novia usaría esa mañana para la celebración, distinguió que asomaba un papel diminuto. Lo tomó y lo leyó:

Querida familia, me voy. Jamás podría casarme con Hazim.
Papá y mamá, lo siento, les pido perdón. Me marcho a otro
país hoy mismo. No me busquen.
Los amo. Siempre los amaré.

Wafaa

Leila volvió a la cocina y con el rostro aturdido exclamó:

—¡Wafaa se ha ido!

Pronunció la frase y, a partir de ese momento, la casa se trastornó. Iban de un lado a otro gritando, discutiendo, echán-

477

dose broncas. Khalil le enrostró la culpa a Leila por la forma en que había educado a sus hijas. Ella se defendía recriminándole que, por su ambición, acababan de perder una hija a causa de un matrimonio imposible por lo desproporcionado. El revuelo tomaba ribetes insospechados y alcanzaba a Abdallah, quien, despertado por los gritos, también daba su parecer: «Padre, llama a las autoridades para que encuentren a Wafaa y la traigan de inmediato».

En forma alternada, cada integrante de la familia se asomaba a la calle con la esperanza de que Wafaa estuviera allí, arrepentida de haberse ido. Pero ella no estaba.

Luego de un buen rato de locura familiar, Khalil realizó varias llamadas telefónicas. Habló con dos o tres amistades y también a la librería; nadie sabía nada. Al fin, desistió de su rastreo; no quería seguir desparramando la noticia de la desaparición de su hija en medio de una boda pactada con uno de los hombres más ricos y poderosos de Damasco.

Tenía un problema mayúsculo y debía darle una solución porque la hora avanzaba y Wafaa seguía ausente. Khalil no podía dejar plantado a Hazim, no quería quedarse sin la dote y sin los negocios que estaban proyectando juntos; más aún: no debía arriesgarse a provocar su enojo porque, según rumores muy fundados, se relacionaba con gente peligrosa. Estaba seguro de que muchas amistades o conocidos de su fallido yerno estarían dispuestos a vengar la afrenta a su antojo: lesionar o asesinar a un integrante de la familia o sumir social y económicamente a los Al Kabani. El rechazo de Wafaa podía desatar una hecatombe. ¡Maldita niña!

Desesperado, con la cocina atiborrada de la comida preparada por Leila durante la última semana para el almuerzo íntimo de ese día, Khalil planeó posibles salidas. Y por más que estudió varias, sólo una quedó en pie. En la sala, sentado, con las manos en la cabeza, la pensó y la repensó. La hora avanzaba y él necesitaba una novia para entregarle a Hazim. Más allá, un poco más lejos, vio a Namira, que seguía impasible, ocupando su lugar en la mesa de la cocina. Era la que menos había participado en la locura desatada en esa casa durante las últimas dos horas. Su mañana era diferente, pues no había ido al mercado para asistir a la boda de su hermana. Khalil la observó con ojo crítico. Aunque nueve años más grande que Wafaa, su belleza seguía intacta y cualquier hombre la aceptaría por mujer, amén de que conservaba su pureza y castidad.

Por otra parte, Hazim sólo había visto una vez a Wafaa, cuando se conocieron, durante la reunión de presentación. Las hermanas se parecían, pero Namira era la versión mejorada de Wafaa. Tal vez, con la ayuda de Alá, su plan saldría bien.

Decidido, entró a la cocina. En la mesada, Leila preparaba una tetera de té de tilo para todos. Khalil ocupó su lugar en la mesa y le habló a su hija.

—Wafaa se ha ido y no volverá. No puedo dejar plantado a ese hombre.

—Habla con él, padre —dijo Namira temblando.

—Su poder es enorme y podríamos correr riesgos de toda clase.

—¿Entonces qué haremos? —preguntó Leila.

—Nuestra hija se casará con Hazim.

Namira lo oyó y el mundo se le derrumbó. Más temprano, mientras sus padres discutían acaloradamente, había temido ese desenlace. Luego, con las aguas quietas, creyó que estaba a salvo. Pero no.

Khalil fue rotundo:

—Hoy la novia serás tú.

Desesperada, articuló:

—Padre, por favor, piensa en otra solución.

Ella pedía.

—No la hay.

Pedía y se le negaba.

—Pero yo llevo bien el mercado…

—El puesto es nada al lado de lo que ganaremos con los negocios que montaremos con Hazim. Tú vivirás con holgura.

—Madre, dile que no es justo.

Leila callaba.

Namira, de pie, miró a través de la ventana. Intentaría nuevos argumentos para convencer a su padre, no se daría por vencida, pero ya sabía el resultado: primaría la voluntad de Khalil. Como siempre, él elegiría por ella. Porque no importaban las cuantiosas ganancias que generara en el puesto, las renuncias que hubiera hecho años atrás, ni lo buena hija que fuera; tampoco su belleza. Las elecciones le estaban vedadas.

* * *

Dos horas después, la comitiva compuesta por Hazim, Khalil, Leila, Namira y los testigos se encontraba reunida en la oficina que el novio tenía en el centro.

Apenas llegaron, Hazim percibió el cambio de novia y, con una seña, llamó aparte a Khalil.

—Hubo un canje, ¿verdad?

No le gustaba que lo engañaran.

—Sí, se trata de mi otra hija. Es igual de pura y, como habrá notado, aún más bella. ¿Está de acuerdo?

El hombre lo analizó por un instante. Aunque esta muchacha tenía unos años más que la otra, igual la notaba muy joven y especialmente hermosa. Desde su llegada no había podido sacarle los ojos de encima.

—Está bien. Sólo que hubiera preferido que me lo anticipara —dijo Hazim.

—Quise traerle lo mejor.

No era conveniente contarle que su otra hija se había escapado porque rehusaba casarse con él.

—No hay problema. Seguimos adelante.

Luego de los saludos protocolares, todos los presentes se sentaron alrededor del escritorio. El *sheij* habló y les pidió al padre de la novia y al novio que unieran sus manos derechas. Los dos hombres las estrecharon y pegaron sus pulgares uno contra el otro. El clérigo sacó de su bolsillo un pañuelo de color blanco –símbolo de pureza– y cubrió el apretón mientras ponía su mano arriba. Luego les pidió:

–Repitan conmigo: yo, Khalil al Kabani, doy a mi hija como esposa a Farid Hazim con una *mahr* pagadera mitad adelantada y mitad después de la ceremonia. El monto de liras será de...

Para cuando su padre reveló la cifra, la mente de Namira estaba muy lejos de allí. Las palabras pronunciadas se perdieron en la nebulosa espesa y no las escuchó. Ni siquiera entendía muy bien qué hacía en ese lugar, cómo es que había terminado en la oficina del *sheij*, vestida de novia. ¿Acaso se trataba de un mal sueño? Confundida, sus divagaciones se plegaban al recuerdo del rostro de Omar, el único hombre con el que se había querido casar. Aquel muchacho en el cual aún pensaba y con el que soñaba reencontrarse. Pero en ese preciso momento, esa ridícula esperanza se extinguía para siempre. También podía olvidarse definitivamente de sus planes para el puesto del zoco. Sumergida en sus ideas, la voz del que sería su marido la sobresaltó.

–Yo, Farid Hazim, acepto a Namira al Kabani como esposa y prometo entregar esos montos.

El *sheij* leyó el *fatiha,* los primeros versículos del Corán, quitó el pañuelo, y les extendió el papel que contenía el contrato nupcial. Una vez firmado, comenzaron las felicitaciones. Tras la formalidad, una nueva etapa de unidad se cernía sobre las relaciones Al Kabani-Hazim. Sobre todo, para la vida de Namira.

La flamante esposa, del brazo de su madre, se movía y saludaba como una autómata. El padre le pedía que dijera su edad; segundos antes Hazim le había preguntado cuántos años tenía y ella, abstraída, no le había respondido. Ese mediodía, sus movimientos eran una simple pantomima; y así cumpliría su rol durante mucho tiempo más. Actuaría en la pésima obra de teatro que la tendría como protagonista. Esa misma semana vestiría el *qaftan* de su hermana, le pintarían las manos con *henna* en la fiesta de las mujeres, pero no se emocionaría ni derramaría ni una sola lágrima de tristeza ni de alegría porque todo su ser había sido dejado en suspenso para poder sobrevivir al suplicio que le tocaba. No sentía nada, ni lo bueno ni lo malo. Ella misma se había autoflagelado exigiéndose la desaparición de cualquier sentimiento.

El sábado luciría el vestido blanco que sólo unos días atrás se había probado Wafaa. Cuando se lo pusieran, en el último minuto, deberían soltarle las costuras porque –como había vaticinado aquella mañana– no cerraba a la altura de sus senos. Ella había tenido razón; no su hermana. Wafaa jamás tendría razón porque, con su gran equivocación, la había arrastrado al precipicio.

El día que renunció a Omar, Namira había hecho su sacrificio. Y ahora, por culpa de Wafaa, se le reclamaba uno nuevo. Era totalmente injusto. Le tocaba el turno a Wafaa; no otra vez a ella. Para salvar a la familia, por obra de su hermana menor, debió inmolarse por segunda vez. Sobre Wafaa recaían sus reproches. Cuánto mejor que se encontrara lejos, que jamás volvieran a verse... Su felonía había sido demasiado grande para perdonársela. Para los Al Kabani, Wafaa y la palabra «traición» habían quedado unidas. Sólo Abdallah parecía no estar tan enojado; su juventud, quizá, le ponía un manto de piedad a la situación. Pero quién podía asegurar por cuánto tiempo aceptaría la huida de su hermana con cierta liviandad. La vida transformaba las opiniones de un momento a otro; a veces, de manera sorprendente y benévola; otras, no tanto.

CAPÍTULO 20

Para fortalecer el corazón
no hay mejor remedio
que agacharse para levantar
a los que están caídos.
PROVERBIO ÁRABE

Esa mañana, Salma se despertó confusa y le costó determinar su situación. Gracias a la pastilla, había dormido profundamente la noche completa y aún tenía sueño. A pesar de las nefastas circunstancias que ese día debía enfrentar, flotaba, etérea, como si nada la preocupara, como si el tiempo discurriera con pereza, aunque alcanzaba a darse cuenta de que ese estado no era normal. Por momentos, hasta se sentía en un plano diferente a la realidad. «Mejor», asumió. Ella no podía seguir luchando. Pero, a la vez, percibía como si sus creencias y deseos continuaran intactos sin que atinara a reaccionar para alcanzarlos. Y su inconsciente no le recriminaba esa calma imperturbable. La pastilla había hecho en su cuerpo lo que la doctora había anticipado, y más aún. Alabó la maravillosa droga que le quitaba el dolor de su existencia.

Mahalia entró al cuarto con una bandeja cargada, pero del desayuno sólo tomó unos sorbos de café y comió un panecillo. Luego se tendió de nuevo en la cama y dormitó mirando las flores de lis de la pared. Un sueño benevolente y tibio la envolvía con piedad. Tanto la atenazaba que, pasados unos minutos, le costó escuchar que alguien la llamaba.

—Salma, Salma, despierta.

—¿Qué sucede...? —preguntó turbada y, al girar, descubrió la figura de Abdallah.

—La médica me pidió que te recuerde que tomes la pastilla de hoy.

Narcotizada, le costó entender acerca de qué doctora y de qué remedios hablaba.

Su padre le alcanzó la pastilla y el vaso de agua que había traído Mahalia.

Salma tomó el medicamento.

Abdallah se marchó y ella cayó en un intolerable sopor durante el cual se entremezclaban las flores del empapelado de su cuarto con la figura de Álvaro y la mujer española cenando a la luz de las velas. A Paloma —recordaba bien— le gustaban las velas. Salma veía la llama del pabilo allí, muy cerca suyo, junto a las flores de lis de las paredes. Se acercaba a la pareja, revoloteaba alrededor de la mesa mientras cenaban y se esfumaba porque no deseaba verlos. Pero nunca podía huir del todo porque afuera la esperaban los milicianos que la habían atacado en Duma.

Inmersa en una cruel pesadilla, emitía quejidos, movía las manos en el aire sin lograr aferrarse a nada... Hasta que oyó una voz lejana que le decía que la doctora Alabi ya estaba lista, que se preparara, que...

—¡Despierta! —exclamó Abdallah.

Salma entrevió una borrosa figura de mujer y su interior le advirtió que no debía ceder a la voluntad de su padre. Pero no tenía fuerzas para negarse. Se incorporó y se sentó en el borde de la cama.

La médica señaló:

—Niña, quédate tranquila. No es necesario que te levantes. Ya te avisaré cuándo hacerlo —indicó. Luego instruyó al hombre que la acompañaba.

El enfermero, joven y corpulento, no hablaba ni quitaba la vista del instrumental médico desparramado por el cuarto. Para él, absolutamente frío y profesional, Salma no existía. Desplegó una camilla portátil oculta en una caja de madera y preparó las luces. Luego, sobre una mesita alta, colocó los instrumentos.

El cuerpo de Salma estaba en ese cuarto, pero su mente volaba lejos. Su boca, a veces, emitía un sonido parecido a una súplica.

—No, no quiero.

Su voz sonaba a ebria.

—Quédate tranquila. Sácate la ropa y ponte esto —ordenó la médica y le extendió, como si la preparara para el quirófano, la bata blanca abierta en la parte de atrás.

Salma se negó, pero al fin hizo caso. El enfermero le ayudaba y ella ni siquiera se sentía mal de saberse desnuda delante de un hombre desconocido.

Abdallah, histérico, no resistió más y salió del cuarto. De pie, en el pasillo, como si estuviera en un hospital, apoyó las manos contra el muro y bajó la cabeza mientras exclamaba:

—*Bismillah! Ia latif!* ¡Maldita guerra!

Atormentado por la culpa, sintió que el timbre de calle sonaba. Al cabo de unos minutos, se abrió la puerta del ascensor y distinguió claramente las voces de Mahalia y de su inoportuna hermana.

—¡Por los diablos de mis antepasados! —profirió el peor y más terrible insulto árabe.

Bajó y se topó con Anisa, que se encaminaba a recibir a su cuñada.

—Mujer, atiende a mi hermana, que yo estaré arriba.

Anisa sólo asintió y él subió las escaleras. Pero permaneció fuera del cuarto; no podía entrar, no se atrevía, no quería. En el pasillo, apoyó la espalda contra la pared, se dejó caer y se fue deslizando hasta quedar sentado en el piso. Saber lo que estaba pasando del otro lado del muro lo torturaba. Pero él tenía el poder de decidir y así lo había resuelto. La elección era propia y de nadie más, aun cuando el cuerpo en cuestión perteneciera a Salma.

En la planta baja, en el área social del *penthouse*, la visita de Namira se desenvolvía de manera muy extraña. Algo raro estaba sucediendo y ella no acertaba a saber qué.

—¿Y dónde dices que está mi hermano? —preguntó Namira

por tercera vez. Las dos anteriores Anisa había mencionado diferentes sitios de la casa.

Esta vez, su respuesta fue general.

—Arriba.

—Pero ¿y Salma? ¿Está con él?

—Supongo.

Namira no terminaba de entender. Pero se daba cuenta de que algo andaba mal. Por un instante, incluso, había percibido voces desconocidas provenientes, justamente, del piso de arriba. Tal vez su hermano estaba atendiendo gente en la oficina de la planta alta, pero también recordó lo que Sánchez había comentado acerca del teléfono apagado de su sobrina.

—Quisiera ver a Salma —pidió.

—No puedes.

—Voy a subir —dijo Namira decidida poniéndose de pie.

—No puedes. Tu hermano no quiere —dijo Anisa sincera.

—Que venga él a decírmelo.

—Está ocupado.

La última frase se superpuso con un chillido proveniente del piso alto. Era la voz de Salma, podía jurarlo.

—¡Subiré! No me importa lo que diga Abdallah.

Anisa amagó detenerla pero no lo hizo; sólo se quedó absorta mirando cómo su cuñada subía las portentosas escaleras de mármol con su larga túnica turquesa.

Una vez arriba, en el corredor, Namira vio a su hermano sentado en el piso. Llevaba la cabeza gacha y con las manos se tapaba los oídos. El escenario turbó su corazón.

—¿Qué está pasando aquí…? —gritó la hermana mayor cuando volvió a escuchar voces extrañas dentro del cuarto de su sobrina.

Namira se abrió paso. Su hermano no se lo impidió. Con la mano en el picaporte de la habitación de Salma, abrió de golpe.

Lo que vio la tomó de improviso. La escena era una mezcla de imágenes impúdicas, dolorosas y angustiantes.

No entendía.

Entendió.

No quería entender.

Observó el escenario horrendo con detenimiento: acostada sobre una camilla, su sobrina vestía una bata blanca y tenía las piernas abiertas.

Salma estableció contacto visual con ella.

Muy cerca de la chica, la médica y el enfermero, atónitos por la intromisión, no se perdían los movimientos de Namira.

La tía, que sólo tenía ojos para su sobrina y los ignoraba, al fin exclamó:

—¡Salma, querida...!

—Tía...

Pasaron unos instantes que para todos fueron de estupor, hasta que de pronto ella dijo:

—Salma, ¿esto es lo que quieres?

Por primera vez desde que había llegado de Duma alguien le hacía esa pregunta. ¿O tal vez era la primera en su vida de adulta que la escuchaba? La frase sonó a liberación, a libertad...

—No, no quiero —respondió lloriqueando.

Salma pedía. Lo hacía con palabras, con los ojos, con las manos que extendía, con las lágrimas que derramaba.

Entonces Namira lo descubrió: su sobrina llevaba en el rostro la misma expresión que ella había tenido alguna vez en el suyo. De su mirada surgía un dolor que ya conocía porque lo había sentido.

—No quiero... —repitió Salma.

Y Namira no le negó, sino que le concedió. No podría haber procedido de otra manera aunque hubiese querido, porque una fuerza superior la llevó a actuar. Salma pedía y, esta vez, ella le daría. Su voz no se quedaría en silencio, ni sus ojos desviarían la mirada hacia otro lado para no ver el pedido. Ella otorgaría.

Por tantos «no» que ella, Salma y demás mujeres habían recibido a la hora de querer elegir, Namira hoy entregaba un «sí». Concedía porque podía. Ahora era fuerte y le tocaba actuar, se lo debía a sí misma y a las de su género.

Dio la orden que acompañaba la concesión.

—Vamos, sobrina, levántate.

Lentamente, Salma empezó a erguirse. Y entonces se dio cuenta: ¡estaba canalizada, tenía suero en las venas!

Namira se acercó y se lo quitó con sus propias manos.

—Ahora, toma tu ropa. ¡Nos vamos!

Salma se puso de pie ante el desconcierto de la médica y el enfermero, que no reaccionaban. Namira hablaba con voz de mando y los dos facultativos empezaron a pensar que tal vez esa mujer era la verdadera dueña de casa y no Abdallah, como habían creído desde que fueron convocados. Por su autoridad y determinación tenía que serlo. Al Kabani, que seguía sentado en el pasillo, brillaba por su ausencia en esta escena. Ni la mujer ni su auxiliar querían meterse en problemas ni acabar en la cárcel. Por lo tanto, si las personas que los habían contratado se habían arrepentido de llevar a cabo el procedimiento, lo mejor sería marcharse cuanto antes porque el trato quedaba disuelto. Dubitativos, no atinaban a retirarse de inmediato o a recoger la camilla y todos los indicios que delataran su actividad.

Salma tomó la ropa que minutos antes se había sacado: el jean, la camisa lila, la túnica celeste. Para vestirse, intentaba desatar el moño de la bata blanca ajustada al cuello. Pero no lo lograba.

A través de la puerta abierta, Namira notó que su hermano se ponía de pie. Entonces, entendió que debían apurarse.

—¡Vámonos, Salma! ¡Así, como estás!

—La bata, mi ropa… —dijo mirando su estado.

—No importa, trae tus prendas, luego te vestirás —ordenó y caminó rumbo a la salida.

Salma, con su ropa en la mano y la bata puesta, la siguió.

Ambas pasaron ante la mirada impávida de Abdallah, que no pronunció palabra. A veces, las reglas de su cultura se volvían demasiado pesadas hasta para los hombres como él, que, en general, resultaban ser los grandes beneficiarios de los usos y costumbres que se repetían incólumes desde hacía miles de años.

Porque en algunas oportunidades –como esta–, las cosas se salían de control y un coletazo de las reglas del sistema terminaba hiriendo a los que se arrogaban el poder de influir sobre el resto, como en el caso de Abdallah, que, empujado por las tradiciones y los miedos, había actuado según se esperaba que lo hiciera. Y ahora se hallaba perturbado, dolorido e inseguro.

Como padre, había tomado las decisiones que creía correctas, pero no había podido sostenerlas. Se sentía frustrado y contrariado. Aunque un hilillo parecido al alivio se filtraba en su interior, una sensación fuera de contexto a su condición de hombre.

Cuando Salma y su tía bajaron las escaleras, se toparon con Anisa.

–¿Qué hacen? ¿A dónde van? –preguntó sorprendida–. ¡Salma, estás desnuda!

–La llevo a mi casa, allí estará más segura que acá.

Namira estuvo a punto de lanzarle a su cuñada un vendaval de recriminaciones, pero sabía que no serviría de mucho. La mujer hacía lo que podía con lo que le había tocado, como ella también lo había hecho en su momento y como el resto de los mortales, hasta el propio Abdallah. Pocas veces la vida daba revancha para revertir un mal trago, pero en esos casos había que apropiarse rápidamente de la oportunidad antes de que desapareciera. Namira acababa de tomar la suya porque su presente era diferente, podía optar y había decidido abrirle el juego de la elección a su sobrina.

El ascensor se tragó a las dos mujeres.

En la puerta del edificio, con Salma a su lado, se sintió liviana y exultante tras haber actuado así. Experimentó la libertad, un tipo de liberación diferente, y supuso que seguramente así se sentirían siempre los hombres. Los envidió. Ellos perennemente usufructuaban el libre albedrío.

Pero también agradeció: todo iba bien. Se apuró. No quería que nada entorpeciera la salida de la residencia.

—Apúrate, Salma —exhortó a su sobrina, que caminaba descalza como una autómata, y le abrió la puerta de su auto.

Mientras dejaban atrás la casa de Abdallah al Kabani, Namira se felicitó por haber prescindido del chofer.

En silencio, avanzaron por las calles de Damasco. Hasta que Namira se atrevió a poner en palabras un temor que daba vueltas en su mente.

—¿No te hicieron daño, verdad?

Esperó la respuesta apretando fuerte los labios.

—No. Llegaste justo a tiempo.

Namira respiró aliviada y sonrió; su sobrina, también.

En el habitáculo del auto se podía palpar el halo de solidaridad y fraternidad que las rodeaba y las envolvía. La identificación y la empatía se apoderaron de ambas mujeres.

Salma había pedido y Namira le había concedido. La tierra se estremecía. Hacían camino al andar. Abrían surco.

Una pequeña batalla ganada dentro de una gran guerra librada por un territorio que llevaría tiempo conquistar. Pero lo habían logrado. Su sobrina había podido elegir como ella jamás antes pudo.

Salma saboreó el gusto de la elección; era maravilloso e iba más allá de cuáles fueran las decisiones que se tomaran. Deseó que muchas más pudieran experimentar lo que ella sentía en ese momento. Entonces, en ese auto, vestida con bata blanca y con la mente ni siquiera tan lúcida para pequeñeces, pero sí para lo importante, se prometió a sí misma que, cuando tuviera la posibilidad, concedería a otras como a ella se le había concedido. Obraría para que a esas mujeres se les otorgaran sus deseos.

«Elección», la palabra le sabía dulce, muy dulce. Tenía que aprender a vivirla. Recién la conocía.

* * *

Cuando tía y sobrina llegaron a la casa de piedra gris, Namira vio que Salma se sentaba en el sofá de la sala y extraía del bolsillo del jean algo pequeño y azul. Se lo mostró triunfante con la mano en alto.

—¡El pasaporte! —gritó contenta.

Luego, se acurrucó en la punta del sillón y, con la cabeza apoyada en un almohadón, se quedó dormida. El trayecto en auto lo realizó mitad coherente, mitad drogada. Ahora, sintiéndose segura y aún bajo los efectos del estupefaciente, el sueño la había vencido. Salma soñaba pero ya no tenía pesadillas, sino que en su mente Álvaro llegaba a buscarla y la abrazaba.

Namira trajo una frazada de su cuarto y la colocó sobre Salma, que, dormida, mostraba muy campante la parte del trasero desnudo que la bata no tapaba. La supo relajada; el rostro delataba que estaba en paz.

Namira se felicitó por haber tomado la decisión de traer a Salma y alojarla en su casa. Entonces, notó que el miedo oculto que vivía latente en su interior desde hacía muchos años acababa de irse para siempre. Se sintió liviana, como si le hubieran sacado una gran mochila pesada de sus espaldas. Había abierto la mano para dar, para conceder. Pero también había recibido. Mucho más de lo que alguien podría creer. Era libre.

Namira, la vieja Nunú, empezaba a encontrarles sentido a su vida y a los sufrimientos que había vivido a lo largo de los años. Tal vez había tenido que soportar y atravesar el dolor sólo para estar presente ese día y hacer lo que hizo. La magnanimidad del pensamiento le permitió realizar una retrospectiva benevolente y, en cierta manera, reconciliarse con su pasado. Las piezas de su existencia, más las de Wafaa y las de su hermano Abdallah, se acomodaron, encontraron el encastre perfecto muy cerca de las de Leila y Khalil y junto a las de Salma y Álvaro. El dibujo comenzaba a tomar forma. Ella pudo verlo.

Barrio La Quebrada, La Rioja, Argentina

En la casa de Dana, junto a Wafaa, ambas mujeres trabajaban de lleno en lo que se habían propuesto: sacar a Salma de una Siria en guerra.

Sentadas en la cocina, controlaban el árbol genealógico Al Kabani que había construido su amiga, a través del cual se probaba que era la tía de la muchacha. También tenía en su poder las partidas de nacimiento y demás documentos que se necesitaban. Hasta el hijo de Wafaa, que vivía en Buenos Aires, la había ayudado a conseguir algunos certificados.

Todavía les faltaba algo importante: averiguar cuál era el contenido de la famosa «carta de llamamiento» que Wafaa debía escribir para invitar a su sobrina a la Argentina. No podían equivocarse: un paso en falso y el plan se caería como castillo de naipes. Por eso, primero se habían puesto en contacto con la Embajada de la República Árabe Siria en la Argentina. Y, según las instrucciones recibidas, desde hacía dos días se movían por una y otra repartición pública recolectando todos los documentos necesarios.

A pesar de las largas colas, solían atenderlas con preferencia. El personal de las oficinas, al tanto del propósito de las mujeres y solidarizados con la historia, las iba guiando. Claro que, como omitían cierto detalle, los empleados creían que Salma, pariente de Wafaa, intentaba huir de la guerra. De ninguna manera imaginaban que su sobrina escapaba de Siria por amor y que esas dos señoras mayores, por cariño y de todo corazón, hacían lo imposible para que se produjera el milagro de que Salma y Álvaro pudieran estar juntos.

¿Lo lograrían? No estaban seguras, pero lo intentarían. «Para porfiadas, nadie mejor que nosotras», reconocían sonriendo mientras gestionaban los trámites.

Barcelona, España

En el departamento de Sant Gervasi, Álvaro se sirvió un café. Acababa de hablar por teléfono con su madre y el plan de sacar a Salma de Siria a través del gobierno argentino, con Wafaa de por medio, avanzaba sin pausa. Todavía no lo podía creer: esas dos mujeres moviendo el engranaje burocrático para que él y la mujer que amaba fueran felices. El infructuoso intento realizado por Salma en Damasco al final encontraba solución en la Argentina. «Si estuviera en La Rioja, quizá, podría agilizar los trámites», meditó, y lo llenaron unas ganas tremendas de viajar a su país de origen. Pero cuando recordó que llevaba casi cuarenta y ocho horas sin noticias de Salma, deseó comprar ya mismo un pasaje a Siria.

Aguardaba la charla que tenía pendiente con Namira y luego, según el resultado, decidiría el rumbo. El día anterior habían convenido en volver a comunicarse en el mismo horario y ahora, ansioso, para no llamar antes, se preparaba un segundo café para entretenerse.

Daba vueltas por su departamento bebiendo pequeños sorbos de su taza mientras su cabeza maquinaba todo tipo de planes. Ya no soportaba no saber nada de Salma. No sabía por qué, ni cómo le había sucedido, pero ella se le había metido en las venas. No concebía una existencia sin Salma. La quería a su lado. Deseaba cuidar de ella y del niño que llevaba en su vientre, ese que cada día sentía más suyo. Quería que construyeran juntos una vida. Miró la foto guardada en su celular que se habían sacado contemplando la puesta de sol en el departamento de Damasco. Era una de sus preferidas. Los mostraba felices. Ella sonreía; él, también.

Cuando terminó su café, aunque faltaban minutos para la hora señalada, tomó el teléfono y llamó a Namira, que atendió tras unos segundos de espera. Respiró aliviado al escucharla. Se saludaron y, sin paciencia ni sutileza, Álvaro le pidió noticias de Salma.

–*Mister* Sánchez, ella está en mi casa. Si quiere, la pondré al teléfono.

493

–¡Claro que quiero! –exclamó sorprendido por la noticia.

–Le advierto que durante los últimos días ha pasado por situaciones traumáticas. Por esa razón está en mi casa.

–¡Dios mío! ¿Qué ocurrió?

–Ella le contará. Pero quiero que sepa que este amor, a Salma, le está saliendo muy caro. No sé cómo está usted allá, pero aquí ella lleva la peor parte.

–Yo la amo y sufro por no tenerla conmigo –confesó.

Namira no respondió y le pasó con su sobrina.

–¿Álvaro...?

La voz suave pronunció su nombre y él creyó morir. ¡Al fin la escuchaba!

–Salma, amor mío...

Esas y algunas más fueron las primeras dulces palabras que pronto, al contarle los sucesos, se volvieron amargas.

–Cuánto lamento que hayas tenido que pasar por ese calvario –dijo apesadumbrado. Y, asediado por la duda, preguntó–: ¿Nuestro hijo está bien?

A Salma, la frase le caló el alma, no se la esperaba. Se le llenaron los ojos de lágrimas.

–Sí, bien...

–Pues, ¡cuídalo mucho! Te prometo que este suplicio acabará y pronto podremos estar juntos.

–¿Tú crees? ¿Cuándo? –Su voz sonaba desesperada.

–Escúchame con atención, te diré lo que haremos: irás a la Embajada argentina de Damasco.

–¡Pero si están todas cerradas!

–No todas. La de Argentina está abierta con una guardia mínima. Mi país recibirá a los sirios que quieren huir de la guerra. Intentaremos sacarte de Siria a través de un programa específico para refugiados.

–¿Harás el trámite desde Barcelona?

–No. Lo hará Wafaa al Kabani desde la Argentina.

–¿La hermana de mi padre?

–Sí, por ser tu tía, ella puede «llamarte» y está dispuesta a gestionar los trámites requeridos. Por eso, escúchame bien: tienes que ir a la Embajada y pedir que te informen sobre cómo conseguir la visa que se emite para los sirios con familiares en la Argentina.

—Está bien —aceptó tratando de memorizar cada paso que le describía Álvaro.

—¿Sabes, Salma? Si hoy no daba contigo, viajaba a Siria de nuevo.

—Álvaro, mi amor… —dijo con la voz enternecida.

Ella sabía bien lo que significaba para él ingresar a ese país. Se había transformado en una visita peligrosa, en una odisea engorrosamente complicada, casi imposible de realizar. La emisión de visas para turistas o periodistas se iba raleando y sólo se otorgaban si se contaba con un seguro que, a raíz de la guerra, se había encarecido. Y por supuesto, significaba quedar bajo el control de la inteligencia siria.

—Por eso, ahora que sé que estás bien, creo que será más útil que viaje a la Argentina para colaborar con los trámites del visado.

—Si sigues en Barcelona o te instalas en La Rioja, me da igual, porque no te tengo. Lo único que quiero es estar contigo.

—Pronto lo estaremos. Ve a la Embajada y averigua lo que te pedí.

—Álvaro…

Salma daba vueltas para decir algo.

—¿Qué pasa? —preguntó ansioso. Había dado con ella, habían hablado un largo rato sobre cómo seguir adelante. Este tipo de comunicaciones podían convertirse en un verdadero suplicio por palabras mal dichas, frases tergiversadas, pero quería saber qué la afligía porque él, pese a la distancia, quería ser su sostén.

Salma se animó y le preguntó:

—¿Esta semana vas a cenar con Paloma?

—¡Qué dices! —exclamó sorprendido. Había esperado cualquier comentario menos ese. ¿De dónde carajo había sacado esa retorcida idea? Le respondió seguro—: Claro que no cenaré con ella ni con ninguna mujer. Sólo te quiero a ti.

—Es que pensé…

—No pienses nada. Sólo vivo por y para ti, esperando el momento en que, finalmente, podamos estar juntos.

Conversaron durante un rato más y cortaron tras acordar que hablarían al día siguiente en el mismo horario.

Álvaro se quedó sentado en el sillón del living de su departamento evaluando la conveniencia de viajar a la Argentina. Después de meditarlo, se convenció de que con su presencia podría ayudar a esas dos señoras mayores que ni siquiera dominaban la tecnología. Además, dada la complejidad del trámite, se les haría casi imposible tener éxito.

Claro que Sánchez desconocía cuán testarudas y cuán encantadoras podían ser en su trato hacia el personal de las dependencias públicas cuya cooperación necesitaban. Dana ya les había llevado *baklava* a varios y Wafaa, empanadas árabes.

Los empleados las veían llegar y se agarraban la cabeza, pero también se ponían contentos porque ellas eran sinónimo de delicias culinarias.

Damasco, Siria

Salma, sentada en el living de la casa de su tía, tomó una determinación: no regresaría más a su hogar. Se arriesgaría a confiar plenamente en Álvaro y pelearía para obtener el trámite que le permitiera salir de Siria. Mientras lo pensaba, se quitó los zapatos sin percatarse de su movimiento; ese pequeño detalle indicaba que, poco a poco, comenzaba a recobrar su personalidad y que volvía a encontrar su centro. Caminó en medias hasta la cocina. Desde su regreso de Duma, jamás había pisado descalza.

Barrio La Quebrada, La Rioja, Argentina

En su cuarto, Dana se preparó para salir a la calle, pues en breve concurriría a la oficina de correo. Ese día continuaría la diligencia sola porque Wafaa estaba ocupada; debía recibir y atender a uno de sus hijos que, de un momento a otro, llegaría desde Buenos Aires.

Guardó en una carpeta la carta que debía enviar a la casa de Namira para que Salma presentara en la Embajada argentina. La confección había sido encargada a un escribano, de acuerdo a un modelo tipo para esta situación. En ese escrito con fuerza de documento notarial dirigido a las autoridades argentinas en Damasco, Wafaa al Kabani, de nacionalidad siria, residente en la Argentina desde 1978, daba fe de su relación de parentesco con Salma al Kabani, declaraba ser económicamente solvente para sufragar todos los gastos que su sobrina ocasionara durante la vigencia del visado y manifestaba su voluntad de acogerla en su domicilio.

Las mujeres habían decidido enviarla por correo privado para asegurarse de su llegada. Dana tomó la cartera del recibidor y se marchó al centro de La Rioja.

Damasco, Siria

A la mañana siguiente, en Damasco, a primera hora, apenas se levantó, Salma habló a la Embajada argentina. Le respondieron que no podían brindarle esa información por teléfono y que debía presentarse personalmente.

En la sede diplomática, el único funcionario argentino era el cónsul; el resto se había marchado a causa de la guerra y la atención al público había quedado a cargo de agentes del servicio de inteligencia sirio, quienes tenían órdenes expresas de no gestionar visados, pues el gobierno de Al Asad deseaba impedir la salida de sus habitantes. El pueblo debía estar unido y los hombres, prestos para enfrentar la contienda. Nadie debía escapar del país.

Salma había sido atendida por Zaida. La mujer que dirigía ese sector estaba casada con un importante militar que se encontraba en el frente de batalla, arriesgando su vida cada día. Zaida, por su situación personal, deseaba que los sirios no abandonaran el territorio. Por tal razón, y de manera estratégica, le habían asignado ese cargo con la premisa de rechazar las visas.

Cuando Salma terminó la llamada con la mujer, supo que para enfrentar este papeleo debía contar con el apoyo de Namira. Por empezar, necesitaba un auto para movilizarse. Su Audi A3 había quedado en la cochera del edificio de su casa paterna y allí no podía volver. Entre otras cosas, precisaba dinero para las gestiones y contactos varios, desde un escribano a protección contra las represalias que pudiera tomar su padre.

No lo pensó más: decidió hablar con su tía. La llamó y, sentadas en el comedor, le contó:

—Álvaro quiere sacarme de Siria.

—Me lo imaginaba.

—La única posibilidad cierta de que lo logre es a través del llamado de un pariente desde la Argentina. Debe hacerlo con una carta diplomática.

—¿Cómo es eso del pariente? —preguntó dubitativa. El único familiar que vivía del otro lado del Atlántico era su hermana menor. Por esa sola razón, el plan ya empezaba a caerle mal.

—Wafaa, que está dispuesta a tramitarlo.

El nombre de su hermana le recordó los malos momentos del pasado, le sonó a traición.

—No me convence...

—Dice Sánchez que me ayudará.

—Yo no me fiaría tanto de Wafaa.

—No tengo otra oportunidad, tía. Aun con su colaboración, no sé si podré salir de Siria; sobre todo, si nadie me apoya desde aquí —dijo suplicante.

Namira entendió qué significaba ese tono, esa mirada, ese gesto, pero calló. Salma continuó con su pedido.

–Tía, precisaré un coche, dinero para moverme y, ya sabes, protección, porque no sé cómo reaccionará mi padre. Él entorpecerá mis movimientos.

Salma pedía.

Su tía la escrutaba fijamente. Al fin dijo:

–Yo te ayudaré.

Namira, una vez más, concedía. Ya conocía el sabor de la concesión y no le desagradaba. Al contrario, el día anterior había aprendido a degustarlo.

*   *   *

Una hora después, Salma arribó a la Embajada argentina conduciendo uno de los autos de su tía. Vestía una túnica color verde que Namira le había prestado de su guardarropa; debajo, llevaba el único jean y la única camisa que había alcanzado a sacar de su casa. Para la ocasión, dada la naturaleza de su empresa, le pareció oportuno cubrir su cabeza con un *hiyab* y eligió uno floreado de su tía. En la puerta, la saludó un empleado, un caballero mayor de turbante turquesa y túnica oscura al que, por su apariencia, le atribuyó origen pakistaní. Le devolvió el saludo sonriente, se sentía exultante; ante ella se abría una nueva posibilidad.

Hacia el mediodía, Salma conoció a Zaida, la mujer de unos cuarenta años, quien, muy amablemente, le pidió que se armara de paciencia porque las diligencias de ese tipo insumían tiempo y se volvían lentas y tediosas. Salma así pudo entreverlo, porque le entregó una larguísima lista con los requisitos: partidas de nacimiento de ella, de sus padres e, incluso, de su hermana, certificados de domicilio y antecedentes penales, título de estudios académicos, escrituras de propiedades y registros de autos a su nombre, cuenta bancaria... Y más, mucho más. Y, como si fuera poco, debía presentar toda la documentación traducida y legalizada.

Salma, en la calle, a punto de subirse en el auto para regresar a la casa de Namira, repasó nuevamente la larga lista y se preguntó si alguna vez lograría estar junto a Álvaro. No lo sabía. Pero, al menos, había aprendido que en esta vida se podía elegir. En ese momento lo intentaba y eso la llenaba de orgullo. Elegir era posible, no una quimera.

Esta vez fue ella quien saludó al empleado de turbante turquesa que seguía en la puerta. Se sentía una mujer libre, actual y agradecida con la vida.

Pese a las dificultades que suponía su elección, había decidido estar con Sánchez. Y no se arrepentía. Se sentía audaz, intrépida, fuerte, en condiciones de perseguir un sueño.

Salma había aprendido a volar con alas propias.

CAPÍTULO 21

El hombre es enemigo de lo que ignora.
Enseña una lengua y evitarás una guerra.
Expande una cultura y acercarás un pueblo a otro.
NAÍM BOUTANOS

27 de diciembre de 2014, Argentina

Álvaro descendió del avión, pisó tierra argentina y se estremeció ante la fuerte emoción. Él nunca había sido sensible con estas cuestiones, pero la situación que vivía lo tenía con los sentimientos a flor de piel, sumado al agradecimiento que sentía cuando meditaba que, tal vez, si hubiera muerto en Duma, no estaría aspirando el aire de su tierra.

Jamás había pensado en volver a su país en semejantes circunstancias; tantas veces su madre le había pedido que compartieran unos días juntos y él, siempre tapado de trabajo y con metas por alcanzar, lo postergaba porque sus desafíos y los viajes laborales lo entusiasmaban demasiado. Y ahora estaba ahí, por amor a una mujer siria con la que esperaba un hijo. La reflexión lo impresionó: la vida tenía sorpresas.

El año 2014 llegaba a su fin con la esperanza de que 2015 lo encontrara junto a Salma. En Barcelona había pasado una Navidad sin pena ni gloria. Esa noche cenó con algunos buenos amigos que entendían la angustia que lo atravesaba. Al menos el Año Nuevo lo pasaría en la Argentina, en familia y con clima cálido.

Llevaba varios años sin visitar La Rioja y muchos más que no vivía con alguien, salvo con Salma y durante aquellos eventos especiales. La soledad a la que estaba acostumbrado le permitía sospechar que, aunque se tratara de su madre, podrían molestarse mutuamente. Por esa razón, habían acordado que, cuando llegara, se instalaría en el departamento de servicio de la casa, junto al quincho y la pileta, donde había vivido los últimos años antes de marcharse a España. Tendría la cuota de privacidad y no extrañaría la soledad, tan necesaria por estos turbulentos tiempos en que hablaba con Salma a cualquier hora, o se desvelaba e, insomne, ponía música para calmarse a las dos de la mañana.

Como fuera, y a pesar de los problemas que enfrentaba, regresar al lugar donde se había criado para pasar la fiesta de Año Nuevo con Dana lo tenía animado. Pensó en su madre y en cómo se había cargado en sus espaldas el trámite de Salma sólo por verlo feliz, y sintió deseos de abrazarla. Ella luchaba por esos papeles con todo el amor del mundo para que él pudiera reencontrarse con la mujer que amaba.

En este viaje conocería a Wafaa. Intrigado, se preguntaba a quién sería parecida. ¿A Namira? ¿O tal vez a Salma? Hacía apenas unos meses, ni las conocía, y ahora esas tres mujeres ocupaban un lugar importante en su vida. A Salma la amaba, claro, y sin la ayuda de las hermanas Al Kabani ellos dos no podrían imaginar ningún reencuentro. Namira, por cuidar de su sobrina, allá en Damasco, y Wafaa, acá, en La Rioja, que hasta había dejado su librería temporalmente en manos del encargado para concentrarse en el bendito trámite de llamamiento, se habían transformado en piezas fundamentales de la historia que había comenzado a tejerse en Duma.

Le faltaba realizar la conexión Buenos Aires-La Rioja y, finalmente, conocería a Wafaa, esta mujer crucial. Tenía deseos de agradecerle en persona las molestias que se había tomado.

En breve pisaría la capital de La Rioja, ese mundo conocido y querido donde tantos inmigrantes del Medio Oriente, como su abuelo materno, habían echado raíces.

Tenía la esperanza de poder colaborar desde la Argentina para que a Salma se le abrieran más rápido las puertas de Damasco. Durante la última llamada que se hacían a diario, ella le había contado que se encontraba en plena misión de recolectar la documentación requerida. Y con un halo de satisfacción, agregó que le faltaba muy poco para, al fin, ingresar todos los papeles solicitados por la Embajada. Pese a que el trámite estaba en curso, aunque lejos de finalizar y contra toda lógica, Zaida le había solicitado que anexara los pasajes aéreos con las escalas correspondientes, gestión que Namira concretó de inmediato y su sobrina presentó al día siguiente. Ahora restaba rogar por que Salma pudiera volar el sábado 10 de enero de 2015. Namira había comprado los pasajes con fe.

29 de diciembre de 2014, Damasco, Siria

Ese lunes, temprano, Salma salió en coche de la casa de Namira rumbo a la Embajada, destino que se había transformado en su ruta diaria. Recorrer los pocos kilómetros que la separaban de la sede diplomática le demandaban más de una hora porque los retenes habían aumentado y se habían vuelto más férreos: en cada uno debía detener el auto para mostrar los documentos y explicar a dónde se dirigía. Las vallas de control de la ciudad de Damasco se habían multiplicado a raíz de una guerra que intensificaba la rispidez y la peligrosidad. Los cortes de luz y agua eran constantes. Los alimentos escaseaban.

Pero esa mañana, a Salma no le importaban los problemas del tránsito ni las demoras. Rebosaba de felicidad porque tenía en sus manos el último documento que Zaida le había pedido para, finalmente, otorgarle la visa.

Llegó a la puerta y saludó cortésmente al hombre del turbante turquesa, que le devolvió el saludo con la misma calidez. Estaba segura de que cuidaba el estacionamiento o era chofer porque siempre lo encontraba junto a los vehículos. A Salma comenzaba a parecerle un viejo amigo, alguien amable en ese mundo hostil ligado a la burocracia, donde ambos trataban de no perder la afabilidad.

Ingresó y fue directo a la ventanilla donde atendía la mujer. Por suerte, no había nadie en espera. Salma saludó.

—¡Al fin he conseguido la partida de nacimiento de mi padre! —comentó exultante y apoyó el papel en el mostrador. Luego se concentró en hablar a través del micrófono del habitáculo vidriado—: Era lo único que me quedaba.

La mujer levantó la vista y se acercó al puesto de atención al público.

—Hola. ¿Habías traído ya el pasaje, verdad?

—¡Claro! —aseguró Salma, quien no dudó. En cada visita, la mujer había aparentado tener un efectivo seguimiento del trámite. El pasaje estaba en su poder prácticamente desde el mismo día en que Namira lo había comprado.

—¿Y la copia de tu título universitario?

—También.

—Te preguntaba porque son muy pocos los que cumplen con todos los requisitos... Son tantos... —suspiró cómplice—. Pero no es tu caso. Y ahora que tu legajo está completo, lo pondremos en el casillero VIP.

—¿Qué clase de casillero es ese?

—Al que van las carpetas que se estudiarán en primer término, cuando termine la guerra.

—¿¡Cómo cuando termine la guerra!? ¡Presenté los documentos porque me darían el visado para viajar a la Argentina!

—Pero a raíz de la guerra no se están dando visas turísticas. Fueron suspendidas.

Salma abrió grande los ojos.

—¡Pero nadie me aclaró! ¡Y yo debo viajar a la Argentina! —explotó.

Después de varias semanas intensas luchando por los dichosos papeles... ¡ahora le negaban la visa! No podía creerlo, tenía ganas de llorar.

—¿Y a qué se debe tanta urgencia? —deslizó Zaida con mala cara. La muchacha bonita no la engañaba; estaba segura de que la movilizaba el deseo de acompañar al destierro a algún vil desertor, uno de los tantos hombres sirios que huían para no pelear en la guerra. Los muy cobardes se negaban mientras a su pobre marido, militar de carrera, le tocaba lo recio de la batalla. Si la chica quería correr tras un desertor, pues entonces tendría que mentirle en la cara. Esperó la respuesta. Salma se la dio conforme a lo convenido con Álvaro.

−Porque... tengo familia en Argentina y quería pasar las fiestas con ellos.

−La Navidad cristiana ya pasó y tu pasaje está fechado para... −revisó los papeles− el 10 de enero.

−Empecé el trámite hace unas semanas y, como no tenía certeza de cuándo lograría reunir los papeles, entonces reservé esa fecha. Pero mi intención original era viajar para las fiestas. Mi tía me espera.

−Ah, una tía...

−Sí, ella ha enviado una carta de invitación.

−Cuando tengas la carta, ven de nuevo. Quédate tranquila, que tu petición queda primera en el casillero del cónsul.

−El cónsul... ¿está? −preguntó Salma asumiendo que, tal vez, el funcionario podía interesarse en su caso.

−No. Pero tu legajo será lo primero que vea cuando regrese la semana que viene.

−Entonces, volveré el próximo lunes para saber si hay noticias.

−Mejor regresa en febrero o en marzo. No creo que antes se pueda tomar una decisión... Ya sabes... la guerra.

−¿Y si antes llega la carta de mi tía?

−Entonces, ven y tráela. Algo haremos −respondió Zaida con la seguridad de que esa carta no existía.

Salma salió a la calle deshecha, abatida e indignada. Una mezcla de tristeza, desesperación y enojo la dominaban. Quería llorar y gritar, todo junto. Se subió al coche y lo hizo. Lloró, gritó y pataleó. Luego se calmó. Acostumbrada a no expresar sus sentimientos, ese tipo de reacciones eran nuevas para ella. Y, liberada, se percibió liviana. Aun así, no veía la hora de regresar a la casa de Namira para hablar con Álvaro y contarle sobre el revés sufrido. El aplazamiento sólo significaba una cosa: los tiempos para su reencuentro volvían a extenderse. Si seguía demorándose, el pasaje comprado se vencería.

* * *

En el piso de la familia Al Kabani el desayuno entre los esposos se desarrollaba en silencio. Abdallah tomaba su café y leía el diario, su mujer ojeaba la revistilla de publicidades que acompañaba esa edición. Parecía el comienzo de un día común en la vida de un matrimonio normal, pero no lo era. En la casa faltaba Salma; y aunque no lo comentaban, nadie se olvidaba, como tampoco que se había marchado sin permiso.

En la casa de los Al Kabani estaba ausente la hija embarazada de quién sabía quién, la que deseaba fugarse con un extranjero infiel. Desde su marcha, apoyada nada menos que por su tía, las posibles soluciones al problema danzaban por la cabeza de ambos padres. Abdallah evaluaba acciones mucho más radicales que las de su mujer.

Sin dejar de hojear el diario, comentó como al pasar:

−Anisa, esta tarde a las cinco estate lista que pasaré por ti. Iremos a la casa de Namira para buscar a Salma.

La mujer abandonó la publicación y, después de unos segundos, contestó en el mismo tono de aparente despreocupación.

−Ay, Abdallah, no creo que pueda acompañarte. Tengo cosas que hacer.

−¿Qué tienes que hacer?

−Llegan los muebles que encargamos la semana pasada, antes de…

No quiso poner en palabras la situación vivida con Salma.

−Que los reciba Mahalia.

−Debo estar presente porque necesito cerciorarme sobre ciertos detalles.

Abdallah estaba a punto de exigirle que dejara esa tarea en manos de la empleada, pero Anisa no le dio tiempo.

—Ahora me voy —anunció mientras se retiraba— porque debo llamar al decorador para que también esté presente esta tarde. Su marido reconoció que era verdad. Cada año y como toda familia siria pudiente, se tomaban la tarea de cambiar los muebles. Remodelar la casa, dada la importancia central para la vida doméstica y social, demandaba mucha energía y dinero. En general, a los sirios no les resultaban atractivos los viajes, aunque sí exhibir la vivienda a sus conocidos. En algunos círculos, incluso, se competía para determinar cuál reunía la mayor cantidad de detalles sofisticados. Por consiguiente, los decoradores cumplían una labor exigente y muy demandada. Pero que su mujer rechazara acompañarlo para restituir el orden... No, no tendría que haberse negado.

El día que se llevó a su hija, Namira había irrumpido en su casa, sobrepasado su autoridad y tomado decisiones que, como padre, sólo le concernían a él. Salma había seguido esa línea y ahora su esposa también parecía desafiarlo. Su mando como hombre de familia se había puesto en duda. Y esa era una de las principales razones por las que debía solucionar cuanto antes la irregular situación de Salma. Decidió darle a Anisa una oportunidad más, simplemente, porque necesitaba su apoyo. Bastante tenía con una hermana rebelde y una hija desobediente.

* * *

Salma entró a la casa como una exhalación. Cuando Namira la vio, tuvo la certeza de que las cosas iban mal.

—¿Qué pasó?

—Me dicen que no pueden darme la visa turística porque están suspendidas por la guerra.

—*Welad alkalb!* —exclamó Namira insultando en árabe. Claro que se trataba de un improperio digno de una dama como ella.

—No doy más, se me acaban las fuerzas.

—Mira, Salma, he visto en internet un artículo que lleva por título «Cómo deben hacer los sirios para emigrar a Argentina». Dile a Álvaro que investigue. Tal vez ese hombre pueda ayudarlos.

Salma asintió ante la sugerencia.

—También te he comprado ropa y un celular para que estés comunicada —dijo Namira y le entregó el aparato.

—Gracias, muchas gracias —Salma aceptó las atenciones, emocionada.

Su tía estaba pendiente de sus necesidades. Tenía claro que nada de lo que estaba realizando sería posible si Namira no la estuviera ayudando.

Salma cargó el número de Álvaro en el celular nuevo y enseguida pudo comunicarse. Por la diferencia horaria, lo encontró desayunando. Tomaba café mientras Dana, a su lado, untaba las tostadas.

Salma le contó del regalo, pero también las malas noticias. Luego, le pasó el dato que acababa de darle Namira sobre la página de internet. Mientras escuchaba a Salma hablar al borde de las lágrimas, Álvaro trataba de consolarla, pero, al mismo tiempo, de ocultar su desánimo. Conversaron un largo rato hasta que sus fuerzas se renovaron. Oírse les hacía bien. Les daba optimismo saber que aún se amaban.

Cuando cortaron, Álvaro le narró a Dana el traspié burocrático. Ella, muy apenada, cruzó a la casa de Wafaa dispuesta a consultar el estado del envío de la carta. Por lo que su hijo le había relatado, ese escrito era fundamental y no se explicaban por qué todavía no había llegado a Damasco.

Cuando Dana se marchó, Álvaro se dedicó a leer el artículo sobre la inmigración siria firmado por Abdul Baradei, miembro de la Comisión Directiva del Centro Islámico de la República Argentina. Era concreto e interesante; sabía de qué hablaba. Buscó en internet sus datos de contacto y al cabo de unos minutos conversaba por teléfono con el hombre. Desinteresadamente, tras oír el grado de congoja de su interlocutor, Abdul Baradei le ofreció ciertos datos importantes para avanzar con la gestión de la familia Al Kabani.

Primero: Zaida, la mujer que trabajaba en la Embajada, esposa de un militar sirio de rango, jamás terminaría el trámite porque no quería que nadie saliera del país, por lo que debía tratar de buscar a alguien más. Segundo: Salma no debía solicitar una visa turística, sino una humanitaria. Tercero: Álvaro debía llevar adelante la petición de acuerdo al programa de acogimiento que el gobierno argentino había lanzado para los ciudadanos sirios que necesitaban huir de la guerra. Por último, debía concurrir a las oficinas que la Dirección Nacional de Migraciones tenía en La Rioja. Abdul dominaba detalles burocráticos que no estaban al alcance de cualquier empleado. Por eso, desde el Centro Islámico intentaba brindarles su valiosa ayuda a quienes deseaban acogerse al Programa Siria.

La charla con el amable hombre había sido instructiva. Estaba ansioso por contarles los pormenores a su madre y a Wafaa, quien seguía atenta al trámite. Tras su llegada a La Rioja, habían compartido con la mujer almuerzos o cenas y una larga y jugosa sobremesa. Aunque no tenía la belleza ni la prestancia de su hermana, la otra tía de Salma era una mujer divertida y mucho más descontracturada. Wafaa había pasado varios años viviendo en La Rioja y a los ojos y oídos de cualquiera parecía una argentina más. Nadie podría imaginársela vestida con *hiyab* o túnica en vez de los trajecitos sastre que usaba a diario.

Pensó que, cuando ellas regresaran, las pondría al tanto, pero no adivinó que las dos mujeres se habían acercado a Baladí, el negocio de comida árabe de la calle Gobernador Gordillo cuyo dueño, el libanés Talal, les brindó datos idénticos a los que acababa de recabar Álvaro por teléfono. Un vecino les sugirió que lo visitaran porque sabía de buena fuente que un sobrino intentaba emigrar a la Argentina desde Medio Oriente.

Dana y Wafaa oyeron atentamente a Talal. Mientras el libanés contaba las peripecias del muchacho, la madre de Álvaro sacó de la cartera su famosa libretita verde y anotó cada detalle que podría servirles.

31 de diciembre de 2014, La Rioja, Argentina

Aún no eran las ocho de la mañana del último día del año cuando, en las oficinas de Migraciones de la calle Rivadavia de la capital riojana, Dana y Wafaa formaban fila. Desde que contaron con la nueva información brindada por Talal y Baradei, estaban listas para continuar persiguiendo su meta, como sabueso que no está dispuesto a soltar su presa.

A pesar de la larga fila, un empleado les hizo señas desde la ventanilla para que entraran sin esperar. Les daba pena tenerlas de pie; además, toda la oficina conocía qué trámite gestionaban esas dos mujeres mayores. Y desde que Álvaro les había transmitido las directivas del señor Abdul Baradei, visitaban Migraciones por tercer día consecutivo.

El personal de la oficina, al tanto del caso, estaba alborotado porque sería el primero en el que aplicarían el Programa Siria lanzado por el gobierno argentino con el fin de otorgar visa humanitaria a los ciudadanos sirios que escapaban de la guerra. El requisito fundamental, claro, era la carta de invitación realizada por un pariente con residencia en la Argentina. Una igual a la que ellas habían confeccionado y despachado a Salma y que estaba camino a Damasco. La diligencia se hallaba hecha y marchaba bien, igual que los demás trámites. Porque en la oficina en la que acababan de entrar las dos mujeres les habían pedido exactamente los mismos documentos que a Salma en la Embajada de Damasco. El trabajo que ella había realizado reuniendo todo, por más que Zaida lo había cajoneado, no había sido en vano, pues ahora su tía y Dana no tendrían que perder tiempo tramitando cada papel nuevo. Salma se los había enviado por *mail*.

Dana y Wafaa entregaron toda esa documentación a la directora de Migraciones de La Rioja, quien les explicó que, tras verificarla, la adjuntaría a la petición formal para que Salma ingresara al país. Una vez concluido este paso, todos los papeles serían remitidos a la sede central de la Dirección Nacional de Migraciones, en Buenos Aires, donde analizarían el caso y pedirían a la Interpol el informe de rigor para determinar qué clase de personas eran Salma y Wafaa al Kabani. Desde que Siria había sido declarado por Estados Unidos uno de los seis países del Eje del Mal, allá por 2001, se requería certeza de que ningún emigrante, en especial Salma, fuera considerada persona peligrosa para la seguridad nacional.

Una vez que el informe de la Interpol resultara positivo, el director nacional de Migraciones de la República Argentina emitiría el permiso correspondiente para que la interesada ingresara legalmente al país. De inmediato, el dictamen sería enviado a la Embajada argentina en Damasco y, desde ese momento, ni la secretaria Zaida ni el mismísimo cónsul podrían negarse a plasmar la visa humanitaria en el pasaporte de Salma al Kabani.

Las mujeres respiraron aliviadas. Los trámites estaban encaminados, pero...

—Pero mi sobrina —se atrevió a comentar Wafaa— tiene comprado el pasaje para el 10 de enero.

—Pues, señora, que lo vaya cambiando. Las diligencias que faltan llevarán tiempo. Comprenda, además, que estamos a fin de año... asueto para la administración pública, feriados, vacaciones, personal mínimo... Ruegue por que nada entorpezca el avance.

Dana y Wafaa se miraron: ellas se encargarían de los ruegos. La primera le pediría a Dios y la otra, a Alá. Aunque después de varias charlas al respecto habían llegado a la conclusión de que se trataba del mismo ser.

Damasco, Siria

Abdallah controló el Apple Watch de su muñeca izquierda: las cuatro de la tarde. En un par de horas llegarían a la casa su hija menor, Malak, y su marido. La pareja había decidido visitarlos para aprovechar los festejos que tenían lugar en Damasco, donde la comunidad cristiana era tan bullanguera como la del Líbano y celebraba el Año Nuevo.

En la casa Al Kabani, como en la mayoría de los hogares sirios, jamás se había festejado la Nochevieja occidental. Apenas si cenaban temprano y liviano. Tal vez, sí, durante el almuerzo del día siguiente, con las escuelas, las oficinas y los negocios cerrados, comerían algo especial. Pero para los Al Kabani, como para el resto de los musulmanes, vivían en 1436 y el primero de enero se recordaba la peregrinación —la hégira— que hizo el profeta Mahoma desde La Meca a Yathrib, hoy Medina, en Arabia Saudita. Y sus festividades estaban señaladas por el calendario islámico, que sigue el ciclo lunar, la del sacrificio y la de finalización del mes de ayuno, entre otras.

Abdallah estaba seguro de que, apenas llegara, la joven pareja querría saber por qué Salma no se encontraba en la casa. Las hermanas no se veían desde antes de que Malak anunciara su flamante embarazo. Abdallah desconocía qué explicación ofrecería delante de su yerno. ¿Que su hija se había marchado porque estaba embarazada de un infiel y quería seguirlo a Europa? ¿Que ni por asomo estaban seguros de a quién le pertenecía ese niño? ¿Se animaría a comentar que había una posibilidad muy cierta de que fuera de otro hombre que la había forzado en Duma? ¿Confesaría que Salma no estaba en su hogar porque Namira se la había llevado desafiando su voluntad? No, señor, jamás diría eso. Debía solucionar la ausencia de Salma en las próximas horas. Si su mujer no lo acompañaba, iría él, solo, porque Abdallah, hijo de Khalil al Kabani, era capaz de traer a su hija de regreso al hogar paterno. No le insistiría a Anisa, temía que se negara. ¿Y qué haría él ante el desaire? ¿Cómo la sometería? Eso le pasaba por ser demasiado blando. Tenía amigos mucho más rígidos y la familia funcionaba sin fisuras. Asumía que había sido mala cosa haber perdido autoridad porque ahora sería difícil recuperarla, salvo que estuviera dispuesto a implementar una medida extrema. Sin embargo, recordaba perfectamente qué había ocurrido el día que vino la médica: ¡no había soportado la presión de la situación!

Con Malak a punto de llegar, como fuera, Salma debía estar en el hogar; después vería qué hacía con ella y con su madre. Porque había una realidad: un padre de familia que no podía gobernar su casa no era digno de llamarse «hombre». Conocía muy bien el dicho, y al recordarlo, con tal de no perder su hombría, se prometió a sí mismo llegar hasta las últimas consecuencias.

Se puso en marcha. Iría a la casa de piedra gris.

La Rioja, Argentina

Por la tarde, en el patio de la casa de Dana Sánchez, Álvaro armaba las mesas junto a la pileta para la fiesta de Año Nuevo. El parque relucía, su madre le había pedido al jardinero que tuviera el césped impecable y que plantara dos cajones de clavelinas rojas en los canteros que bordeaban la galería. Contar con su hijo en esta fecha especial, para Dana significaba una gran alegría y quería festejarlo en familia. Su hijo estaba pendiente del trámite de Salma, la extrañaba y sufría su ausencia, pero estaba segura de que le vendría bien reunirse con los parientes. Un día, no muy lejano, todos los problemas que hoy los aquejaban se los llevaría el viento y les quedaría el recuerdo de una fiesta inolvidable. Dana tenía la firme esperanza de que Salma, al fin, lograría subirse a un avión para encontrarse con su hijo; y para lograrlo, luchaba con denuedo. Deseaba ver feliz a Álvaro, conocer a la chica por la que movían cielo y tierra y, por supuesto, al nieto que venía en camino. No se trataba de un enamoramiento cualquiera, había un hijo de por medio. Y esa era una de las razones de peso que la llevaba tan insistentemente a las oficinas de la calle Rivadavia.

La cena de Año Nuevo, planeada al aire libre, contaría con la presencia de los hermanos y los sobrinos de Dana. Como algunos estaban casados, el patio estaría lleno de gente, con niños correteando por el parque.

Desde la ventana de la cocina, Dana veía cómo Álvaro, vestido de short de baño azul, acomodaba las decenas de sillas. Un momento atrás, pese a su reciente llegada, había notado su bronceado justo cuando se daba un chapuzón en la pileta. Lo observaba controlar cada tanto su celular, atento a las novedades de Salma. Leía y escribía; lo dejaba a un lado y volvía a activarlo. Como madre, rogó por que la vida le concediera a su hijo los deseos que él atesoraba en el corazón.

Damasco, Siria

En la capital siria, en la biblioteca de la casa de piedra gris, Salma inventariaba los departamentos que Namira había heredado de Hazim, su difunto esposo. Mientras ayudaba a su tía, Salma había vuelto a andar descalza, señal inequívoca de que, pese a las contrariedades, seguía sintiéndose libre.

A gusto en la casa de Namira, que se había convertido en su nuevo hogar, Salma le enseñaba a su tía unos trucos de Excel. Y mientras conversaban animadamente sobre el estado de los inmuebles y cargaban datos en las *notebooks*, los perros comenzaron a ladrar. Luego, sonó el timbre de la puerta de calle. Namira se puso en alerta. No esperaba a nadie, y a esa hora no solía recibir visitas. La empleada atendió y de inmediato se acercó para avisarle que el señor Abdallah estaba en la puerta.

—¿Lo hago pasar? Consulto, señora, porque usted me pidió que le avisara...

—Yo iré —respondió Namira ante la mirada angustiada de Salma.

Ambas temían esa visita.

Llegó a la puerta y abrió.

—Hola, hermana... —dijo Abdallah para remarcar el vínculo que los unía.

—Hola, hermano —saludó con idénticas palabras y añadió—: Dime qué necesitas...

—Quiero hablar con mi hija.

—¿Sólo hablar? No quiero problemas.

—En realidad, quiero que vuelva a casa.

—Ya conoces su decisión. Además, creo que la última vez fuiste demasiado lejos.

—Permíteme hablar con ella.

Namira percibió su preocupación y sintió pena. Al fin y al cabo, se trataba de su hermano menor, y lo quería. Descubrió que era tan esclavo de los dictámenes de la sociedad como ella y Salma. Asimismo, lo conocía tan bien que podía asegurar: «Si ese pobre hombre pudiera elegir libremente ante la situación que tenía entre manos, él actuaría de una forma diferente, él apoyaría a su hija». En el fondo, el mayor temor de Abdallah radicaba en las opiniones que los demás hombres pudieran vertir sobre él.

—Bien, pasa —aceptó Namira—. Salma está en la biblioteca.

Al Kabani, seguido por su hermana, fue directamente a la sala. Llegó, abrió la puerta, vio a Salma y las remembranzas de aquel día vinieron a su mente y lo llenaron de vergüenza, pero también de rabia. Otra vez, sus sentimientos vagaban por los extremos.

Salma experimentó algo similar, pero en su interior también se le coló un hilo de miedo.

—Vine a buscarte para llevarte a casa.

—No creo que yo…

—¿Por qué no quieres venir?

—Porque deseo tener al niño y sigo planeando viajar para reunirme con Álvaro.

Al Kabani se indignó; su hija seguía con la misma cantinela de siempre. Aun así, trató de mantenerse calmo.

—Estuve pensando, Salma. Si quieres —propuso—, puedes tener al niño. Podrías instalarte en el *mazraea* de tus abuelos. Allí, en el campo, nadie se enteraría y luego podríamos darlo a una buena familia.

—No me iré a la casa de Ghuta ni a ninguna otra parte. Sánchez me espera, está tramitando los papeles para que podamos reunirnos.

—No podrás salir de Siria —advirtió—. Eso, niña, puedo asegurártelo. Sánchez terminará cansado de esperarte y tú te quedarás con la afrenta de un embarazo. Tú y todos los Al Kabani.

—Entonces, ¿cuál sería su plan, padre?

—Que tengas el niño y lo entreguemos a una familia. Luego podríamos buscarte un buen marido.

—No quiero nada de eso.

—¡Pues tendrás que quererlo y olvidarte de Sánchez! —exigió perdiendo la paciencia y, tras tomarla del brazo, la llevó por la fuerza hasta la puerta.

Namira, que se había quedado en el pasillo, tras tenerlos de frente, obstruyó la salida.

Abdallah soltó a su hija pero señaló decidido:

—Nos vamos.

—Salma, ¿quieres irte con tu padre? —preguntó Namira.

—No.

—Entonces, hermano, Salma se queda. Vamos, métete en la biblioteca, que yo despediré a tu padre —dijo Namira.

Su sobrina obedeció de inmediato y, con un movimiento rápido, Namira sacó la llave y cerró por fuera.

—¿Qué haces?

—Te pongo freno para que no cometas una locura —advirtió mientras se metía la llave entre la ropa.

—Ábreme —ordenó.

—No.

—¡Es mi hija!

—Pero no quiere irse y es mayor de edad.

—Cree que Sánchez la quiere y que la sacará del país.

—No sé si ese hombre cumplirá. Pero ella acepta tomar el riesgo de creerle y tienes que respetarla.

—¡Nunca pensé que mi propia hermana me haría esto! Debí haber asumido que traicionarías a la familia como lo hizo Wafaa.

—No me compares con ella.

—Eres igual… —lanzó buscando herirla y luego amenazó—: Haré la denuncia y volveré con un escribano y las autoridades. ¡Y no podrás negarte a que Salma regrese a su casa!

—No te atreverías.

—¿Que no...? No me desafíes.

—Haz lo que tengas que hacer; sobre todo, respetar a tu hija, que si se tratara de un hijo varón, bien que lo harías.

—¿Qué quieres, Namira? ¿Cambiar lo que está impuesto desde hace miles de años?

—Sí.

—En verdad: estás loca.

* * *

Salma, encerrada en la biblioteca, oyó un portazo y comprendió que su padre se había marchado. Tranquila, decidió hablar con su hermana Malak. Debía ponerla al corriente de la situación; ya no podía esperar más. Antes no había querido contarle para no ponerla en peligro; su esposo, por demás tradicional, podía enojarse e, incluso, castigarla si se enteraba de que las hermanas mantenían contacto. Pero su cuñado no tenía por qué saberlo; sería un secreto entre hermanas.

Marcó el número del celular de Malak y por saludo recibió una exclamación.

—*Bismillah*, Salma! ¿Qué está pasando? Te he hablado varias veces a tu celular sin respuesta y cuando pregunté por ti a mamá o a papá me dijeron que no te nombrara.

—Ay, hermana, es una larga historia que tiene que ver con Duma.

—¡Duma!

Por supuesto, conocía sobre su escape, la búsqueda desesperada de su familia y la contrariedad de su padre. Pero, cuando la visitó al regreso del hospital, durante la primera semana, Salma parecía sumergida en un mutismo total y no le había contado nada especial.

—Sí, Duma, el fotógrafo.

—*Bismillah!* —invocó nuevamente Malak, cuando Namira entró a la biblioteca.

Pero la tía, al comprender que las hermanas hablaban por

primera vez en mucho tiempo, decidió regresar luego. Ya habría tiempo para comentar lo acontecido con Abdallah.

Salma intentó resumir el relato; sin embargo, dada la cantidad de detalles, fue imposible. Al fin, cuando se refirió a la reciente visita del padre, Malak la interrumpió.

—Hermana, no creo que estés haciendo bien. No sé...

Salma había esperado otra reacción pero entendía la condición de Malak: mujer casada con dos niños, veintitrés años y apegada a la ortodoxia. Su mente hallaba la historia de su hermana mayor peligrosa y arriesgada.

—No te pido que te pongas de mi lado —le dijo Salma—, sólo deseaba que supieras qué es de mi vida en este momento.

—Cuídate, Salma.

—Lo haré. ¿Puedo contar con que mantengas en secreto esta llamada?

—Claro que sí. Además, revelar que me estoy comunicando contigo, sinceramente, me traería problemas.

—Lo sé. Cuídate tú también.

—Sí.

Pese a despedirse con afecto, Salma confirmó su sospecha: no podría contar con el apoyo de su hermana. No estaba preparada.

Al menos, Namira estaba de su lado. Era la única.

La Rioja, Argentina

Dana salió al patio y le alcanzó a Álvaro los manteles de color rojo que usaba siempre para Navidad y Año Nuevo. Él los extendió sobre la larga mesa.

—Me parece —comentó ilusionada y atenta a los detalles de la reunión— que iré al supermercado para comprar unos platos descartables, unos de color verde que vi el otro día. Quiero usarlos para armar una mesa de dulces con turrones, garrapiñadas, nueces confitadas, tú sabes...

—¿Estás segura de que los necesitas? —preguntó Álvaro con la mente práctica de hombre.

—Hum… —suspiró— quedarían muy lindos.

—Iré yo antes de que cierren. Quédate a descansar —propuso mientras se ponía la remera para salir a la calle. No le costaba nada darle el gusto.

En minutos, en short y aún con el pelo mojado del último chapuzón, Álvaro conducía el auto de su madre. Amaba los tórridos veranos de La Rioja y la vida de ciudad pequeña que le permitía esa clase de lujos.

Llegó al supermercado y estacionó. A punto de bajar, su celular sonó. Miró la pantalla. Salma lo llamaba. La atendió y escuchó esa voz suave que le contaba los recientes aconteci-mientos: la aparición de su padre, la determinación de Namira para impedir que se la llevara y su charla con Malak.

Para Álvaro, las reacciones de su tía y de su hermana eran previsibles, pero le preocupó la actitud de Abdallah.

—Pero ¿al fin te quedaste en la casa de Namira sin proble-mas? —indagó.

—Sí, claro.

—¿Estás bien, Salma?

—Sí, sólo que necesitaba oír tu voz, escucharte decir una vez más que todo irá bien.

—Claro, mi amor, todo saldrá bien. Aquí los trámites van adelantando de la mano de Wafaa y de mi madre.

—Pero la carta aún no ha llegado.

—Ya llegará. Tenemos que tener paciencia. Algún día esta-remos los tres juntos, con nuestro hijo y nos acordaremos de este Año Nuevo.

—¿Seremos felices alguna vez?

—Te prometo que sí —contestó optimista. Siempre la animaba. Así como Salma había sido muy fuerte en Duma, él ahora la sostenía para que no decayera ante estos trances.

—Te amo, Álvaro Sánchez.

—Yo, también, Salma al Kabani.

Unas palabras más y se despidieron. Sufrían, pero la vida continuaba en cada rincón del planeta. En algunos, ya transcurrían las primeras horas del año 2015; en otros, se preparaban para la gran celebración del final de 2014.

Cada vez que escuchaba a Salma, Álvaro quedaba herido de muerte. Quería tenerla junto a él, recibir juntos el nuevo año, festejar, brindar y abrazarla. Por supuesto, presentársela a su madre, que conociera a sus primos, a sus tíos. Quería besarla, olerla, hacerle el amor. ¡Ay, cómo extrañaba su cuerpo! Por las noches, solía recordarla en sus detalles porque temía olvidarse de las curvas de su cadera, de la forma de su ombligo, del color exacto de sus pezones. La revivió una y otra vez y… ¡Ay, Dios, cómo dolía! Apoyó la cabeza sobre el volante por unos instantes.

Cuando al fin bajó del coche, trató de centrarse en los platos verdes que su madre había mencionado. ¡Qué podían importarle ahora esos platos! Pero debía comprarlos. El supermercado estaba pronto a cerrar. Debía apurarse.

Ingresó al súper y deambuló por las góndolas mientras en el altavoz sonaba «Nothing compare» en la versión de Sinéad O'Connor. La canción lastimaba aún más sus sentimientos. Todo le recordaba a Salma y al amor que sentía por esa chica damascena que pronto estaría a su lado.

El lugar estaba lleno de gente que hacía sus últimas compras del año. Trataba de dar con el pasillo que lo llevara a la góndola donde encontraría el menaje de cocina, vajilla, descartables… No lo hallaba; no conocía la distribución. Hasta que creyó divisarlos. Por suerte, ese sector estaba semivacío; el público se agolpaba en la zona de bebidas.

«Platos verdes, platos verdes…», repetía mientras repasaba los estantes. Pero no había por ningún lado. «Los habrán vendido a todos», supuso, y sus manos se extendieron en busca de una vajilla sustituta que sirviera para la finalidad que pretendía darle su madre.

Tomó unos de la góndola y los miró: eran platos plásticos de color amarillo.

Platos plásticos de color amarillo…

La imagen lo transportó muy lejos de allí, lo llevó a Siria, a la guerra, a Duma, a esa oficina que había sido su casa y donde había sido feliz. Donde Salma era su mujer sin que nadie los juzgara. Donde comían los duraznos y el atún llenos de felicidad en platos iguales a esos que tenía en las manos.

Se los apoyó contra el pecho. Esos simples platos amarillos, seguramente de fabricación china, para él eran sinónimo de plenitud, de amor, de libertad, de dicha. Sinónimo de Salma.

Salma, Salma, Salma.

Quería llorar. Con la vajilla aún en las manos, apoyó su cabeza contra el estante de la góndola y recordó el día que ella le dio su ración. Los ojos se le llenaron de lágrimas.

Del estado de melancolía en el que estaba sumido sólo logró sacarlo una voz femenina.

—Joven, ¿podría decirme el precio de esos platos, que no alcanzo a verlo? —pidió una anciana que le señalaba los que él atenazaba.

Mientras aguardaba la respuesta, la mujer observaba a Álvaro con detenimiento. ¿Acaso este hombre rubio de short azul no era el hijo de Dana Sánchez, su vecina? ¿El mismo que de adolescente jugaba al fútbol en la vereda y con un pelotazo le rompió un vidrio de su casa? ¿Qué hacía en el supermercado llorando? Lo miró mejor. Hum… No estaba segura. La última vez que lo había visto era sólo un jovencito. No, tenía que ser otro hombre porque recordó que el muchacho de Dana vivía en España.

Álvaro le acercó el precio para que ella pudiera verlo de cerca y comentó:

—Creo que están baratos para lo bonito que son.

La anciana frunció el ceño. No le parecieron ni tan bonitos ni tan baratos.

Él los había encontrado tan lindos que se acercó a la caja registradora con cuatro docenas: dos para su madre y dos para él. Algún día los usaría en su departamento.

* * *

Esa noche, en el barrio La Quebrada, la casa de los Sánchez rebosaba de gente y de felicidad. Las personas desperdigadas por el parque charlaban animadamente disfrutando de la hermosa velada de verano. Los primos estaban felices de reencontrarse con Álvaro después de varios años. El gran asado a cargo del tío Hugo, el hermano menor de Dana, había salido espectacular. Los invitados, después de comer la ensalada de fruta, picoteaban los dulces servidos en los platos amarillos. Pronto serían las doce y elevarían las copas para el brindis.

Dana se acercó a Álvaro. Pese al buen clima familiar, lo encontraba un tanto taciturno.

—¿Estás bien, hijo?

—Sí, un poco melancólico. Extraño a Salma y, aquí, en casa, el recuerdo de papá es muy fuerte.

A Álvaro se le juntaban los extrañares.

—Y, sí… las ausencias de siempre. Pero Salma pronto estará con nosotros. Ella vendrá, ya verás.

—Eso espero —dijo mirando el cielo estrellado.

—¿Y se puede saber —preguntó risueña para sacarlo del tema— por qué has comprado semejante cantidad de platos amarillos? Con una docena hubiera estado bien.

Para la mesa dulce había utilizado unos pocos y sobre la mesada de su cocina descansaba una pila de cuarenta.

—Porque me encantaron —respondió divertido. Explicarle la razón sería una tarea casi imposible.

Charlaron un rato más y Dana se alejó rumbo al quincho. Las mujeres la requerían, pues no encontraban las copas para el brindis.

Álvaro se apartó un poco del gentío y, recostado en una de las reposeras ubicadas frente a la piscina, sacó su celular del bolsillo y marcó el número de Salma. En Damasco ya era la madrugada, pero en la Argentina faltaban cinco minutos para las doce y quería saludarla, deseaba compartir ese momento mágico y emocionante de pasar de un año al otro.

El teléfono sonó sólo tres veces.

—Estabas despierta...

—Sí.

—¿Festejaron con Namira el comienzo de 2015?

—Claro que no, estamos en el año 1436.

Álvaro se sorprendió por la respuesta y de inmediato comprendió las diferentes creencias.

—¡Dios mío! ¡De quién me fui a enamorar! ¡Estoy en la Edad Media! —dijo riendo.

—¡Lo mismo digo yo, que te crees Marti McFly viajando al 2015!

Los dos se desternillaron de risa. Las carcajadas duraron hasta que a Salma la risa se le volvió llanto.

—¿Qué pasa? —preguntó él.

—Te extraño, quiero estar allá.

—Salma, mi amor. Yo, también...

—Ven conmigo ahora —pidió.

—Ya quisiera. Pero ¿cómo...?

—Con la mente. Cierra los ojos y abrázame.

Álvaro le hizo caso, los apretó con fuerza, frunció el rostro, pensó intensamente en Salma y la imaginó tan real que hasta sintió su aroma. Ella lo imitó y logró idéntico resultado. Se estremecieron abrazados a la distancia. Para el amor no había océano que pudiera interponerse.

Unos pequeños estallidos que retumbaron alrededor de Álvaro lo sacaron del agradable ensimismamiento. Los niños jugaban con la pirotecnia inofensiva permitida por sus padres. Los grandes se saludaban y brindaban por el nuevo año. Eran las doce de la noche.

Dana se acercó a Álvaro con una copa en cada mano. Quería brindar con su hijo. Después de lo sucedido en Duma estaba vivo, un verdadero milagro para disfrutar y recordar.

Él y Salma se despidieron.

Madre e hijo brindaron.

En la Argentina, en la residencia de La Quebrada, continuaban el jolgorio, los brindis, los abrazos, los buenos deseos y la música alta. Las primas de Álvaro sacaban a bailar a sus maridos.

En Damasco, en la casa de piedra gris, acostada en la cama, a oscuras, Salma veía por la ventana la brillante luna de invierno. Afuera, seguramente, estaba cayendo la helada.

Se quedó muy quieta tratando de imaginar a Álvaro en su casa, en una noche de verano, rodeado de muchas personas. Ensimismada en la imagen, la sensación física que percibió en su interior la tomó por sorpresa. Porque su cuerpo, en la quietud de las sábanas, le avisó de un movimiento, uno desconocido. Aguzó sus sentidos; quizá sólo fuera fruto de su ensueño. Pero no: otra vez sintió el aleteo de una mariposa en su vientre. Lo percibió fuerte y suave al mismo tiempo, justo cuatro dedos más abajo de su ombligo. Una vez, dos y tres. El revoloteo de su niño ángel le recordaba que él aún estaba allí.

Se emocionó. Y por primera vez lo amó. El frágil movimiento había conquistado su corazón con la fuerza de la tempestad. Era demasiado maravilloso para escapar a su magia.

Un bote pequeño de dicha en medio de un gran océano de infelicidad.

Se quedó esperando más, quería volver a sentirlo. Pero no volvió.

Decidió contarle a Álvaro. Marcó el número.

Él se alejó un poco del ruido y se detuvo a escuchar lo que esa voz querida que llegaba de la otra orilla quería contarle.

—Ahora sí, te escucho, dime.

—¡Álvaro, se movió…!

—¿Qué se movió, mi amor?

—Se movió en mi panza. Lo sentí clarísimo.

—¿El bebé?

—¡Sí!

—Ay, no… Y yo, aquí, tan lejos.

—Fue maravilloso. Me dijo que nos quiere. A ti y a mí. Te lo juro.

Él la escuchó y comenzó a llorar desconsoladamente. La compuerta que había tratado de contener durante los abrazos imaginarios y en el supermercado, aferrado a los platos, ahora se había abierto. Su corazón se había rendido y lloraba como un chico.

Sollozaba y, mientras le prometía a Salma que el próximo Año Nuevo los encontraría juntos, se susurraban palabras que sólo ellos conocían, vocablos secretos que únicamente los dos sabían, verbos únicos pronunciados en el idioma del amor, ese que les pertenecía.

El reloj del año gregoriano había marcado el comienzo de 2015. ¿Qué les depararían los próximos doce meses? ¿Volverían a estar juntos? ¿Se reencontrarían en la Argentina, en España o en Medio Oriente? ¿Realmente se verían de nuevo? ¿Nacería su hijo? Nada sabían, salvo que se amaban.

CAPÍTULO 22

Cuando hables,
trata que tus palabras
sean mejores que tu silencio.
PROVERBIO ÁRABE

Álvaro estacionó el coche en la puerta de la casa de su madre. Por fin había regresado. Los turistas de la segunda semana de enero habían colapsado la ruta hacia el Parque Nacional Talampaya. Venía cansado pero satisfecho. Después de un largo tiempo, había vuelto a practicar su verdadera pasión: tomar fotos. A raíz de los vaivenes emocionales que sufría, había abandonado su *métier* y hoy, con su equipo fotográfico, había disfrutado muchísimo del imponente paisaje del cañón al que, por supuesto, conocía desde chico.

Volvía sereno. Se había marchado muy temprano, al alba. La excursión le había sentado bien y por unas horas se había olvidado de la ansiedad que lo carcomía. La espera de Salma lo estaba matando. Como paliativo, en el baño del departamentito, había terminado armando un cuarto oscuro para revelar fotos y experimentar con viejos rollos familiares.

Fue a la cocina de la casa principal por café negro. Había pasado por la panadería Natalia de la calle Adolfo Dávila para comprar sus facturas preferidas. Media docena sería su tardío almuerzo; la sobrante quedaría para cena. Se sentía libre de horarios.

No vio a su madre por ningún lugar de la casa. Evidentemente, Wafaa y ella todavía estaban retenidas en las oficinas de Migraciones, pues habían recibido un llamado para que se presentaran con urgencia.

Se preparó un café. Pronto sería la hora de la sesión diaria de

Skype que mantenía con Salma. Ese llamado sería especialmente duro para ambos porque estaban en vísperas del 10 de enero, fecha de su vuelo desde Beirut. Sin embargo, continuaba en Damasco porque aún no había recibido el permiso para salir de Siria. Se sirvió café y se sentó a beberlo tranquilo. Pero fue inevitable: su cabeza recordó los bemoles del visado. Se pasó la mano por el pelo; otra vez la ansiedad. ¿Por qué todo seguía trabado? La carta no llegaba. La oficina de Migraciones de Buenos Aires aún no daba el okey final. La Interpol no emitía el informe positivo sobre Salma. ¿Qué estaba pasando? Parecía que el universo conspiraba contra ellos. «¡¿Por qué?!», se preguntó dolorido y convencido de que sólo querían hacer bien las cosas. ¿Acaso él no se había hecho cargo de ese niño sin siquiera planteárselo a fondo? Estaba dispuesto a darle todo a Salma y, por supuesto, a la criatura. No se merecía que la vida le respondiese con negativas. ¡No! Se sintió abatido.

* * *

En Damasco, Salma se calzó las botas y por segunda vez revisó el buzón del pórtico con forma de halcón. No tenía sentido, el cartero hubiera tocado el timbre antes de dejar un aviso. De todos modos, impaciente, metió la mano y tanteó para comprobar si había un papel, un talón, algo. Nada. La carta que esperaba desde hacía un mes no llegaba. Desanimada, dio la media vuelta e ingresó a la vivienda.

—¿Y…? —preguntó Namira, que buscaba las llaves del auto para visitar la oficina del administrador de sus propiedades.

—El buzón está completamente vacío. No entiendo por qué no llega.

—Tal vez no lo enviaron por un correo seguro.

—No puede ser, tía, porque lo mandaron por uno privado.

—Tal vez sea culpa de la guerra.

—En el noticiero comentaron que los servicios funcionan con normalidad… Al menos, en Damasco.

—Entonces, sólo resta pensar mal de quienes la enviaron.

—¿De la madre de Álvaro?

—A ella no la conozco, pero sí a Wafaa. Y si mi hermana está de por medio, niña, puede suceder cualquier cosa.

—¿A qué te refieres...?

—Si Wafaa me traicionó, bien puede traicionar a otro. La familia no le interesa, los vínculos la tienen sin cuidado. Yo desconfiaría de sus buenas intenciones.

La vieja historia entre las hermanas resurgía una vez más.

—Me preocupas... —dijo Salma.

—Ya sabes el proverbio: «Si algo te preocupa, ocúpate». Habla con Sánchez, que se cerciore de los propósitos de mi hermana. Dile que no confíe tan livianamente.

—Lo haré.

—Ahora, me voy. Se me ha hecho tarde. Cierra con llave, por favor —pidió por precaución, aunque estaba segura de que su hermano no se atrevería a presentarse con la policía, como había amenazado.

Namira se despidió de su sobrina y Salma se acomodó en el sillón para hablar con Álvaro acerca de las dudas que Namira le había deslizado sobre Wafaa.

* * *

Abdallah, en el estudio de su abogado, tomó la lapicera y firmó los papeles que había sobre el escritorio convencido de que esos documentos le devolverían la dignidad mancillada. El caso de Salma se le había ido de las manos, había pasado a mayores y estaba en juego su hombría. Su hija no sólo había arruinado su propia vida, sino que lo estaba llevando a la rastra hacia el precipicio y pronto se transformaría en el hazmerreír de sus conocidos. Salvo Malak, el resto de las mujeres de su familia se había sublevado. Anisa, incluso, con su voz suave y dulce, se había negado en varias ocasiones a acompañarlo a la casa de Namira con excusas absurdas: que los muebles, que el decorador, que el pintor...

La voz del doctor Nasser lo sacó de sus cavilaciones.

—Quédese tranquilo, Al Kabani: una vez que este papel ingrese en los tribunales, su hermana deberá devolverle a su hija.

—¿Está seguro?

Abdallah estaba dispuesto a resolver el asunto mediante la acción legal sólo si tenía la victoria asegurada. Una vez que ingresaran la petición en el Qasr al Adl de Damasco, la justicia procedería y ya no habría vuelta atrás.

—Sí.

—¿Aunque ella sea mayor de edad?

—Claro, argumentaremos que la muchacha no está en pleno uso de sus facultades mentales, que, a raíz de su cautiverio en Duma, ha sufrido trastornos severos y que se ha convertido en una amenaza para su persona y su entorno. Por lo tanto, Al Kabani, la justicia comprenderá que no hay nadie mejor que su padre para ejercer el control de la situación.

—¿Cuánto tiempo nos llevará?

—Unos pocos días. Moveré mis contactos dentro del Qasr al Adl para que el juez se expida cuanto antes. Será un trámite sumarísimo, ya verá.

—¿El proceso será sencillo?

—Sí, téngalo por seguro porque, una vez que contemos con la orden, actuará la fuerza pública y la retirará del domicilio declarado.

—Está bien. Cuanto más rápido, mejor —dijo Al Kabani preocupado por la posible notoriedad del embarazo de su hija.

Apenas recuperara a Salma, planeaba llevarla a la casita que tenían en Ghuta y la encerraría hasta que naciera el hijo. Mientras cavilaba, no dejaba de cuestionarse la serie de hechos desafortunados que los había expuesto a las desavenencias. ¿Cómo habían llegado hasta esa situación, si Salma y él siempre se habían llevado bien? Si se comparaba con otros padres, reconocía que le había dado muchas libertades: la había hecho estudiar en la universidad, le había dado un lugar preferencial en su empresa y hasta le había permitido rechazar candidatos matrimoniales. Y de pronto, por culpa de una desobediencia, habían desembocado en semejante horror. Por culpa de un error, Salma había arruinado su vida y condenado al ostracismo al resto de la familia.

No podría ocultar por mucho más tiempo lo que estaba pasando. Durante la visita de su hija y su yerno había sido difícil. Contenía el problema, pero ya estaba al límite. Malak había obedecido su pedido y no se comunicaría con su hermana. Pero necesitaba con urgencia poner bajo control a Salma para que cursara su embarazo con discreción y, luego, una vez nacido, regalar al niño. O quizás hiciera como todos los que enfrentaban el mismo dilema: dejaría a la criatura en un canasto en la puerta de la mezquita. La orfandad le garantizaría el anonimato que no obtendría cediéndolo a través de una adopción legal.

Se despidió del abogado tratando de mantener su entereza. Mientras bajaba por el ascensor comprendió que ser hombre, a veces, se convertía en una carga demasiado pesada. Disfrutaban, sí, de mayores libertades, pero el peso de todas las decisiones recaía sobre ellos. Se sintió solo, muy solo. Tuvo temor. Miedo de que todo saliera mal, de que su vida y la de los que amaba se fueran al diablo, que esa existencia pacífica de la que habían gozado desapareciera para siempre, tragada por la seguidilla de eventos desafortunados que venían sufriendo.

¡Maldita decisión la de haber hospedado a Sánchez en su casa durante el verano! ¡Maldita idea la de Wafaa, que se lo había recomendado! Había sido muy estúpido en aceptar la propuesta, sencillamente, porque tendría que haber previsto que nada bueno vendría de su hermana.

En la calle sintió los pies como si fueran de plomo. El plan que acababa de poner en marcha junto con su abogado sería difícil de llevar sobre sus espaldas. Significaba que había judicializado la relación con Salma y probablemente quedaría peleado para siempre con Namira. Pero no había alternativa; peor era perder su honor.

* * *

Álvaro les sirvió café y facturas a Dana y a Wafaa. Ambas le agradecieron. Necesitaban comer algo dulce para renovar fuerzas después de la larga mañana en la calle.

—¿Qué noticias les dieron? —preguntó ansioso.

—En Buenos Aires analizaron los documentos que enviaron desde Migraciones de La Rioja y dijeron que están completos —explicó Wafaa.

—Por ese motivo —Dana agregó información—, recién ahora la Dirección Nacional de Migraciones solicitó a la Interpol que de manera sumaria emita un informe sobre Salma. Lo están esperando de un momento a otro. Cuando esté listo, enviarán la documentación reunida a la Embajada argentina en Damasco.

—Con eso, el trámite estará terminado —acotó Wafaa.

—Pero esos papeles deben unirse con la carta de invitación del pariente —recordó Álvaro.

—La famosa carta… —dijo Wafaa.

—¿No ha llegado aún? ¿Salma está segura? —preguntó Dana.

—Me habló hace un rato y dice que no. Está preocupada porque sin esa carta todo lo demás será en vano —dijo Álvaro.

—¿No la habrán hecho desaparecer Abdallah o Namira? —sugirió Wafaa.

Álvaro respondió al instante.

—Abdallah… lo dudo, porque no fue enviada a su domicilio. Y tu hermana Namira, ya sabes, está apoyando a Salma.

—Yo no me fiaría de mi hermana.

—Ella ha dicho lo mismo de ti —aclaró Álvaro.

—¿¡De mí!? —protestó Wafaa.

—Ha sugerido que, quizá, nunca la redactaste.

—¡Pero si yo misma la envié! —exclamó Dana en defensa de su amiga. Podía dar fe de que Wafaa se la había entregado en un sobre marrón cerrado y que así la había metido en otro que le dieron en DHL.

—Ya mismo haré el reclamo —dijo Wafaa.

* * *

En la casa de Namira, Salma tomó el teléfono y habló con Malak. Su hermana recibió la llamada con cierta tensión, podía notar el miedo en su voz. A pesar de lo poco que le contó, la chica le dijo:

—Hermana, las cosas están muy mal en la familia. Tal vez tendrías que volver a casa.

Salma entendió que debería seguir su camino, el que había elegido, y se despidieron. Ya no insistiría con encontrar una aliada en Malak.

* * *

De inmediato, Wafaa llamó a DHL. No permitiría que Namira la desacreditara. En el correo le dijeron que no se explicaban por qué aún no había llegado la carta y le pidieron una hora para rastrearla y ofrecerle novedades.

Caminó por la sala de su casa para que el tiempo se le hiciera más corto. Deambuló hasta que se quedó quieta mirando por la ventana que daba a la calle. No podía dejar de pensar en las palabras de Namira que, justamente, no eran otras que las que ella misma había vertido sobre su hermana. ¿Hasta cuándo seguirían peleadas? En el pasado, cada una había tenido sus razones para actuar a su manera. Pero Wafaa debía reconocer que Namira se había llevado la peor parte. Desde su huida con Rafi y hasta la actualidad, había corrido mucha agua bajo el puente. Ahora, pese a los años transcurridos y la enemistad vigente, ambas estaban unidas por la lucha que llevaban adelante por Salma, esa mujer de su sangre que sufría el mismo mal que ellas habían atravesado en su juventud. La vida había querido hermanarlas en esta batalla. No lo habían planeado, pero así se había dado. Evidentemente, Namira no pensaba muy diferente a ella. Ambas coincidían en el punto central porque, una en Damasco y la otra en La Rioja, combatían contra un viejo dogma. Guardaban en su corazón el deseo de que su sobrina tuviera la opción de elegir.

Wafaa no albergaba dudas acerca de cómo actuar frente a un caso similar, pero la valentía de su hermana la sorprendía gratamente. Podía imaginar, por otro lado, cuán difícil habría sido sostener su posición, pues en Siria tenía mucho por perder; en cambio, en la Argentina, ella se sabía lejos de las reprimendas de ese mundo.

Meditó en sus decisiones y sintió cariño por esa hermana que había perdido el día que se fue de Damasco. Revivió la pena y a quienes las habían separado y ubicado en bandos distintos. El dolor se profundizó en su interior al recordar que, con su elección, condenó a Namira a un destino que jamás hubiera deseado. Ella había logrado quedarse con el amor de su vida, pero Namira se había quedado con la familia y la había disfrutado durante todos esos años. Y en cierta manera, aún la conservaba.

Salvo un mensaje corto o una frase de ocasión dicha al pasar cuando hablaba con Abdallah, no mantenía comunicación con Namira. Tal vez fuera tiempo de conversar con su hermana, de olvidar antiguos rencores.

Nuevamente tomó el teléfono, pero esta vez marcó un número más largo. ¡Al diablo con los enojos de larga data! Lo tenía agendado desde que su hermana se había mudado a esa casa; Abdallah se lo había dado por si alguna vez lo necesitaba, pero los años habían pasado y nunca lo había usado. No se sentía mal por no haberle hablado, al fin y al cabo tampoco Namira se había comunicado con ella. La llamada la sorprendería, pero qué más daba.

La línea sonó hasta que atendió la empleada. Y ante la requisitoria de Wafaa, la mujer le pidió que aguardara un momento porque la señora acababa de entrar a la casa. Venía de la calle.

Unos segundos y escuchó a Namira.

—*Aló... Aló?*

—Soy yo, tu hermana...

—¿Wafaa?

—Quién otra. Sólo tienes una.

Se hizo silencio del otro lado.

—Nunca pensé que llegaría este momento —dijo Namira, fiel a su estilo, una vez recompuesta.

—Yo, tampoco, pero aquí estoy.

—¿Y a qué se debe el honor?

—Quiero avanzar una página. Creo que debemos olvidar nuestros resentimientos.

—No entiendo por qué sientes rencor si hiciste lo que deseabas. Yo fui la que tuvo que sacrificarse por la familia cuando, en realidad, era tu turno.

—Namira, yo simplemente elegí mi destino. Tú podrías haber hecho lo mismo.

—Yo, en cambio, pensé en nuestra familia.

—Y estuvo bien, Namira. A veces, cuando algo se contrapone con la libertad, debemos elegir. Y tú lo hiciste: elegiste quedarte con la familia.

—Sí, pero sin vida propia.

—Yo elegí tener una vida pero me quedé sin familia y sin patria. No tienes idea de lo que es vivir lejos de tu tierra para siempre —comentó Wafaa en tono triste.

—Y lo mismo le pasará a Salma… Claro, si todo sale bien.

—Son elecciones.

—Por ese motivo le brindo mi ayuda —aclaró Namira.

—Lo sé y eso habla de tu corazón generoso —reconoció Wafaa.

Las palabras ablandaron el semblante de la hermana mayor.

—Gracias…

—Soy consciente de que mi huida te obligó a lidiar con la peor parte. Pero yo tenía un sueño.

—Yo también los tuve, Wafaa. Sin embargo, hice lo que debía.

—Siempre fuiste la más obediente. Mamá lo solía decir. ¿Te acuerdas?

—Cómo no… si en esa época me encantaba que lo dijera.

—Pero ahora, ¿no te arrepientes aunque sea un poco?

Tras un breve silencio, respondió con la verdad. No tenía por qué ocultarla.

—A veces… —admitió con valentía. Reconocerlo significaba aceptar que había desperdiciado parte de su vida.

A Wafaa, la confesión que hizo su hermana acerca de sus sentimientos le tocó sus fibras más íntimas, y la llevó a decir:

—Namira, quiero pedirte perdón porque sé que te lastimé con mis decisiones. Pero me iba o moría de tristeza. Aunque una parte de mí murió cuando me tocó vivir aquí, lejos de ustedes. Rafi fue mi único sostén porque todo lo demás lo perdí al marcharme.

Namira escuchó la disculpa que siempre había esperado y, por primera vez, recapacitó: tal vez, la existencia de Wafaa no había sido tan maravillosa como había creído. Vivir en un eterno destierro debía ser espantoso. Si le tocara experimentarlo, sobre todo en este momento, lo sufriría con creces. Por cierto, ya no tenía veinte años y la edad la había arraigado a su tierra, pero no podía soportar la idea.

Namira meditaba sin pronunciar palabra. Wafaa, sin saber qué pasaba por la mente de su hermana, insistió.

—Pienso que podríamos tener un nuevo comienzo en nuestra relación. ¿Lo crees posible?

La conversación pareció quedar en pausa.

—¿Qué opinas? —insistió Wafaa. Y agregó—: ¿Estás ahí?

—Sí…

—Sí, ¿qué?

—Que deseo un nuevo comienzo —respondió Namira y las dos entendieron que, por su carácter, esa afirmación entrañaba una gran puerta abierta. Para Namira, la palabra tenía mucho valor; era confiable.

—Ahora estamos unidas por la causa de Salma —afirmó Wafaa satisfecha.

—Lo sé. Pero… ¿realmente has enviado la carta?

—¡Claro que sí! ¡Y con un escribano, como pedían! Fui muy cuidadosa.

—Entonces ¿por qué no llega?

—No lo sé. Pedí explicaciones al correo y me dijeron que la están rastreando. Estoy esperando noticias.

—¿Cómo va el resto del trámite? –se interesó Namira.

—¡Perfecto! En pocos días llegará a la Embajada argentina de Damasco el permiso para la visa de Salma. Ten presente que habrá que sacar un nuevo pasaje.

—Bien, lo compraré.

Un nuevo silencio indicó que la conversación había llegado a su fin; ya no había mucho más de que hablar.

—Hermana... –pronunció Wafaa.

—Dime...

—Te quiero.

Ante la declaración de su hermana menor, Namira se esforzó para contener las lágrimas y se demoró en responder. Pero Wafaa esperó con paciencia.

—Yo también te quiero.

—Qué pena haber desperdiciado tantos años –aseguró Wafaa.

—Los recuperaremos cuando pase lo de Salma –respondió Namira.

—Tienes razón.

—Adiós.

—Adiós.

Cortaron emocionadas.

Namira y Wafaa no lo sabían, pero ese acuerdo fraternal acababa de lograr en el mundo invisible lo que parecía imposible en el material. Ese pacto de hermanas, de mujeres, terminaba de romper el muro que detenía la carta de invitación y obstruía la finalización de los demás trámites. Con esas palabras salidas de sus corazones habían logrado acomodar el engranaje que ayudaría a las de su sangre, a las de su género, a las que vendrían por detrás de ellas, como Salma y las demás que se agregarían.

El engranaje que se había quebrado muchos años atrás ahora se recomponía. Cada pieza de la maquinaria de la vida se movía y se ubicaba en el lugar correcto, allí donde debía estar. Era el poder del acuerdo entre las del mismo género.

Las figuras del bello tapiz que había quedado inconcluso

décadas atrás, cuando eran jóvenes, volvían a ser tejidas por las manos de la armonía natural.

El universo inmaterial se movía y, con la fuerza de la tempestad, empujaba al mundo material, porque en Turquía una empleada de DHL se preguntaba sorprendida:

—¿Qué hace esta carta aquí? ¡Es un error! Es para Damasco. ¡Redistribúyanla!

A eso se le sumaba lo que sucedía en Buenos Aires: el director Nacional de Migraciones apretaba la tecla ENTER de la computadora de su oficina y de inmediato llegaba a la Embajada argentina de Damasco la documentación necesaria para gestionar la visa humanitaria a favor de Salma al Kabani. Además, iba acompañada del informe positivo expedido por la Interpol, el cual aseguraba que la interesada no era una persona peligrosa y podía ingresar a la Argentina. El papelerío detallado y exhaustivo finalmente había sido entregado; el casillero burocrático acababa de ser cumplimentado. Por lo tanto, se había formalizado la defensa legal que exigía que en el pasaporte sirio de Salma se plasmara el visado que le permitiría viajar a la Argentina.

* * *

Wafaa aún estaba en estado de shock por la conversación que había tenido con su hermana cuando recibió la llamada de DHL. La empleada del correo le informó que la carta en cuestión había sido ubicada en Turquía y que la distribuirían en la ciudad de Damasco el día lunes. Además, le aseguró que la pieza postal se remitía de inmediato desde Estambul con carácter de «urgente».

Wafaa salió corriendo a la casa de los Sánchez. Tenía muchas y buenas noticias por darles. Lo de la carta era extraordinario; lo de Namira, también.

Cruzó apurada. No podía esperar un minuto para decírselo a Dana. Álvaro tenía que contárselo ya mismo a Salma porque estaba obligada a comprar un nuevo pasaje que, además, se lo exigirían en la Embajada.

En la casa de su amiga se encontró con otra gran novedad: una amistad de Dana que trabajaba en el gobierno y se había interesado en el caso le acababa de avisar –de manera informal, pero certera– que esos papeles por los que tanto habían bregado desde Migraciones de La Rioja ya se encontraban en la Embajada de la República Argentina en Damasco.

Los tres se abrazaron festejando. El ocaso del sol de verano que durante ese atardecer penetraba por las ventanas de la cocina los mostraba contentos y llenos de optimismo. El final de los finales había llegado. ¿Realmente era así? Ellos creían que sí.

Álvaro charló durante un rato con las dos mujeres acerca de los últimos acontecimientos y luego navegó en su *notebook* para comprar un nuevo pasaje para Salma. No deseaba que nuevamente lo comprara Namira. Los vuelos tenían escalas que variaban de tres a seis. ¡Una locura! Eligió el que demandaba menos tiempo y, temblando, metió los números de su tarjeta y lo compró. Estaba hecho. Si todo salía bien, viajaría el viernes. Les contó a Dana y a Wafaa, que sonrieron contentas, y se retiró al departamento del fondo para conversar tranquilo con Salma.

Álvaro cruzó el patio para ingresar al departamento. De camino, contempló la luna. La noche había caído en La Rioja y en Siria, con cinco horas más, serían las… Salma estaría durmiendo. No le importó. Valía la pena despertarla para darle la buena noticia.

Se tiró en la cama y la llamó. La voz soñolienta pero feliz le demostró que no se había equivocado. Le propuso hacer Skype; ella aceptó. No quería perderse de ver la cara de Salma cuando le contara que había comprado el nuevo pasaje.

El sonido de la llamada de Skype sonó en su cuarto y de inmediato la imagen apareció en su *notebook*. Se estremeció, siempre la encontraba hermosa. Su cara de sueño le inspiraba ternura, su camisón de satén con tiritas finas despertaba su ardor. La encontró sexy. ¿Cuánto tiempo llevaba sin sentirla? ¿Dos meses? Le parecieron una eternidad.

–Bonita mía…

—Estoy dormida, pero contenta porque me hablaste.

—Te quería contar que todos los documentos ya están allá.

—¡¿Acá, en Damasco?! —exclamó y se despabiló.

—Sí. En orden y aprobados.

—¡No puedo creerlo! —gritó sentada en la cama.

—La carta llegará el lunes a tu casa.

—¡Apareció! ¿Por qué no llegaba?

—Estaba varada en Turquía. Por la guerra, seguro.

—El lunes a primera hora iré a la Embajada.

—Te saqué un pasaje nuevo para el viernes que viene. Ya te lo envié por correo —dijo sonriendo y agregó—: ¿Te das cuenta de que probablemente nos veremos en una semana?

—¡Ay, no puedo creerlo! Lo pienso y me desespero por abrazarte, por besarte.

La felicidad de saber que pronto se verían les daba el permiso para imaginarse el encuentro físico. A veces trataban de evitarlo para no sufrir. Pero esta noche había seguridades que les permitían soñar.

—Yo también quiero abrazarte y mucho más. Ya verás cuando te agarre: ¡te pasará algo terrible! Tengo demasiados besos guardados, demasiado deseo acumulado.

—Quiero todo eso.

—Revivir lo que tuvimos en Duma... si nuestro niño nos deja... —deslizó dubitativo, tratando de imaginarse cómo sería la vida de la pareja con Salma embarazada.

—Claro que nos dejará.

—Te acuerdas de aquella vez que... —Álvaro dio detalles. Solía recordar a menudo sus apasionados encuentros en la oficina.

La conversación subía de voltaje.

—Salma, amor —pidió Álvaro después de varias frases ardientes—, bájate los breteles del camisón. Quiero verte.

Ella obedeció. Primero, un bretel, muy despacio; luego, el otro. Los senos de Salma aparecieron en escena.

La imagen que le llegó a través de la pantalla le provocó un cimbronazo de excitación.

—Salma... me muero por hacerte el amor...

—Hagámoslo.

Él entendió de qué iba la propuesta.

Ella se sacó el camisón suavemente y, en su cama, acomodó mejor la *notebook* para ofrecerle la imagen completa de su cuerpo desnudo. Él la imitó y ambos pudieron observarse a su antojo.

Sin quitar los ojos de la pantalla, Salma llevó sus manos a los lugares húmedos y secretos de su cuerpo. Álvaro sólo veía las manos y una porción de piel pero adivinaba el resto y, enardecido, le seguía el juego. Los gemidos de ambos brotaban de la pantalla y anunciaban que nada los detendría.

A veces, cuando no se tenía cerca el cuerpo amado, una imagen ayudaba para paliar la necesidad de la piel, la urgencia de poseer.

La mirada de ambos, fija en la pantalla; la mente, enardecida... dos o tres palabras certeras con algunos toques eficaces y el mundo exterior desaparecía para Salma y Álvaro. Los cuerpos estaban de fiesta y demostraban que el amor y el deseo se tomaban de donde fuera para mantenerse vivos. Para no morir, porque el corazón así lo pedía.

El calor sofocante de la noche veraniega de La Rioja ahogaba. La luna bañaba la piscina. El cuarto de Álvaro, por muchas razones, era un infierno.

En Damasco, en la casa de piedra gris, la nieve se amontonaba por centímetros sobre la ventana del cuarto de Salma. La nevada caía inconmensurablemente.

Todo era distinto en cada extremo del Skype: el país, los horarios, el clima y hasta la forma de las dos casas conectadas por internet; sólo coincidían en una, la más importante: el sentimiento que reinaba en cada uno de esos cuartos. Amor, deseo y ardor gobernaban a sus ocupantes uniéndolos más allá del océano.

En la bandeja de entrada de Salma descansaba un correo de Álvaro con un documento adjunto: el pasaje a su nombre con fecha de salida el viernes, desde el Líbano. También había otro, sin abrir, con otro adjunto. Lo había enviado el médico que le había realizado el control. La ecografía mostraba que su hijo se encontraba en perfecto estado.

CAPÍTULO 23

El que tiene salud
tiene esperanza;
y el que tiene esperanza
es dueño de todo.
PROVERBIO ÁRABE

Salma conducía con sumo cuidado el vehículo de su tía mientras iba rumbo a la Embajada. Las calles tenían nieve y se volvían resbalosas. Se encontraba feliz y exultante pero, al mismo tiempo, tenía miedo. La cercaba el temor de haberse hecho ilusiones y de que algo no saliera como esperaba. ¿Se trataba de un mal presentimiento? Con tanto por delante, desechó el pensamiento. La ansiedad no le había permitido ni siquiera desayunar. A pesar de las insistencias de Namira, no había probado bocado. No era para menos: en el asiento trasero llevaba la tan esperada carta que esa mañana había encontrado en el buzón y debía entregar para que la unieran a la documentación que –sabía de buena fuente– ya se encontraba en poder de la Embajada.

Bajó del coche y esta vez saludó al hombre mayor de turbante turquesa de forma autómata. La efervescencia en la que flotaba no le permitía prestar atención a nada ni a nadie.

Ingresó y fue directamente a la oficina de Zaida.

La mujer, al verla llegar, la estudió un rato largo. Y aunque no había nadie esperando, su gestualidad daba a entender que se encontraba muy ocupada. Hasta que Salma se cansó de esperar, se acercó y le habló al micrófono, pero estaba desactivado.

–Aquí está la carta que faltaba –señaló Salma y la depositó en el mostrador de manera victoriosa.

Con pereza, Zaida se aproximó y la obligó a repetir las palabras.

542

—Muy bien —comentó con absoluta displicencia–, la guarda-
ré en el casillero con el resto de la documentación hasta que...

—¡Pero de Argentina me avisaron que ya están aquí los papeles que necesitábamos para terminar el trámite! —exclamó a
modo de protesta.

—Ah... puede ser.

—¿Podría fijarse, por favor?

La mujer se levantó de su escritorio y desapareció.

En pocos minutos, regresó.

—Tienes razón: está todo.

Salma no podía creer que la mujer no estuviera al tanto de la
recepción de la documentación. No sabía cómo empujarla para
realizar la gestión que necesitaba. Le dio forma de pregunta.

—¿Verá mi caso el cónsul?

—Sí, cuando regrese.

—¿Cuándo será eso?

—No lo sé. Está varado en Beirut a causa de la nieve.

—¡Oh, Alá! ¿Hasta cuándo durará esto? —preguntó Salma,
pero la mujer hizo como si no la escuchara.

Si Zaida contaba con alguna remota posibilidad de ayudarla,
era evidente que no pensaba mover un dedo. Ella sólo tenía en
mente que nadie se marchara del país porque cuantos más sirios
hubiera, con mejor suerte se libraría la guerra que estaba peleando su marido. Mucho menos colaboraría para que la muchacha
que la fastidiaba a diario se marchara del país para encontrarse
con un desertor. Cada vez estaba más segura de que se trataba
de un caso típico de deslealtad nacional encubierto, pues Salma
al Kabani manifestaba la insistencia y la desesperación de las
enamoradas.

Salma se acordaba bien de las recomendaciones que Álvaro
había recibido de un miembro del Centro Islámico de Argentina: «Busca caminos paralelos a Zaida porque ella no querrá
gestionar el expediente». Pero en la sede diplomática esa mujer
era la única cara visible a cargo de la visa. ¿Cómo hacer para
llegar al cónsul, que ni siquiera estaba en la ciudad?

—Volveré mañana —aclaró Salma.

—Regresa, claro, y veremos cómo sigue aquí la situación —contestó la mujer falsamente cortés.

—Volveré mañana y pasado. Y también después de pasado… Regresaré todos los días hasta que me den mi visa. Porque tengo que viajar a la Argentina. Me esperan —insistió Salma mientras sentía un dolor en el bajo vientre.

Cuando oyó su declamación, Zaida estuvo más segura que nunca de que el amor por un desertor la impulsaba a emigrar.

El dolor de Salma se transformó en una aguda punzada que la obligó a tocarse la panza.

Zaida sacó el corolario de sus pensamientos: «La chica está embarazada y busca reunirse con su hombre en Argentina». Por supuesto: si varios sirios habían encontrado la forma de huir a ese país.

Salma caminó despacio hacia la salida. El dolor continuaba, pero la amargura era mucho peor. Avanzó unos pasos y, ya en la calle, se sintió tan descompuesta que tuvo que sentarse en el piso y dejar la cartera a su lado. Como no había probado bocado en lo que iba de la mañana, le había bajado la presión y, además, las hormonas le estaban jugando una mala pasada.

—¿Se encuentra usted bien, señorita? —le preguntó el hombre del turbante turquesa.

—Me siento un poco mareada… Pero como no desayuné y estoy embarazada, supongo que es eso.

Al hombre le dio pena la muchacha amable que siempre lo saludaba con deferencia.

—Si quiere, le ayudo a llegar a su auto. Dentro del vehículo estará más cómoda. Mi nombre es Akran —se presentó—. Trabajo aquí.

—Gracias —dijo y se puso de pie.

El pakistaní la siguió de cerca cargándole la cartera. No se atrevió a tomarla del brazo porque no podía tocarla ni siquiera en ese caso de apuro.

—Viene muy seguido a la Embajada —comentó mientras avanzaban.

—¡Tengo un trámite imposible! No consigo obtener mi visa humanitaria para poder viajar a la Argentina. Me esperan allá. Pero aquí parece que no quieren dármela —se animó a contarle.

—Usted debería hablar con el cónsul.

—Pero nunca puedo llegar a él. No me lo permiten.

—En este momento está en el Líbano. Llegó de sus vacaciones en un vuelo que aterrizó en el aeropuerto de Beirut, pero debió permanecer allí porque los caminos están cerrados a causa de la nieve.

—¿Cómo lo sabe?

—Porque soy su chofer. Debo buscarlo apenas amaine la nieve.

—¡Ah...! —se sorprendió Salma mientras abría la puerta del auto y el hombre le entregaba la cartera.

—Si está de acuerdo, señorita, podría avisarle de su regreso a Damasco cuando reciba la orden de buscarlo en Beirut. Deme su número y la llamaré.

Salma dudó, pero contempló su rostro, sus ojos y, encontrándolo bondadoso, confió.

—Por favor, si usted fuera tan amable de avisarme, yo le agradecería mucho.

Salma sacó papel y lápiz de su cartera y se lo escribió.

El hombre le dio un último consejo.

—Cuando yo la llame, señorita, usted debe venir inmediatamente a la Embajada.

—Así lo haré.

—Y cuando lo tenga enfrente, intente hablar con él sin intermediarios. Ningún empleado debe estar presente, mucho menos Zaida. Si no, no tendrá chance alguna de lograr su visa. Pero, por favor, señorita, jamás comente que le dije esto.

Salma entendió la prevención del hombre; la misma advertencia había recibido Álvaro del señor Baradei, miembro de la Comisión Directiva del Centro Islámico de la República Argentina. Este empleado, evidentemente, se arriesgaba por ayudarla.

–Muchas gracias. Quédese tranquilo: seré muy reservada.

Salma se despidió del hombre, se metió en el coche y allí permaneció un largo rato buscando recuperarse; por momentos, lagrimeaba porque su negro presentimiento se había hecho realidad: otra vez aparecían nuevos impedimentos. Ojalá el hombre del turbante turquesa cumpliera su promesa. Ojalá todos los saludos amables de cada mañana sirvieran para que se apiadara de su situación.

Lloró y se quedó ahí aparcada hasta que el hambre propio de su estado fue más fuerte que la desazón y la obligó a encender el motor y conducir rumbo a la casa de Namira. Debía reanudar la lucha.

* * *

Abdallah terminó la llamada telefónica con su abogado y permaneció pensativo, sentado frente a su escritorio de la oficina del centro. Había llegado temprano para trabajar y la llamada lo tomó de imprevisto. El doctor Nasser acababa de comunicarle que estaban dadas las condiciones para que fueran en busca de –utilizó estas palabras– «la hija insana raptada por la tía».

No veía la hora de terminar con ese horrible asunto para ponerse a trabajar a pleno. Necesitaba acomodar los problemas familiares para luego cumplir con los requerimientos de la fábrica que, por suerte, funcionaba muy bien gracias a la nueva maquinaria. Otra vez confeccionaba telas y recibía pedidos de sus viejos clientes locales. Aunque la exportación seguía cerrada, sus géneros volvían a ser muy requeridos dentro del país. La economía siria necesitaba productos como las telas que producía su manufacturera. No podía quejarse, su trabajo se había reactivado. En poco tiempo más lo de Salma estaría bajo control. Rogaba por que fuera así. En tres días –el jueves, según Nasser–, las autoridades se presentarían en la casa de Namira. Así lo había planeado el abogado y así se haría.

* * *

Salma llegó a la casa y, como Namira había salido, llamó a Álvaro para contarle lo sucedido.

—¡No pueden hacerte eso! —se indignó—. Te juro que iré a los medios de mi país. Muchos periodistas de Buenos Aires son amigos míos.

—¿Y qué ganaremos?

—Los presionaré mostrando que la Embajada argentina en Siria no está cumpliendo con su parte y un funcionario, te lo aseguro, activará los resortes.

—Sólo quiero estar allá contigo.

—Falta poco, el último tirón.

—Eso espero.

—Mira: tengo en mi poder una copia del informe que emitió el director de Migraciones. No debería tenerlo pero me lo pasó uno de mis contactos.

—¿Es el papel que ya está en la Embajada?

—Sí. Te lo enviaré por *mail* para que se lo muestres al cónsul y entienda que estás al tanto de que el trámite finalizó y que debe expedir la visa.

—Si no me voy el viernes, perderemos de nuevo el pasaje...

Álvaro lo había comprado para ese viernes y el tiempo apremiaba.

—No lo perderemos —dijo seguro.

—Álvaro, no doy más, estoy a punto de darme por vencida. Hoy me sentí mal.

—¿Qué sentiste? —preguntó inquieto.

—Dolores en el bajo vientre. Casi me desmayo.

Se preocupó, le pidió que volviera al médico y que se cuidara. Le dio ánimos y le rogó que no flaqueara, que faltaba muy poco para que estuvieran juntos. La Embajada no podía negarse a darle la visa. El gobierno argentino había dado la orden y debía ser acatada por más que en la sede diplomática trabajara personal sirio.

Álvaro le pidió que lo llamara de inmediato si durante la reunión con el cónsul se presentaba un nuevo traspié. De esa manera, podría tomar contacto con el hombre y, entre argentinos, sería más fácil entenderse.

Habló con Salma un rato largo hasta que consiguió calmarla.

* * *

Ese día miércoles fue malo para todos. Salma, que estaba más atenta que nunca a su teléfono, esperó en vano la llamada del chofer pakistaní. Álvaro, al saber que el trámite no avanzaba, se colmaba de una mezcla de indignación y ansiedad. El ánimo ni siquiera le había alcanzado para retocar las fotos que había tomado esa semana del Castillo de Dionisio, ubicado a pocos kilómetros de su casa, en el pequeño pueblo de Santa Vera Cruz. Se había entusiasmado, pero luego había perdido la gracia. Nada lo sacaba de su apatía, ni siquiera su pasión por la fotografía.

Al Kabani había pasado alterado esa jornada. Imaginaba el momento crucial que viviría al día siguiente y más nervioso se ponía. Presentarse en la casa de Namira con la policía y las autoridades no era un plan agradable, pero sí el único viable para recuperar su lugar como hombre de la familia.

* * *

Era jueves y en la residencia Al Kabani, Abdallah se preparaba para presentarse en el domicilio de Namira junto con el abogado Nasser y el escribano. Los tres llegarían escoltados por efectivos designados para la tarea de restituir a su padre la hija díscola.

Anisa, que esa mañana había percibido el nerviosismo de su marido mientras conversaba por teléfono, enseguida dedujo lo que planeaba y decidió dar aviso a su cuñada o a Salma, con quien no había vuelto a comunicarse para evitar problemas conyugales. Ni siquiera sabía si su hija tenía o no celular.

Creyó conveniente hablar a la casa de Namira, pero podría hacerlo cuando su esposo se marchara del departamento. Además, debería ser muy cuidadosa con sus palabras porque ella no podía quedar como la soplona de su marido. Si se enteraba, sería terrible y con consecuencias nefastas para su matrimonio. Y ella no sabía vivir sin un hombre. Si Abdallah se enojaba, prefería que la encerrara para siempre en la casa, como hacían algunos hombres con sus mujeres, antes que la abandonara librada a su propia suerte y albedrío. Siempre había estado bajo la tutela de un hombre: de joven, al abrigo de su padre; una vez casada, Abdallah había tomado la posta. Nunca decidió nada ni tuvo responsabilidad alguna y no tomaría riesgos justamente ahora, a su edad. Ayudaría a Salma, pero hasta cierto límite.

Atenta a los movimientos de su esposo, intentaba confirmar su suposición. Luego le avisaría a Namira, aunque tenía claro que contra el mundo de los hombres era imposible luchar. ¿Qué podían hacer dos mujeres como Salma y su cuñada? Como mucho, Namira podía sacar a la joven de la casa para llevarla a otro lugar. Pero ¿a dónde? Empezaba a aceptar que para Salma sería mejor retornar al hogar y permitir que su padre decidiera su destino. Dudaba. ¿Avisaría?

* * *

Ese jueves, en la casa de piedra gris, tía y sobrina desayunaban cuando la llamada que entró al celular de Salma las sobresaltó. Si bien estaban atentas a los teléfonos, era demasiado temprano. Atendió bajo la atenta mirada de Namira, que, a través de sus gestos, trataba de dilucidar el tenor de la noticia.

—¡Debo irme! —exclamó Salma sin imaginar que el día más largo de su vida estaba por comenzar.

—¿A dónde? ¡Recién son las ocho!

—El chofer del cónsul me avisó que están volviendo del Líbano. ¿Recuerdas que el hombre me recomendó que lo abordara en la puerta principal antes de que lo hagan los empleados?

—Sí, vamos, te acompañaré —propuso Namira, que también recordaba que su sobrina se había descompuesto al salir de la Embajada.

—No te dejarán pasar. El trámite es personal, el ingreso está restringido. Irás al vicio.

—Entonces, te llevará mi chofer.

Salma asintió, se colocó el *hiyab* y la túnica sobre las ropas y preparó los papeles que Álvaro le había recomendado que cargara. Algo la empujaba tozudamente, el amor le daba la fuerza. Quería cambiar su destino. Deseaba pasar a otro estado, el de la libertad total.

Cuando estuvo lista, antes de partir, Namira le dio la bendición posando sus manos sobre la cabeza de Salma. No habían alcanzado a hacer el rezo de la mañana. Pero estaban seguras de que Alá entendería.

Salma agradeció la idea de su tía; los nervios no la dejarían lidiar con el tránsito. Cuando el chofer estacionó cerca del edificio, ella se bajó del coche y aguardó de pie junto a la puerta principal de la Embajada.

Veinte minutos después, Salma reconoció —vidrios polarizados y blindados— la llegada de un coche oficial. A través del parabrisas divisó el turbante turquesa. El chofer abrió la puerta trasera para que descendiera un hombre alto, de mediana edad, vestido de traje. Iba muy serio y apurado.

Akran miró a Salma. Sus ojos le decían «Ahora, señorita».

A punto de traspasar el ingreso principal, Salma se acercó al cónsul y lo saludó amablemente en perfecto español. El hombre se sorprendió y le devolvió una sonrisa. Le prestó atención. Le había caído bien que hablara en su idioma aunque, por su acento y su vestimenta, asumió que no se trataba de una argentina.

—Necesito hablar con usted, señor cónsul.

—Venga, acompáñeme a mi oficina.

Akran permaneció junto al auto oficial, en el mismo lugar donde siempre lo había visto Salma.

Ella siguió los pasos del argentino.

Mientras ambos avanzaban, Zaida salió a su encuentro y lo saludó.

—*Sabah el kher*. Bienvenido, señor cónsul.

—*Sabah el kher*, Zaida. Gracias.

—Señor cónsul, yo me encargo de atender a la señorita, despreocúpese.

El hombre dudó.

Salma intervino.

—Necesito hablar con él... —dijo mirando a la mujer— a solas.

—La señorita Al Kabani está gestionando la visa humanitaria que yo... —alcanzó a decir Zaida, pero fue interrumpida.

—No tengo problemas en atenderla, tráigame la carpeta del caso —solicitó el hombre.

Zaida se marchó frustrada al verla ingresar a la oficina del cónsul.

El funcionario dejó la puerta abierta. Entraba frío. Por el corte de luz, la calefacción central no funcionaba y el poco calor del pequeño calefactor que habían colocado provisoriamente se escapaba del despacho. Pero no podía actuar de otra manera, se trataba de una mujer musulmana y debía ser cuidadoso. Aunque las cámaras cumplieran su función para resguardar los movimientos del personal y de los visitantes, jamás se le ocurriría encerrarse a solas con una mujer musulmana.

Salma, sentada en la lujosa oficina, lo escuchó decir:

—Hum, visa humanitaria...

Evidentemente se trataba de un trámite que generaba ciertos resquemores.

Salma fue al grano. No tenía tiempo que perder.

—Sé que ha llegado a la Embajada mi documentación, que el director de Migraciones de Argentina envió la petición. Incluso la carta de invitación de mi tía también está aquí.

Terminó la frase justo cuando Zaida entró para dejar la carpeta sobre el escritorio.

—A ver, a ver... —comentó él cuando la abrió y, mientras hojeaba los papeles, agregó—: Tendríamos que estudiar el caso y comprobar que efectivamente contamos con la documentación. A veces, señorita, la gente cree que llegó y no es así.

–Mire: aquí tengo la copia de la petición del director que acabo de mencionarle –expuso Salma y extendió el papel.

El hombre lo tomó y señaló:

–Bueno, tendré que leer su legajo con detenimiento.

Salma se desesperó ante otra dilatación burocrática.

–Debo viajar mañana viernes. Compré el pasaje hace unas semanas, pero la tramitación se ha ido demorando...

–¿Mañana? ¡Imposible!

–Mi prometido es argentino y me espera para casarnos –dijo Salma sacando a relucir su carta más fuerte.

–Ah, se está por casar... Le advierto que tal vez deban postergar la boda, estos trámites son lentos.

–Si no viajo, será el segundo pasaje que pierdo a causa de que la Embajada no termina las diligencias. Ya están aquí los documentos necesarios para otorgarme la visa.

–Necesito cuarenta días más.

–¡¿Qué!? ¡No puedo esperar tanto!

–Pues tendrá que esperar.

Salma creyó que había llegado el momento de meter a Álvaro en el asunto. Sabía que estaba atento a una posible llamada. Sacó el celular y, mientras el cónsul miraba los documentos de la carpeta, marcó el número.

Enseguida oyó la voz de Álvaro.

–Señor cónsul, le paso con mi prometido, me pidió hablar con usted.

Sorprendido por la audacia, el hombre tomó el teléfono a regañadientes.

Del otro lado de la línea, Álvaro le explicó quién era y le aclaró que no había más nada por adjuntar a esa carpeta. El hombre trataba de zafarse explicándole que necesitaba más días, que había estado ausente, que acababa de regresar a su tarea, que desconocía los pormenores del caso, que debía realizar las consultas pertinentes. Excusas para no decirle que el programa humanitario lanzado por el gobierno argentino no era del agrado de las autoridades sirias. (Pero Álvaro no necesitaba que se lo dijera: le bastaba con la actitud de Zaida.) Por eso, como funcionario, debía hacer malabares para no equivocar los siguientes pasos. Necesitaba días para realizar consultas y transmitir a la Cancillería argentina las posibles consecuencias de extender estos visados.

Álvaro insistió.

—Por eso espero que, como funcionario argentino, actúe conforme a lo que el director nacional de Migraciones, con la venia de la Interpol, dictaminó.

—Necesitaré unos días.

Álvaro suspiró fuerte y lanzó su artillería pesada.

—Mire, si mi novia nuevamente no puede viajar por culpa de la inoperancia de la Embajada, le advierto que su nombre saldrá en cada noticiero de la Argentina y el caso se replicará en los medios españoles donde trabajo.

—Déjeme ver qué puedo hacer —dijo cortante y, sin despedirse, le devolvió el celular a Salma. Luego, agregó—: Señorita, espéreme en el pasillo. Haré unas llamadas y pronto le estaré informando.

Para el hombre, el primer día de trabajo después de las vacaciones había comenzado complicado.

Salma se ubicó en uno de los bancos de cuero blanco que había en el pasillo. Eran las diez de la mañana. El ambiente estaba helado. Ese sector de la ciudad estaba sin suministro eléctrico desde hacía dos días. Una bomba había estallado en las proximidades.

* * *

Abdallah, en su casa, recibió una nueva llamada: a las tres de la tarde saldrían hacia el domicilio de la señora Namira al Kabani acompañados por un móvil con efectivos de seguridad. «Mejor así», asumió. En ese horario encontrarían a su hermana y no tendrían que forzar la puerta. Después, la policía haría el resto.

* * *

En la Argentina, por los nervios, Álvaro no sabía si volver a hablar con Salma o no y optó por enviarle un mensaje. En la respuesta, ella le contó que se encontraba esperando y que lo tendría al tanto.

Mientras Salma les avisaba las novedades a su tía y a su hermana, Zaida pasó rumbo a la oficina del cónsul. No le gustó. La mujer siempre complicaba las cosas.

Miró la hora: casi las doce y aún no había noticias. El tiempo pasaba y la trastornaba. Se moría de frío. La luz seguía cortada; la Embajada, sin calefacción.

Salió y le pidió al chofer que se marchara; regresaría en un taxi. Su tía necesitaba al hombre en el horario laboral para realizar diligencias varias, como entregar las llaves o la documentación de los departamentos. El hombre habló con Namira y decidieron dejarle el coche a Salma; él se movilizaría en taxi. Ella aceptó. Recibió las llaves y volvió a entrar para continuar su espera sentada en el banco de cuero blanco.

A la una en punto, Álvaro la llamó para conocer las novedades, pero Salma le cortó rápidamente porque había reparado en los carteles dispersos en los pasillos que prohibían su uso dentro de la sede diplomática.

A la una y media, cuando ella ya estaba al borde de la desesperación, el cónsul apareció en el pasillo y le dijo:

—Señorita Al Kabani, ¡festeje! Mañana podrá viajar. Expediré la visa que espera.

Salma, totalmente emocionada, se puso de pie. No sabía qué hacer o qué decir, pero el funcionario opacó su alegría.

—Aunque, señorita, deberá esperar aquí una hora más porque la firmaré cerca de las quince, unos minutos antes de cerrar la Embajada. —Salma mostró un signo de contrariedad y el hombre le explicó—: Compréndame, es por su bien: se la daré lo más tarde posible para que nadie tenga tiempo de crearle problemas.

Ella no se atrevió a preguntarle quién podría oponerse, pero era evidente que seguía a merced de cualquier inconveniente que se presentara. Nunca llegaba la palabra definitiva que le permitiera estar completamente en paz.

—Sería óptimo expedir mañana el visado —agregó el cónsul—, pero su vuelo sale muy temprano del Líbano.

Salma volvió a sentarse convencida de que en esa última hora de espera se volvería loca. Las preguntas martillaban su mente: «¿Y si el cónsul se arrepiente? ¿Y si mi padre está al tanto del trámite y entorpece el otorgamiento? ¿Y si en este momento cae una bomba sobre la Embajada, como ya ocurrió dos días atrás en Bab Tuma y en otros barrios de Damasco? ¿Y si nunca termino el visado y me quedo aquí, varada, sin viajar?». Debía calmarse o regresarían los dolores y los mareos de las jornadas anteriores. Se dedicó a pensar en Álvaro y a imaginarse el reencuentro que tenían por delante. Decidió que le hablaría recién cuando saliera de la Embajada, con la visa adherida a su pasaporte. Antes, no.

El reloj de la pared marcaba las tres menos cinco cuando el cónsul le solicitó que ingresara nuevamente a su oficina. Delante de Salma, firmó lo que debía firmar, puso los sellos que se tenían que poner y dijo las palabras que debían ser dichas. La voz del argentino retumbó en su despacho.

—Aquí tiene, señorita, todo terminado. Puede viajar a la Argentina para casarse con su prometido.

Salma, tambaleante, se puso de pie y tomó su pasaporte.

Había finalizado el arduo trámite burocrático. Se había terminado el suplicio. Su visa estaba en regla. Podría viajar y ver a Álvaro. Quería gritar, largarse a llorar y tirarse al piso. Quería contarle a ese hombre argentino y al mundo entero que estaba embarazada porque en Duma había conocido al amor y que por ese amor se estaba jugando la vida, que había decidido que su voz fuera oída, que ya no tenía miedo. Quería decir tantas cosas pero sólo dijo:

—Gracias… —pronunció la palabra al borde de las lágrimas.

—Estuve averiguando sobre su prometido… Y vi que es todo un personaje; sobre todo, en España. Es un fotógrafo famoso que estuvo retenido en Duma…

—Sí... yo estuve con él.

—¿Usted es la que fue secuestrada?

—Sí.

—Ahora entiendo muchas cosas —dijo sonriendo. Luego añadió—: Vaya a su casa y no haga nada. Y mañana, por favor, súbase a ese avión. No ponga en peligro el imposible que acaba de lograr. El suyo es el primer caso de aplicación del Programa Siria que lanzó Argentina para dar asilo a personas afectadas por la guerra.

—¿No tendré problemas para viajar, verdad? —consultó sorprendida por el dato que acababa de brindarle.

—Supongo que puede molestarles a algunas personas... Pero cuando esté por abandonar Siria, no se deje amedrentar por nadie. Usted tiene el permiso para salir de su país rumbo a la Argentina.

—Entiendo...

—Mi tierra le gustará, los argentinos son buena gente.

Salma sonrió y repitió la única palabra que le permitía la emoción que la embargaba.

—Gracias.

Luego abandonó la Embajada caminando entre nubes; tanto que no se percató de la mirada contrariada que le lanzó Zaida. Tampoco, que las puertas de la sede diplomática se cerraron tras su paso, apenas puso un pie en el exterior. Dejaban de atender al público hasta el otro día, en el horario en que ella estaría en Beirut, subiendo al avión. Durante muchas horas, no habría nadie para solucionar problemas.

Buscó en la puerta a Akran para agradecerle, pero no estaba. Lo haría más tarde; conservaba el número desde el que le había hablado por la mañana.

Subió al auto y le contó a Álvaro.

—¡No, no, no...! ¡Al fin! —celebró del otro lado de la línea, pero, desconfiado, insistía—: ¿Estás segura? ¿Estás segura?

—Sí, sí, ya está. Me la dieron. Está plasmada en mi pasaporte.

—Te dije que saldría bien. Te dije que te amaba en serio y para siempre y que te traería conmigo.

—Yo también te amo para toda la vida.

Álvaro se reía y lloraba al mismo tiempo. Ella, también. Se verían en la Argentina ese fin de semana. O, al menos, eso creían en ese momento.

Cortaron. A Salma le temblaban las manos. Arrancó el auto; a su tía le contaría cuando se vieran, porque lo único que quería hacer era llegar y tomar algo caliente. Tenía que armar la valija, preparar lo que llevaría, dinero, tarjetas, papeles. Saldría para la Argentina a la mañana siguiente.

* * *

Eran casi las tres de la tarde cuando Namira recibió una llamada de Anisa. En pocas palabras, casi en clave para no autodelatarse, le advirtió que Abdallah iba por Salma. Desconocía los detalles, pero tenía motivos para suponer que llegaría con la policía. Namira cortó y le habló a su sobrina. Necesitaba comunicarse urgente para urdir un plan.

Salma, a mitad de camino, escuchó que su celular sonaba. Se trataba de Namira. Imaginó que quería saber cómo estaba y si había logrado avanzar con su trámite. A pocos minutos de su casa, como estaba conduciendo, no atendió. Cuando estuvieran juntas, compartiría la noticia. Namira insistió; tampoco atendió.

Un rato después, Salma estacionó el coche en la puerta de la casa de piedra gris. Su tía la esperaba en las escaleras. ¡Qué ansiosa estaría para esperarla en la calle! Namira, siempre aplomada, no solía hacer ese tipo de demostraciones.

Caminó cuatro pasos y le dio la buena nueva.

—¡Tengo la visa, tía, viajo mañana!

—*Bismillah!* ¡Alabado sea Alá! Porque tu madre acaba de avisarme que mi hermano viene a buscarte.

El mundo se derrumbó para Salma.

—¿Aquí, a la casa? ¿Ahora?

—Parece que sí. Entra y apúrate, así preparas tus cosas. Te

daré la llave de un departamento para que pases la noche. En vista de las circunstancias, creo que lo mejor será que mañana salgas de allí mismo para el aeropuerto.

Las dos entraron rápidamente en la vivienda. Salma fue a su cuarto y comenzó a preparar lo indispensable. Sobre todo, la documentación. Los planes se aceleraban. Namira le entregó un sobre con dólares, que guardó en una mochila pequeña junto con el pasaporte.

En plenos preparativos, sonó el timbre de calle.

Namira miró por la ventana de la habitación. Su hermano estaba en la puerta. Parecía que estaba solo, pero pronto descubrió que en la esquina había dos hombres de traje y, muy cerca, un vehículo de la policía. Si no hubiera contado con el dato de Anisa, la escena no le hubiera llamado la atención: Damasco estaba atestada de gente trajeada que respondía a los servicios de inteligencia del gobierno y la policía solía controlar los movimientos ciudadanos.

—Es tu padre —le avisó Namira.

—¿Qué haremos?

Namira había calculado que algo así podía pasar cuando recibió el llamado de su cuñada. Estaba preparada y pudo anticipar con rapidez el único plan posible: Salma debía huir.

—¡Tendrás que escapar! Como tu padre está aquí, creo que no estarás segura en el departamento ni en ningún sitio de la ciudad. ¡Lo mejor es que te marches ya mismo a Beirut!

Debía cruzar al Líbano para tomar su avión. En Siria, los vuelos seguían suspendidos a causa de la guerra.

—No tengo alternativa. Pasaré la noche dentro del aeropuerto hasta que salga el avión.

—Sí, es más seguro porque tu padre no descansará hasta encontrarte, pero jamás pensará que cruzaste la frontera.

—¡Pero ahora tengo que salir de la casa!

—Quédate tranquila, los haré entrar y tú saldrás por la ventana de este cuarto.

—¡Es altísima!

—Tendrás que saltar de la ventana al techo del hall de entrada. Ya sabes, el del halcón.

—Intentaré que no me vean, pero no sé si podré lograrlo.

—No te verán porque tendré a todos dentro de la casa. Así que prepárate para salir cuando los escuches en la sala.

—Ay, no sé... —dijo Salma aterrorizada. El plan era arriesgado, pero entendía que no había otra opción.

Ambas se miraron por unos instantes.

—Todo saldrá bien, querida sobrina.

Se acercó a Salma. Era la despedida. Si todo salía bien, no sabían cuándo se verían de nuevo. La hora corría, Abdallah estaba abajo, insistía, no había tiempo para despedidas sentimentales.

Se abrazaron. Dos mujeres, dos generaciones, dos almas. Empatía. Dolor. ¿Por qué las cosas no podían ser diferentes? Gozo de saberse valientes. Alegría y tristeza de partir. Felicidad de haber ayudado a alguien que era como ella alguna vez lo fue.

Mientras aún la tenía apretada contra su pecho, Namira le dijo al oído:

—Haz lo que yo nunca pude. Encuentra tu destino, el que quieres, y no el que otros te impongan. Elige, que aquí estoy yo para cubrirte.

Salma asintió. Las palabras fueron la inyección de fuerza que necesitaba para afrontar ese difícil momento.

Salma había pedido y se le había concedido. Namira había cortado la cadena de negaciones, lo había hecho arriesgando mucho y rompiendo sus propias estructuras mentales. Tal vez no todo estaba perdido para las demás del mismo género que aguardaban concesiones. Tal vez la verdad científica de que lo que hace un ser humano en una parte del planeta es repetido por otros sólo por transmisión porque, aunque no lo vean para copiarlo y ni siquiera se enteren, repiten lo mismo que el primero. El hecho de la comunicación inexplicable que tenemos como seres humanos nos muestra que estamos más unidos de lo que creemos. Tal vez, y sólo por esto, la esperanza de que a las futuras generaciones les fuera mejor tenía real asidero. Si una lo había hecho, tal vez otras lo repetirían.

Namira soltó a su sobrina. Tenía deseos de llorar, pero ese no era momento para ablandarse. Caminó hacia la puerta del cuarto. Debía bajar para abrir la puerta.

Salma se quedó observando la ventana. ¿Realmente podría pasar de allí al techo del hall como decía su tía? ¿Podría saltar? Era difícil, aunque no imposible. Tendría que hacerlo en el momento exacto en que todos los que venían a buscarla estuvieran dentro de la casa. Debía sincronizar los movimientos como pasos de una coreografía. Una pisada antes de tiempo y todo se echaría a perder.

Tomó dos o tres papeles que consideró importantes y los guardó en su mochilita junto con los dólares y el pasaporte. Ese sería su equipaje. Viajaría liviana. Se ató el pelo −en el último tiempo le había crecido− para que no le molestara durante el salto.

Prestó atención. Su tía abrió la puerta y oyó la voz de su padre. Sintió miedo y cariño al mismo tiempo. Hubiera querido abrazarlo antes de marcharse. Pero las cosas estaban planteadas de una manera muy distinta.

−Vengo por mi hija.

−Pasa y veremos qué dice −respondió Namira con voz calma.

Abdallah puso un pie dentro de la casa y pensó que lo había logrado. Había imaginado que se resistiría, que se negaría a dejarlo entrar. Se sintió más tranquilo, listo para recuperar su hombría.

−Namira, no me importa lo que diga ella. Ya no hablamos en esos términos. Me acompañan mi abogado y mi escribano −dijo y ambos saludaron a la dama con una reverencia−. Tenemos una orden judicial −aclaró Abdallah.

−Aunque la tengas, supongo que estos señores no usarán la fuerza, ¿verdad?

−Ellos, no; pero los agentes, sí.

−No veo ninguno.

—Están afuera, señora —informó Nasser, el abogado.

—No les creo —dijo Namira.

El abogado se acercó a la puerta y con un gesto llamó al personal de seguridad apostado en la esquina. Los uniformados acataron la orden e ingresaron a la casa.

—Bien, ahora que están todos, les serviré algo de beber para que vean que son bienvenidos a mi hogar —dijo Namira y cerró la puerta de calle con llave dejando a todos los hombres dentro de la vivienda.

—No queremos nada. No digas tonterías y llama a Salma de una vez —pidió Abdallah en el mismo instante en que su hija, arriba, en su cuarto, sacaba sus piernas por la ventana.

Con el trasero en el dintel, Salma estudió los dos metros y medio que la separaban del techo del hall de entrada y susurró en un ruego:

—¡Por Alá! *Ia latif!*

Temía saltar y dañar al bebé, pero esa era su única vía de escape. La alternativa sería quedarse allí y que su padre la llevara de vuelta a su casa. Después de todo lo que había hecho para conseguir el permiso para viajar, no podía darse por vencida.

Cerró los ojos y saltó. Su cuerpo liviano cayó de cola y se escuchó un ruido sordo. «Ojalá el niño no se haya hecho nada», rogó Salma en su interior.

Abdallah preguntó:

—¿Qué fue eso?

—No lo sé, serán mis perros.

—Bueno, Namira, ya fue suficiente. Llama de una vez a Salma o subiremos nosotros.

—Está bien —aceptó y se retiró para buscarla.

Mientras subía lentamente las escaleras rumbo al cuarto, a través de la ventana del descanso de la escalera, Namira observó cómo Salma trataba de descolgarse del techo del hall al piso. Imploró que no se lastimara; si le pasaba algo, el plan y el trabajo de los últimos meses se desplomaría. La vio luchar colgada sólo de los brazos, con las manos apretadas al borde del techo, muy cerca de la figura del halcón. Cuando al fin Salma se soltó, Namira celebró al verla caer bien, de pie. Aunque ese salto resultó menos peligroso que el primero, no dejaba de ser una proeza.

—Apúrate, Namira, o subiremos nosotros —advirtió Abdallah, convencido de que su hermana ganaba tiempo.

Terminó de subir la escalera, ingresó al cuarto y cerró la ventana justo cuando su sobrina doblaba la esquina. «Salma estará bien», conjeturó. Era una sobreviviente, una luchadora. Entonces, tras salir de la habitación vacía, les habló a los hombres desde la escalera.

—Señores, no veo a mi sobrina por ningún lado. Creía que estaba recostada, pero tal vez haya salido a dar una vuelta. A ella le gusta tomar aire y caminar por el parquecito que está cerca.

—Déjate de idioteces —protestó Al Kabani enojado.

—Pues, aquí no está, hermano.

—Esta vez no permitiré que la escondas. Salma se va con nosotros.

Con una seña, Abdallah habilitó el acceso a la planta alta del abogado, el escribano y los agentes. Pero Salma ya no estaba allí. Corría por las calles heladas de Damasco en dirección a la avenida, estaba segura de que en ese bulevar transitado hallaría un taxi que la cruzara al Líbano. Atravesar la frontera, si se disponía de un permiso, era sencillo. Mucha gente lo realizaba a diario.

En la casa de piedra gris, los hombres terminaron de revisar cuarto por cuarto. Para inspeccionar el patio, debieron pedirle a la dueña de casa que atara a los perros.

En el preciso instante en que Namira encerraba a los animales en la cocina, Salma se subió al coche que había parado con una seña. Con su voz nerviosa y emocionada ordenó:

—Voy a Beirut. Lléveme al aeropuerto, por favor.

No cargaba maleta, ni una muda de ropa, pero tenía la visa humanitaria que le había otorgado el gobierno argentino. Le dio miedo que su permiso hubiera desaparecido. Quiso comprobar que estuviera en su lugar y abrió la mochila. Cuando sus ojos vieron el pasaporte azul, respiró hondo. Ahora sólo debía sortear el siguiente escollo: subirse a ese avión como fuera.

Mientras tanto, en la residencia de Namira, Abdallah exigía información sobre el paradero de su hija bajo las amenazas más feroces. Pero, impasible, su hermana insistía con su relato distractivo: «Salma estará caminando o leyendo en el banco de la plaza». Su vehemencia resultó tan convincente que uno de los policías decidió rastrearla en el pequeño parque.

Pero el lugar estaba vacío; no había ni un solo ser humano entre el verde.

Ella, mientras avanzaba en el taxi, miraba cómo se alejaba de su amado Damasco y lloraba. Dejaba para siempre su tierra querida por amor. Ojalá algún día pudiera regresar, ojalá alguna vez terminara la guerra, esa contienda inútil y horrible, pero gracias a la cual había conocido a Álvaro Sánchez. La vida tenía muchas caras y, a veces, una mala podía convertirse en buena; pero también había aprendido que una benéfica contenía su contracara. Recordó a su padre y se llenó de tristeza; pensó en su madre y lloró desconsoladamente. Creyó que no volvería a verla; ni a ella ni a ninguna de las mujeres de su familia. Deseaba irse y, al mismo tiempo, quedarse. Su corazón se partía en dos, se desgarraba como las telas que vendían en la fábrica cuando se la tironeaba de ambos extremos. Deseó poder estar en dos lados al mismo tiempo, pero sabía que no era posible.

Lloró todo el camino, pasó los controles envuelta en lágrimas, hasta que llegó a la frontera. El trámite para pasar de Siria al Líbano la tensionó. El nuevo obstáculo que debía sortear la obligó a recomponerse. Mostró su pasaporte y la dejaron seguir.

Salma avanzaba mientras atrás quedaba su existencia de niña. Empezaba una nueva vida, la de mujer, la que ella había elegido.

CAPÍTULO 24

La paciencia es un árbol de raíz amarga,
pero de frutos muy dulces.
PROVERBIO ÁRABE

Una vez que Salma llegó al aeropuerto de Beirut, recién ahí se dio cuenta de que había salido sin abrigo. Por los nervios y la agitación, no lo había notado, pero ahora el frío empezaba a mortificarla. Se metió en una de las tiendas elegantes del lugar y con algunos de los dólares que le dio Namira compró un tapado color café y enseguida se lo colocó sobre la túnica.

Luego fue al baño y se quitó el *hiyab* de la cabeza. Como el pelo le había crecido bastante, con una gomita negra se lo ató en una elegante coleta baja. Occidentalizada, quizá, los trámites fluyeran. No olvidaba que ella era una mujer musulmana que viajaba sola, un caso poco común.

Recorrió los pasillos comerciales del aeropuerto hasta que se acomodó en un rincón tranquilo. Todavía le quedaba una larga noche por delante. Se acurrucó en uno de los asientos de la sala de espera y realizó las que serían sus últimas llamadas. Se comunicó con su tía, quien le relató en detalle la decepción y el fastidio con que, finalmente y después de mucho protestar, se marcharon su padre y los demás hombres. Salma le agradeció con el alma y lágrimas en los ojos todo lo que había hecho por ella. Acordaron verse en París o en Barcelona. Aunque no sabían si la vida les daría la oportunidad, era lindo soñarlo. Luego se despidió de Malak, que le deseó buena suerte sin comprender cabalmente el proceder de su hermana mayor. Su propia historia de amor —sencilla, llana y sin quebradas— no tenía ni punto de comparación con la de Salma, llena de tintes traumáticos y apasionados. Pero aun así, algo en el interior de Malak la llevaba a desearle lo mejor.

Cuando terminó, se comunicó al celular de su madre, que no dudó en atenderla, pero por miedo o sorpresa permaneció muda. Salma llenó el silencio y con cada palabra de despedida pronunciada por su hija el sufrimiento se ahondaba, sin embargo algo le decía que Salma estaría bien, que le iría mejor que si se quedaba en Damasco. Su instinto de madre funcionaba más allá de los límites mentales autoimpuestos.

En un momento de la conversación, Salma estuvo a punto de pedirle que le pasara con su padre, pero comprendió que, por su seguridad, no sería conveniente; sospecharía desde dónde hablaba y se lanzaría a buscarla.

Por último, llamó a Álvaro, el impulsor de sus actos, el centro de sus planes, la fuerza generadora de su profunda transformación, el motor de su audacia, el amor de su vida y el padre de su hijo. A estas alturas no tenía dudas: ese niño les pertenecía a ellos y a nadie más, ya sea como fruto de la biología o del amor que habían empezado a tenerle. Cualquiera de esas razones −o las dos juntas− lo transformaba en el hijo de ambos. Estaba segura de que no podía tener mejor padre que Álvaro.

Salma, en un rincón de la terminal de Beirut, tiritando de frío y de nervios, lo había escuchado decirle por milésima vez que la amaba y que la esperaba en la Argentina. Cuando al fin se despidieron, se hallaba exhausta, como si hubiera condensado las vivencias de un mes en unas pocas horas del día. Todavía no se explicaba cómo estaba pasando la noche en el aeropuerto, si a la mañana, cuando había visitado la Embajada, no tenía nada. Recordó el llamado de Akran, el encuentro con el cónsul y la fuga de la casa de Namira. Una odisea digna de una película con final feliz porque, si aterrizaba en la Argentina, en unas horas estaría con Álvaro.

Se quedó dormida durante veinte minutos, los únicos en los que conciliaría el sueño durante esa velada. Porque las emociones la doblaban, la sacudían. Arreciaban.

Para cuando el reloj marcó las seis de la mañana, en el Aeropuerto Internacional Rafic Hariri habilitaron Migraciones para los pasajeros del vuelo de Turkish Airlines con destino a Estambul. Salma luego abordaría otro rumbo a San Pablo, haría escala en Buenos Aires y, por fin, llegaría a La Rioja. Álvaro había elegido las mejores conexiones; aún así, el viaje parecía eterno.

Salma formó la fila. A su turno, el agente de control migratorio la escudriñó de arriba abajo. Notaba algo extraño. Llamó al jefe de seguridad, que la condujo al cuarto destinado a los interrogatorios.

¿Y ahora, qué? ¿Y si la retenían y no podía viajar? Los fantasmas la atacaron nuevamente. Tal vez la culpa la tenían las lágrimas que derramó en el taxi durante el camino de Damasco a Beirut. Tal vez debía desear con más intensidad marcharse de Medio Oriente.

Allí, sentada, vestida con su abrigo color café, mirando el pedacito de cielo que se veía por la pequeñísima y única ventana de la oficina, se puso la mano en el corazón y deseó con toda el alma partir para reunirse con Álvaro. Con un gran esfuerzo, desechó los dolores que le generaba dejar su tierra, los hizo a un lado. Vislumbró el reencuentro con el hombre amado y se imaginó con alegría el comienzo de una nueva vida. La deseó con todo el corazón, como nunca lo había hecho antes. Sólo quedó un diminuto vestigio de melancolía y dolor.

El funcionario libanés encargado de interrogarla entró a la sala. Era joven y muy serio, tenía bigotes, pelo rizado y ojos muy negros. Se sentó frente a ella.

—Señorita Al Kabani, ¿por qué la visa de su pasaporte está escrita en español y no en árabe?

—El idioma oficial de Argentina es el español. El visado lo expidió la Embajada con sede en Damasco.

—Pero no sabemos qué dice allí. Quizá no sea verdadero —dudó el funcionario.

Salma le sostuvo la mirada. ¿Qué clase de comentario era ese? Evidentemente, el hombre no estaba convencido de dejarla pasar. Le respondió lo único coherente que se le ocurrió.

—Pero tiene el sello de la autoridad del país.

El hombre arremetió con un nuevo cuestionamiento.

—¿Por qué viaja sin valija? ¿Por qué no despachó equipaje?

—Luego de recibir la visa, como el avión parte en pocas horas, me presenté cuanto antes en el aeropuerto. La nieve y los controles —intentó sonar razonable— podían demorarme y perdería el vuelo.

Le resultaba impensado relatarle ciertos pormenores; mucho menos, que huía de su padre.

—¿Cómo sabía que le otorgarían la visa justo a tiempo para usar el pasaje? No hay diferencia entre la fecha de la visa y la del vuelo.

—No lo sabía. La persona que lo compró para mí, se arriesgó a adquirirlo con la esperanza de que el trámite saliera a tiempo.

—Hum... —carraspeó el hombre tocándose el bigote mientras revisaba el pasaporte.

El tiempo corría, Salma se preocupaba.

—Señorita Al Kabani, ¿por qué desea viajar a la Argentina?

—Porque allá me espera mi prometido, que es argentino, y pronto nos casaremos —expuso la verdad.

No podía haber pasado por tantos obstáculos para ir a trabarse justo ahí, al final. Mientras el hombre examinaba el pasaporte por enésima vez, Salma fijó la mirada en el pedacito de cielo que se veía por la ventana y pensó: «Quiero ir a la Argentina. Lo deseo con toda el alma. Ya no lloraré por Damasco. Lo prometo». Entonces, el vestigio diminuto de melancolía y dolor fue echado a un lado. Esta vez, el deseo de marcharse era inmenso, total, lo abarcaba todo. Las puertas de una nueva dimensión se abrieron para ella, que pedía. Un rayo de sol entró por la ventana y dio de pleno en el escritorio, muy cerca del pasaporte. El empleado del gobierno libanés se corrió molesto, esa luz fuerte y brillante lo encandilaba, le molestaba.

—Vamos, vamos —apuró y la obligó a ponerse de pie. Tras abrir la puerta, ordenó—: Vuelva a la fila, que esto está finiquitado.

La luz había llegado en el momento justo, ni antes ni después, sino cuando se la necesitaba.

Salma, eufórica y sorprendida, saltó de la silla y fue tras los pasos del empleado que se dirigía a la puerta. El trámite migratorio había culminado.

En minutos, la manga del avión se tragó la figura frágil de sobretodo color café. Salma ingresó al avión que la sacaría del Líbano y que a la postre la llevaría a los brazos de quien había elegido. Y su elección le había cambiado la vida.

Decisiones que cambiaban vidas, luces brillantes que guiaban, corazones como el de Namira, que escuchaban mensajes sabios enviados desde el pasado, existencias que se enmendaban, dolores que se superaban. La vida era mucho más que los actos triviales que se veían a simple vista. Era un burbujeante ir y venir de crecimientos personales y milagros que envolvían a personas que debían conocerse y a seres humanos que debían aprender lecciones y experimentar nuevas formas de vida. Todo tenía su razón de ser, sólo había que saber encontrarla.

* * *

En la casa de piedra gris, Namira llevaba adelante una nueva conversación con su hermana Wafaa. Después del largo relato de las últimas y emocionantes noticias que tenían por personaje principal a Salma, las dos mujeres se adentraban lentamente en otro tipo de charla. Los viejos vínculos renovaban sus formas. La voluntad de fortalecerlos estaba presente y así nacía un plan: reunirse en Europa todas las mujeres de la familia.

Ambas, tímidamente, comenzaban a contarse detalles de su vida. Los había dulces y amargos para las dos hermanas. Namira le abría su corazón y le relataba que por momentos la recorría un hilillo de culpa a causa de los últimos acontecimientos. La familia… la familia…

Wafaa le dio una palabra de aliento a Namira.

−Quédate tranquila, que con tu actitud no has renegado de la familia; al contrario, la has apoyado. Sólo que apuntalaste el ala femenina, la más postergada. La masculina se sostuvo en pie durante bastantes años.

Se avecinaban nuevos tiempos. Porque aunque sabían que una pequeña batalla ganada no significaba la guerra, también tenían claro que las grandes distancias se recorrían paso a paso. Lo importante era no detenerse.

El viaje a Europa que comenzaban a organizar formaba parte de ese camino de reencuentro. Antes, hubiera sido imposible planear algo así.

* * *

A Salma, cada tramo de vuelo y cada hora de espera en los aeropuertos, se le hacían eternos, tanto por el cansancio como por las ganas de ver a Álvaro. Pero con paciencia aguardaba su premio.

Mientras continuaba como pasajera en tránsito, a la espera del llamado para la conexión con Buenos Aires, tomó una gaseosa en San Pablo y dejó de lado el sobretodo. A pesar del aire acondicionado, el verano de Brasil parecía peor que el de Damasco. Aún no lo sabía, pero faltaba sólo un rato para que pensara lo mismo de Buenos Aires. Su jean y su camisa le resultaban insoportablemente calurosos.

* * *

Veintiocho horas después de la salida de Salma de Beirut, en el pequeño aeropuerto de La Rioja, con el cielo como techo y detrás de la reja, junto a otras personas que esperaban pasajeros, Álvaro vio aterrizar el avión y no pudo creerlo.

Salma estaba allí dentro.

Estaba allí dentro.

Allí dentro.

Dentro, dentro. Salma, Salma.

Cuando la vio bajar las escalerillas, sintió que moría de amor por esa mujer. Su figura frágil y femenina, el jean de siempre, una camisa blanca que conocía bien. El pelo sin *hiyab*, suelto y bastante largo. Su Salma, la de Duma, la que lo había enamorado con su interior profundo, estaba allí, arribando a La Rioja, a su mundo de niño y adolescente, al lugar de sus padres. Ella llegaba desde su tierra lejana, y al fin pisaba su suelo, tan sólo guiada por el amor que le tenía. Por él había roto con todo lo conocido y se había embarcado en un viaje de veintiocho horas dejando atrás un suplicio. Se quebró, lloraba como un chico.

Salma, Salma…

Abandonó la reja, dio la vuelta y fue a su encuentro.

Ella apareció por el pasillo y sin valijas. Álvaro se le acercó y se abrazaron con fuerza. Lloraban. En ese abrazo largo iban los meses sin verse, los días de extrañar, el tiempo vivido en Duma, las oposiciones que habían vencido para estar juntos y también la esperanza que renacía.

Detrás, muy cerca de ellos, Wafaa y Dana también lloraban.

* * *

Unas horas después de arribar a La Rioja, Salma terminó de ducharse en el baño del departamentito del fondo de la casa del barrio La Quebrada. Dana había insistido en hospedarlos en la casa grande, pero Álvaro no aceptó. Pensaba que allí estarían más tranquilos, si hasta había desmontado el cuarto oscuro con tal de que Salma se sintiera cómoda. Más adelante ya verían dónde se instalarían, si alquilaban por unos meses o qué. El plan a largo plazo seguía siendo Barcelona.

Salma, envuelta en el toallón blanco, apreciaba todo lo que la rodeaba con asombro. Aquí, muchas cosas eran diferentes a su tierra. Pero tres llamaron poderosamente su atención: la electricidad no se cortaba cada tres horas, el gas fluía con normalidad y no se oían explosiones. En el patio, junto al nogal, mientras tomaban algo fresco, cuando apenas llegaron, los había acompañado el suave gorjeo de los pájaros silvestres. Un milagro. En Damasco, las aves habían desaparecido a causa de los violentos estallidos.

La Rioja era un remanso de paz.

Salma apareció con el pelo húmedo. Álvaro se puso de pie, la abrazó, le quitó la toalla con delicadeza y besó su cuerpo desnudo. Comenzó por la piel de los hombros. La aspiraba, la tocaba. Quería comerla, beberla. Al fin la tenía de verdad y no en una pantalla.

Álvaro puso la mano sobre el vientre de Salma, bajo el ombligo, muy cerca de su pubis. Ese pequeño gesto contenía cientos de significados y ambos lo sabían. Ella se estremeció. Su cuerpo de mujer se inundó de las más sublimes sensaciones, como las de saberse madre y entender que Álvaro quería a esa criatura, hasta las más carnales y lujuriosas. Quería el cuerpo de ese hombre dentro del suyo ya mismo. Ese viejo e incandescente ardor que había conocido en Duma inundaba cada milímetro de su piel. Pedía por Álvaro. Lo requería con urgencia. Sabía que sólo se calmaría cuando lo tuviera dentro.

Álvaro la alzó, la llevó en brazos hasta la cama y se trepó sobre ella. Las pieles se reconocieron. Sus cuerpos se reencontraron porque sus almas nunca se habían separado.

EPÍLOGO

Barcelona, España, 2018

Por el altavoz del aeropuerto de El Prat de Barcelona llaman a embarcar a los pasajeros del vuelo rumbo a Buenos Aires y Álvaro se mueve nervioso en la butaca. Se trata del avión que deben abordar rumbo a la Argentina y Salma aún no ha llegado. Mira el cochecito que está a su lado y descubre que Karime se durmió. Se enternece ante esa carita dulce de boca entreabierta y sonríe, pero sobre todo agradece que el sueño haya llegado para su hija. A veces, una niña de tres años puede volverse incontrolable en un lugar ruidoso, abierto y público como es el aeropuerto.

A su alrededor, las personas que han escuchado el llamado de la aerolínea comienzan a levantarse para formar fila frente a la puerta indicada. Ansioso por la ausencia de Salma, vuelve a chequear su celular y no encuentra ningún mensaje nuevo. El último fue enviado hace un rato y reza: «Llego en quince minutos». Se tranquiliza, Salma es muy puntual. Seguramente, llegará de un momento a otro. Desea que nada salga mal en este viaje importante. Ir a la Argentina los tres juntos es un plan esperado; vienen organizándolo con ansias. No han vuelto al país desde que se marcharon tras pasar dos meses en La Rioja luego del periplo de Salma. Por esos días, aún eran dos.

La semana laboral de ambos ha sido intensa y por esa razón hoy les pareció mejor encontrarse directamente en el aeropuerto. Estaba previsto que por la mañana la revista *Vogue* le hiciera un reportaje a Salma. La periodista le había pedido esa fecha y, pese a la inminencia del viaje, aceptó porque sabe cuánto beneficiaría esa nota a la Fundación ELEGIR, que preside, y a través de la cual brinda ayuda humanitaria. Empezó tímidamente, en el living del departamento de Sant Gervasi, cuando al poco tiempo de instalarse en Barcelona había recibido a dos chicas refugiadas sirias que venían huyendo de la guerra. Y esa acción fue la piedra basal de su creciente fundación.

En los últimos meses, las conferencias que han dado personajes famosos en la sede de ELEGIR, sumadas a la gran labor que realizan en la institución para que las mujeres puedan tomar las riendas de sus vidas, han llamado la atención de los medios. Salma ha comprendido que el impacto del artículo de *Vogue* será beneficioso para conseguir los fondos necesarios en su tarea de auxiliar a quienes lo necesitan. Se trata de mujeres que arriban a Europa buscando nuevas oportunidades desde lugares donde las guerras o la falta de libertad no las deja florecer. Entonces, en procura de una nueva vida, aparece no sólo el problema de conseguir trabajos dignos, sino también el de acostumbrarse a gobernar sus propias vidas. Convertirse en dueñas de su destino les resulta extraño y las pone en estado de indefensión ante los inescrupulosos que pretenden aprovecharse de su desamparo.

Con la intención de acompañarlas durante este proceso complejo de autosustentarse y adaptarse a un país extraño, nació ELEGIR. Por eso, Salma ha decidido aprovechar al máximo el reflector que por esos días la prensa ha puesto sobre su denodada labor. «Traerá muchos beneficios para esas mujeres», vaticina. Además, hay una realidad inocultable: su propia historia, sumada a la de amor que tienen con Álvaro, siempre generan simpatía y solidaridad.

La azafata ubicada junto a la manga comienza a controlar los pasajes y los pasaportes justo cuando Álvaro descubre a Salma, que llega corriendo. Se acerca con pasos rápidos y con una mochila pequeña en la espalda; viste jean y camisa a cuadros rosas. Álvaro sabe que está estrenando esa prenda y lo pone contento. Por primera vez, después de tres años, ella ha comprado una ropa de ese color. Por mucho tiempo lo ha odiado;

le traía recuerdos de la nefasta agresión sufrida en Duma. Verla vestida de rosa, para Álvaro, es un claro indicio de que su mujer ha logrado dar unos pasos más hacia su completa sanación.

Ella se acerca y lo toma del brazo. Levantando las cejas, apela a su comprensión.

—Perdón, Sánchez, perdón. Pero el tránsito estaba fatal.

Nunca ha dejado de llamarlo de esa forma. Se lo dice cariñosamente y a ambos les gusta porque les recuerda los primeros días, cuando se conocieron en su casa de Damasco. Con los años, ese trato se integró naturalmente al folclore de su relación y a los detalles amorosos que los mantienen unidos.

—Te dije que le pidieras a *Vogue* que la nota la hicieran en el bar del aeropuerto —protesta Álvaro.

—Pero las fotos debían tomarlas en el estudio —se defiende Salma.

—Lo sé, lo importante es que ya estás aquí —reconoce mientras le da un beso en la boca y agrega—: Y claro, que Karime al fin duerme.

Salma sonríe, se acerca a su hija y le besa la frente muy suavemente.

Hablan dos palabras acerca de cómo se ha portado la niña y qué alimentos ha ingerido mientras se acercan a la fila del vuelo con destino a Buenos Aires.

Álvaro se encarga de empujar el cochecito.

—¿Sabes algo de tu madre? —pregunta Salma.

—Hablé con ella hace un rato. Está ansiosa por vernos. Tu tía Wafaa, igual. Me contó que las dos están preparando comida para recibirnos desde hace tres días. Van todos tus primos para conocerte.

—¡Qué lindo! —Salma ríe y augura—: ¡Vamos a disfrutar las vacaciones de la familia en el verano argentino!

—¡A lo grande...! Pero al final, con la corrida, no me contaste cómo te fue en el reportaje.

—¡Muy bien! Me gustaron las preguntas y la charla resultó muy amena. Se interesaron por la misión de la fundación. Creo que se abrirán nuevas puertas para ELEGIR –Salma responde mientras se cuelga nuevamente del brazo libre de Álvaro.

–Me alegro, amor –festeja contento y luego, con picardía, le señala–: Te me estás volviendo demasiado famosa.

Ella niega con la cabeza y le sigue el chiste.

–¡No, no! Aquí, el que ostenta ese título eres tú, sobre todo ahora que estás nominado al World Press.

–Hum, conocen mis fotos pero no mi rostro, así que por suerte aún puedo vivir en el anonimato.

–Es un premio importante, todos hablan del World.

Álvaro había recibido la notificación y ciertos detalles sobre el World Press Photo, el galardón mundial que pone el foco sobre las mejores fotografías de distintas áreas, pero su opinión vacilaba.

–Tal vez, sí, aunque ya sabes lo que opino ahora acerca de los reconocimientos. Creo que llegan cuando finalmente a uno ya no le interesan. Antes hubiera muerto por esa nominación. Pero en mi vida actual ocupa el debido lugar.

–Disfrútalo, Sánchez, que te lo mereces.

–Claro, estoy contento, no te lo voy a negar, pero puedo vivir sin el World. Aunque no podría vivir sin ustedes –dice contemplando a Salma y a la pequeña con ternura–. Y esta realidad, amor, acomoda en un instante la lista de mis prioridades.

Salma le responde con una caricia justo cuando la azafata les pide los documentos. Habilitado el abordaje, ingresan por la manga a la nave. Álvaro toma en brazos a Karime y Salma se encarga de cerrar el coche. Están contentos, en horas pisarán tierra argentina. Ella viaja por amor a su marido, del que jamás se separa. Álvaro, porque cumple lo que alguna vez en Duma se prometió a sí mismo: que pasaría más tiempo con sus afectos. Karime cruzará el océano por derecho propio: es el país de su padre, ese hombre rubio que en ese preciso momento lleva su carita metida en el cuello y que más tarde, cuando se despierte en pleno vuelo, le dará besitos tranquilizadores.

La Rioja, Argentina

La casa del barrio La Quebrada exuda felicidad. La piscina que ha permanecido pacífica durante años, este verano ha vuelto a tener la actividad frenética de tiempos pasados. Varios niños, incluidos los cuatro nietos de Wafaa y Karime, que lleva puestos los bracitos salvavidas, juegan en el agua bajo la mirada atenta de los padres, los primos de Salma.

El grupo reunido alrededor de la mesa, bajo los árboles, disfruta de la tarde calurosa. Salma acaba de apoyar su máquina de fotos. Su *hobby* sigue intacto y hoy se ha dado una panzada captando las escenas familiares. Sobre el mantel blanco resaltan algunos platos amarillos de plástico con trozos de budín inglés y *baklava*, las delicias que ha elaborado con esmero la dueña de casa para la merienda. Porque, según lo convenido por las amigas, de los manjares de la cena se encargará Wafaa, quien ya tiene preparada en su casa, y siguiendo la receta tradicional, una gran provisión de empanadas árabes rellenas con carne de cordero, hojas de menta y pedacitos de nuez.

Por las alegrías vividas durante el día, Salma y Wafaa no entran dentro de sí. Por primera vez, las dos mujeres Al Kabani comparten la dicha de reunirse con los miembros de la familia extendida. La mayor ha tenido que esperar décadas para gozar de un acontecimiento de esta naturaleza.

Salma observa cómo su hija chapotea en el agua. La luz fulminante de la siesta le da la plena seguridad de que sus cabellos tienen destellos claros. Tal vez sea a causa de los días de sol y pileta que disfruta desde que llegaron, aunque también existe la posibilidad de que sean los genes. No lo sabe con certeza. Quizá su fuerte deseo de que así sea le hace ver chispazos dorados en los mechones de Karime. Pero, en realidad, la idea no le quita el sueño en lo más mínimo porque —eso, sí, lo sabe, no tiene dudas— a Álvaro el tema lo tiene sin cuidado, nunca más ha mencionado algo respecto de la identidad de su hija. A su hombre le basta con llevarla a la cama cuando la pequeña le pide que sea él quien la duerma o la consuele cuando se golpea. Y a Salma, ese amor que padre e hija se tienen, le permite vivir en paz y feliz. Y reafirmar que no se equivocó y que decidió bien.

En medio del chapoteo de la pileta, la charla de los adultos es animada, toman mate, se cuentan historias, se ríen. Todos llevan puesto calzado, excepto Salma. No lo usa; en esa casa argentina se siente como en la propia. Ella y Dana forjaron una relación estrecha y especial. Al fin de cuentas, comparten un detalle: ambas son hijas de sirios.

—Álvaro, por favor, controla a Karime por unos minutos, que quiero charlar con Sofía —pide Salma, interesada por conocer cómo hizo la esposa de su primo para lograr que su hija dejara definitivamente los pañales.

—Sí, tranquila, yo la miro —responde.

Mientras conversa con la joven madre, Salma se sirve un trocito de *baklava* y entonces, sobre la mesa, descubre los platos amarillos. De inmediato se llena de recuerdos. No se explica cómo ha llegado esa vajilla a la casa de Dana.

Por un instante, cuando Sofía se entretiene con el mate que le da Wafaa, su suegra, Salma aprovecha para consultarle a Álvaro sobre el asunto que la mantiene intrigada.

—¿Sabes por qué tu madre tiene estos platos? Son los de Duma…

—Es una larga historia.

—Quiero que me la cuentes.

—Claro, esta noche, cuando estemos solos. Así te acuerdas de algunas cosas más de Duma… —responde cómplice.

Ella comprende la indirecta y vuelve risueña a la conversación de los pañales. Enseguida, Álvaro saca del agua a Karime, que le pide salir. Quiere su mamadera, tiene hambre, y estira el bracito en dirección del *baklava*. Dana la envuelve con un gran toallón con dibujos de Disney mientras Álvaro, pasmado, podría jurar que es el mismo que usaba en su niñez y que su madre debió haber guardado como recuerdo para hacerlo aparecer hoy.

Este momento —reconoce Álvaro— es lo más parecido a la felicidad que se puede vivir en este mundo. Dana, Salma y Karime, las tres mujeres de su vida, están juntas, con él, en su vieja casa de La Rioja.

Claro que alguna vez le gustaría tener un varón en la familia, pero esa posibilidad lo esquiva desde hace años. Por más que lo intentan desde el nacimiento de Karime, no llega niño, ni niña. El equipo de médicos que los trata, luego de practicarles múltiples estudios, concluyó que no hay razón para que no conciban un nuevo hijo, salvo una extraña reacción que se produce en el cuerpo de Salma, que destruye los espermatozoides apenas ingresan a su vagina. Si bien ya no recuerda la agresión sufrida en Duma, ni se tortura con aquellas escenas, es evidente que las células de su cuerpo rememoran y actúan en consecuencia. Por esa razón, Salma ha reiniciado su tratamiento psicológico. Quizá conserve vestigios que aún debe sanar. Por sugerencia de la facultativa, se compró la camisa rosa. Y desde el estreno, el día del vuelo, la viste sin problema. Extrañaba usar ese color.

Álvaro medita sobre la vida, las concesiones y las negaciones: en medio de muchos «sí», a veces nos responde con algún «no». Y descifra que hay que aprender a ser felices también con sus negativas. Ha aceptado que la dicha perfecta no existe; por lo tanto, hoy goza de la que se le brinda. Esta le basta y le sobra. Y constantemente agradece, tal como se prometió hacerlo aquella vez en Duma.

París, Francia, 2023

Frente a Notre Dame, al aire libre, en una de las mesas del bar de la plaza Jean XXIII, las mujeres charlan animadamente. Han tenido que transcurrir varios años para realizar esa reunión que alguna vez planearon, pero al fin lo han logrado. Por eso, hoy se sienten muy contentas. Festejan que están juntas, que se encuentran vivas y, por supuesto, que se quieren. Durante el último lustro, el mundo ha atravesado varias dificultades, incluidas la pandemia del covid-19 y las recurrentes crisis económicas. Sin embargo, están allí, homenajeando los vínculos y haciendo realidad un viejo sueño.

Durante la reunión, en la que se mezclan los idiomas, Wafaa lleva la voz cantante. Divertida e ingeniosa, con su gracia natural se dedica a teatralizar momentos inolvidables de la niñez compartida con su hermana y recuerda para todas las travesuras y los retos de Leila, su madre.

Namira, que habla bien el francés y su voz aporta coherencia y sensatez al grupo, se encarga de pedirle al camarero café y *crêpes* para todas. Karime elige una chocolatada. La niña, que ya tiene ocho años, se divierte oyendo ese parloteo, aunque por momentos prefiere charlar sólo con Anisa, su abuela, a quien recién ha conocido esa semana. Con las servilletas del bar, la mujer le enseña a formar figuras en miniatura y su nieta se entusiasma aún más porque acaba de contarle que mañana, en una cena tranquila, finalmente conocerá a su abuelo Abdallah. A la familia de su tía Malak, Karime la ha visto tres veces en su vida; todas, durante este viaje. Sus primos son mayores, pero le agradan porque en el *lobby* del hotel donde se alojan jugaron varias partidas de Monopoly y, aunque no pudo comprar tantas propiedades como su tía Namira, se divirtió a raudales tirando los dados.

Cuando pasó la pandemia, a las mujeres de la familia les pareció que bien valía la pena reunirse y festejar que todos estaban saludables. Eligieron París por ser una ciudad lo suficientemente neutral y cosmopolita como para que todos se sintieran cómodos. Las mujeres Al Kabani tienen claro que Alá se complace al ver la familia unida; por eso, allí están todas, esforzándose por superar los viejos desacuerdos. Son, también, las promotoras de esas reuniones a las que, en los últimos días, lograron incorporar a los hombres.

El camarero trae los pedidos pero ellas no le prestan demasiada atención; están concentradas mirando la foto que Wafaa ha hecho aparecer de su cartera, envuelta en un papel amarillento y con una cintita morada. Las mujeres la observan con sumo interés porque en ese rectángulo se encuentran muchos de los integrantes de la familia. De los seis, tres ya no están y las más jóvenes tienen que esforzarse para reconocer a un tío de nombre Anás, del que sólo oyeron historias de lucha. Pero ninguna imagina cuántas lágrimas derramó Wafaa sobre esa vieja y ajada imagen cada día que se detuvo a contemplarla.

Finalmente, llega el momento del café y todas se entregan a saborear la merienda.

Salma bebe un sorbo de su taza y mira la hora en el reloj de su muñeca. Suspira relajada. Álvaro, que está en algún lugar de Montmartre sacando fotos para una exposición que prepara en España, recién las pasará a buscar en tres horas. Tienen tiempo de sobra para disfrutar de las charlas femeninas, de los lazos amorosos y de los deliciosos *crêpes* parisinos.

Salma ha aprendido que la vida no transcurre contada en años, sino de hora en hora, de minuto en minuto, y que cada una de esas pequeñas medidas de tiempo vale la pena vivirlas al máximo y en plenitud. Así se lo enseñó el tiempo que pasó en Duma y así trata de transmitírselo a su hija. En la vida de los mortales hay momentos especiales bañados por una luz fuerte y brillante como la que destelló cuando su pequeña y Anisa se conocieron.

La luz, esa luz, suele brillar; sólo que debemos estar muy atentos para apreciarla en la fugacidad del instante. Porque a veces, mientras vivimos apurados, concentrados en la rutina, pasa desapercibida. Las prisas y las tediosas obligaciones diarias son los monstruos que también arremeten contra los momentos bonitos de la vida, esos que a veces bailan ante nuestros ojos reclamándonos atención, y nosotros, distraídos, no se la damos y acabamos perdiéndonos ese instante mágico, como las puestas de sol, los detalles en los rostros de los que nos miran con amor, el sabor especial de la comida que alguien nos preparó con cariño, las flores que nacen en nuestras macetas, la belleza de las estrellas o lo mucho que han crecido nuestros hijos. Y tantos, tantos más.

«Karime, aprende pronto esta verdad, porque así tendrás más chances de ser verdaderamente feliz», le ha dicho esta mañana después del rezo que las dos mujeres elevaron mirando hacia La Meca. Pero su hija aún es demasiado joven para entenderla. Salma tendrá que repetírsela muchas veces para que la comprenda. No hay apuro, es su madre y tiene toda la vida para estar junto a su querida niña.

En el bar de la plaza Jean XXIII, esa tarde, Namira, Wafaa, Anisa, Salma y Karime ríen y charlan mientras París y su magia las envuelve. Ellas se sumergen en esos tiempos sin tiempo, como son los momentos vividos con intensidad. Son dichosas porque han aprendido que, para ser feliz, es necesario perdonar, cubrirse de humildad y tener la valentía de volver a empezar sin detenerse a pensar en el detalle de encontrar al culpable de lo que pasó. Y que, además, se necesita mirar el horizonte con optimismo, aunque el cielo se pinte de negro y anuncie tormenta. Han aprendido que disfrutar de una tarde de café puede ser el mejor remedio para toda clase de males y que valorar los abrazos, como un cielo que cobija y protege, es de personas sabias.

Han aprendido todo eso. Y sólo eso.

FIN

NOTA FINAL

El contexto histórico de este libro, así como las dificultades que debieron sortear Salma y Álvaro para dejar atrás la guerra y gestionar la visa humanitaria, están basados en hechos reales. Cada obstáculo relatado es verídico. Los detalles que me contó una pareja siria, a la que tuve la posibilidad de conocer cuando llegó a la Argentina, me impactaron tanto que decidí incluirlos en esta novela.

Tras casi una década de conflicto armado, el Alto Comisionado de las Naciones Unidas para los Refugiados (ACNUR) estima que unos diez millones de sirios se han visto en la obligación de abandonar sus hogares y desplazarse internamente, o han emigrado a distintas partes del mundo, donde fueron recibidos como refugiados de guerra.

A partir de 2014, a través del Programa Siria, la República Argentina les abrió sus puertas con una visa humanitaria. El sitio www.patrociniocomuntario.org ofrece información útil sobre el alcance de esta innovadora iniciativa y reúne historias de vida de las familias acogidas en el país.

En Siria, la guerra civil continúa. Hasta el año 2020, el 66% del territorio se encontraba en manos de los partidarios de Al Asad, mientras que las Fuerzas Democráticas Sirias y distintos grupos rebeldes controlaban el 25 y el 9%, respectivamente. Y, como desde el principio, las potencias extranjeras siguen participando de la contienda.

GLOSARIO DE TÉRMINOS ÁRABES

Este listado no pretende ser exhaustivo, sino apenas un inventario de frases y términos utilizados en el libro para guiar al lector. En Siria conviven tantas variantes del árabe que fue difícil aplicar una grafía uniforme. Los nombres de una persona, una ciudad, una comida o un objeto pueden escribirse de dos, tres y más formas diferentes; incluso, con variaciones mínimas. La comunidad mayoritaria de hablantes de los dialectos árabes varía según la zona geográfica y las etnias que la habitan; por ejemplo, el armenio está muy presente en Alepo; el turcomano, en Latakia, Hóms y Hama; el arameo —la lengua del Mesías— se habla apenas en treinta aldeas del norte de Damasco. En otras regiones, y con distinto grado de influencia y cantidad de hablantes, se encuentran el azerí (muy parecido al turco), el circasiano y el kurdo, entre otros.

Como es sabido, pese a que los árabes dominaron la península ibérica durante siete siglos, entre los años 711 y 1492, e influyeron en distintas ramas del arte y de la ciencia, no lograron imponer su idioma. Sin embargo, se calcula que unos cuatro mil vocablos de uso cotidiano en el castellano son de origen árabe. La herencia idiomática está muy clara en las palabras que comienzan con *al-*, como ocurre con «albañil», «aldea», «alfombra» o «almohada», pero también en términos que recorren todo el abecedario, desde «azúcar» hasta «zanahoria».

ALLAHU AKBAR, «Dios es el más grande». Se trata de la primera frase de la llamada islámica a la oración. Aparece en numerosos símbolos del mundo árabe musulmán, como medallones de templos, banderas e himnos. Hacia 1930, fue emblema de la resistencia nacionalista contra la colonización británica. Más cerca en el tiempo, la sentencia fue empleada por los grupos extremistas como Al Qaeda o ISIS para encomendarse a Alá antes de cometer atentados terroristas.

ANA HAMIL, «estoy embarazada».

ARAK, bebida nacional siria elaborada a base de uvas destiladas mezcladas con anís.

BABA GANOUSH [tb. *baba ghanush* y *baba ganuch*], puré de berenjenas asadas que se mezcla con tahína (pasta de sésamo), limón, ajo, comino y jugo de granada.

BAKLAVA [tb. *baklawa*], pasta de hojaldre cubierta con miel y rellena con nueces fritas.

BARAKAH, en el islam, bendición divina que fluye de Dios hacia quienes están cerca de Él. Simboliza la conexión entre lo divino y lo mundano a través de la bendición de Dios.

BISMILLAH, «en el nombre de Dios». Expresión de uso cotidiano para manifestar asombro.

BURGUL, grano de trigo partido, conocido como «trigo burgol».

EMAA [tb. *buza*], helado sirio a base de pistachos.

FALAFEL, croquetas de garbanzos o habas horneadas o fritas que se sirven como plato principal.

FATIHA, «la que abre». Se refiere a los primeros siete versículos del Corán que todo musulmán repite, como mínimo, diecisiete veces entre el día y la noche: «En el nombre de Alá, el Clemente, el Misericordioso, / alabado sea Alá, Señor del universo. / Clemente, Misericordioso, / Soberano absoluto del Día del Juicio, / sólo a Ti te adoramos y sólo de Ti imploramos ayuda. / ¡Guíanos por el sendero recto! / ¡El sendero de quienes agraciaste, no el de los que se han ganado Tu ira, ni el de los extraviados!».

FATTOUSH, ensalada compuesta por verduras crudas cortadas en grandes tamaños acompañadas por croquetas de pan salteadas con *sumac*, una planta de sabor ácido.

GEDO, abuelo.

GRAIBES, galletas polvorosas dulces hechas a base de harina, manteca y azúcar. En el centro, pueden llevar nueces, pistachos o almendras y canela.

HABIBI, mi amado, mi querido, mi amor y expresiones similares para demostrar cariño en una relación familiar o sentimental. En femenino, *habibati*.

HENNA, tinte natural rojizo realizado a base de los frutos de un arbusto que se emplea para embellecer el cabello y la piel, tanto de hombres como de mujeres. En Siria y otros países de la región se utiliza como ornamento nupcial para simbolizar buena suerte y salud.

HIYAB, velo. El *nicab* es un velo negro que sólo deja los ojos al descubierto; el *chador*, velo negro y largo utilizado en Irán; el *burka*, un velo que cubre toda la cabeza a excepción de una rejilla en los ojos.

IABRA'A [tb. *yabra* y *hiabra*], comida tradicional árabe conocida popularmente en los países occidentales como «niño envuelto», que consiste en rellenar las hojas de parra con carne de cordero y verduras muy condimentadas.

IA LATIF, «oh, Dios, sé tierno conmigo». Expresión que se emplea ante situaciones de susto o asombro.

KANAFEH [tb. *kunafeh*], postre típico árabe a base de fideos de sémola, similares a los cabello de ángel, que se cocina a fuego lento con manteca y queso; luego, se le agrega almíbar y se espolvorea con pistachos. Se sirve aplastado o enrollado.

KEPI [tb. *keppe* y *kebbe*], albóndigas de carne de cordero, trigo burgol, cebolla, pimientos y limón. Se sirven crudas o cocidas.

KHOL, antigua pintura de ojos a base de galena y malaquita cuya función principal consistía en protegerlos del sol. Luego, se extendió como cosmético decorativo.

MAHR [tb. *meher* y *mahrieh*], cantidad de dinero o bienes (joyas, muebles, propiedades) que el novio paga a la novia, en forma obligatoria, al contraer matrimonio.

MAQLUBA, revuelto de arroz, carne de cordero, berenjenas, champiñones, tomates, coliflor y almendras. Todo, aliñado con canela, clavo de olor, pimienta negra y azafrán.

MAZRAEA, granja, casa de campo.

MEZES, entrantes, platos que se sirven antes del principal.

MUHAMMARA, salsa picante para untar, elaborada a partir de pimientos de Alepo asados, nueces y melaza de granada.

NIKAH, contrato matrimonial entre un hombre y el tutor legal de la mujer que se entregará por esposa.

QAFTAN [tb. *kaftan* o caftán], túnica de seda o algodón abotonada por delante, típica de la antigua región Mesopotamia. Originalmente, no tenía mangas ni cuello y se confeccionaba con hilos de plata, bordados de oro, lazos y terciopelo.

QASR AL ADL, palacio de justicia.

RAHA, «descanso del paladar». Bocado dulce; golosina.

SALAM [tb. *salaam*], paz. Expresión que se utiliza como saludo general.

SHARIA [tb. sharía o charia], conjunto de leyes islámicas que influye sobre la conciencia personal de los individuos, determina el comportamiento social y, por consiguiente, rige todos los aspectos de la vida. En su cuerpo recoge diferencias entre el bien y el mal, fija cánones entre lo permitido y lo prohibido, establece las normas relativas al culto y detalla los criterios morales. En Occidente, se lo conoce como «ley musulmana» o «ley islámica».

SHEIJ [tb. *sheik* o *sheikh*], anciano. Autoridad religiosa, maestro espiritual, persona sabia versada en el Corán. También se aplica a los hombres que gobiernan un territorio. Una alternativa es «imam».

TABULE, ensalada compuesta por trigo burgol (*burgul*), cebolla, tomate, perejil, hierbabuena y jugo de limón. En algunas zonas de Siria se utilizan las hojas de parra tiernas recién recolectadas.

TAMR HINDI, dátil de la India. Bebida refrescante dulce y un poco ácida, elaborada a base de dátiles.

WAKIL [tb. *al wakalah*], persona que lleva adelante un negocio en nombre de otra. Para los matrimonios, es el tutor legal que representa a la novia.

WUDU, ablución. Acción de purificarse por medio del agua. Rito islámico que consiste en el lavado de distintas partes del cuerpo (rostro, brazos, manos) y la unción de la parte superior de la cabeza y de los pies antes de realizar el rezo.

ZA'ATAR, mezcla de especies y aceite de oliva utilizada para condimentar carnes y vegetales.

AGRADECIMIENTOS

Gracias. Muchas gracias...

A Marisa Ledesma, por acercarme desinteresadamente a muchos de los datos reales que usé en mi historia.

Al doctor Dante Pesenti, por instruirme acerca de cómo las balas entran en un cuerpo humano y qué daños pueden −o no− causar.

A Aníbal Mangoni, mi fotógrafo predilecto, por darme una clase de cámaras y fotografía.

A Daniel Cragnolini, arquitecto −y cuñadito−, por proporcionarme datos acerca de las casas árabes.

A mi amiga Ceci López, por enseñarme detalles sobre la belleza de La Rioja.

A RR y GG, por contarme cómo fue su dolorosa y emocionante salida de Siria. Nunca olvidaré su electrizante relato.

A mis mecánicos de siempre: Darío y Hernán Oliszynski. Esta vez, por enseñarme cuáles autos no pueden arrancar sin llave y cuáles, sí. ¡Y cómo hacerlo!

A mi amiga Gachi, por leerme siempre y antes que nadie.

A Shunko Ilárraga, mi corrector, por ser mi cómplice en la tremenda aventura que emprendemos en cada libro. Gracias por amar los libros y las palabras tanto como yo.

A Alejandro, por acompañarme siempre, y corregir conmigo.

A Maher Mahmoud, por proporcionarme datos de Siria.

A Abdul Baradei, por atender siempre con buen humor y cortesía mis llamadas pedigüeñas acerca de datos sobre la vida en Siria. Gracias por tantas enseñanzas del Corán.

A Nada Baradei, por leerme, y por darme tu parecer de mujer siria y profesional sobre detalles del libro.

A Edith Salinas, por enseñarme de vuelos y aeropuertos.

A Pilar Amuchástegui, por corregir conmigo. Y porque ya van varios libros que pasamos juntas.

A mi hija Vicky, siempre cerca, leyéndome y dándome su valiosa opinión.

A mi hijo Cristóbal, por estar siempre cerca de todos mis emprendimientos.

Al equipo de Editorial Planeta, por su permanente apoyo y profesionalismo. Pero, sobre todo, gracias por el cariño y por los sueños compartidos.

ÍNDICE

emecé